ОЛДОС ХАКСЛИ
АЛАН УОТС
ТОМАС МЕРТОН
РИЧАРД БАХ
ГЕРМАН ГЕССЕ
КРИШНАМУРТИ
ШРИ АУРОБИНДО
ПОРФИРИЙ ИВАНОВ
ДХИРАВАМСА
ЧОГЬЯМ ТРУНГПА
ДАНДАРОН
СУДЗУКИ
ГУРДЖИЕВ
ПАК СУБУ
ТЕЙЯР ДЕ ШАРДЕН
АЛЕКСАНДР МЕНЬ
ОТЕЦ СЕРАФИМ
МАТЬ ТЕРЕЗА
МАРТИН БУБЕР

МИСТИКИ XX ВЕКА

РАМАНА МАХАРШИ
РУДОЛЬФ ШТЕЙНЕР
НИКОЛАЙ РЕРИХ
ЕЛЕНА РЕРИХ
ДИОН ФОРЧУН
АЛИСТЕР КРОУЛИ
РЕНЕ ГЕНОН
МИРЧА ЭЛИАДЕ
ДАНИИЛ АНДРЕЕВ
ДУГЛАС ХАРДИНГ
КАРЛОС КАСТАНЕДА
МЕХЕР БАБА
МАХАРАДЖ ДЖИ
МАХАРИШИ
БХАГАВАН ШРИ РАДЖНИШ
МОХАНДАС ГАНДИ
КОНСТАНТИН ЦИОЛКОВСКИЙ
ГАНС ГЕРБИГЕР
ЧАРЛЬЗ ФОРТ
КАРЛ ГУСТАВ ЮНГ

ЭЛИЗАБЕТ ВАНДЕРХИЛЛ

«МИСТИКИ XX ВЕКА»

ЭНЦИКЛОПЕДИЯ

АСТРЕЛЬ · МИФ

Москва

2001

УДК 1/14
ББК 86.4
В17

| Предисловие и общая редакция | А. Ровнер |
| Перевод с английского | Д. Гайдука |

Вандерхил, Элизабет

В17   Мистики XX века: Энциклопедия / Э. Вандерхилл; Пер. с англ. Д. Гайдука; Предисл. и общ. ред. А. Ровнер. — М.: ООО «Издательство Астрель»: МИФ: ООО «Издательство АСТ», 2001. — 576 с.: ил. — («AD MARGINEM»).

ISBN 5-17-008091-3 (ООО «Издательство АСТ»)
ISBN 5-271-02114-9 (ООО «Издательство Астрель»)
ISBN 5-872-14064-9 (Издательство «Миф»)

XX век, щедрый на технические достижения, научные открытия, войны и революции, оставил богатое наследство не только в мире внешних свершений. Не менее интенсивно шло и познание внутреннего мира человека и тех потаенных сил, что скрываются в нем с момента Творения. Эта область, недоступная "позитивному" знанию, покорялась лишь тем натурам, которые под видимым умели разглядеть незримое. По традиции их называют мистиками. И сколь ни разнообразны их учения, цель у них примерно одна — Целостность и Просветление.

Некоторые из представленных в "Энциклопедии" учений вместе с фигурами их создателей уже известны читателю, это относится прежде всего к Гурджиеву, Кастанеде, Ошо. В то же время учения других, например, Уотса, Тейяра де Шардена, Кроули, Иванова еще не удостоились широкой публикации, а мистицизм третьих был прикрыт большой политикой или наукой, как у Ганди, Циолковского, Гербигера; поэтому наряду с очерками личных биографий выдающихся мистиков XX века в этой книге представлены и наиболее существенные положения их воззрений, что позволяет расценивать эту "Энциклопедию" как своего рода вводный курс в мистические учения нашего столетия.

УДК 1/14
ББК 86.4

ISBN 5-17-008091-3 (ООО «Издательство АСТ»)
ISBN 5-271-02114-9 (ООО «Издательство Астрель»)
ISBN 5-872-14064-9 (Издательство «Миф»)

СОДЕРЖАНИЕ

ПРЕДИСЛОВИЕ 9

ПРЕДИСЛОВИЕ К РУССКОМУ ИЗДАНИЮ 11

1. ДВЕРЬ В ИНОЕ 23

ОЛДОС ХАКСЛИ (1894 – 1963) 24
АЛАН УОТС (1915 – 1973) 35
ТОМАС МЕРТОН (1915 – 1969) 45
РИЧАРД БАХ 56
ГЕРМАН ГЕССЕ (1877 – 1962) 62
БИБЛИОГРАФИЯ 71

2. МУДРОСТЬ ОДИНОЧЕК 75

КРИШНАМУРТИ (1895 – 1986) 77
ШРИ АУРОБИНДО (1872 – 1950) 90
ПОРФИРИЙ ИВАНОВ (1898 – 1983) 103
БИБЛИГРАФИЯ 110

3. БУДДИЗМ ОБЕИХ КОЛЕСНИЦ 113

ДХИРАВАМСА (р.1935) 114
ЧОГЬЯМ ТРУНГПА (р. 1938 г.) 125
ДАНДАРОН (1914 – 1974) 137
БИБЛИОГРАФИЯ 145

4. ПУТЬ ДЗЭН 147

СУДЗУКИ (1870 – 1966) 148
БИБЛИОГРАФИЯ 161

5. УЧИТЕЛЯ СУФИЙСКОГО ТОЛКА 163

ГУРДЖИЕВ (1873 – 1949) 164
ПАК СУБУ 180
БИБЛИОГРАФИЯ 189

6. ХРИСТИАНСТВО В XX ВЕКЕ 191
ТЕЙЯР ДЕ ШАРДЕН (1881-1955) 192
АЛЕКСАНДР МЕНЬ (1935 – 1990) 202
ОТЕЦ СЕРАФИМ (РОУЗ) (1934 – 1982) 209
МАТЬ ТЕРЕЗА (р.1910) 218
БИБЛИОГРАФИЯ 226

7. ИУДЕЙСКИЙ ПРОРОК 229
МАРТИН БУБЕР (1882 – 1965) 230
БИБЛИОГРАФИЯ 241

8. ИНДУССКИЙ МУДРЕЦ 243
РАМАНА МАХАРШИ (1879 -1950) 244
БИБЛИОГРАФИЯ 255

9. ПРОДОЛЖАТЕЛИ ТЕОСОФСКОЙ ТРАДИЦИИ 257
РУДОЛЬФ ШТЕЙНЕР (1861 – 1925) 258
НИКОЛАЙ РЕРИХ (1874 – 1947), ... 274
ЕЛЕНА РЕРИХ (1869 – 1955) 274
БИБЛИОГРАФИЯ 285

10. ОККУЛЬТИСТЫ 287
ДИОН ФОРЧУН (1891 – 1946) 290
АЛИСТЕР КРОУЛИ (1875-1947) 307
БИБЛИОГРАФИЯ 321

11. ТРАДИЦИОНАЛИСТЫ 323
РЕНЕ ГЕНОН (1886-1951) 324
МИРЧА ЭЛИАДЕ (1907-1986) 333
БИБЛИОГРАФИЯ 344

12. ИССЛЕДОВАТЕЛЬ ЗАПРЕДЕЛЬНОГО 347
ДАНИИЛ АНДРЕЕВ (1906 – 1959) 348
БИБЛИОГРАФИЯ 359

13. ВИДЯЩИЕ 361
ДУГЛАС ХАРДИНГ (р.1909) 363
"ДОН ХУАН" КАРЛОСА КАСТАНЕДЫ (р.1900) 372
БИБЛИОГРАФИЯ 385

14. ПРОРОКИ "НОВЫХ РЕЛИГИЙ" 387

МЕХЕР БАБА (1894 – 1969) 388
МАХАРАДЖ ДЖИ (р.1958) 399
МАХАРИШИ 406
БХАГАВАН ШРИ (ОШО) РАДЖНИШ 415
ЭПОХА "НОВЫХ РЕЛИГИЙ"? 423
   Восточные учения 424
   Христианские секты 427
   Культы Сатаны 433
   Религии чернокожих американцев 434
   "Научные" религии 436
ХРОНОЛОГИЯ "ЭПОХИ НОВЫХ РЕЛИГИЙ" 438
БИБЛИОГРАФИЯ 441

15. МИСТИКА И ПОЛИТИКА 443
   МОХАНДАС ГАНДИ (1869-1948) 446
   БИБЛИОГРАФИЯ 459

16. МЕЖДУ МИСТИКОЙ И НАУКОЙ 461
   КОНСТАНТИН ЦИОЛКОВСКИЙ (1857 – 1935) 463
   ГАНС ГЕРБИГЕР (1860 -1931) 469
   ЧАРЛЬЗ ФОРТ (1874-1932) 475
   КАРЛ ГУСТАВ ЮНГ (1875-1961) 485
   БИБЛИОГРАФИЯ 497

17. ОБЩАЯ БИБЛИОГРАФИЯ 499

18. ИМЕННОЙ УКАЗАТЕЛЬ 509

19. ПРЕДМЕТНЫЙ УКАЗАТЕЛЬ 514

Второе издание "Мистиков XX века" существенно расширено по сравнению с предыдущим, вышедшим в свет в 1975 году. Такое увеличение объема вызвано целым рядом причин.

Во-первых, мир мистической философии претерпел значительные изменения за истекшие с тех пор полтора десятилетия. Некоторые имена и учения, в то время находившиеся в тени, сегодня приобрели значительную популярность и послужили основой для формирования влиятельных мистических школ. Поэтому я сочла нужным дополнить книгу главой о традиционализме, статьями об о. Серафиме, Раджнише, феномене "новых религий" и некоторыми другими.

Во-вторых, изменения, происшедшие в политической обстановке, открыли для Запада своеобразный мир современной русской мистики. Психотехника Иванова и метафизика Андреева пока что малоизвестны на Западе, но широко распространены у себя на родине и, кроме того, обладают несомненной оригинальностью и большим потенциалом популярности.

И, в-третьих, написание двух последних глав настоящего издания непосредственно инспирировано книгой Л. Повеля и Ж. Бержье "Утро магов". В этом, сегодня уже классическом введении в "теневые" стороны современной мистики, авторы обнаруживают существование "экстравертного" мистицизма, оказывающего влияние на столь важные стороны жизни общества, как политика и наука. О размерах этого влияния можно спорить, но сам факт его несомненен; исходя из этих соображений, я включила в свою книгу статьи о политическом деятеле и ученых, руководствовавшихся мистическими доктринами: М. Ганди, К. Юнге, К. Циолковском, Г. Гербигере и Ч. Форте.

Решая включать или не включать в свою книгу того или иного персонажа, я руководствовалась тремя критериями. Во-первых, насколько широко он известен? Во-вторых, насколько оригинально его учение? И, в-третьих, какую роль играет в этом учении собственно мистический элемент? В связи с этим в книгу не вошли некоторые довольно известные мистики, чья философия носит явно компилятивный и вторичный характер (например, П. Успенский, О. Айванхов); знаменитые философы, не чуждые мистики, но все же весьма далекие от нее (М. Хайдеггер, С. Вейль, Э. Канетти и др.); а также многочисленные литераторы, освещавшие мистические темы (в частности, И. Андерхилл, Г. Мейринк, Г. Эверс, Х. Борхес и мн. др.).

Разумеется, и при всех произведенных дополнениях "Мистики XX века" все равно не претендуют на полноту освещения столь обширного и сложного предмета, как мистическая философия новейшего времени. Эта книга была задумана как своеобразный путеводитель по достопримечательностям мира современной мистики, который можно было бы с успехом рекомендовать неподготовленному читателю. Стремясь к максимальной доступности изложения, я намеренно избегала некоторых чрезмерно сложных и темных мест; я полагаю, что тот, кто захочет узнать обо всем подробнее, может обратиться к литературе, указанной в библиографических сносках.

МУДРОСТЬ, МАГИЯ И МИСТИЦИЗМ — НА ИЗЛЕТЕ XX СТОЛЕТИЯ

1.

Там, где кончается область высокого искусства, точной науки и здравого разума, за пределами этих сфер открывается не тьма тем и не бездна бездн, но начинается новый особый мир — тот, с которым соприкасаются наши сны, сказки, мифы и легенды, и о котором свидетельствуют таинственные символы и аллегории — промежуточная зыбкая сфера, twilight, дверь и ступенька в невидимое, неназываемое...

Мистицизм, мудрость, магия — на излете XX столетия эти слова звучат как-то натянуто, неправдоподобно, архаично. Но вот на наших глазах возникают и рушатся мировые державы, борются и пожирают друг друга финансовые и индустриальные гиганты, по знакомым с детства улочкам маршируют отряды и армии боевиков, разыгрываются примитивные спектакли путчей и государственных переворотов, реактивные самолеты пропалывают бомбами каждый квадратный метр вражеской страны, с невиданным энтузиазмом возводятся воздушные замки утопий, люди убивают других и охотно умирают, движимые таинственными мотивами. Невольно всплывают забытые ассоциации с битвами магов, полетом дракона, жертвоприношениями богам, умилостивлением богов, колдовством, порчей и охотой за ведьмами.

Возникают вопросы: не стоят ли за этими современными разборками те же самые, знакомые нам из сказок, мифов и древней истории мистики, мудрецы и маги, в какие бы непривычные одежды ни рядились они сегодня? Не играют ли они в свои старые игры, сделав ареной их уже не Дельфы, Крит и Колхиду, а, скажем, источники нефти и сырья или рынки сбыта самолетов и джинсов, наркотиков и компьютерной технологии? Наконец, каковы формы современного мистицизма, противостоящего хищничеству глобальных магических устремлений? И каковы новые перспективы искателей истины и духовного освобождения и просветления?

2.

Наше время породило фантастическое количество духовных учений и путей, дающих своим последователям новую, однако проверенную на практике или освященною древними традициями технологию и идеологию освобождения от глобального и космического магизма. Основатели этих учений, пришедшие из всех уголков земли, знающие и имеющие ответы, приковали к себе острейший интерес тех, кто стоит перед Сфинксом нашего столетия, задавшим нам новые незнакомые загадки. Вот например: как нам жить в своей малой и ограниченной традиции (все традиции и религии стали вдруг маленькими и ограниченными) перед лицом обрушившегося на человечество многообразия вер и путей? Или: как примирить очевидные даже невооруженному взгляду противоречия между учениями разных учителей и вер? И наконец: кому доверится и поверить в суете и сутолоке века тщеты и обманов, в котором ловушки для душ подстерегают зазевавшихся на каждом шагу, грозят им неотвратимой гибелью? Поставив перед нашими душами эти вопросы, Сфинкс не успокоился. Он поставил перед ищущими душами кардинальный вопрос об общем смысле духовных устремлений на фоне глобальных потрясений и обвалов современности.

Одно из двух: либо шабаш нашего беспрецедентного агрессивно-профанического и ультимативно апокалиптического времени втянул в себя и окончательно захлестнул ту единственную сферу, которая призвана замыкаться и противостоять буйному разгулу элементалов, — сферу духа, убежище избранных, область чудес и превращений, — либо Олимп Посвященных стоит так же незыблемо, как он стоял тысячелетия, откупаясь от жадной до сенсаций толпы бесчисленными своими подобиями из пены. Вопрос этот вновь и вновь актуализируется по мере погружения гаснущей Западной парадигмы в слепые провалы и бездны XX века и вхождения человечества в принципиально новую космическую зону неотвратимых мутаций под знаком нового божества Симулякра.

Спросим по-другому: не пора ли начать новое летосчисление и, если да, то от какой из многочисленных теофаний и епифаний современности? Начали забываться Рождества и Откровения далекого и не столь далекого прошлого, которые начинали новые эры, эры эти старели, оазисы засыпало песком. И, наконец, появилось зыбкое ощущение пребывания в каком-то невиданном и неслыханном эоне. Все чаще раздаются утверждения о том, что "последние времена" уже наступили. Все плотнее погружаемся мы в вихрь информационного пламени, в котором под ласковые молитвы телевизионных и газетно-журнальных зазывал огненные языки беспамятства слизывают все, что осталось от нашей причастности к вышним мирам. И вот уже осталась обугленная головешка — человек, живущий на излете XX века, окруженный виртуальными масками mass media, утративший связь с прошлым и не обретший связи с настоящим. Какое будущее может ожидать такого гомункула?

3.

Если наложить друг на дружку две карты — карту психологических групп и карту предложенных им путей реализации — эти карты наверное совпадут. Так было всегда и так, очевидно, происходит ныне. В свое время разные пути были предложены грекам, персам, египтянам, евреям и жителям Аравийской пустыни, соответствующие характеру их психологической валентности. В классическом индуизме существовало четыре пути для четырех категорий людей — арта, кама, дхарма и мокша — путь стяжания, наслаждения, долга и спасения. Сказавший две тысячи лет тому назад "Я есмь Путь" разделился на великое множество троп, зачастую тупиковых, чтобы насытить несводимые потребности самых неожиданных и экзотических конклавов. Отрывший Четыре Благородные Истины еще до того как он покинул область небытия и окончательно вошел в Нирвану, стал свидетелем раскола среди своих последователей: некий монах заявил о своем несогласии с разработанным им методом Освобождения. Шииты и суниты получили два разных откровения Пророка (да будет на нем благословение и милость Аллаха!) или не поделили одно, что одно и то же.

Если задаться целью качественной классификации современного человечества, нельзя будет отыскать метода более адекватного поставленной задаче, чем разделение людей по их Пути. Удивительно: человечество расходится в разных направлениях группами, парами и поодиночке, оно неудержимо разбредается, и даже когда человек думает, что он неподвижен, его уносит поток. В этом разнонаправленном скольжении прежде всего вычленяется принцип качества состояния, согласно которому объединяются люди независимо от их мировоззрения и религиозной принадлежности. Иными словами, движение происходит на разных этажах и, чем ниже этаж, тем более массовый характер носит этот процесс и тем ленивее круговращение огромных человеческих потоков. Напротив, верхние этажи представляют собой своеобразную лабораторию, в которой трудится экзальтированное меньшинство, занятое конструированием Путей. Человеческая пирамида живет по законам высшей органики и тонкого взаимодействия планов, однако время от времени она перетряхивается катаклизмами, накреняется или даже переворачивается и становится на острие. И все же плановая аналогия пронизывает все ее этажи, и матрицы Путей, найденные экзальтированными исследователями в лаборатории духа, определяют всю ее таинственную тотальную жизнь на годы, века и тысячелетия. Этим современным исследователям Путей и посвящены шестнадцать глав книги, которую ты, читатель, держишь в своих руках.

4.

Представляя современных мистиков и мудрецов, нельзя не заметить следующее любопытное обстоятельство: по сложившейся традиции самые важные имена в истории культуры остаются надолго в тени за счет других, менее значительных. Причины подобного умолчания, очевидно, следует искать в рискованной смелости и грандиозном масштабе их разработок на фоне среднезаниженного знаменателя общественного ожидания. Однако даже простые аккуратность и беспристрастность потребовали бы более частого упоминания этих имен в современном контексте, если бы этому не противилась определенная консервативная (вовсе не просвещенного консерватизма) тенденция. И в то же время параллельно и вопреки генеральной линии умолчания происходит нарастание влияния этих авторов за счет качества их идей и особенностей формы выражения, соответствующих специфике современной жизни.

Современная жизнь с ее фатальной слепотой к традиции, во все времена дававшей человеку масштаб и понимание его места и функции в духовном космосе, породила уникальное явление — наступательную психологию массового варварства. Она возникла в результате сознательных разрушений областей нравственности, религии, образования, искусства, языка. Сами эти понятия стали применяться для описания заместивших их суррогатов. Феномены религиозности, образования, языка, искусства и т.д. также искривляются суррогатами восприятия в силовых полях эпидемических массовых идей. Вся тотальность культуры в обществе массового варварства оказалась подменной, суррогатной, а личность предстала маркузовским одномерным человеком или "идиотом", в терминологии Гурджиева. В подобном обществе реальные ценности могут существовать только вопреки тотальным силам как нечто уникальное, недозволенное, "антиобщественное". Центральный вопрос, задаваемый ищущим умом, это вопрос об островах нормы во время всемирного потопа. Традиционные институты, притворяясь, что в них самих не произошло фатальных перерождений, продолжают в лице своих функционеров и чиновников говорить на языке апостолов и пророков, в то время как дух апостольский и пророческий давно ушел из них. Игнорируя катастрофу, они адресуются к воображаемому человеку традиционных ценностей, наивно предполагая найти его в нашем посткатастрофическом времени.

Современные мудрецы и мистики обращаются к жертвам духовной Хиросимы, к калекам и слепорожденным, которые давно не ищут исцеляющего приближения к истине, ибо не веруют. На девальвацию ценностей и идей Гурджиев, например, ответил терминологическим сдвигом, поместив на недосягаемую для современного человека высоту понятие традиционной нормы. Он говорит не с человеком традиционного общества, хотя и с грешным, к которому адресованы Священные книги Востока и Запада, он обращается к одномерному современнику Маркузе, вводя для него градации: "безнадежного", "полного" или "законченного" идиота. Этому идиоту предлагается, прежде всего, вернуться к человеческой норме, к соотнесенности с духовным космосом, к реальной иерархии ценностей до того, как он станет высказывать мнение о Фаворском свете или догмате Троицы. Эта задача самопробуждения, самоосознания и честная характеристика степени разрушения в человеческой душе дают возможность говорить с людьми, чье ухо еще не окончательно заросло и в ком живет прапамять нормы. Беспощадная гурджиевская ирония по отношению к эпидемическим идеям прогресса, торжества разума в обстановке духовной деградации привлекают к нему людей, чутких к фальши и противостоящих массовому гипнозу.

Если Гурджиев говорит с человеком, потерявшим соотнесение с традиционными нормами и тяготящимся своей ущербностью, то Штейнер адресует свои труды к жертве профессиональной самообделенности и ущербности. Он вводит этого зашоренного недочеловека в спиралевидный грандиозный духовный универсум, последовательно показывая ему стадии космической трансформации, напоминая этому homo scientificus о законах нравственной причинности, о возмездии и воздаянии. Технарю, чиновнику, человеку прагматического строя мышления Штейнер рассказывает о самостоятельной жизни мысле-духов, об эфирном и астральном космосах и о бессмертии того "Я", доступ к которому закрыт в сознании современного чиновника и торговца.

Учение Кришнамурти, напротив, обращено к людям, которым чужды идеи постепенности, движения и роста в истине. По Кришнамурти, истина в любую минуту и в любом месте предстоит человеку, готовому ее впустить. Он не верит истине, к которой ведут организованные усилия, он не принимает постепенного движения, труда учения и натаскивания и особенно подозрителен к памяти, которая для него только замутняет зрение. Вместо того, чтобы указать путь, чертить карты и чертежи и подводить своих последователей к высшим степеням понимания, он разоблачает ложь приспособлений, преконцепций, разрушает профанические готовые образы истины, предполагая, что, когда ложь будет разрушена, между человеком и истиной не останется препятствий даже в виде мысли.

У Джидду Кришнамурти нет никакой религии и никакой сложившейся философской системы, поскольку он мечтает освободить людей от всех систем — от любых догм и предвзятых мнений, равно как и от строгой теологии и четко организованной религии. Он видит человека, чьи разум и плоть едины, свободным от цепей и тирании алчного Эго. Его идея четко сформулирована, но далеко не каждому хватит сил ее принять. Он требует огромных усилий от своих читателей и многочисленных слушателей во всем мире.

Стиль и характер этих трех учений соотнесены со стилистикой нашего времени. Шаржируя деляческую беспринципность, Гурджиев одевает на себя маску цинизма и делового бесстыдства. Штейнер калькирует научную основательность и буквализм, невольно пародируя академическую обстоятельность в детальных описаниях флоры и фауны Лемурийской эпохи или предыдущих инкарнаций Фридриха Ницше. Кришнамурти откликается на самоуверенные претензии индивидуализма, на его пароксизмы и гримасы, утрируя его в своем максимализме, в отказе от любых научений, описаний и, особенно, групповщины в поисках истины.

Метафизика Гурджиева гротескно-ироническая и подчеркнуто условная, построения же Штейнера отличаются характером обстоятельно подробным. Шокирующие приемы первого и грандиозные панорамы второго призваны стимулировать самостоятельные искания последователей, подводя их через просветление к предчувствию будущего собственного опыта, если те захотят и смогут подойти к этому опыту через необходимые внутренние условия, являющиеся главным акцентом обоих учений. Идея внутренних усилий и постепенного внутреннего роста — центральная часть этих резко различающихся по характеру систем.

5.

Соотнесенность учений мудрецов и мистиков нашего времени с конкретными культурно-психологическими типами современников далеко не исчерпывает содержания и характера этих учений. Существует еще и иная зависимость: связь этих учений с запросами времени и с характером гравитационных искажений поля культуры и, соответственно, духовно-психологического баланса современного человека. Давно замеченная гипертрофия "эго" и "рацио" в глобально доминирующей западной цивилизации, а также образование тотальной манипуляционной системы, в которой глобальное гипер-эго при помощи гипер-рацио оформляется как виртуальная гипер-реальность — все эти факторы не могут не отразится на тех акцентах, которые делают шкиперы душ и рулевые сегодняшнего человечества.

6.

Современный мистик Шри Ауробиндо добивается преобразования мира с помощью космической силы *Агни*. Для достижения этого используется одна из классических медитационных техник. Он ставит задачу расширения сознания с тем, чтобы заставить "замолчать" рацио. Достигнув этой ступени, человек приходит к полной *опустошенности* разума, поскольку разрывается "ментальная завеса", отделявшая человека от мира, и он начинает остро ощущать его грубость и несовершенство. Эта внутренняя пустота мало-помалу начинает заполняться. По словам Ауробиндо, первым признаком такого заполнения будет ощущение нисходящего потока божественной силы Шакти. Эта сила захватывает "часть за частью нашу природу, и работает с ней, отвергая то, что должно быть отринуто, возвышая то, что должно быть возвышено, создавая то, что должно быть создано. Она все объединяет, приводит в гармонию, устанавливает новый ритм в природе".

7.

Американский мистик Томас Мертон, развивая концепцию Гурджиева о глубоком различии между личностью и сущностью, смог выйти к источнику чистого первичного опыта через сочетание христианского и буддийского опытов. Как и Гурджиев, Мертон добивался различения между глубоким трансцендентным "я", пробуждающемся в человеке лишь во время созерцания, и поверхностным, внешним "я", которое мы обычно отождествляем с первым лицом единственного числа. Он фиксировал внимание на осознавании того, что поверхностное "я" не является подлинной самостью. Это "индивидуальность" и эмпирическое "я" человека, но не та скрытая и таинственная личность, в которой он "пребывает перед очами Господа". Мертон был мистиком, и для него созерцание означало откровение и внутреннее озарение. "Я", которое работает в миру, думает о себе, наблюдает за собственными реакциями и говорит о себе, не является подлинным "я", соединившимся с Богом во Христе. Это, в лучшем случае, покров, маска, личина, надетая на то таинственное и незнакомое "я", которое не открывается большинству вплоть до самого смертного часа. Эмпирическое "я" не является ни вечным, ни духовным, оно эфемерно и, как дым, обречено рассеяться без остатка. Главной задачей созерцания является осознание, что это "я" на самом деле "не-я", и пробуждение того "неизвестного "я", которое не склонно к наблюдениям и размышлениям и неспособно говорить о себе. В отличие от французского католического философа Тейяра де Шардена, который, ссылаясь на факт исторического воплощения Бога, ставшего человеком — Иисусом Христом, считал личностную индивидуальность реальной, Мертон призывал постичь свою собственную таинственную природу как личности, в которой существует Бог, а не апеллировать к человеческой природе Бога, как то свойственно теологам, либо, подобно западным рационалистам, согласиться с тем, что человек существует лишь постольку, поскольку он мыслит: cogito ergo sum.

8.

Раману Махарши считают последним истинным духовным учителем нашего времени. Подобно другим мистикам, о которых говорится в этой книге, Махарши считал, что чувство собственного "я" возникает вследствие ложного отождествления, производимого субъектом переживания. Каждый из нас, думая о своем теле или о своем разуме, мысленно говорит: "я". Но если тщательнее присмотреться к нашему телу и нашему разуму, то мы не обнаружим в них и следа того существа, которое можно было бы назвать "я". Откуда же тогда происходит это чувство собственного "я"? Оно возникает вместе с телом, говорил Рамана Махарши, но тело не является причиной его возникновения. Чувство собственного "я" проистекает из чистого сознания. Когда чувство собственного "я" отождествляется с телом, его называют ощущениями, когда оно отождествляется с разумом, оно становится мыслями. Цель учения Рамана Махарши — постичь это чувство собственного "я", не отождествляя его ни с чем, кроме сознания.

Вопрос о природе "я" и о причине возникновения чувства собственного "я" — центральный вопрос, лежащий а основе всех религий. "Я", говорит он, сияет внутри сердца, а чувство собственного "я" является постоянным, невыразимым словами и стихийным сознанием, которое лежит в основе всего потока мыслей. Тот, кто обнаружил его и держится за него, расстается со своим невежеством, которое ошибочно отождествляет это "я" с телесными атрибутами. Это и есть освобождение.

Рамана Махарши утверждает, что даже полное невежество не способно обойти вопрос о природе этого "я". Невежественный человек просто не представляет реальность чистого сознания, в силу чего он путает это "я" со своими телесными ощущениями.

Учение Раманы Махарши не содержит элементов традиционной религиозности, которые считаются необходимыми для любой духовной доктрины. В частности, он почти не говорит о Боге или об Абсолюте вне человека. Напротив, он постоянно подчеркивает, что просветление идет изнутри и что оно вырастает или раскрывается на почве нашего "я".

Первичная интуиция "Я есмь" является центральным моментом в учении Раманы Махарши. Метод, который позволяет человеку прийти к этому опыту, к этому ощущению, к этому предельному Сознанию, называется "вичара". "Вичара" означает вопрошание и состоит из простого вопроса "кто я?". Цель вопроса — не ограничить индивидуальное "я", а проследить, спускаясь к корням, туда, где это индивидуальное "я" превращается в универсальное "Я есмь". В целом "вичара" может быть представлена в виде вопроса: "Кто есть думающий, воспринимающий или испытывающий то, что я сейчас испытываю, воспринимаю, думаю?"

Просветление или освобождение — это обретение фона, который обычно оказывается вне поля внимания человека, увлеченного причудливой игрой объективного мира. Рамана Махарши часто отождествлял понятие ума с понятием "эго" и говорил о том, что ум человеческий должен раствориться в предвечном Сознании. Он сравнивал ум человеческий с луной, которая исчезает на дневном небе при ярком свете солнца, приравнивая наше предвечное Сознание к свету солнца. Мудрец же отдает себе отчет в том, что луна может быть на небе в дневное время, и он пользуется умом в определенном конвенциональном смысле для того, чтобы рассуждать об обычных земных конвенциональных объектах, не забывая при этом, что луна несет к нам лишь отраженный свет и что ум несет в себе отраженный свет предвечного Сознания. Рамана Махарши утверждал, что мы всегда стоим перед предвечным Сознанием и никогда не теряли этого Сознания, к которому стремимся. Каждый мыслящий ум есть ни что иное, как предвечное Сознание и основа Бытия. Пока мы не осознаем этого, мы должны продолжать духовную практику и ждать. Но когда мы осознаем, что предельная Цель достигнута и что мы всегда были в самом центре предвечного Сознания, — это, согласно Рамане Махарши, станет началом самореализации "Я", или предвечного Сознания.

9.

Подобно Тейяру де Шардену, традиционалист Рене Генон считал четыре "царства природы" (минералы, растения, животных, человека) промежуточными уровнями между Чистым Духом и Чистой Материей. Однако там, где Шарден видел постепенное восхождение материи к духовным высотам, Генон усматривал обратный процесс: нисхождение Духа в косную материю вплоть до полного окаменения в царстве минералов. Четыре стадии нисхождения духа, Генон сопоставлял с Золотым, Серебряным, Бронзовым и Железным веками древнегреческой традиции или же с четырьмя индусскими *югами*, последняя из которых *Кали-юга* (Темный век) и предшествует полному погружению Вселенной в фазу Небытия. За ней вновь следует фаза Бытия. Согласно Генону, во всем происходящем прослеживаются эти две противоположные тенденции: нисходящая и восходящая, или центробежная и центростремительная. От преобладания той либо другой зависят две взаимодополняющие фазы проявления: удаления от Принципа и возврата к Принципу. "Эти две фазы... следует рассматривать как одновременные и лишь действующие с различной интенсивностью", — пишет Генон. Весь ход мировой истории он определяет борьбой двух сил, одна из которых стремится возвратить все вещи к порождающему Принципу, а вторая влечет их прочь от Принципа, облекает смертной материальной плотью и, в конце концов, уводит в Небытие. Тем не менее, Генон далек от пессимизма: "Иногда случается, что в моменты кажущегося явного преобладания нисходящей тенденции в ходе одного из циклов развития мира происходит некое особое вмешательство, позволяющее укрепить противоположную восходящую тенденцию и восстановить, насколько это позволяют конкретные условия, некоторое, пусть даже относительное равновесие... вследствие чего упадок может быть приостановлен или временно нейтрализован". Однако, по мнению Генона, тенденция удаления от Принципа все же преобладает, и человечество давно бы сделалось ее жертвой, если бы не сохраняло связи с Предвечной Традицией, которая является связующим звеном между миром Принципов и миром их конкретных проявлений. Постижение этой метафизической доктрины возможно только с помощью *интеллектуальной интуиции*, и только те, кто развил в себе такую интуицию, способны адекватно воспринять Традицию и передать ее следующим поколениям. Генон уверен, что интеллектуальная интуиция лежит в основе всякого подлинно традиционного мировоззрения. Всякая попытка заменить ее чем-либо иным (к примеру, чувственной интуицией, логикой или религиозной догмой) приводит к тому, что из учения ускользает его традиционная сущность и оно превращается в набор ничего не значащих фраз, фактов и гипотез. Все это, по мнению

Генона, свидетельствует о существовании некой Предвечной Традиции — хранительницы вечной и единственной Истины, от которой берут начало "внутренние" религиозные учения. "Внешние" учения и являются производными от внутренних, мирская мораль — производной от "внешних" учений; но в каждой новой производной Традиция предстает во все более и более искаженном виде. Если этот процесс не будет остановлен, то через некоторое время в мире воцарятся антитрадиционные учения, где место вечной Истины будет занимать столь же вечная и глобальная Ложь.

По словам Генона, аналогичные процессы происходят на любом уровне человеческой жизни и деятельности. Единая Религия распадается на множество отдельных религий, сект и организаций; Единая Мудрость (София) вырождается в "любомудрие" (философию). И если на Востоке это вырождение в какой-то степени приостановлено, то на Западе оно идет полным ходом. Таков пессимистический диагноз духовного состояния современного человечества, поставленный одним из глубочайших его умов и не оставляющий места для пустых фантастических упований. И все же у него нет сомнений относительно существования Предвечной Традиции — хранительницы вечной Истины, от которой берут начало временные истины религиозных и мистических учений.

10.

Лежащий перед читателем том содержит более тридцати портретов создателей новых концепций и путей. Все эти пути и концепции не живут разрозненно, напротив, встречаясь, они, создают специфическое силовое поле, в котором мыслит сегодня писатель, философ, художник, искатель истины. Это силовое поле, вместе с другими, является важным компонентом современной духовной жизни. То новое слово, которое скажут миру мудрецы и мистики наступающего тысячелетия, будет, безусловно, сказано в непосредственной связи с работой, ведущей в поле названных идей.

На фоне этой работы становится очевидным, что современность с ее профаническим азартом и новым апокалипсизмом не сумела окончательно захлестнуть ту сферу, которая призвана противостоять буйному разгулу симулякров, — сферу духа, убежище избранных, область чудес и превращений, и что Олимп Посвященных стоит так же незыблемо, как он стоял тысячелетия назад.

Аркадий Ровнер

1. ДВЕРЬ В ИНОЕ

Писатели и публицисты, открывающие нам Дверь в Иное, при всем разнообразии своих взглядов, стилей и исходных позиций имеют, по крайней мере одно сходство: каждый из них понимал, что Истина постижима, и определенные ее аспекты можно найти не только на Западе, но и на Востоке.

У Олдоса Хаксли вера в постижимость Истины вызревала постепенно. Все последние годы своей жизни он посвятил мистическим исканиям, но интеллектуализм преобладал в нем до самого смертного часа, и он так и не стал настоящим мистиком, хотя временами переживал подлинные прозрения. Тем не менее, он превосходно владел пером (что весьма способствовало доступности его произведений) и умел с чудесной простотой и непосредственностью описывать собственные переживания. Он распознавал Истину во всех ее проявлениях. И его "Вечная философия" — книга, где собраны воедино священные тексты всех религий мира — это не просто сборник великолепных цитат. Это глубоко духовная книга, которая помогает многим из нас яснее понять, чего же мы ищем. И, очевидно, именно эта книга, в гораздо большей степени, чем все прочие произведения Хаксли, может служить наивернейшим мостом, позволяющим перейти от личностной обособленности к мистическому опыту.

Алан Уотс — еще один англичанин, поселившийся в Калифорнии, — обрел Истину, сопоставив основополагающие истины христианства (будучи в течение нескольких лет священником англиканской церкви) с истинами индуизма, буддизма и даосизма — религий, которые он искренне почитал. Потрясенный собственным личным опытом освобождения от Эго, Уотс положил его в основу своей философии, стыкующейся с религиями Запада и Востока, и стал одним из самых вдохновляющих философов-мистиков нашего времени. В центре системы его убеждений стояла проблема человеческой личности; а предметом его наиболее активной критики было присущее каждому человеку чувство, что он есть "Я", отделенное от всего остального, даже от своего собственного опыта. Он говорил, что чувствовать чувства или мыслить мысли посредством этого "Я" так же невозможно, как невозможно обонять обоняние. Произведения Уотса тоже легко читаются; он — искусный популяризатор, любовно относящийся к языку и особенно склонный к каламбурам.

Томас Мертон, американский монах-цистерцианец, постепенно пришел от глубочайшей погруженности в христианство к просветленному пониманию восточных религий, в частности — дзэн-буддизма и даосизма. Прозрения пришли к нему благодаря созерцанию и мистицизму, и он отчасти смог проследить свой созерцательный опыт и написать о нем ясно и доступно. Его поразительный интерес ко всему, что связано с созерцанием, позволил ему хорошо освоиться в дзэн-буддизме и даосизме, а дружба с Д.Т.Судзуки, выдающимся японским исследователем дзэн-буддизма, позволила Мертону столь глубоко постичь практику этой религии, что незадолго до своей безвременной кончины он, очевидно, смог через внешние атрибуты христианства и буддизма достичь того источника чистого первичного опыта, из которого берут начало эти учения.

Ричард Бах — не философ и не профессиональный литератор. Тем не менее, ему принадлежит одна из самых глубоких и вдохновляющих философских аллегорий XX века: "Чайка по имени Джонатан Ливингстон". Его путь — это путь к свободе и неограниченным возможностям человеческой личности; герои его книг учатся летать и творить чудеса. "Утверждая, что ты чего-то не можешь, ты лишаешь себя всемогущества", — вот его кредо; и он убедительно доказывает практическую ценность этого постулата. Он — сказочник и фантаст, но его фантазии приближают читателя к той Истинной Реальности, которая скрыта от наших глаз пеленой повседневной жизни.

И, наконец, Герман Гессе, — писатель, творчество которого ни в коей мере не может служить учебником каких бы то ни было готовых истин. Его внимание всецело поглощено поиском Истины — сложным и противоречивым процессом, в ходе которого жизнь и личность его героев претерпевают значительные изменения. На страницах его книг происходит столкновение мистических и религиозных идей Запада и Востока; он искусно сплавляет воедино сон и явь, фантазию и реальность. Глубокая философия сочетается здесь с психологизмом и высоким литературным мастерством. Творчество Гессе содержит много пищи для плодотворных размышлений и дискуссий; и очень часто его произведения служат той самой Дверью в Иное, с которой начинается наш путь к Истине.

ОЛДОС ХАКСЛИ (1894 – 1963)

"Но величайшей трагедией духа является то, что рано или поздно он сдается плоти. Рано или поздно душу душит больное тело; рано или поздно исчезают всякие мысли, кроме мыслей о боли, о рвоте и ступоре. Трагедия духа — это просто напыщенное позирование на обочине жизни, а сам дух — всего лишь случайное излишество,

ОЛДОС ХАКСЛИ (1894 – 1963)

побочный продукт жизненной энергии, как "венец" на голове удода или бесчисленные популяции ненужных и обреченных сперматозоидов..." [1].

Ужас крайней бессмысленности, отразившийся в одном из первых романов Хаксли, был преобладающим подтекстом его мышления в ранний период творчества. Иллюзорный конфликт между духом и материей сделался постоянным стимулом, побуждавшим писателя ко все более глубоким поискам внутреннего опыта. Явная и страшная несправедливость жизни — мучения узников в концлагерях (жестоко ранившие душу чувствительного и социально озабоченного писателя), тяжелое положение обездоленных и наращивание вооружений в 30-е гг., неизбежно нацеленное на развязывание ужасной войны — все это не только превратило Хаксли в убежденного пацифиста, но и заставило его всерьез задуматься, не является ли наш мир адом какой-нибудь другой планеты.

Все кошмары нашего времени обошли Хаксли стороной, поскольку ему посчастливилось быть потомком двух знаменитых и застрахованных от бед семейств. Его дедом был физик Т.Г.Гексли, а дедом его матери — знаменитый Арнольд, директор Регби. Поэт Метью Арнольд приходился ему двоюродным дедом, а старшая сестра его матери, Мэри Августа, вышла замуж за писателя Хамфри Уорда. Ребенком Олдос был очень привязан к своей тетушке Мэри, и возможно, именно под ее влиянием начал писать прозу — хотя и совсем другую.

Однако даже столь благополучное происхождение не спасло Хаксли от трех весьма ощутимых несчастий, чередой обрушившихся на него в юности. Во-первых, когда ему было 14 лет, его мать умерла от рака, и он очень тяжело перенес эту утрату. Вскоре после этого его отец женился вторично, но мачеха не пришлась Олдосу по душе. Во-вторых, в шестнадцатилетнем возрасте, учась в Итоне, Хаксли заразился инфекционным заболеванием глаз. Наставники отнеслись к его болезни без должного внимания, и в результате Хаксли совершенно ослеп на один глаз и на протяжении нескольких лет почти ничего не видел вторым глазом. И хотя впоследствии зрение этого глаза полностью восстановилось, некоторое время писатель был способен лишь отличить день от ночи — и не более того.

В-третьих, когда Хаксли было 19, его любимый старший брат Тревенен повесился.

Все это должно было навеять юному Хаксли мысль о крайней непрочности человеческой плоти. Слепота лишила его большинства возможных видов деятельности и развила в нем отчужденность; кроме того, он сильно переживал из-за недостатков собственного телосложения. При росте 6 футов 4 дюйма он был очень худым и имел ужасно длинные ноги; стоило ему сесть, как он уже не знал, куда их девать. Однако самоизоляция и болезненность побудили его развивать свои умственные способности. Он выучил азбуку Брайля и шутил, что теперь может тайком читать в постели, когда свет уже выключен. Он начал запоминать огромное множество фактов. Он научился читать ноты по азбуке Брайля. Его первый (неопубликованный) роман, объемом около 80 тыс. слов, был отпечатан на машинке. Хаксли никогда не читал его — роман потерялся еще до того, как к нему вернулось зрение. Он поступил на первый курс Оксфордского университета и учился главным образом с помощью азбуки Брайля, хотя уже тогда его зрение начало восстанавливаться. В 1919 г. он уже был настолько уверен в себе, что женился на Марии Ни, молодой бельгийке, протеже Филиппа и Оттолин Моррел. Мария стала ему верной подругой, и их брак был очень счастливым.

Его дотошный, блуждающий, выискивающий факты разум чрезвычайно обострился за время болезни. Леонард Вулф говорит о нем: "... его ум был из тончайшей закаленной стали, его аргументы всегда имели превосходно отточенное острие; он обладал совершенной интеллектуальной честностью. Однако даже тот, против кого было направлено это стальное оружие, не мог ни раздражаться, ни злиться, подчиняясь очарованию характера Хаксли, его темперамента, неотъемлемыми чертами которого были мягкость и благородство" [2]. И все же в основе его первых романов лежал пессимизм, отчасти порожденный чувством оторванности от бытия, ибо Хаксли обладал уникальным сознанием одинокого и изолированного человеческого существа.

В "Слепом в Газе" Хаксли писал:

"Разделение, различие — условия нашего существования. Условия, при которых мы обладаем жизнью и сознанием, различаем добро и зло и обладаем силой, чтобы выбирать между ними; узнаем истину, чувствуем красоту. Но разделение — это зло. Следовательно, зло есть условие жизни, условие сознания, знания о том, что есть добро и что есть красота... и пускай даже жизнь будет обладать самой доброй волей, какую можно сыскать в мире — отделенная, злая вселенная личности или физической модели никогда не сможет полностью объединиться с другими жизнями и существами и со всей целокупностью жизни и существования. Даже за самое высшее благо ведется бесконечная борьба; ибо никогда, при настоящем положении вещей, закрытое не сможет стать полностью открытым; добро никогда не сможет освободиться от зла. Это испытание, просвещение, трудный поиск, который ведется всю жизнь, а возможно, и целый ряд жизней. Много жизней прошло в стремлении приоткрыть, и еще чуть-чуть приоткрыть дверь в закрытую вселенную, которая постоянно имеет склонность захлопываться опять, едва усилие будет ослаблено. Много жизней прошло в преодолении разделяющих чувств ненависти, злобы и гордости. В утихомиривании самовыпячивающихся страстных желаний. В непрерывных попытках осознать свое единство с иными жизнями и иными способами жизни. В попытках ощутить это единство в актах любви и сострадания. Ощутить его на другом уровне с помощью медитации, в прозрении мгновенной интуиции. Ощутить это единство, проглядывающее сквозь сумятицу отделенности и разъединенности. Ощутить добро за возможностью зла. Но разъединенность никак не исчезает, зло всегда остается важнейшим условием жизни и существования. И продвижение к раскрытию не терпит послаблений. Ведь даже для лучших из нас осуществление этой цели все еще неизмеримо далеко" [3].

Борьба Хаксли за восстановление собственного зрения любопытным образом отразилась в его битве с темнотой собственного пессимизма. Это была борьба против метафизически темного и враждебного мира (позднее он отмечал, что шизофреники обитают в гипертрофированной форме этой мрачной вселенной) — и, хотя дух юмора и веселья всегда пронизывал философию Хаксли, писатель окончательно расстался с удручающей мыслью о том, что сущностью мира является разделение и зло, лишь в 1952 г., после того как принял мескалин.

Мескалин позволил ему наяву пережить преодоление этой раздвоенности, найти то, чего он так долго искал. ("Нет ни субъекта, ни объекта!" — радостно повторял он впоследствии). Религии помогли ему приблизиться к этому состоянию в интеллектуальном плане, но никогда не погружали его в это состояние; в молодости он фактически отвергал догматическую религию и придерживался цинического агностицизма, в особенности после того, как посетил Индию в 1925 г. "Сторонником религии, — писал он, — может быть лишь тот, кто никогда не бывал в по-настоящему религиозной стране. Посетив такую страну, человек сразу же становится сторонником ирригации, механизации и минимальной заработной платы" [4].

Его отношение к религии начало меняться (и, в конце концов, изменилось на прямо противоположное) после 1937 г., когда из-за плохого здоровья и пацифистских убеждений он переселился в Калифорнию. Его сопровождал один из самых близких друзей, диктор Джеральд Херд, убежденный сторонник Веданты и умелый популяризатор этой философии. Когда Херд основал в Калифорнии Трабусканский колледж, предназначенный для изучения мистической религии и Веданты, Хаксли принял участие в его проекте. Он стал пылким защитником индуизма, хотя позднее он пришел к выводу, что более полный ответ на его духовные вопросы содержится в буддизме, в частности, в гуманной тибетской Махаяне.

Именно во время сотрудничества с Трабусканским колледжем он написал "Вечную философию", свою собственную "философию вечности" — книгу, которая помогла многим людям. Эта книга о мистическом опыте, и, по словам автора, она основана "на непосредственном опыте, точно так же, как аргументы физиков основаны на непосредственных чувственных впечатлениях". Цитируя мистиков Востока и Запада, он затрагивает великие экзистенциальные темы: страдание, созерцание, милосердие, самопознание, благотворительность и др. Это была прекрасная компиляция, но Хаксли все еще оставался в ловушке своего интеллекта — только светлая мудрость мистиков сделала эту книгу запоминающейся. Подобно умному пауку, Хаксли соткал из слов тонкую паутину, удерживавшую плененные им драгоценности, но сам он еще не стал одной из них.

Как интеллектуал он был убежден в том, что "Первопричина просто "есть", и что все проблемы можно рассматривать в свете "изначальной благосотворенности мира". И все-таки в этих умозаключениях чувствовалась некоторая неловкость, проявлявшаяся в недвусмысленно выраженном разделении людей на агнцев и козлищ:

"В течение двух или трех тысячелетий истории религии вновь и вновь подтверждался тот факт, что предельная Реальность постигается ясно и непосредственно лишь людьми, воспитавшими в себе любовь и чистосердечие, и нищими духом. В данной ситуации стоит ли удивляться тому, что теология построенная на опыте добрых и простых людей, не достигших духовного обновления, выглядит столь неубедительно? ...В силу самой природы вещей достигнуть самоценной уверенности в непосредственном знании способны лишь те, кто снабжен нравственной "астролябией Божьих тайн" [5].

Хаксли видел часть истины, но знал, что не ощущает ее. Ему недоставало личного опыта. Ему мешал собственный интеллект, способный вести наблюдение с разных точек зрения, но не останавливающийся ни на одной из них — и волнующая панорама мира, все время поставлявшая ему новую пищу для размышлений. "Проблески... проблески... здоровый или больной, Олдос всегда ловил проблески, — говорила его жена Лора, — эта способность улавливать проблески и отчасти выражать то, что он видел, делала жизнь чарующей. Олдос умел переживать факты непосредственно, миг за мигом. И затем, — оценивая текущие факты изнутри и снаружи, он мог одновременно воспринимать бесконечное число иных фактов — действительных или возможных" [6].

Вопреки своей собственной теории о том, что познать предельную Реальность дано лишь нищему духом, т.е. человеку лишенному идей, Хаксли, как кузнечик, прыгал с одной мистической тропы на другую. Гипноз и физические феномены сменялись непосредственной медитацией, "методом Александра" и "автоматическим письмом". Он был настоящим коллекционером идей, но всегда сохранял научное отношение к своей пестрой коллекции и никогда не доходил до того, чтобы каким-либо образом смешивать все идеи в одну кучу.

"У сердца свои резоны", — сказал он однажды, цитируя Паскаля. — Но гораздо более убедительны резоны легких, крови, ферментов, нейронов и синапсов, и разгадать их гораздо труднее".

И наконец в 1952 г., находясь под наблюдением экспериментатора, он впервые принял дозу мескалина — и пережил подлинное просветление.

Это первое переживание, прежде всего, было насыщено светом — сразу вспоминается, как отчаянно Хаксли не хватало света в юности, когда он был слеп. Под воздействием мескалина "...я увидел медленный танец золотых огоньков. Несколько позже появились великолепные красные плоскости, вырастающие и расширяющиеся из ярких пучков энергии, которые трепетали постоянно сменяющими друг друга моделями жизни.

...Например, книги, которыми были заставлены стены моего кабинета. Когда я взглянул на них, они запылали, подобно цветам, ярчайшими колерами, полными глубочайшего смысла: красные, почти рубиновые, изумрудные, в белых нефритовых переплетах, агатовые, аквамариновые, цвета желтого топаза и ляпис-лазури. И все это были цвета такой интенсивности, такой имманентной значительности, что книги, казалось, готовы были сорваться с полок, чтобы еще назойливее привлекать к себе мое внимание" [7].

Наряду со светом и цветом этот эксперимент подарил ему отблеск подлинной нераздвоенности. Его "двери восприятия были очищены", и он обнаружил, что "восприятие поглотило понимание".

Олдос Хаксли и мисс
Хамфри Арнольд.

"Я принял пилюлю в одиннадцать. Полтора часа спустя я сидел у
себя в кабинете и внимательно рассматривал маленькую стеклянную
вазочку. В ней стояло всего лишь три цветка — полностью распустив-
шаяся роза "Красавица Португалии", цвета розовой раковины, который становился более жарким и пламенным у корня каждого лепестка;
большая кремового цвета гвоздика, словно крашеная фуксином; и
дерзкий геральдический цветок ириса, бледно-лиловеющий на конце
сломанного стебля. Случаю было угодно, чтобы этот маленький
букетик нарушал все правила традиционного хорошего вкуса. В то утро
за завтраком я был удивлен таким резким диссонансом в сочетании
цветов. Но теперь все это уже не имело значения. Теперь я смотрел
не на странную цветочную композицию, а видел то же, что и Адам в
утро творения, — длящееся миг за мигом чудо обнаженного бытия...

Я все смотрел и смотрел на цветы и в их живом свете, казалось,
обнаруживал качественный эквивалент дыхания, но при этом дыхания
без периодических выдохов и возвращений к исходной точке. Это был
неоднократно возобновляемый прилив все более возвышенной красо-

ты, все более и более глубокого смысла. Мне вспомнились такие слова, как "грация" и "преображение", которые, конечно, символизировали наряду с другими вещами и эти переживания. Я переводил взгляд с розы на гвоздику, а затем с этого пушистого, словно раскаленного добела цветка на гладкие, чувственно-аметистовые завитки ириса. Блаженное видение, Сат-чит-ананда, Блаженство всезнания — впервые я постиг не на словесном уровне, не с помощью примитивных намеков или на расстоянии, но в точности и в совершенстве именно то, что означали эти удивительные слова..." [8].

Но некоторая раздвоенность все же осталась. В разгар блаженства Хаксли обнаружил, что он умышленно избегает взглядов двух людей, находившихся вместе с ним в комнате, что ему не хочется осознавать их присутствие, ибо "оба они принадлежали миру, от которого я с помощью мескалина временно был избавлен, — миру личностей, времени, этических норм и утилитарных соображений, миру личных амбиций и самомнения (а это был как раз тот аспект человеческой жизни, о котором я хотел забыть в первую очередь), миру слов, превозносимых до небес, и понятий, окруженных языческим поклонением" [9].

Так один нестройный звук разрушил всю великую гармонию. Мескалин перенес Хаксли на изолированный остров созерцания, где объекты сияют смыслом и значением, но перед личностью писателя, искренне озабоченного всеми скорбями мира людей, наркотик поставил новую проблему — столь же масштабную, как и та, которую ему только что удалось решить.

"Как примирить это очищенное восприятие с необходимостью поддерживать человеческие отношения, заниматься домашними трудами и обязанностями, не говоря уже о милосердии и благотворительности? Многовековой спор между активным и созерцательным началом был возобновлен — и в той мере, в какой это касалось меня, возобновлен с невиданной остротой. Ведь вплоть до этого утра я был знаком с созерцанием в его более простых, заурядных формах — в виде дискурсивного размышления; восторженной погруженности в поэтическое, живописное или музыкальное произведение... Но теперь я познал созерцание в его наивысшей форме. В наивысшей форме, но не во всей его полноте. Потому что во всей полноте путь Марии включает в себя и даже совершенствует путь Марфы. Мескалин открывает путь Марии, но запирает дверь перед Марфой. Он дает доступ к созерцанию, но созерцанию, несовместимому с действием, даже с волей к действию, с самой мыслью о действии..." [10].

Очевидно, этот великий конфликт разрешился лишь спустя три года, после того как его первая жена Мария умерла от рака и он женился вторично. Теперь после приема мескалина:

"Ничто уже не звало назад. Вместо этого было нечто несравненно более значительное, ибо то, что пришло ко мне через открытую дверь, было пониманием — но не в смысле знания, поскольку оно было лишено какой-либо вербальности или отвлеченности, — а в смысле непосредственного всеобщего осознания как бы изнутри любви — первичного и основополагающего факта Вселенной. Конечно, это неподходящие слова: они непременно покажутся вам фальшивой и пустопорожней болтовней. Но факт остается фактом... И я был этим фактом, или, вернее было бы сказать, что этот факт занимал то место, где находился я. И в результате я не чувствовал себя как во время первого опыта, оторванным от человеческого мира, — я осознавал этот мир с большой силой, но с точки зрения живого изначального космического факта Любви. И те вещи, которые целиком занимали мое внимание в тот первый раз, теперь воспринимались мной как искушения — искушения убежать из центральной реальности в мнимые, или по крайней мере, несовершенные и частичные Нирваны красоты и чистого знания" [11].

Поскольку мескалин и лизергиновая кислота (ЛСД) сыграли такую замечательную роль в "просветлении" Хаксли, он счел их воздействие чрезвычайно благотворным и даже спасительным для человечества. Он понимал, что верующие в большинстве своем не смогут поверить в божественную природу опыта, полученного с помощью химических средств, поскольку они считают Бога чистой духовностью, приблизиться к которой можно только лишь духовным путем. Однако, заявлял он, "тем или иным образом, все наши переживания химически обусловлены, и ежели мы воображаем, что некоторые из них являются чисто "духовными", чисто "интеллектуальными", чисто "эстетическими", то это лишь постольку, поскольку мы никогда не давали себе труда исследовать свою внутреннюю химическую среду в момент их появления" [12].

Далее Хаксли подчеркивает, что методы, используемые всеми религиями — от дыхания по системе йогов до пения гимнов — практически направлены на то, чтобы некоторым образом изменить химический баланс организма, то есть увеличить содержание двуокиси углерода в крови. Затем его адвокатский тон удивительным образом переходит в ультракритический. Теперь, когда мы установили химические условия, необходимые для самопреодоления, — заключает он после убедительного рассказа о том, как ЛСД препятствует дуалистическому функционированию мозга, устраняя разделение между субъектом и объектом, — не имеет смысла годами заниматься медитацией и духовными упражнениями, коль скоро, приняв наркотик, всего этого можно достигнуть в течение получаса. А его следующие слова уже напоминают рекламу дешевого и практичного просветления:

"При современном уровне развития науки целеустремленный мистик, прибегающий к длительному посту и жестокому самоистязанию, поступает столь же глупо, как поступил бы целеустремленный повар, если бы, уподобясь Лэмову китайцу, он сжег свой дом, чтобы зажарить поросенка. Если мистик знает (а он, по крайней мере, может узнать об этом, если захочет), каковы химические условия трансцендентальных переживаний — пусть он обратится за технической помощью к специалистам — фармакологам, биохимикам, физиологам и невропатологам, психологам, психиатрам и парапсихологам" [13].

Вероятней всего, что для целеустремленного мистика этот путь окажется ничуть не проще многолетних медитаций. Но как знать: быть может, в чем-то Хаксли был прав. Пусть ЛСД не всем во благо — но в последнее время появилось целое поколение — "целеустремленных мистиков", взыскующих трансцендентальннного опыта, о чем едва ли можно было и мечтать до эпохи массового употребления ЛСД.

Хаксли умер от рака, так же, как его мать и первая жена. В последние девять лет своей жизни он обрел удовлетворение и счастье, и многие люди замечали, насколько он стал мягче и умудреннее. Он перерос свою школярскую иронию, побуждавшую его на конференции психиатров креститься при всяком упоминании имени Фрейда или выбрать для венчания с Лорой "забавную" часовню, куда разрешалось въезжать на автомобилях. Благодаря своей невероятной эрудиции, наблюдательности и искрометному юмору он приобрел множество друзей во всех слоях общества. Однажды он устроил среди пустыни удивительный пикник, куда были приглашены Кришнамурти, Грета Гарбо, Анита Лоос, Чарли Чаплин, Бертран Рассел, Полетта Годар и Кристофер Ишервуд, а также несколько теософов, которые приехали, чтобы приготовить вегетарианскую пищу для Кришнамурти. В самый разгар пикника нагрянул местный шериф. Он заявил, что гуляки замусорили всю пустыню и потребовал, чтобы все назвали свои имена. Когда имена были названы, он отказался поверить им, назвал их

Во время публичного выступления.

толпой бродяг и, ткнув пальцем в щит с предупреждением, спросил, умеет ли кто-нибудь из них читать!

И, быть может, несмотря на всю одаренность Хаксли, друзья больше всего ценили его за мягкость, доброту и искренность. Его личная скромность проявилась в словах, сказанных им как-то раз незадолго до смерти: что единственный стоящий совет, который он мог бы дать людям — это попросить их быть добрее друг к другу. Нежность и сострадание составляли основу его характера, и когда он смог наконец освободиться из-под власти собственного интеллекта, эти чувства смогли реализоваться в полной мере.

Когда Мария умирала от очень болезненной формы рака, она лежала в гипнотическом трансе, а Олдос сидел рядом с ней, держа ее за руки и рассказывая об огнях пустыни, которые она так любила. Он убеждал ее отдаться этим огням, "открыться радости, миру, любви и бытию, подставить себя их лучам и стать с ними одним целым. Я убеждал ее стать тем, чем она всегда была на самом деле, чем все мы являемся всегда — частью божественной субстанции, проявлением любви, радости и мира, существом, идентичным с Единой Реальностью. И я говорил об этом снова и снова, убеждая ее идти в этот свет все глубже и глубже, глубже и глубже" [14].

В Калифорнийской пустыне.

Когда умирал сам Хаксли, рядом с ним была его нежно любящая жена Лора. Исполняя просьбу умирающего, она дала ему ЛСД, чтобы облегчить агонию, и сидела возле его постели, напоминая о Чистом Свете Пустоты из "Тибетской Книги Мертвых".

В статью "О Шекспире и религии", написанную в последние недели жизни и опубликованную посмертно, Хаксли включил свое, быть может, самое простое и вместе с тем самое глубокое суждение о жизни:

"Мир — это иллюзия, но это иллюзия, которую мы должны принимать всерьез, потому что он реален в меру той реальности и в тех аспектах действительности, какие мы способны постичь. Наша задача состоит в том, чтобы проснуться. Мы должны найти способ обнаружить всю совокупную реальность в той ее иллюзорной части, которую наше сконцентрированное на самом себе сознание позволяет увидеть. Нельзя жить бездумно, принимая свою иллюзию за полную реальность — но нельзя жить и слишком глубокомысленно, если мы хотим вырваться из состояния сна. Нужно все время искать средств для расширения собственного сознания. Не надо пытаться жить вне данного нам мира — надо как-нибудь научиться преобразовывать и преображать его. Избыток "мудрости" столь же вреден, как и ее недостаток; в этом деле лучше обойтись без жульничества. Мы должны научиться приходить к реальности без волшебной палочки и колдовских заклинаний. Каждый должен найти способ жить в этом мире — и не быть его пленником. Способ жить во времени — и не дать ему захватить себя целиком" [15].

АЛАН УОТС (1915 – 1973)

"... Я пытался заниматься тем, что буддисты называют сосредото-чением (смрити), то есть постоянным сознанием непосредственного настоящего, отличающимся от обычных, рассеянных и хаотичных воспоминаний и предчувствий. Однажды вечером, когда мы беседова-ли об этом, кто-то сказал мне: "Но зачем пытаться жить в настоящем? Ведь мы всегда и всецело пребываем в настоящем, даже когда думаем о прошлом или о будущем". Это вполне самоочевидное замечание вдруг вызвало во мне внезапное ощущение невесомости. В то же время настоящее как бы сделалось своего рода движущимся покоем, вечным потоком, из которого не мог ускользнуть ни я, ни что-либо другое. Я понял, что любая вещь, причем именно в своем сиюминутном виде, есть ЭТО — то есть полное выражение жизни и Вселенной. Я понял, что когда "Упанишады" говорят: "Это ты!" или "Весь этот мир есть Брахман", они имеют в виду буквально то, что говорят. Всякая вещь, всякое событие, всякое переживание в их неизбежной сиюминутности и во всей своей неповторимой индивидуальности были в точности тем, чем они должны быть, и были настолько, что достигали божественной власти и оригинальности. Я осознал с полной ясностью, что от моей точки зрения здесь ничего не зависит: вещи существовали таким образом независимо от того, понимал я это или нет, и даже если я не

АЛАН УОТС (1915 – 1973)

понимал, ЭТО все равно существовало. Впоследствии я ощутил понимание того, что христиане называют "любовью Божией", то есть: что, несмотря на несовершенство вещей, очевидное с точки зрения здравого смысла, Бог их тем не менее любит такими, какими они есть, и что Его любовь к ним в то же время есть их обожествление..." [1].

Жить в ЭТОМ и посредством ЭТОГО, позволяя ЭТОМУ полностью отождествиться с собой — вот лейтмотив жизни Алана Уотса. Но Уотс не был мистиком в традиционном смысле этого слова. Он любил земную жизнь и жил чрезвычайно широко. Он сильно пил, часто принимал ЛСД, трижды женился, у него было семеро детей. Он умер в 1973 г., в возрасте 58 лет. Уотс заявлял, что его жизненное призвание — изумляться устройству Вселенной, и это чувство благоговения и очарованности привело его к философии, психологии, религии и мистицизму — не только в плане теории, но и на практике. Он отказывался говорить о том, чего не испытал на себе самом. При этом он не боялся называть себя мистиком; и очень веселился, когда люди, избравшие его своим гуру (духовным наставником) тут же бежали прочь, заметив в нем "элемент неискоренимого жульничества". Он знал, что в нем хотят видеть идеализированный образ сияющего спокойствия, любви и сострадания — но он был слишком честен, и, заглянув внутрь самого себя, он не мог скрывать, что обнаружил там лишь "дрожащую и трепещущую тревожную сумятицу, которая вожделеет и питает отвращение, нуждается в любви и внимании и живет в страхе перед смертью, которая должна положить конец ее страданиям" [2]. Благодаря этому прозрению он понял, что пытаться контролировать эту "дрожащую сумятицу", отрицать и презирать ее в пользу тех чувств, которые должен чувствовать настоящий мистик — значит совершенно упускать из виду реальность, ибо даже стремление поступать таким образом есть всего лишь одно из желаний этой дрожащей сумятицы. Дрожащая сумятица сама по себе — такая же часть вселенной, как дождь, мухи или болезнь. Увидеть ее божественность совсем не значило упразднить ее, но это позволяло разуму обрести покой приятия и освободиться от шизофренической раздвоенности "добра и зла".

Напряженная духовно-философская жизнь Уотса началась в ранней юности, когда, учась в кентерберийской "Кингс Скул", он начал читать индуистскую и буддийскую литературу. В возрасте семнадцати лет он уже опубликовал брошюру о дзэн-буддизме. Ему не удалось поступить в Кембридж, и, в семнадцать лет прекратив учебу, он бросился в житейское море. Он решил получить "высшее образование" самостоятельно; в этом деле ему помогал отец, всегда относившийся к сыну с большим пониманием, а также Крисмес Хамфрис, в то время президент Буддийской Ложи, Найджел Уоткинс, владелец "мистического" книжного магазина на Чаринг-Кросс Роуд, психиатр д-р Эрик Грэхэм Хоу и славянский "гуру-шарлатан" Митринович.

Уотс категорически отказался от традиционной карьеры. Ему внушала отвращение сама мысль о необходимости играть ту или иную роль в мире бизнеса и профессионалов. Он был оригиналом и аутсайдером; он изо всех сил прожигал свою жизнь, сопротивляясь всему, что могло помешать ему в этом. Тем не менее, женившись на

Элеоноре Фуллер, дочери Руфи Фуллер-Сасаки и падчерице дзэнского учителя Сокэй-ан Сасаки, он уехал с ней в Америку и был вынужден искать средств, чтобы прокормить семью. Наиболее приемлемым способом заработка казалась должность англиканского священника, и Уотс получил эту должность. При этом для себя он решил, что будет искренним и естественным, но отнюдь не строгим священнослужителем. Он чувствовал, что протестантизм проявляет излишнюю строгость как в вопросах вероисповедания, так и в вопросах секса, поскольку акцентирует внимание на осознании человеком своей вины. И ему хотелось помочь людям просто наслаждаться религиозным ритуалом, не задумываясь о значении тех или иных его слов.

В это же время он начал описывать и пропагандировать нетрадиционный и мистический подход к некоторым аспектам христианской религии, которые сбивают с толку многих людей. Например: в каком смысле Иисус Христос является ключом к проблемам мироздания?

"Помогут ли нам заверения, что каждое сказанное Им слово является серьезной, буквальной и абсолютной истиной, в которую мы, следовательно, обязаны верить? Что около 1900 лет назад Он каким-то образом сделал меня своим мистическим должником, причем я никак не могу вспомнить, как же это я умудрился влезть в долги? Что все Его деяния были совершенным и авторитетным в последней инстанции образцом поведения и нравственности — и что мы, как от нас этого ожидают, должны следовать этому образцу, не имея при этом вышеуказанного преимущества, то есть не будучи лично Богом — Сыном?" [3].

Уотс видел, что на такие вопросы христианские доктрины дают обескураживающе запутанные и бесполезные ответы. Эти доктрины превратились в своего рода систему символов, которой "совершенно не удается создать прямую связь между распятым и воскресшим сыном Божьим и повседневной жизнью обычного семейства из какого-нибудь пригорода Лос-Анджелеса или Лондона" [4].

Для Уотса решение вопроса состояло в том, чтобы приземлить образ Христа и таким образом прийти к верному пониманию Распятия и Воскресения, "ибо мы духовно парализованы фетишем Иисуса... Его буквальный евангельский образ за долгие столетия почитания стал больше похож на кумира, чем все изваяния и столбы на свете, и сегодня почитать Его и поклоняться Ему на самом деле — значит разрушить этого кумира" [5]. Он понял, что действительным смыслом Распятия было устранение воображаемого, концептуализированного исторического образа Иисуса Христа, ибо, оставаясь субъектом обладания, знания и безопасности, Иисус не обрел бы никакого духовного роста и вечной жизни.

Уотс заметил, что стилистика Христианства искусственна и неорганична из-за того, что Бог считается здесь "творцом мира, а сам мир — артефактом, который был построен в соответствии с планом и у которого, следовательно, есть цель и объяснение" [6]. Он сравнивал эту идею с даосским принципом "у-вэй", состоящим в "ненасилии" и "недеянии", когда вещи не создаются, а возникают сами по себе, прорастая изнутри наружу. Он понял, что христиане видят в Христе архитектора или механика мироздания, который остается вне мира —

как механик остается вне машины, которую он собрал. Это представление привело к тому, что западные умы стали рассматривать самого человека как нечто отдельное, вброшенное извне, а не выросшее изнутри Вселенной, как вырастает листок на дереве. Считая Бога внеположным творцом Вселенной, они увидели в нем скорей некую систему принципов, чем живую реальность и внутреннее содержание всех вещей.

И причина разлада, — подчеркивал Уотс, — заключена в том, что по-настоящему внутренние вещи никогда не смогут стать объектами. Сама жизнь и наше существование в ней — вещи по-настоящему внутренние; вот почему атмосфера христианства выглядит столь обособленной от всего, что находится за ее пределами.

"... Когда я ухожу из церкви и покидаю город и выхожу под открытое небо, когда я вместе с птицами — невзирая на всю их жадность и ненасытность, вместе с облаками — невзирая на все их громы и молнии, вместе с океанами — несмотря на все их бури и на всех чудовищ, сокрытых в бездне, — я не способен ощущать христианство, ибо я нахожусь в мире, который растет изнутри. Я просто не могу почувствовать его жизнь, нисходящую к нам извне, сквозь звездную твердь — даже если считать эти слова просто метафорой. Точнее, я не в состоянии почувствовать, что эта жизнь нисходит от Иного, от Того, Кто качественно и духовно находится вне всего живущего и растущего. Наоборот, я чувствую весь этот мир, движущийся изнутри, из глубины столь же бездонной, как и моя внутренняя глубина, более истинным "я", чем мое поверхностное сознание" [7].

Несколько лет прослужив капелланом Северо-Западного Университета, Уотс официально отказался от этой должности и покончил с карьерой священника. Старое пристрастие к веданте, буддизму и даосизму всегда занимало центральное место в его жизни. Встречи с д-ром Д.Т.Судзуки, знаменитым переводчиком и толкователем дзэн-буддистской литературы, просветили Уотса и помогли ему понять дзэн, в результате чего он стал одним из первых популяризаторов дзэн-буддизма в Америке, автором книг "Путь дзэн" и "Дух дзэн". Он переехал в Сан-Франциско, где стал лектором недавно открывшейся Академии Азианистики; наряду с этим он вел множество радиопередач и читал публичные лекции. Его слава росла, но при этом ему удавалось не терять чувства юмора, особенно в отношении к собственной персоне. В то же время он считал себя учителем-философом, а также отчасти шаманом, который занимается собственным "колдовством".

Уотс исследовал многие аспекты бытия с помощью своего язвительного и живого ума. Главной его заботой было дать людям понять, что каждый из них — это не изолированное существо, находящееся "вне" природы, а сам основной процесс мироздания. Уотс хорошо знал, что значит ощущать себя "уединенным сознающе-действующим центром, заключенным в чехол из кожи", но он настойчиво утверждал, что это ощущение обособленности существования — иллюзорно. Он вспоминал об экологии, которая учит, что организм образует вокруг себя постоянное энергетическое поле, и что точно так же, как цветы и пчелы не существуют друг без друга, человеческий организм тоже является неотъемлемой частью единого вселенского процесса.

Уотс был убежден, что ощущение обособленности человеческого "я" и его отделенности от природы возникло в результате разнообразных заблуждений и иллюзий, на которых строится человеческая жизнь, и — по закону порочного круга — стало причиной их порождающей. Одним из таких заблуждений является мысль о том, что прошлое и будущее действительно существуют. Он указывал на то, что наше сознание прошлого всегда существует сейчас, в настоящем. Мы не можем сравнивать то, что произошло в прошлом, с тем, что происходит сейчас; мы можем лишь сравнить воспоминание о прошлом с впечатлением от настоящего, вследствие чего воспоминание становится частью впечатления от настоящего. Подобным же образом и будущее есть всего лишь предположение о будущем, существующее и ощутимое в настоящий момент. И тот, кто это поймет, — полагал Уотс, — легко поймет и то, что не существует никакого "я" кроме впечатления о существовании "я". Таким образом, "я" — это всего лишь наше переживание. А отделить переживание от переживающего также невозможно, как укусить свои собственные зубы.

"Чувствовать чувства, мыслить мысли или ощущать ощущения — это все равно что слышать слух, видеть зрение или обонять обоняние. "Я чувствую себя превосходно" означает наличие в настоящий момент превосходного самочувствия. Но это не значит, что существует одна вещь, под названием "я" и другая, отдельная от нее вещь под названием "самочувствие", и что при соединении их друг с другом это "я" чувствует это превосходное самочувствие. Не существует никаких чувств, кроме испытываемых в настоящий момент, и любое чувство, испытываемое в настоящий момент — это и есть "я". Никому никогда не доводилось видеть, чтобы "я" было отделено от какого-нибудь сиюминутного переживания, или чтобы какое-нибудь переживание было отделено от "я" — иными словами, оба они являют собой одно и то же" [8].

В качестве практического эксперимента Уотс предлагал начать чтение, а затем попытаться подумать о себе самом читающем, не переставая читать. В результате мысль "я читаю" вытесняет само чтение в качестве основного переживания в данный момент. Таким образом, переживание всегда можно осознать, подумав о нем или ощутив его — но никогда нельзя осознать себя мыслителем данной мысли или субъектом данного ощущения, поскольку осознание этого факта будет уже другой мыслью или другим ощущением. Почему же тогда мы верим в существование какого-то "я"?

Уотс полагал, что ощущение какого-то "я", отделенного от переживания, возникает благодаря человеческой памяти и быстрому течению мыслей, сменяющих одна другую. Если человек ошибочно предполагает, что, вспоминая прошлое, он переживает его заново, то у него создается впечатление, будто он знает и прошлое, и настоящее одновременно, причем и то, и другое непосредственно. В результате он чувствует себя постоянным субъектом ощущений, который знает и прошлое, и настоящее и может их соединить. Само же по себе это чувство не имело бы никакого значения, если бы оно не служило фундаментом, на котором человек строит свою горестную и печальную жизнь.

"Подлинная причина того, почему человеческая жизнь бывает столь несносной и полной разочарований — это вовсе не существующие фактически смерть, боль, страх или голод. Безумие человеческой жизни состоит в том, что при наличии вышеперечисленных фактов мы кружимся, извиваемся, корчимся и вертимся юлой, пытаясь отделить свое "я" от данного переживания... Пока я предполагаю, что я обособлен от своих переживаний, я буду пребывать в смущении и смятении. Из-за этого я не могу ни осознать, ни понять свое переживание и, таким образом, не имею подлинной возможности его усвоить. Чтобы постичь настоящий момент, я не должен пытаться отделиться от него; я должен осознать его всем моим существом. Но это не какой-нибудь сложный трюк вроде десятиминутной задержки дыхания — и вовсе не упражнение, которое я должен выполнить. На самом деле, это — единственное, что я могу сделать. Все остальное суть безумные попытки достичь невозможного" [9].

Это стремление отделить свое "я" от неприятного переживания, в частности, от ощущения смерти, является, по мысли Уотса, одной из причин, по которой люди создают образ Бога и стремятся прилепиться к нему. Но это стремление само по себе доставляет жестокие страдания, (которые, впрочем, отнюдь не опровергают бытия Божьего). Они говорят лишь о том, что пытаться ухватиться за Бога как средство облегчения страданий или источник вечной жизни значит попросту отдать себя в рабство. В мысли о том, что смерть — это сон без пробуждения, расставание с мыслями, воспоминаниями и "самостью", есть что-то естественное и освежающее, и ее не следует смешивать с "фантазией о заточеньи на веки вечные во тьму". Смерть может обозначать и пробуждение в ином качестве, подобное рождению на свет; Уотс был убежден, что умирает не сознание, а память, так как "сознание возрождается во всяком новорожденном создании, и всякий раз, возродившись, оно есть "я" [10].

Еще одним препятствием, мешающим человеку целиком постичь себя самого, является использование им языка. Будучи уникальным и чудесным инструментом сам по себе, язык не должен смешиваться с действительностью, которую он описывает посредством символов. "Легко увидеть приемы, с помощью которых он может отделить организм от окружающей среды, а отдельные аспекты окружающей среды — один от другого. Языки, где имеются такие части речи, как имена существительные и глаголы, очевидно, переводят процессы, происходящие в мире, в отдельные вещи (существительные) и события (глаголы), а эти в свою очередь "обладают" качествами (прилагательные и наречия), более или менее от них отделяемыми. Все подобные языки представляют мир как скопление отдельных частей и частичек. Недостаток подобных конструкций — в том, что они упраздняют или не учитывают (или даже подавляют) внутренние взаимоотношения"

[11]. Ибо реальность, лежащая в основе повседневной жизни, никогда не бывает статичной или фиксированной таким образом, каким фиксируется слово, ее представляющее. Скоротечное, подвижное, вечно меняющееся поле опыта, которое нельзя ухватить потому, что им можно только быть, а не обладать, на деле очень и очень пугает многих людей. Такие умственные построения, как мысли или идеи, можно схватить и удержать, и большинство людей не только предпочитают мысль о предмете самому предмету, но и на самом деле забывают или вовсе не могут понять, что слово только символически обозначает реальность, а идея — это всего лишь ее мысленная модель.

В качестве образца Уотс берет растущее дерево, показывает на него и говорит:

"Это — дерево". Очевидно, что *это* и дерево на самом деле не одно и то же. Дерево — это слово, шум. Не та эмпирически постижимая реальность, на которую я показываю. Чтобы быть точным, мне следовало бы сказать: "Это (показывая на дерево) символически обозначается шумом "дерево". Если настоящее дерево не является ни словом, ни понятием дерево, то что же оно тогда? Если я скажу, что это — раздражитель моих органов чувств, растительный организм или комплекс электронов, я просто поставлю новый ряд слов и символов на место первоначального шума — дерево. Я так и не сказал, что же это такое, вообще. Кроме того, я поставил ряд новых вопросов: "Что такое мои чувства?" "Что такое устройство?" "Что такое электроны?"... мы никогда не сможем сказать, чем являются эти вещи... Слово и понятие дерево оставалось фиксированным в употреблении многие столетия, но реальные деревья вели себя очень странным образом. Я могу попытаться описать их поведение, сказав, что они появлялись и исчезали, что они все время изменялись, и что они вписываются или не вписываются в окружающий пейзаж...

Но все это ничего не скажет о том, что они делали на самом деле, потому что "исчезать", "изменяться", "вписываться" и "окружающий" — всего лишь шумы, символизирующие нечто таинственное и непостижимое" [12].

Таинственную реальность, которую мы постоянно ощущаем как внутри, так и вне себя, но до которой так тяжело добраться сквозь миазмы наших собственных туманных образов и мыслей, Уотс называл ЭТО. ЭТО — необусловленная, неопределимая природа бытия, еще не расчлененная на отвлеченные понятия и символы. Осознавать это — значит больше никогда не смешивать обусловленное с действительным, сбросить с себя власть слов и идей и постичь, что истинный мир непознаваем разумом. Чтобы достигнуть ЭТОГО, необходимо распрощаться с миром условностей, и это как раз тот шаг, которого многие люди боятся. Но некоторые, признав, что мир невозможно определить словами, и единственная вещь, которую можно знать о нем это то, что он есть, обретают осознание всех вещей в их абсолютной конкретности, и в то же время, во всей их божественности и невыразимости. Такое осознание выходит за рамки обыденного самоосознания и влечет за собой ощущение единства со Вселенной, в которой все вещи сияют необычайной ясностью и любовью. Это открытость всему сущему, это не райское видение, а видение мира во всей его целостности — и это все есть чистое чудо. Это можно увидеть, если расстаться с ощущением обособленности, с чувством личности, отделенной от мира.

Но слова всегда настолько далеки от переживаемого на самом деле, что их, очевидно, лучше не употреблять вовсе. Именно поэтому описания в восточных религиях состоят обычно из негативных определений — "ни то, ни это, ни что-либо, что можно постичь". Уотс очень остро чувствовал вводящую в заблуждение природу слов: "Но, если

"Вот чему нужно научиться: гнуться и выживать. Прочная, но гибкая, паутина прогибается, но не рвется".

ЭТО неописуемо, то, вопреки распространенной традиции, это вовсе не означает, что ЭТО следует описывать как самую воздушную из абстракций, как буквальный прозрачный континуум или нерасслоившийся вселенский студень" [13]. Он указывает, что наука открыла для нас такую таинственную и такую впечатляющую Вселенную, что западный образ ЭТОГО в лице Бога-Отца просто к ней не подходит, а образы более безличного или сверхличного Бога "стоят безнадежно ниже человека: вселенский студень, неяркий свет, гомогенизированное пространство или сверхмощный разряд электричества" [14]. Так как же нам думать о Боге?

"Я знаю, — говорит Уотс, цитируя блаженного Августина, — но когда вы меня спрашиваете об этом, я не знаю. Если вы захотите, чтобы я показал вам Бога, я покажу вам мусорный бак у вас на заднем дворе. Но если вы спросите: "Вы хотите сказать, что этот мусорный бак есть Бог?" — значит, вы так ничего и не поняли" [15].

Уотс смело и язвительно высмеивал лицемерие и нелепость общества — от концепции "Космического Первопредка" до способов приготовления и употребления пищи. Его поучения носили главным образом интеллектуальный характер: он написал около 20 книг. Но он также любил и музыку, как саму по себе, так и как способ медитации (последней он также занимался ради нее самой). У него был глубокий и звучный голос, и он научился держать ноту удивительно долго. В записи, которую он сделал за год до смерти, он использует звук как средство постижения истины с помощью наводящих вопросов, как-то: "Сколько ему лет?" (немедленно понимаешь, что у звука нет возраста) или "Сколько вам лет?" (сразу осознаешь, что и у тебя самого по существу нет возраста).

Он говорил о звуке:

"...Если вы просто будете слушать, связывая себя с миром только через слух, вы обнаружите, что находитесь во Вселенной, где реальность — чистый звук — приходит непосредственно из тишины и пустоты, отдаваясь эхом памяти в лабиринтах мозга. В этой Вселенной все течет назад из настоящего и исчезает, подобно следу за кормой корабля; настоящее приходит из ничего, и вы не слышите своей самости, которая стала слушаньем. Этого можно достичь с помощью любого органа чувств, но проще всего с помощью слуха. Попробуйте просто послушать дождь. Послушайте то, что буддисты называют его "такостью" — его "татхату" или его "тра-та-та". Как любая классическая музыка, дождь не обозначает ничего, кроме себя самого, потому что только низшая музыка подражает другим звукам или содержит в себе еще что-то помимо музыки. В фуге Баха нет никакого "послания". Точно так же, когда старого мастера дзэн спросили о смысле буддизма, он ответил: "Если в нем есть какой-нибудь смысл — значит, я еще не освободился". Потому что если вы по-настоящему услышали звук дождя, то вы сможете услышать, увидеть и почувствовать и все остальное таким же образом — как нечто, не нуждающееся в переводе, поскольку оно является как раз тем, чем оно есть, а чем именно — сказать, скорей всего, невозможно" [16].

ТОМАС МЕРТОН (1915 — 1969)

Томас Мертон был монахом-траппистом и завоевал популярность как талантливый католический писатель, автор книг о монашеской жизни. Направление его исследований изменилось лишь незадолго до того момента, как неисправный выключатель вентилятора в бангкокском отеле оборвал его жизнь.

В молодости Мертон вел беспокойную и бродячую жизнь. Родился он во Франции, родители его были новозеландского и американского происхождения, оба — художники. Мать умерла, когда он был еще ребенком, и с тех пор он путешествовал с отцом по Франции и время от времени проводил каникулы в Англии, вместе со своей тетей и беспокойными американцами — родителями матери, которые иногда наезжали в Европу, привозя с собой младшего брата Томаса, Джона Пола. В конце концов Томас поступил в английскую частную школу закрытого типа, а затем в Кембриджский университет, где получил ученую степень в области филологии современных языков. Но Кембридж ему не помог. Он был не в ладах с жизнью, никак не мог в ней разобраться, и в итоге впал в уныние. Он был нерелигиозен, но на него оказала глубокое впечатление искренность молодого индуса, который сумел растолковать ему смысл христианской мистики. В те ранние дни своих первых религиозных исканий Мертон был настолько поглощен самим собой, что смог по-настоящему поверить, будто Бог прислал этого человека из Индии специально для того, чтобы обратить его.

Когда началась война, Мертон похоронил отца и уехал в Америку, где прослушал несколько курсов в Колумбийском университете. Затем он начал посещать католические богослужения и решил стать католиком. Его невероятно угнетала бесцельность собственной жизни. Он больше не мог жить лишь для себя самого. Прожив некоторое время в уединении в цистерцианском аббатстве Гефсимани (Кентукки), он был принят послушником и до самой смерти остался монахом.

Жизнь монаха-трапписта проста и строго регламентирована. Мертон обрел здесь безопасность и целенаправленность, которых ему так не хватало во все эти годы бесконечных странствий. Из-под его пера выходили книга за книгой, повествующие об особых радостях монашеской жизни и ужасающей природе мира за стенами монастыря. Его автобиография "Гора в семь этажей" (в Великобритании издана под названием "Избрав молчание") стала бестселлером, равно как и маленькая брошюра "Семена созерцания", содержащая благочестивые мысли на соответствующие темы.

Впрочем, некоторые из этих "семян" проросли вовсе не там, где, по мнению Мертона, они были посеяны, и цветы их украсили то поле, где молчание ценится превыше религиозной активности и где ортодоксальное христианство иногда противоречит истине. Спустя 12 лет он написал "Новые семена созерцания" — книгу, снизившую его популярность среди католиков: читателям показалось, будто он подвергает сомнению христианскую веру в уникальность человеческой индивидуальности. Описывая созерцание (упражнение во внутреннем молчании и готовности к приятию Бога), он говорил:

ТОМАС МЕРТОН (1915 – 1969)

"Созерцание не есть и не может быть функцией нашего внешнего "я". Существует непреодолимое противоречие между глубоким трансцендентным "я", пробуждающимся лишь во время созерцания, и поверхностным, внешним "я", которое мы обычно отождествляем с первым лицом единственного числа. Мы должны помнить, что поверхностное "я" не является нашей подлинной самостью. Это наша "индивидуальность" и наше "эмпирическое" "я", но это не та скрытая и таинственная личность, в которой мы на самом деле пребываем перед очами Господа. "Я", которое работает в миру, думает о себе, наблюдает за собственными реакциями и говорит о себе, не является подлинным "я", соединившимся с Богом во Христе. Это, в лучшем случае, покров, маска, личина, надетая на то таинственное и незнакомое "я", которое не открывается большинству вплоть до самого смертного часа. Наше внешнее, поверхностное "я" не является ни вечным, ни духовным. Более того, это "я" обречено рассеяться целиком и без остатка, как дым из трубы. Оно чрезвычайно хрупко и эфемерно. И все созерцание заключается в осознании, что это "я" на самом деле не-я", и в пробуждении того неизвестного "я", которое не склонно к наблюдениям и размышлениям и неспособно говорить о себе..." [1].

Христианские монастыри в большинстве своем населены двумя разновидностями монахов. Одна из них — это приятные, спокойные, словоохотливые люди, которые просто предпочитают мирской жизни спокойную рутину монашества и, обладая практическим умом, вовсе не склонны к мистицизму. Но в монастырях есть и люди более замкнутые, поглощенные самими собой, погруженные в свои переживания, как религиозного, так и светского характера.

Мертон был достаточно знаком с монахами обоих типов, и некоторые из его книг открыто критикуют образ жизни и настроения монахов. Он, в частности, опровергал тех, кто пытался определить созерцание и связанные с ним переживания с помощью психологической терминологии или научных дефиниций. В христианстве существует разграничение между понятиями медитации и созерцания. Медитация — это внутренняя дискуссия, молчаливое прорабатывание темы. Созерцание — это молчаливая близость к Богу, переживание бытия — и многие монахи в силу своего образа жизни и своей натуры в нем не нуждаются, точно так же, как многие активные религиозные деятели зачастую обходятся безо всяких духовных реалий.

Мертон был мистиком, и для него созерцание означало откровение и внутреннее озарение. Но западная религиозная мысль всегда была скорее вербальной и интеллектуальной, чем интуитивной. Многие христиане во все времена одобрительно повторяли декартово "cogito ergo sum" ("я мыслю, следовательно, я существую"). Это утверждение и позиция, которая из него вытекает, казались Мертону сущим проклятием:

"Это декларация отчужденного существа, изгнанного из собственных духовных глубин, вынужденного искать утешение в *доказательстве факта своего собственного существования* (!), основанном на наблюдении, что оно "мыслит". Если ему необходима мысль в качестве посредника, с помощью которого он приходит к понятию бытия, то на самом деле он еще более удаляется от своего подлинного бытия. Он сводит себя к понятию. Он делает невозможным для себя непосредственное и прямое переживание тайны своего собственного бытия. В то же время, сводя также и Бога к понятию, он делает для себя невозможным всякое интуитивное проникновение в Божественную реальность, невыразимую по своей сути. Он подходит к своему собственному бытию как к объективной реальности, то есть он пытается осознать себя, как он осознал бы любую чуждую для себя "вещь". И он доказывает, что эта "вещь" существует. Он убеждает себя: "Следовательно, я — какая-то *вещь*. И затем он продолжает убеждать себя, что Бог, бесконечный,трансцендентный, тоже "вещь", "объект", как и другие конечные и ограниченные объекты нашей мысли!

Созерцание же, напротив, есть переживание реальности как *субъективного*, причем не столько "своего" (то есть как бы "принадлежащего внешнему "я"), сколько "самого себя" как экзистенциальной тайны. Созерцание приходит к реальности не путем дедукции, но вследствие интуитивного пробуждения, когда наша свободная и личная реальность становится способной ясно постичь собственные экзистенциальные глубины, которые открывают доступ к тайне Бога" [2].

Католический философ Тейяр де Шарден считал личностную индивидуальность предельно реальной, и многие христиане также верили в это, базируя свои убеждения на факте исторического существования Бога, который стал человеком — Иисуса Христа. Но Мертон не считал такое доказательство существования индивидуальности сколько-нибудь серьезным. Он говорил, что гораздо лучше просто постичь свою собственную таинственную природу как личность, в которой существует Бог, чем верить, что человек существует вследствие того что он мыслит.

Вера в неизвестное "я", не подверженное ни наблюдениям, ни размышлениям, — вот тема, проходящая через всю эту книгу красной нитью. Мертон считал неизвестное "я" действительно существующей личностью, которая, сообразуясь с замыслом Господа, неявно присутствует во всем творении: "Чем более дерево похоже само на себя, тем более оно похоже на Него. Если оно пытается быть похожим на что-нибудь другое, быть чем-нибудь, чем по замыслу Бога оно быть никоим образом не должно, оно становится менее похожим на Него и, следовательно, менее способно славить Его" [3].

Это, однако, не значит, что такое неполное сходство делает созданные вещи несовершенными. Напротив, подлинное совершенство состоит не в подчинении какой-нибудь абстрактной форме; скорее, оно возникает там, где личность тождественна самой себе — своей собственной сущности, характеристикам и качествам. Когда она едина с самой собой, она славит Господа тем, что представляет из себя точное воплощение Его замысла, точно так же, как любое отдельно взятое дерево славит Господа тем, что пускает корни или раскидывает ветви таким образом, как это не делало и никогда не будет делать ни одно другое дерево.

Это мертоновское прозрение проливает свет на свойственную всем людям привычку подлаживаться под модную позицию или стиль. Вместо того, чтобы быть самим собой, — здесь и сейчас, не ведая ни о какой роли, которую я должен играть ради собственной выгоды —

я по привычке думаю о себе так, словно на расстоянии шести футов от меня постоянно находится еще один человек, который оценивает мою игру. Мы живем не своими собственными, а чужими мыслями. Боязнь чужого осуждения заменяет нам разум.

Открытие своей собственной личности, очищенной от скрывающих ее наслоений общественных условностей и образования, является главной задачей таких восточных религий, как индуизм и суфизм. Это задача, занимающая умы таких мудрецов, как Кришнамурти и Рамана Махарши. Окончательное открытие Бога или Себя как основы своей собственной природы Мертон считает главной проблемой личности, что во многом сходно с мнением Раманы Махарши. Если Рамана Махарши полагал, что ощущение собственного "я" является ключом к решению вопроса существования, и что, отождествляясь со своим Источником, с "Собой", оно позволит бытию раскрыть свои истинные возможности — то Мертон, на языке христианства, рассматривал свободную волю как дар Бога человеку, который необходимо использовать для активного соучастия с Богом в процессе открытия собственной тождественности с Ним:

"У деревьев и животных нет проблем. Бог делает их тем, чем они есть, не советуясь с ними, и они вполне удовлетворены.

В отношении нас Он поступает по-другому. Бог оставляет нам выбор быть всем, чем нам угодно. Мы можем быть или не быть самими собой — по собственному желанию. Мы вольны быть искренними или неискренними. Мы можем быть правдивыми или лживыми — выбор за нами. Мы можем носить то одну, то другую маску и — если захотим — никогда не показывать никому своего истинного лица. Но мы не можем выбирать безнаказанно. Причины влекут за собой следствия, и если мы лжем себе и другим, у нас нет надежды найти истину и реальность там, где мы захотим их найти.

Ежели мы избрали путь лжи, нам не следует удивляться, что истина ускользает от нас в тот момент, когда мы в конце концов приходим к тому, что она нам необходима!

Мы призваны не просто *быть*, но трудиться совместно с Богом над созданием своей собственной жизни, своей собственной личности, своей собственной судьбы... Мы не знаем наперед, каким в точности будет результат этой работы. Тайна полноты моей личности скрыта в Нем. Лишь Он один может сделать меня тем, чем я есть или, скорее, тем, чем я буду, когда в конце концов поистине начну быть. Но до тех пор, пока я не захочу найти эту личность, трудясь с Ним и в Нем, работа никогда не будет завершена. Способ осуществления этой работы есть тайна, которую я могу узнать только от Него одного" [4].

Желание найти "истинную личность" отвлекло Мертона от замкнутой монастырской жизни, оказавшей влияние на его ранние сочинения, и побудило его проявить больше сочувствия к страждущему миру, — тогда как в юности он главным образом радовался тому, что покинул его. Он начал осознавать, что в этом мире живут люди со своими реальными проблемами. Он обнаружил, что расстояние между созерцанием и обыденной жизнью уменьшается, поскольку оба эти явления пробуждали в нем врожденное ощущение Бога. Он увидел, что путь к внутренней духовной уверенности недраматичен и скромен, и что наибольшую ценность имеет повседневный монашеский устав: "работа, бедность, лишения и однообразие".

Было время, когда он пошел еще дальше и заявил, что "самый настоящий аскетизм — это тяжкая неуверенность, труд и ничтожество обездоленных". Многим оказалось не под силу с этим согласиться. Если смотреть из безопасного монастырского убежища, страдания обездоленных могут показаться подлинной "аскезой"; но ни один страдающий и отчаявшийся отец голодных детей не сочтет условия своего существования аскетическими. И, проявив чуть больше проницательности, Мертон добавил:

"Сами по себе бедность и лишения, как таковые, — это еще не путь к созерцательному единению".

По мере проникновения в смысл реальности Мертон стал все пристальнее приглядываться к этому внешнему миру. Одним из явлений современности, подвергавшихся его критике, было движение "Бог умер", поднявшее больше шуму в Америке, чем в Европе; источником этого движения была книга Мартина Бубера "Затмение Бога". Когда д-р Джон Робинсон, епископ Вулвичский, написал "Перед Господом — с искренностью", Мертон отреагировал так:

Ритуал рукоположения в церкви траппистского монастыря.

"Начнем с того, что "мир" не нуждается в христианских апологе-тах... Он оправдывает сам себя. К своему же собственному удоволь-ствию. Вот почему я считаю абсурдом идти к "миру" с этой (как я полагаю) очередной тактической уловкой, призванной склонить людей к откровенности, — с этой "нерелигиозной религией", которая радо-стно соглашается с тем, что Бог мертв... Закономерная реакция "мира": "Ну и что?" "Миру" точно так же не нужна "нерелигиозная религия", как и религия традиционного типа" [5].

Мертон указывал, что человеку нужно не обычное христианство вовлеченное во все мирские дела, а религия "не от мира сего". Человек хочет освободиться от модных "мифов, идолов и путаницы" сего мира. Он, конечно, никогда не сможет быть свободным от природного сотворенного мира как такового или от человеческого общества, но настоящий христианин должен освободиться от навязчивых идей того общества, которое управляется любовью к деньгам и жаждой власти — "Действительно важно: показать тем, кто *хочет быть свободным*, где на самом деле находится их свобода!"

Многие христиане не согласились бы, да и не соглашались с ним в этом вопросе: наверное, в любой религии, но особенно в христианстве все верующие делятся на две основные группы. Первая полагает, что в полной мере исполняет Божьи заветы, ведя активную христианскую жизнь, но не ощущает потребности в созерцании Бога; на самом деле они лишь робко следуют одной-единственной заповеди: "Останови-тесь и познайте, что я — Бог". Вторая, значительно меньшая группа, придает первостепенное значение собственному духовному самопозна-нию, хотя, подобно Олдосу Хаксли, отнюдь не склонна закрывать глаза на нужды этого мира.

Мертон был христианином второго типа, и можно сказать, не боясь ошибиться, что таких христиан легче всего найти именно в монастырях. Но в его созерцании присутствовали две темы, которые расширили его кругозор и, возможно, изменили направление его жизни. Одним из них была вера в то, что (как было указано ранее) "каждое конкретное существо... славит Господа, будучи тем, чем хочет его видеть Он здесь и теперь". Полное осознание мига, который Мертон называет "насто-ящностью", приводит к тому, что в сознание входит факт существо-вания "неизвестного "я". Весь процесс пробуждения совершается *мгновенно*. Где бы вы ни находились, в уединенной келье или на людной улице, в этом миге содержится все необходимое, для того, чтобы ваше "я" стало одним целым с трансцендентной реальностью.

Другой темой, часто упоминавшейся и активно разрабатывавшейся Мертоном, было избавление от Эго: уход от индивидуального и достижение состояния бытийности посредством отказа от собственной "вещности".

"До тех пор, пока существует "я", которое является определенным субъектом созерцательного переживания, "я", сознающее себя и свое созерцание, "я", обладающее определенной "степенью духовности" — мы "остаемся в Египте", так и не перейдя свое "Чермное море". Мы остаемся в царстве разнообразия, деятельности, незавершенности, борьбы и желаний. Истинное внутреннее "я", истинная, нерушимая и бессмертная личность, истинное "я", которое откликается только на новое и хранимое в секрете имя, известное только ему самому и Богу, и не "обладает" ничем, даже "созерцанием". Это "я" — не какой-нибудь субъект, который может копить переживания, размышлять над ними и размышлять над самим собой, ибо это "я" не есть то поверхностное и эмпирическое "я", которое знакомо нам из повседневной жизни" [6].

Эти темы неизбежно должны были привести Мертона, с его эрудицией и все более непредубежденным отношением к святости, к восточным религиям, и в частности к дзэн-буддизму, где осознание "*настоящности*" рассматривается в качестве одного из существеннейших моментов. Приятие мысли о том, что нехристианские религии тоже могут быть реальным источником духовности, возможно стоило Мертону некоторой внутренней борьбы, однако он сумел интуитивно постичь сущность учений индуизма и буддизма, и в будущем мог бы стать выдающимся "строителем моста" между Востоком и Западом, если бы не ушел из этого мира столь безвременно. Его раздражала предвзятость многих католических писателей, считавших восточные религии пессимистическими, пассивными и непригодными для Запада, и он начал работу над несколькими книгами, которые должны были указать на сходства и различия между христианством и восточными религиями.

Его основная исследовательская деятельность сосредоточилась в области дзэн-буддизма. Подлинные озарения подарили Мертону беседы с д-ром Д.Т.Судзуки, самым значительным в нашем столетии японским толкователем дзэн. После этих бесед он сказал, что буддизм (отдельной школой которого является дзэн) стал наконец ему понятен, что теперь он разглядел под обманчивой внешностью чуждой культуры и ритуалов, экзотических образов и таинственных слов их простую и ясную суть — "самую простую и самую ошеломительную вещь на свете: непосредственную встречу с Абсолютным Бытием, Абсолютной Любовью, Абсолютным Милосердием или Абсолютной Пустотой при непосредственной и вполне сознательной вовлеченности в процесс повседневной жизни. В христианстве эта встреча носит теологический и эмоциональный характер и осуществляется посредством слова и любви. В дзэн она носит метафизический и интеллектуальный характер и осуществляется при посредстве интуиции и пустоты" [7].

Он пришел к выводу, что "наше "я" не является своим собственным центром и не вращается вокруг себя самого; его центром является Бог, единственный центр всего, который находится "везде и нигде", в котором все сходится, из которого все исходит..." [8].

Такова великая вера многих героев этой книги. Они утверждают, что мы движемся к свободе, если наше "я" начинает постигать свое собственное бессилие и свои пределы и находить новое счастье в отказе от собственной сущности, в избавлении от своей самости.

Мертон увидел, что личность, чувство маленького и индивидуального "я" заменяется "интуитивным ощущением основы всех зримых вещей, ...бесконечным великодушием, которое сообщается со всем существующим" [9].

Такого рода утверждения заставили многих ортодоксальных католиков смотреть на Мертона с подозрением и недоверием, хотя Ватикан

Келья Томаса Мертона.

никогда не осуждал его взглядов открыто. (Один молодой доминикан-ский монах-англичанин рассказывал мне, что в его монастыре Мертона запрещают читать и считают "отступником"). И действительно, все более постигая существенные сходства между религиями, он все же допускал иногда оговорки, весьма необычные для католического автора:

"Возникает предположение, что дзэн определил не только систему постулатов буддизма, но также в определенной степени (и причем весьма заметно) "определил" Божественное откровение христианства" [10].

Даосизм, сформировавший большую часть духовного фундамента дзэн-буддизма в ранний период его развития, тоже очень привлекал Мертона и, после пятилетнего изучения предмета, он опубликовал "Путь Чжуан-цзы" — свою собственную интерпретацию сочинений этого китайского мудреца, осуществленную при содействии своего друга, д-ра Джона У. В страстном предисловии, посвященном Чжуан-цзы, которое с равным успехом можно было бы применить к самому автору, Мертон пишет:

"Я просто люблю Чжуан-цзы, ибо он есть то, что он есть, и я не чувствую необходимости оправдывать эту любовь перед самим собой или перед кем бы то ни было другим. Он слишком велик, чтобы нуждаться в какой-либо защите с моей стороны. Если Блаженному

Августину можно было читать Плотина, если св. Фоме можно было читать Аристотеля и Аверроэса (а ведь оба эти автора гораздо более далеки от христианства, чем Чжуан-цзы!), и если Тейяру де Шардену позволено широко пользоваться сочинениями Маркса и Энгельса для своего синтеза, то, я полагаю, мне простительно беседовать с китайским отшельником, разделившим со мною климат и покой моего одиночества и представляющим из себя тип личности, столь родственный моему...

Чжуан-цзы занят не словами и формулами, на которые можно разложить реальность, но непосредственным экзистенциальным постижением реальности в ней самой... Все учение, тот "путь", который содержится в этих рассказах, стихотворениях и медитациях, характерны для определенного ментального типа, который можно обнаружить повсюду в мире, для определенного вкуса к простоте, смирению, самоуничижению, молчанию и вообще к отказу принимать всерьез агрессивность, амбициозность, напористость и самомнение, которые необходимо демонстрировать, чтобы преуспеть в обществе. Иными словами, это "путь" тех, кто предпочитает ничего не приобретать — ни в мире, ни в сфере предполагаемых "духовных достижений". Для Чжуан-цзы, так же, как и для Евангелия, потерять собственную жизнь значит спасти ее, а пытаться спасти ее ради нее самой значит потерять ее. Спасти жизнь — значит утвердить мир, который является лишь гибелью и утратой. Спасти жизнь — значит отказаться от мира, который находит и спасает человека в его собственном доме, имя которому Божий мир. "Путь" Чжуан- цзы таинственен во всех своих проявлениях, ибо он так прост, что может позволить себе вовсе не быть путем. И менее всего он является "выходом" откуда-либо. Чжуан-цзы согласился бы со словами св. Хуана де ла Круса: вы вступите на этот путь, когда потеряете все пути и, в некотором смысле, заблудитесь" [11].

Отдыхающий Будда. *Храмовый комплекс Полоннарува (Шри Ланка).*

Томас Мертон погиб в Бангкоке, куда был приглашен для участия в конференции азиатских монашеских орденов. Его путешествие через Индию и Цейлон в Таиланд стало осуществлением долгожданной мечты, и когда самолет покинул аэропорт Сан-Франциско и направился на Восток, Мертон записал: "Мы оторвались от земли — и я, вместе с христианскими мантрами, переполняемый чувством судьбоносности, ощущением того, что я наконец-таки нахожусь на верном пути после долгих лет ожидания, сомнений и пустой траты времени" [12].

Поистине пророческие слова — но Мертон не чувствовал, что летит навстречу своей смерти. Скорее всего, он надеялся, что чувство родства с восточными религиями, которое он уже ощущал в себе, подтвердится — и подтверждение пришло. Возможно, это было для него глубоким духовным прозрением.

Он посетил пещеры Полоннарува на буддийском острове Цейлон — место, где расположены древние монастыри и гробницы и целое множество знаменитых скульптурных изображений Будды:

"Тропинка ныряет в Гал Вихара, широкую, тихую лощину, окруженную деревьями. Невысокий гранитный уступ, в нем высечена пещера: справа от пещеры большой сидящий Будда, лежащий Будда и, очевидно, Ананда, стоящий у него в головах. Викарий ордена, испугавшись "язычества", приотстает и садится под деревом читать путеводитель. Я могу приблизиться к Буддам босиком, мне никто не помешает, мои ноги ступают по мокрой траве, мокрому песку. И вот — молчание необычайных лиц. Их широкие улыбки. Огромные — и в то же время кроткие. Содержащие в себе все возможности, не спрашивающие ни о чем, знающие все и не отвергающие ничего, спокойные, но не мертвенно-бесчувственные: это покой мадхъямики, шуньяты (Пустоты как сущности предельной реальности), которая смотрит сквозь все вопросы, не сомневаясь при этом ни в ком и ни в чем — *не опровергая* — не приводя никаких иных аргументов. Доктринера, чей разум нуждается в прочных опорах, этот покой, это молчание могут устрашить. Меня же переполнил поток облегчения и благодарности этим фигурам, их *очевидной* ясности, ясности и текучести форм и очертаний, самой мысли вписать монументальные тела в контур скалы и ландшафта; скульптура, скала и дерево. И отрогу голой скалы, спускающейся склоном по другую сторону лощины, где можно повернуться и увидеть фигуры в иных аспектах.

Глядя на эти фигуры, я внезапно оказался почти насильно вырван из привычного, скованного видения вещей и внутренняя ясность, внутренний свет, словно пробивающийся сквозь скалы, стал для меня явным и несомненным. Необычная *очевидность* склоненной фигуры, улыбка, печальная улыбка Ананды, стоящего скрестив руки (гораздо более "властная", чем улыбка Моны Лизы, в силу своей простоты и прямоты). Самое главное — в том, что здесь нет загадок, нет проблем и на самом деле нет "тайны". Все проблемы решены, и все ясно. Скала, вся материя, вся жизнь наполнены дхармакайей (законом и истиной)... все есть пустота и все есть сострадание. Я не знаю, встречался ли я когда-нибудь с таким ощущением красоты и духовной силы, слившихся в одном эстетическом озарении" [13].

РИЧАРД БАХ

"Небо всегда в движении, но оно никогда не исчезает.

Несмотря ни на что, небо всегда с нами.

Небо не может быть обеспокоенным.

Мои проблемы не существуют для неба и никогда не будут существовать.

Небо не может понять неправильно.

Небо не судит.

Небо просто есть.

Оно есть, независимо от того, желаем мы признать этот факт или хороним себя под тысячами миль земли или даже еще глубже — под непроницаемой крышей бездумной рутины" [1].

Небо — это не просто метафора, проходящая через все творчество Ричарда Баха. Небо — это его жизнь; он сотни раз поднимался в небо — на планерах, на легких самолетах из дерева и ткани, на боевых истребителях и скоростных авиалайнерах. Он крайне реалистически относится ко всему, что касается полетов — от аэродинамики до летных качеств авиационных моторов. Но при этом он считает, что "люди долго не могли летать... поскольку были уверены, что это невозможно, и именно поэтому они не знали простейшего первого принципа аэродинамики. Мне хочется верить, что есть и другой принцип: нам не нужны самолеты, чтобы летать... или бывать на других планетах. Мы можем научиться это делать без машин. Если мы захотим" [2].

И не только летать: Ричард Бах уверен, что человек может сделать все, что он способен себе вообразить. Идея, поддерживающая в нем эту уверенность, заключается в том, что вся реальность нашего мира — всего лишь иллюзия, и, если мы это как следует осознаем, мы сможем овладеть ею и делать с ней все, что захотим. Эта идея легла в основу большинства его книг и, очевидно, во многом определила ход его жизни.

Ричард Бах — потомственный летчик маломоторной авиации. В восемнадцать лет он впервые сел за штурвал самолета, и с тех пор практически не расставался с небом. За исключением кратковременной службы в военно-воздушных силах США, вся его жизнь была связана с небольшими "прогулочными" самолетами облегченной конструкции. На таких машинах, иногда очень старых и ненадежных, ему не раз случалось перелетать всю Америку с запада на восток или месяцами кружить среди полей Среднего Запада, устраивая платные воздушные прогулки для местных фермеров. Иногда ему приходилось выполнять и более необычные работы: например, участвовать в съемках воздушных боев для фильма "Фон Рихтофен и Браун". Кроме того, время от времени он писал короткие очерки и посылал в разные американские журналы для авиаторов, где их иногда публиковали.

Ричард Бах — прирожденный фантазер и выдумщик. Несмотря на то, что его книги в большинстве своем подчеркнуто автобиографичны, все факты здесь неизменно приправлены изрядной дозой вымысла, и зачастую создается впечатление, что он просто мистифицирует читателя. Сказанное в полной мере относится и к таинственной истории,

РИЧАРД БАХ

связанной с наиболее известной книгой Баха — повестью "Чайка по имени Джонатан Ливингстон".

Однажды, прогуливаясь по туманному берегу калифорнийского канала Белмонт Шор, Бах услышал голос, который произнес слова: "Чайка по имени Джонатан Ливингстон". Повинуясь этому голосу, Бах поспешил домой, сел за письменный стол и записал видение, которое прошло перед его внутренним взором наподобие кинофильма.

Но видение было коротким, а продолжения не последовало. Бах пытался досочинить историю своими силами, однако у него ничего не получалось — до тех пор, пока, восемь лет спустя, ему не привиделось продолжение.

В 1970 г. "Чайка" вышла отдельным изданием и сразу же стала бестселлером. Пожалуй, нет нужды пересказывать здесь ее незамысловатый сюжет; я ограничусь лишь несколькими замечаниями, касающимися собственно философской стороны этой аллегорической повести.

История чайки Джонатана — это, фактически, история *бодхисатвы*, буддийского святого, который смог освободиться от пут земных условностей, однако вернулся на Землю для того, чтобы помочь освободиться другим страдающим существам. Здесь есть и суровая аскеза, и подвижничество, и чудеса, и идея о том, что Знание можно передать лишь тем, кто уже готов принять его. Отзвуки буддийской философии слышны в повести весьма отчетливо; иной раз она присутствует здесь даже в виде почти буквальных цитат:

"Большинство из нас продвигается вперед так медленно. Мы переходим из одного мира в другой, почти такой же, и тут же забываем, откуда мы пришли; нам все равно, куда нас ведут, нам важно только то, что происходит сию минуту. Ты представляешь, сколько жизней мы должны прожить, прежде чем у нас появится первая смутная догадка, что жизнь не исчерпывается едой, борьбой и властью в Стае. Тысячи жизней, Джонатан, десять тысяч! А потом еще сто, прежде чем мы начинаем понимать, что существует нечто, называемое совершенством, и еще сто, пока мы убеждаемся: смысл жизни в том, чтобы достигнуть совершенства и рассказать об этом другим. Тот же закон, разумеется, действует и здесь: мы выбираем следующий мир в соответствии с тем, чему научились в этом. Если мы не научились ничему, следующий мир окажется таким же, как этот, и нам придется снова преодолевать те же преграды с теми же свинцовыми гирями на лапах" [3].

Однако даже из этого фрагмента видно, что философия Ричарда Баха значительно отличается от буддизма. Буддисты утверждают, что страдание — неизбежный спутник бытия; освобождение же, к которому они стремятся — это полное прекращение бытия, возвращение личности в изначальную и безличную Пустоту, лежащую в основе всех вещей. У Баха мы не найдем ничего подобного. Прежде всего, он отрицает трагичность бытия. "Твое невежество измеряется тем, насколько глубоко ты веришь в несправедливость и человеческие трагедии", — говорит он. По его мнению, мы сами создаем себе все проблемы и несчастья, потому что не знаем иного способа существования или считаем его предосудительным. Мир, неподвластный нашим фантазиям, мир, где все мы обречены трудиться ради поддержания собственной жизни, представляет собой прекрасное оправдание для лености и робости нашего воображения.

Кроме того, освобождение, о котором говорит Бах, — это вовсе не освобождение от бытия и даже не освобождение от собственного "я". "Все ваше тело от кончика одного крыла до кончика другого — это ничто иное как ваша мысль, выраженная в форме, доступной вашему зрению. Разбейте цепи, сковывающие вашу мысль, и вы разобьете цепи, сковывающие ваше тело" [4], — говорит Джонатан своим ученикам. Осознав мир как свою иллюзию, личность приобретает качественно новые возможности и, в конечном итоге, попадает в новый мир, который дает ей еще больше возможностей для самосовершенствования. В "Чайке" этот мир назван Небесами; однако Небеса — это вовсе не предел достижимого совершенства. Предела нет: "то, что гусеница называет Концом света, Мастер назовет бабочкой" [5]; но каждая бабочка — всего лишь гусеница для следующего этапа развития.

Такую картину мира рисует нам Ричард Бах; и надо сказать, некоторые находят ее весьма воодушевляющей. "Чайка" помогает людям взглянуть на все проблемы повседневности как бы "с высоты птичьего полета", осознать могущество своего сознания и поверить в силу собственного духа. "Эта книга Ричарда Баха имеет двойное воздействие, — писал известный американский фантаст Рэй Брэдбери. — Она дарит мне чувство Полета и возвращает мне молодость".

Впрочем, такая точка зрения воодушевляет далеко не всех. "Утверждая, что ты чего-то там не можешь, ты лишаешь себя всемогущества" [6], — говорит Бах; но многие из нас могут ответить, что, утверждая обратное, они вовсе не приобретают никакого всемогущества. "В каждом из нас скрыта готовность принять здоровье или болезнь, богатство или бедность, свободу или рабство" [7]. Очень хорошо; но почему же мы тогда больны, а не здоровы, бедны, а не богаты, зависимы, а не свободны?

Да потому, что вы сами этого хотите, — отвечает им другой герой Баха, летчик Дональд Шимода, уроженец штата Индиана. Сам он умеет многое: избавить ребенка от страха перед высотой, исцелить паралитика, летать на самолете без бензина и масла, разгонять тучи — и это далеко не полный перечень его "чудесных" способностей. Но, сколько он ни пытается убедить людей в том, что каждый из них способен совершать такие же чудеса, никто, кроме самого Ричарда Баха, не решается проверить эти утверждения на практике. Здесь его всемогущество почему-то дает досадную осечку.

Дональд Шимода называет себя "мессией поневоле". Он говорит, что все люди — дети Бога, и что каждый из них в состоянии сделать все, чего он пожелает. Но его миссия терпит неудачу: даже Ричард Бах, самый способный ученик Шимоды, обучившись нескольким чудесам, так и не обрел подлинного всемогущества.

Шимода утверждает, что человеческая жизнь подобна кинофильму, и каждый из нас смотрит именно тот фильм, который он захотел посмотреть. Таким образом, все беды и трагедии, которые приключаются с нами в жизни — это всего лишь следствия извращенности нашего вкуса (например, пристрастия к трагедиям или ужасам) или недостаточно удачного выбора фильма. Но следует помнить о том, что мы сами сочиняем свои фильмы и сами играем в них, и поэтому можем изменить их в любой момент.

В другой раз он учит Ричарда ходить по поверхности пруда. Он объясняет ему, что вода "не твердая и не жидкая. Ты и я сами решаем, какой она будет для нас. Если ты хочешь, чтобы вода была жидкой, поступай так, будто она жидкая, пей ее. Если хочешь, чтобы она была воздухом, действуй так, как будто она воздух, дыши ею. Попробуй".

После того, как Ричарду в самом деле удается ходить по воде и дышать водой, у него возникает вопрос: а нельзя ли делать тоже самое и с землей? И Дональд Шимода демонстрирует ему следующее: "Он легко подошел к берегу, как будто шагал по нарисованному озеру. Но в тот момент, когда ноги ступили на прибрежный песок, он начал погружаться и, сделав несколько шагов, ушел по плечи в землю, покрытую травой. Казалось, что пруд неожиданно превратился в остров, а земля вокруг стала морем. Он немного поплавал в пастбище, плескаясь и поднимая темные жирные брызги, затем поплавал на самой его поверхности, а потом встал и пошел по нему. Неожиданно я увидел чудо: человек шел по земле!" [8].

"Чтобы двигать горы, есть способы и получше", — заявляет Шимода в ответ на реплику о мощном тракторе, способном сдвинуть гору. Далее, подчеркивая известный евангельский мотив, появляется и зерно, — однако не горчичное, а кунжутное, и причем в довольно неожиданном контексте. "Если у тебя воображение с это кунжутное зернышко... — для тебя нет ничего невозможного" [9], — утверждает Шимода. Для него вера и воображение — синонимы; но второе слово, по его мнению, более точно отражает суть дела.

Все воображаемые чудеса реальны постольку, поскольку совершаются в воображаемой реальности. Каждый из нас волен наполнить эту реальность чудесами и приключениями — или же сделать ее ограниченной и бесцветной и добывать свой хлеб в поте лица. "Для того чтобы стать свободным и счастливым, — написано в его карманном "Справочнике Мессии", — ты должен пожертвовать скукой. Не всегда такую жертву принести легко" [10].

И действительно: пока Шимода сам творит чудеса, все относятся к нему с благоговением, как к новому Христу. Но, как только он говорит людям: "Попробуйте сами", они приходят в негодование; кое-кто даже называет его Антихристом.

Проповеди Шимоды и в самом деле содержат целый ряд высказываний, способных насторожить ревностного христианина. Он хочет, чтобы люди стали всемогущими и уподобились богам — но ведь то же самое предлагал Еве змий, соблазнивший ее к грехопадению! Он начисто отвергает понятие греха, заявляя: "Мы все свободны делать то, что мы хотим". И даже более того: по его мнению, мы свободны

Биплан Р. Баха

даже причинять вред кому бы то ни было, если это соответствует нашим намерениям. Когда Ричард Бах попытался опровергнуть это утверждение, Шимода вызвал к нему... призрак трансильванского вампира. Вампир принялся выпрашивать у Баха "каких-нибудь пол-литра крови", утверждая, что без крови он просто погибнет, и исчез только тогда, когда напуганный Бах уже был готов причинить ему весьма ощутимый вред.

Действительно, мессия Дональд Шимода воспринимает жизнь не по-христиански. Для христианина жизнь — это испытание, которому подвергается его добродетель; для Шимоды — своего рода учебная игра, которую можно переиграть в случае неудачи. В своем стремлении преодолеть автоматизм повседневной жизни он больше похож на Гурджиева или Ошо, чем на Христа или Будду; а молодые американцы 70-х годов, несомненно, находили в нем сходство с Джерри Рубином, идеологом "психоделической революции", призывавшим "сделать это" без раздумий и прямо сейчас.

Вот некоторые из афоризмов, записанных в "Справочнике Мессии":

"По жизни тебя ведет заключенное в тебе веселое призрачное существо, полное жажды познания, которое и есть твое истинное Я.

Никогда не отворачивайся от возможного будущего, пока не убедишься, что тебе в нем нечему *научиться*.

Ты всегда волен передумать и выбрать себе какое-нибудь другое будущее или какое-нибудь другое прошлое" [11].

"Когда ты учишься — ты лишь открываешь для себя то, что ты давно уже знаешь.

Когда ты совершаешь поступки — ты показываешь, что действительно знаешь это.

Когда ты учишь — ты лишь напоминаешь другим, что они знают это так же хорошо, как и ты.

Мы все учимся, совершаем поступки и учим.

Самые простые вопросы на деле самые сложные. Где ты родился? Где твой дом? Куда ты идешь? Что ты делаешь? Думай об этом время от времени и следи за тем, как *меняются твои ответы*" [12].

Ричард Бах уверен, что в ходе духовного роста человека ответы на эти вопросы неизбежно должны изменяться. Каждая новая ступень заставляет нас по-новому осознать свой мир, свое прошлое, свои действия и свои цели. "В наше время все движется от материального к духовному... пока очень медленно, но этого движения не остановить" [13], — утверждает он. Эта философия вечного движения и неограниченных возможностей наиболее популярна среди молодежи; более зрелые люди склонны относиться к подобным утверждениям несколько скептично. Однако мне кажется, что в произведениях Ричарда Баха основное значение имеет вовсе не буквальный смысл того или иного высказывания: в конце концов, даже в "Справочнике Мессии" сказано, что "все в этой книге может оказаться ошибкой". Азарт духовного поиска, неприятие каких бы то ни было условностей и ограничений, бодрый дух абсолютной свободы, динамичное и остроумное изложение, — вот те достоинства, которые еще долго будут привлекать к себе читателей, стремящихся открыть Дверь в Иное.

"Если вы так сильно желаете *свободы и радости*, разве вы не видите, что их нет вне вас? — спрашивает нас Ричард Бах. — Скажите, что они у вас есть, и они у вас есть. Поступайте так, как будто они ваши, и они у вас появятся" [14].

ГЕРМАН ГЕССЕ (1877 – 1962)

"Будь я музыкантом, я без труда мог бы написать двухголосную мелодию, состоящую из двух линий, из двух тональностей и нотных рядов, которые бы друг другу соответствовали, друг друга дополняли, друг с другом боролись, друг друга обуславливали, во всяком случае, в каждый миг, в каждой точке ряда, находились бы в теснейшем и живейшем взаимодействии. И всякий умеющий читать ноты, мог бы прочесть мою двойную мелодию, всегда бы видел и слышал к каждому тону его противотон, брата, врага, антипода. Так вот, то же самое, эту двухголосность и вечно движущуюся антитезу, эту двойную линию я и стремлюсь выразить в своем материале — с помощью слов, бьюсь над этим, но все напрасно. Я пытаюсь снова и снова, и если что

ГЕРМАН ГЕССЕ (1877 – 1962)

заставляет меня работать увлеченно и меня подталкивает, так это единственно упорное стремление достичь невозможного, ожесточенная борьба ради недосягаемого.

Вот стоящая передо мной дилемма и задача. Можно много говорить здесь об этом, а вот разрешить их нельзя. Пригнув оба полюса жизни друг к другу, записать на бумаге двухголосность мелодии жизни мне никогда не удастся. И все-таки я буду следовать смутному велению изнутри и снова и снова отваживаться на такие попытки. Это и есть та пружина, что движет мои часы" [1].

Единство и борьба противоположностей — материи и духа, добра и зла, света и тьмы, — лейтмотив всех произведений Германа Гессе. Его романы и повести представляют нелегкое чтение для тех, кто ищет готовых истин и указаний. Ибо истина возникает здесь мучительным и таинственным способом и, едва выкристаллизовавшись в ясную и убедительную форму, тут же опровергается совершенно противоположной истиной, не менее ясной и убедительной. И единственный способ не сбиться с пути, разобраться в этих взаимоисключающих истинах, состоит в том, чтобы принять их все сразу, такими, как они есть, преодолевая воображаемую двойственность логических противопоставлений.

Творческий путь Гессе был столь же извилист, как и пути истины в его романах. Сын швабского священника-пиетиста, он еще в ранней юности отказался от духовной карьеры и провел три года в исканиях, путешествуя от одного учителя к другому. В 1895 году он устроился в ученики к книготорговцу, затем работал в магазине литературных новинок и, наконец, в букинистической лавке.

На грани веков Гессе написал и выпустил четыре сборника стихотворений, выдержанных в духе немецкого романтизма. Один из этих сборников, "Записки и стихотворения, оставленные Германом Лаушером", привлек внимание Фишера, одного из крупнейших немецких издателей того времени, и в 1901 году он заключил с Гессе контракт на все произведения, которые тот будет создавать впредь. В начале нынешнего века Гессе написал несколько реалистических произведений, которые имели большой успех. Гонорары, полученные за эти книги, позволили писателю построить себе дом в деревне Монтаньоль на берегу озера Лугано. В этом доме он и провел свою жизнь, почти безвыездно, до самого ее конца.

Казалось бы, дальнейшая творческая жизнь Гессе была предопределена. Однако еще до рождения Гессе в его судьбе сложились определенные обстоятельства, которые непременно должны были воспрепятствовать этому.

Дело в том, что и дед, и отец писателя занимались миссионерской работой в Индии и были в значительной степени связаны с индийской культурой. "Многие лучи скрестились в этом доме, — писал Гессе, вспоминая свое детство. — Здесь молились и читали Библию, здесь учились и занимались индологией, здесь много музицировали, знали о Будде и Лао-цзы, сюда приезжали гости из многих стран, привозя запах чужой земли на одежде и звуки чужих языков... Наука и сказка жили здесь рядом" [2]. А в 1911 году Гессе сам побывал в Индии.

Все эти обстоятельства едва ли могли способствовать формированию писателя-реалиста. И вот в 1919 году в книжных магазинах Германии появилась повесть, в которой ничто не напоминало читателю о прежнем Гессе. Даже имя автора: она была подписана именем героя-рассказчика, Эмиля Синклера, и называлась "Демиан".

Когда инкогнито автора этой книги было раскрыто, ошеломленные критики принялись вразнобой говорить о различных влияниях, под которыми она написана: антропософских, психоаналитических и т.д. Влияния эти несомненны; однако сама повесть, по-моему, достойна гораздо более внимательного рассмотрения.

Эмиль Синклер рассказывает здесь о своем детстве и юности и о своем старшем друге по имени Макс Демиан, который сыграл значительную роль в становлении его личности. Этот подросток, ведущий себя чересчур по-взрослому и окруженный невнятными и странными слухами, как-то раз изложил Синклеру свое толкование библейской истории о Каине и Авеле. По мнению Демиана, главным в этой истории была "Каинова печать" — некая неуловимая и пугающая черта, отличающая духовно сильного человека от слабой и неуверенной толпы. Вне зависимости от того, совершил ли Каин свое преступление, или оно только приписывалось ему молвой, и сам он, и его потомки, отмеченные той же печатью, не могут смешаться с толпой и одиноко хранят свое высшее знание, которое защищает их от насилия со стороны простых людей.

История о Синклере и Демиане наполнена чудесами и сверхъестественными событиями. Однажды, уже будучи гимназистом, Синклер ощутил, что в его духовном развитии наступает новый этап и послал письмо Демиану, хотя и не знал, где тот находится в настоящий момент. Спустя некоторое время он нашел в своем учебнике записку: "Птица вылупляется из яйца. Яйцо — это мир. Кто хочет родиться, должен разрушить мир. Птица летит к Богу. А Бога зовут Абраксас" [3]. Это случилось на лекции по древнегреческому языку, во время которой преподаватель, рассказывавший о древних богах, упомянул об Абраксасе, боге, который совмещал в себе добро и зло, Бога и Сатану одновременно.

Имя Абраксаса помогло Синклеру наладить контакт с одиноким органистом Писториусом, самостоятельно достигшим довольно высоких степеней просветления. Писториус стал его духовным учителем и проводником в область высшего знания. Его учение, имевшее определенные следы теософского влияния, было все же глубоко самобытным и основанным на личном медитативном опыте:

"Вещи, которые мы видим, — тихо сказал Писториус, — это те же самые вещи, что существуют внутри нас. И нет никакой иной реальности, кроме той, что мы носим в себе. Вот почему большинство людей живет столь нереалистично: они считают внешние образы реальностью, а свой собственный внутренний мир вовсе лишают права голоса. Может быть, они даже счастливы. Но с того самого мгновения, как Иное заявит о себе, у человека нет больше выбора; он уже не может идти тем путем, который выбирает большинство" [4].

Синклер подружился с Писториусом; однако путь медитативного созерцания не смог удовлетворить человека, отмеченного печатью Каина. Синклера беспокоили странные сны о любовной борьбе с гигантской женщиной, лицо которой напоминало лицо Демиана. И вскоре, глубоко неудовлетворенный общением с Писториусом, он обидел своего друга, назвав его идеалы "антикварными". С тех пор их пути разошлись; а спустя некоторое время Синклер переехал в другой город и повстречал там Демиана и других "собратьев", отмеченных той же печатью.

Последние три главы повести, повествующие о жизни и деятельности "сынов Каина", свидетельствуют о высочайшем писательском мастерстве Гессе. Восторг и духовное горение, которым проникнуты эти страницы, неизбежно заставляют читателя поверить, что в духовном развитии Синклера действительно наступил новый этап. И лишь по прошествии определенного времени, избавившись от этого впечатления, некоторые читатели понимают, что на самом деле данный этап его биографии является необратимым и стремительным регрессом. Ведь мысли и намерения "сынов Каина" агрессивны и честолюбивы; они считают всех "непросветленных" людей стадом и приветствуют Первую Мировую войну, в которой сразу же намерены принять активное участие. По их мнению, война является революционным событием, в котором должно родиться новое человечество. Между тем, их собственные "духовные" занятия очень напоминают обыкновенный оккультизм в духе Алистера Кроули и, если взглянуть на них непредубежденно, едва ли можно заметить здесь что-нибудь такое, чем не мог бы заниматься обычный, "непросветленный" человек. Поэтому гибель Макса Демиана, несмотря на всю патетику этой сцены, является весьма символичным и закономерным финалом повести.

И не случайно следующая повесть Гессе, посвященная духовным исканиям — "Сиддхарта" (1920) — описывает путь одиночки. Ее действие разворачивается в древней Индии в те времена, когда Будда Гаутама еще только начинал проповедовать свое учение.

Заглавный герой повести, сын брахмана, ушел от своего отца, чтобы стать бродячим аскетом; затем ушел от бродячих аскетов, чтобы услышать учение Будды; затем покинул Будду, чтобы соблазн следовать его учению не стал преградой на его собственном пути к просветлению. И просветление, обретенное им много лет спустя, заключалось в том, что он обрел способность видеть, принимать и любить мир таким, как он есть. Он понял, что времени не существует, и каждая вещь, которая может стать Богом или Буддой в результате длинной цепи перерождений, в действительности уже сейчас является и Богом, и Буддой:

"Вот камень. Через некоторое время он, может быть, превратится в прах, а из земли станет растением или человеком. В прежнее время я бы сказал: "Этот камень — всего лишь камень. Он не имеет никакой ценности, он принадлежит к миру Майи. Но так как в круговороте перевоплощений он станет человеком или духом, то я и за ним признаю ценность". Так, вероятно, я рассуждал бы раньше. Ныне же я рассуждаю так: "Этот камень есть камень; он же и животное, он же и Бог, он же и Будда. Я люблю и почитаю его не за то, что он когда-нибудь может стать тем или другим, а за то, что он камень, что теперь, сегодня представляется мне камнем — именно за то я люблю его и ценность и смысл в каждой из его жилок и скважин, в его желтом или сером цвете, в его твердости, в звуке, который он издает, когда я постучу в него, в сухости или влажности его поверхности. Бывают камни, которые на ощупь словно масло или мыло; другие напоминают листья, третьи песок; каждый представляет что-нибудь особенное, каждый молитвенно произносит Ом на свой манер, каждый есть Брама и в то же самое время, в той же самой степени — камень, маслянистый или влажный". И именно это нравится мне; именно это и кажется мне удивительным, достойным благоговения" [5].

Антипод Сиддхарты — пятидесятилетний литератор "Гарри Галлер (Степной волк", 1927) — тоже одинок в своих исканиях. Подобно стивенсоновскому доктору Джекилу, он ощущает, что в его душе, рядом с сентиментальным и законопослушным мещанином Гарри, живет дикий и хищный Степной Волк, который ненавидит человеческое общество и мстит ему при каждом удобном случае. В действительности же и мещанин Гарри, и Степной Волк — это всего лишь две из бесчисленного множества личностей, составляющих единую личность литератора Галлера, и сводить всю свою внутреннюю жизнь к противостоянию этих двух персонажей — значит чрезвычайно обеднять ее.

"Разделение на волка и человека, на инстинкт и дух, предпринимаемое Гарри для большей понятности его судьбы, — это очень грубое упрощение, это насилие над действительностью ради доходчивого, но неверного объяснения противоречий, обнаруженных в себе этим человеком и кажущихся ему источником его немалых страданий, — сказано в "Трактате о Степном волке", включенном в роман. — Ибо ни один человек, даже первобытный негр, даже идиот, не бывает так приятно прост, чтобы его натуру можно было объяснить как сумму двух или трех элементов. ...Гарри состоит не из двух натур, а из сотен, из тысяч. Его жизнь (как жизнь каждого человека) вершится не между двумя только полюсами, такими как инстинкт и дух или святой и развратник, она вершится между несметными тысячами полярных противоположностей..." [6].

Представьте себе сад с сотнями видов деревьев, с тысячами видов цветов, с сотнями видов плодов, с сотнями видов трав. Если садовник этого сада не знает никаких ботанических различий, кроме "съедобно" и "сорняк", то от девяти десятых сада ему никакого толку не будет, он вырвет самые волшебные цветы, срубит благороднейшие деревья или, по крайней мере, возненавидит их и станет косо на них смотреть. Так поступает и Степной волк с тысячами цветов своей души. Что не подходит под рубрики "человек" или "волк", того он просто не видит" [7].

Однако Гарри продолжает упорствовать в своих заблуждениях — до тех пор, пока с ним не начинают происходить странные и удивительные события, способствующие его духовному выздоровлению. История этих событий совмещает в себе сюрреалистический колорит рассказов Гофмана и психологизм романов Достоевского; наиболее интересные эпизоды романа связаны с "магическим теат-

3*

ром", где человек получает возможность исполнить все свои самые
сокровенные желания. Среди множества фантастических аттракционов
театра Гарри находит умелого игрока, который берет все заключенные
в нем личности, расставляет их на доске подобно шахматным фигурам
и показывает, как управляться с ними:

"Тихими умными пальцами он взял мои фигуры, всех этих
стариков, юношей, детей, женщин, все эти веселые и грустные,
сильные и нежные, ловкие и неуклюжие фигуры, и быстро расставил
из них на своей доске партию, где они тотчас же построились в группы
и семьи для игр и борьбы, для дружбы и вражды, образуя мир в
миниатюре. Перед моими восхищенными глазами он заставил этот
живой, но упорядоченный маленький мир двигаться, играть и бороться,
заключать союзы и вести сражения, осаждать любовью, вступать в
браки и размножаться...

— Это и есть искусство жить, — говорил он поучающе. — Вы сами
вольны впредь на все лады развивать и оживлять, усложнять и
обогащать игру своей жизни, это в ваших руках. ...Возьмите с собой
ваши фигурки, эта игра еще не раз доставит вам радость. Фигуру,
которая сегодня выросла в несносное пугало и портит вам партию, вы
завтра понизите в чине, и она станет безобидной второстепенной
фигурой. А из милой, бедной фигурки, обреченной, казалось уже, на
сплошные неудачи, вы сделаете в следующей партии принцессу.
Желаю вам хорошо повеселиться, сударь" [8].

Повеселиться, посмеяться над собственными неудачами, над чрезмерной серьезностью обывательской жизни — вот чему пытаются
научить Гарри все аттракционы магического театра. К сожалению,
Гарри не сразу усваивает эти уроки; однако уже то, что он осознал
необходимость такого отношения к жизни, представляется значительным сдвигом в его духовном развитии. В театре Гарри встречается со
своим любимым композитором Моцартом; тот заставляет его слушать по
радио концерт Генделя, безнадежно изуродованный хрипящим динами-
ком и помехами. В ответ на все протесты Гарри Моцарт заявляет:

"А ведь теперь вы слышите не только изнасилованного приемником
Генделя, который и в этом мерзейшем виде еще божественен — вы
слышите и видите, уважаемый, заодно и превосходный символ жизни
вообще. Слушая радио, вы слышите и видите извечную борьбу между
идеей и ее проявлением, между вечностью и временем, между
божественным и человеческим. Точно так же мой дорогой, как радио
в течение десяти минут бросает наобум великолепнейшую на свете
музыку в самые немыслимые места, в мещанские гостиные и в
чердачные каморки, меча ее своим болтающим, жрущим, зевающим,
спящим абонентам, как оно крадет у музыки ее чувственную красоту,
как оно портит ее, корежит, слюнит и все же не в силах окончательно
убить ее дух — точно так же и жизнь, так называемая действительность, разбрасывая без разбора великолепную вереницу картин мира,
швыряет вслед за Генделем доклад о технике подчистки баланса на
средних промышленных предприятиях, превращает волшебные звуки
оркестра в неаппетитную слизь, неукоснительно впихивает свою
технику, свое делячество, сумятицу своих нужд между идеей и

реальностью, между оркестром и ухом. Такова, мой маленький, вся жизнь, и мы тут ничего не можем поделать, и если мы не ослы, то мы смеемся по этому поводу. Таким людям, как вы, совсем не к лицу критиковать радио или жизнь. Научитесь серьезно относиться к тому, что заслуживает серьезного отношения, и смеяться над прочим" [9].

"Степной волк" имел большую популярность у немецких читателей, однако немногие из них вняли этому совету. В то время в Германии уже наступала серьезная эпоха, когда одни серьезные люди помогали Гитлеру прийти к власти, а другие серьезные люди не менее серьезно с ними боролись. Политические симпатии и антипатии разделили немецкую литературу на два лагеря, слово стало оружием в политической борьбе. Имя Гессе было практически вычеркнуто из немецкой литературы, однако писатель продолжал работать. В 1943 году в Цюрихе был опубликован роман, который он писал с начала 30-х годов — знаменитая "Игра в бисер".

Основная тема этой книги — медитация. С медитацией, отношением к ней и способами ее осуществления так или иначе связаны судьбы всех персонажей этого романа. Вот, к примеру, первый урок медитации, преподанный Магистром Музыки юному Йозефу Кнехту, впоследствии ставшему Магистром Игры в бисер: "Но вот магистр повернулся на стуле и положил руки на клавиши. Он сыграл какую-то тему и, варьируя, стал ее развивать, то была, по-видимому, пьеса кого-то из итальянских мастеров. Он велел гостю представить себе течение этой музыки как танец, как непрерывный ряд упражнений на равновесие, как череду маленьких и больших шагов в стороны от оси симметрии и не обращать внимания ни на что, кроме образуемой этими шагами фигуры. Он сыграл эти такты снова, задумался, сыграл еще раз и, положив руки на колени, затих с полузакрытыми глазами на стуле, застыл, повторяя эту музыку про себя и разглядывая. Ученик тоже внутренне слушал ее, он видел перед собой фрагменты нотного стана, видел, как что-то движется, что-то шагает, танцует и повисает, и пытался распознать и прочесть это движение, как кривую полета птицы. Все путалось и терялось, он начинал сначала, на какой-то миг сосредоточенность ушла от него, он был в пустоте, он смущенно оглянулся, увидел бледно маячившее в сумраке тихо-отрешенное лицо мастера, вернулся назад в то мысленное пространство, из которого выскользнул, снова услышал, как в нем звучит музыка, увидел, как она в нем шагает, увидел, как она записывет линию своего движения, и задумчиво глядел на танец невидимых...

Ему показалось, что прошло много времени, когда он снова выскользнул из того пространства, снова ощутил стул под собой, каменный, и покрытый циновками пол, потускневший сумеречный свет за окнами. Почувствовав, что кто-то на него смотрит, он поднял глаза и перехватил взгляд мастера, который внимательно за ним наблюдал. Едва заметно кивнув ему, мастер одним пальцем сыграл пианиссимо последнюю вариацию той итальянской пьесы и поднялся.

— Посиди, — сказал он, — я вернусь. И еще раз отыщи в себе эту музыку, обращая внимание на ее фигуру. Но не насилуй себя, это всего лишь игра. Если ты уснешь за этим занятием, тоже не беда" [10].

"Все действительно великие деятели мировой истории, — сказал он Кнехту в другой раз, — либо умели медитировать, либо безотчетно знали путь туда, куда ведет медитация. Все другие, даже самые талантливые и сильные, терпели в конце концов крах, потому что их задача, или их честолюбивая мечта, овладевала ими, превращала их в одержимых до такой степени, что они теряли способность отрываться и отмежевываться от злобы дня" [11].

Действие романа происходит в далеком будущем, в Педагогической Провинции Касталии, по всем приметам напоминающей столь любимую писателем Швейцарию. Здесь находится всемирный центр академического образования, где тщательно сохраняются ценности мировой культуры и обучаются специалисты по гуманитарным наукам и искусствам. Медитативное созерцание составляет основу касталийской культуры. Сопоставляя, созерцая и систематизируя произведения писателей и художников, композиторов и философов, касталийцы не испытывают никакой потребности в художественном творчестве: эта потребность полностью удовлетворяется медитацией.

Медитативна и сама Игра в бисер: ее емкий и гибкий иероглифический язык позволяет сочетать между собой ценности из разных областей человеческой культуры, развивая и варьируя исходные темы по музыкальным или математическим правилам. Ежегодная образцовая Игра в бисер, производимая Магистром Игры, напоминает торжественный религиозный ритуал, привлекающий к себе внимание всего мира.

Однако Иозефа Кнехта, главного героя романа, постепенно перестает удовлетворять касталийская идиллия. Его волнует несовершенство мира, находящегося за пределами Касталии; кроме того, он понимает хрупкость и уязвимость утопического мира Педагогической Провинции, оторвавшейся от мира и не понимающей его нужд. В конце концов он снимает с себя полномочия Магистра Игры и уходит в мир, чтобы стать простым учителем. Предвидя близящуюся эпоху политической смуты, Кнехт считает своим долгом поддержать преемственность духовной традиции, передавая ее молодежи.

Такое решение не слишком характерно для истинного мастера медитации, постигшего незначительность мира и иллюзорность всех его проблем. Просветленный учитель не идет к ученикам — ученики сами приходят к нему, когда созреют для ученичества. Может быть, оно свидетельствует о том, что Кнехт допустил какую-то ошибку в своей медитативной практике, позволив "пути Марфы" возобладать над "путем Марии". А может быть, такое развитие сюжета "Игры в бисер" — романа, награжденного Нобелевской премией — в чем-то отражает жизненный путь самого автора. Ведь роман писался в годы второй мировой войны, когда Гессе оказался в числе немногих немецких писателей, не сотрудничавших с нацистским режимом. Не выезжая из Монтаньоля, он вел активную переписку со многими людьми, в том числе и молодыми, считавшими его своим духовным наставником; он активно помогал беглецам, переправлявшимся в Швейцарию, и осуждал нацизм в своих письмах. Трудно преуменьшить его роль и влияние в интеллектуальной жизни послевоенной Германии; и лишь совсем немного не дожил он до тех дней, когда читающая молодежь Англии и Америки открыла для себя "Сиддхарту" и "Степного волка".

Очевидно, это и есть тот самый случай, когда, по словам Хаксли, "путь Марии не только включает в себя, но и совершенствует путь Марфы". Так поступали христианские святые или буддийские *бодхисат-вы*: достигнув духовных вершин, они неизбежно возвращались, в страдающий и грешный мир, дабы просветить его и помочь ему подняться к этим вершинам. Однако у Гессе мы не найдем однозначного восхваления или одобрения именно этого пути. Напротив: Кнехт, покинувший Касталию, погибает глупой и случайной смертью, решив посостязаться в плаванье со своим юным учеником; а последние страницы романа отданы восточной притче об иллюзорности бытия и мудрости всеведущего йога, который сидит в лесной чаще и ни во что не вмешивается.

Так какой же путь предпочтительнее? В "Игре в бисер", как и во всех своих произведениях, Гессе уходит от прямого ответа на этот вопрос. Как всегда, его привлекает движение, но не конечная цель движения; становление, но не итог этого становления; вопрос, но не ответ на него. Гессе стремится разбудить читательскую мысль, столкнуть ее с проторенных путей, — но не желает создавать для своего читателя новый проторенный путь, втискивая его в колею готовой концепции. Он понимает, что жизнь многообразна, изменчива и никогда не будет полностью соответствовать никакой теории или концепции, пусть даже исходящей от самого просветленного ума. И парадоксы Макса Демиана, и прозрения Сиддхарты, и ироническое учение "магического театра", и мудрость Иозефа Кнехта — всего лишь ступени на бесконечном пути постижения жизни:

"Все круче поднимаются ступени,
Ни на одной нам не найти покоя,
Мы вылеплены Божьею рукою
Для долгих странствий, не для косной лени.
Опасно через меру пристраститься
К давно налаженному обиходу:
Лишь тот, кто вечно в путь готов пуститься,
Выигрывает бодрость и свободу.

Как знать, быть может, смерть, и гроб, и тленье —
Лишь новая ступень к иной отчизне.
Не может кончиться работа жизни.
Так в путь, и все отдай за обновленье!" [12].

БИБЛИОГРАФИЯ

ALDOUS HUXLEY

1. Aldous Huxley, *Those Barren Leaves* (London: Chatto and Windus; New York: Harper and Row), p.334.

2. Julian Huxley, *Aldous Huxley 1894-1963: A Memorial Tribute* (London: Chatto and Windus; New York: Harper and Row), p.35.

3. Aldous Huxley, *Eyeless in Gaza*, p.616.

4. Philip Thody, *Aldous Huxley* (London: Studio Vista; New York: Van Nostrand Reinhold), p.32.

5. Aldous Huxley, *The Perennial Philosophy* (London: Chatto and Windus; New York: Harper and Row), p.5.

6. Laura Archera Huxley, *This Timeless Moment,* (London: Chatto and Windus; New York: Farrar Straus and Giroux), p.197.

7. Aldous Huxley, *The Doors of Perception and Heaven and Hell* (London: Chatto and Windus; New York: Harper and Row), p.114.

8. Ibid., pp.16-19.

9. Ibid., p.31.

10. Ibid., p.35.

11. Huxley, L., *This Timeless Moment,* p.139.

12. Huxley, A., *The Doors of Perception*, p.121.

13. Ibid., p.122.

14. Huxley, L., *This Timeless Moment,* p.23.

15. Huxley, J., *Aldous Huxley 1894-1963*, p.174.

ALAN WATTS

1. Alan Watts, *This Is It* (London: John Murray; New York: Pantheon Books), p.30.

2. Alan Watts, *Beyond Theology,* (London: Hodder and Sloughton; New York: Pantheon Books, Random House), p.109.

3. Ibid., p.111.

4. Ibid., p.112.

5. Alan Watts, *Nature, Man and Woman* (London: Thames and Hudson; New York: Pantheon Books), p.39.

6. Ibid., p.45.

7. Alan Watts, *Does It Matter?* (New York: Pantheon Books), p.37.

8. Alan Watts, *The Wisdom of Unsecurity* (New York: Pantheon Books), p.85.

9. Ibid., p.86.

10. Watts, *Nature, Man and Woman*, p.116.

11. Alan Watts, *Psychotherapy East and West* (London: Jonathan Cape, New York: Pantheon Books), p.45.

12. Christopher Isherwood, ed., *Vedanta for Modern Man* (London: George Allen and Unwin; The Vedanta Society for Southern California), p.22.

13. Ibid., p.24.

14. Alan Watts, *The Book on the Taboo Against Knowing Who You Are* (London: Jonathan Cape, New York: Pantheon Books), p.136.

15. Ibid., p.138.

16. Alan Watts, *In My Own Way* (London: Jonathan Cape, New York: Pantheon Books), p.387.

THOMAS MERTON

1. Thomas Merton, *Seeds of Contemplation* (London: Anthony Clarke Books; New York: New Directions), p.5.

2. Ibid., pp. 6-7.

3. Ibid., p.23.

4. Ibid., p.25.

5. Thomas Merton, *Conjectures of a Guilty Bystander* (New York: Double-day and Company, Inc.), pp.296-297.

6. Merton, *Seeds of Contemplation*, p.217.

7. Thomas Merton, *Zen and The Birds of Appetite* (New York: New Directions Publishing Corporation), p.62.

8. Ibid., p.24.

9. Ibid., p.25.

10. Ibid., p.8.

11. Thomas Merton, *The Way of Chuang Tzu* (London: George Allen and Unwin; New York: New Directions Publishing Corporation), pp.10-11.

12. Thomas Merton, *The Asian Journal of Thomas Merton* (London: Sheldon Press; New York: New Directions Publishing Corporation), p.233.

13. Ibid., p.235.

RICHARD BACH

1*. Richard Bach, *A Gift of Wings* (New York: Delacorte), p.52.

2*. Richard Bach, *Illusions* (New York: Delacorte), p.7.

3*. Richard Bach, *Jonathan Livingston Seagull* (New York: Macmillan), p.19.

4. Ibid., p.28.

5*. Bach, *Illusions*, p.59.

6. Ibid., p.30.

7. Ibid., p.3.

8. Ibid., p.39.

9. Ibid., p.48.

10. Ibid., p.58.

11. Ibid., p.17.

12. Ibid., p.16.

13. Ibid., p.13.

14. Ibid., p.14.

HERMANN HESSE

1. Hermann Hesse, *Autobiographical Writings* (New York: Farrar, Streuss & Giraux), p.76.

2. Ibid., p.200.

3*. Hermann Hesse, *Demian* (San Bernardino: Borgo Press), p.100.

4. Ibid., p.125.

5*. Hermann Hesse, *Siddhartha* (New York: H. Holt & Co), p.127.

6*. Hermann Hesse, *Steppenwolf* (New York: Bantam), p.59.

7. Ibid., p.67.

8. Ibid., p.172.

9. Ibid., p.189.

10*. Hermann Hesse, *Magister Ludi: The Glass Bead Game* (New York: Bantam), p.72.

11. Ibid., p.96.

12. Ibid., p.382.

(*) — Издано в переводе на русский язык (см. библиографический список в конце книги).

Трое мудрецов, представленных в следующей главе, не являются ни последователями, ни основоположниками какой бы то ни было религиозно-философской традиции или школы. Их путь — это путь одиночек, получивших откровение Истины и свято следующих своему предназначению, несмотря на любые трудности, с которыми им порой приходится сталкиваться.

У Джидду Кришнамурти нет никакой религии и никакой сложившейся философской системы, поскольку он мечтает освободить людей от всех систем — от любых догм и предвзятых мнений, равно как и от строгой теологии и четко организованной религии. Он видит человека, чьи разум и плоть едины, свободным от цепей и тирании алчного Эго. Его идея четко сформулирована, но далеко не каждому хватит сил ее принять. Он требует огромных усилий от своих читателей и многочисленных слушателей во всем мире.

Он говорит о проблемах, которые знакомы всем, — страдании, жестокости, страхе, любви и течении времени. Он видит, что люди утопают в миазмах ложных ценностей, и требует, чтобы они отвергли ту концепцию собственной личности, которая сформировалась у них под влиянием предыдущей жизни. Люди не научатся ничему, — говорит он, — пока будут сравнивать настоящее с прошлым, ибо настоящее всегда ново, и разум должен переживать его безо всяких мыслей и представлений о нем.

Кришнамурти считает, что ощущение собственного "я" основано на заблуждениях. Когда это ощущение устраняется, осознание происходящего здесь и теперь, обретает завершенность, и больше не дробится и не видоизменяется по воле "я" — эго. Сказать, например, "я сознаю" — значит ввести ненужное разграничение между субъектом переживания и самим переживанием. Разум устроен таким образом, что он верит в "я", — говорит Кришнамурти. — Но, как только у него появляется возможность устранить эту предрасположенность (т.е. отказаться от образа мыслей, навязанного ему извне), ощущение "я" изменяется; "я" соединяется с бытием и больше не отделяется от него.

Многим людям слишком трудно понять этот аргумент, и поэтому Кришнамурти настоятельно требует от своих слушателей осознать жизнь единственно возможным для них способом и пережить это безальтернативное осознание в *данный момент*.

В отличие от Кришнамурти, Шри Ауробиндо утверждает, что освобождение сознания ото всех условностей бытия и, в том числе, от собственного "я" — это всего лишь первый шаг на долгом пути духовной и физической трансформации человека. Его *"интегральная йога"* чрезвычайно трудна для понимания; она изобилует сложными построениями и специфической терминологией, и знакомство с нею лучше предварить изучением книги Сатпрема *"Шри Ауробиндо, или Путешествие сознания"*. Возможно, все эти сложности возникли из-за того, что Ауробиндо не был теоретиком: все его основные труды были написаны с 1920 по 1926 год по просьбе французского писателя Поля Ришара и являются не изложением, а, скорей, попыткой изложения йогической практики Ауробиндо.

Практика *"интегральной йоги"* во многом противоречит традиционным йогическим практикам, поскольку не предполагает никакого "ухода от мира" и не призывает к преодолению "всемирной иллюзии". Йога Ауробиндо — это йога действия, йога обретения космической силы *Агни* и преобразования мира с помощью этой силы. И, хотя о последнем едва ли можно сказать с уверенностью, нельзя отрицать, что учение и практические рекомендации Шри Ауробиндо неизбежно приводят к значительным и благотворным преобразованиям в жизни тех, кто тесно соприкасается с ними.

Учение Порфирия Иванова, изложенное с максимальной простотой и конкретностью, во многом напоминает мудрость китайских даосов. Его основная цель — достижение гармонии с Природой, физическое и нравственное здоровье и, в конечном итоге, телесное бессмертие каждой человеческой личности. Путь к этой цели лежит через довольно суровую аскезу и требует значительной решимости и силы воли, однако быстро приносит весьма ощутимые практические результаты, вплоть до исцеления от хронических и неизлечимых болезней. Сам Иванов посвятил этому пути большую половину своей жизни, часто сталкиваясь с непониманием и даже противодействием окружающих. Тем не менее, он не свернул со своего пути и сейчас имеет множество последователей, почитающих его как нового Мессию или живого Бога.

Идеал Иванова — человек, по возможности обходящийся без одежды и пищи, полностью открытый всем влияниям природы, добрый и приветливый с окружающими. Он не задумывается о проблемах собственного "я", бытия и сознания, поскольку все эти проблемы решаются для него сами собой. Он волен делать то, что хочет, и не делать того, чего не хочет, поскольку внешние обстоятельства уже не оказывают на него никакого давления. Но, вне зависимости от того, насколько достижим этот идеал, многие люди, устремившиеся к нему, уже сегодня обрели свободу и просветленность, мудрость и истинное спокойствие.

КРИШНАМУРТИ (1895 – 1986)

"Я долго бунтовал против всего: против чужого авторитета, против чужих советов, против чужих знаний; я отказывался считать что-либо Истиной до тех пор пока не нашел Истину сам. Я никогда не оспаривал чужих идей, но всегда отказывался признать чей-либо авторитет — и принять чью-либо жизненную позицию. Пока я не достиг той фазы бунта, когда ничто уже не могло удовлетворить меня, — никакое кредо, никакая догма, никакая вера, — до тех пор я не способен был найти Истину" [1].

Автору этих слов, Джидду Кришнамурти, было против чего бунтовать. История его жизни — одна из самых своеобразных биографий двадцатого столетия. Он родился в Индии и был восьмым ребенком в семье обедневшего брамина, Джидду Нарании, потерявшего свой незначительный пост в колониальной администрации Индии.

Мать Кришнамурти умерла, когда он был еще ребенком, и отец перевез семью в Адьяр, неподалеку от Мадраса, чтобы быть поближе к штаб-квартире Теософского общества, членом которого он состоял. Одно из поверий этого Общества гласит, что Великое Существо время от времени принимает человеческий облик, воплощаясь в теле, специально подготовленном и ждущем его, а затем изобретает новую религию, призванную открыть миру тот частный аспект Истины, который требуется данной эпохе. Иисус признавался последней инкарнацией этого Существа (Магомета в расчет не принимали). В 1909 г. теософы пришли к решению, что время для следующей инкарнации уже настало, и были уверены, что она осуществится очень скоро.

После переезда в Адьяр юный Кришнамурти вместе со своим братом Нитьянандой часто гуляли по пляжам, расположенным возле устья реки Адьяр, впадающей в Бенгальский залив. Здесь они впервые встретились с библиотекарем Теософского общества К.У.Ледбитером, знаменитым ясновидцем и героем скандалов, связанных с гомосексуализмом. Ауры мальчиков с первого взгляда привлекли его пристальное внимание, и он попросил, чтобы отец отпустил их вместе с ним в штаб-квартиру общества, где они станут его учениками. Отец не возражал.

Леди Эмили Латьенс, впоследствии примкнувшая к адептам Кришнамурти, рассказывает, что "Кришна был очень нервным, пугливым ребенком, и потребовалось немало времени, чтобы он почувствовал себя непринужденно среди европейцев. Он был болен малярией и часто пропускал занятия в школе. Из-за этого он отстал в учебе, но сделался любимчиком своей горячо любимой матери. Конечно, он был мечтателен — с преобладанием душевного и духовного начала, как это обычно бывает у индийских мальчиков, мечтательных без меланхоличности и не склонных к самолюбованию. Его младший брат Нитья (как для краткости обычно называли Нитьянанду), наоборот, имел ясную голову и ни малейшего намека на нервозность. Учиться ему было нетрудно. Но, несмотря на различия в характере и в темпераменте, братьев очень тесно связывала обоюдная любовь и уважение" [2].

КРИШНАМУРТИ (1895 – 1986)

Были произведены исследования относительно предыдущих воплощений обоих мальчиков; их результаты увидели свет в журнале "The Theosophist". Возникло предположение, что Кришнамурти суждено стать новым мессией, и в 1911 г. д-р Анни Безант, председательница Теософского общества, учредила Орден Звезды на Востоке, главой которого стал Кришнамурти. К тому времени она уже усыновила обоих мальчиков, но отец требовал вернуть их домой, поскольку считал, что Ледбитер развращает их, а воспитание, которое они получают, противоречит правилам их касты. Миссис Безант увезла мальчиков в Англию и в конце концов выиграла судебный процесс. Мальчики остались при ней, хотя их пришлось временно спрятать в Таормине — на случай, если отец попытается их выкрасть.

С тех пор теософы изо всех сил старались научить Кришнамурти играть роль Всемирного Учителя. Некие "Мастера" — представители Оккультной иерархии, якобы управляющей миром, — дали Безант и Ледбитеру телепатические инструкции по обращению с мальчиками, вплоть до мельчайших подробностей их диеты. Очевидно, "мастера" (двое из которых якобы обитали на противоположных склонах одного тибетского ущелья) мало что знали об оптимальном рационе, который был необходим юным индийцам из Мадраса. Леди Эмили рассказывает, что "Кришна в это время очень страдал от кишечных расстройств. Острые боли в животе не давали ему спать в течение полуночи. К.У.Л. [Ледбитер] составил для него систему питания, якобы согласно прямым указаниям Мастера К.Х. [Кут Хуми]. Для человека, страдающего нарушением пищеварения, это была жестокая диета. В течение дня нужно было выпивать много стаканов молока, а на завтрак есть яичницу с овсянкой. Я как сейчас вижу перед собой Кришну, который после мучительной бессонной ночи пытается съесть предписанный ему завтрак под строгим надзором миссис Безант. Как же мне хотелось отобрать у него эту тарелку и дать отдохнуть его желудку!" [3].

Тем не менее, мучения Кришнамурти не ограничивались одной лишь диетой. Давал себя знать местный климат. "Я... отчетливо вспоминаю Оксфорд, майский пикник в саду — и двух дрожащих индийских малышей, безуспешно пытавшихся согреться. Они казались такими несчастными, промерзшими и робкими, что мне ужасно хотелось обнять их и приласкать" [4].

Но гораздо сильнее любых физических страданий на Кришнамурти воздействовала та атмосфера почитания и обожания, которой он был окружен. Она неизбежно приводила к тому, что к мальчику предъявлялись повышенные требования. Он должен был стать медиумом. Полагали, что ночью он бродит в астральном плане, что он может осуществлять лечебный гипноз и что он прошел через великие оккультные инициации. Леди Эмили рассказывает: "... он смирился со своим положением, но оно никогда не приносило ему личного удовлетворения. Он никогда не хотел ничего лично для себя — ни денег, ни власти, ни положения в обществе. Джордж [Эрендейл] часто заставлял его вспоминать, что происходило в других планах. Он все время повторял: "Пожалуйста, прими послание"; но Кришна оставался непреклонен и "принимал" лишь в тех случаях, когда действительно что-то вспоминал. Мне он казался ужасно несчастным. Он ненавидел всю эту шумиху и страстно желал просто жить у себя дома. Он часто спрашивал меня: "Ну почему они все ко мне пристают?" [5].

Невыносимое бремя мессианства могло превратить его в идиота или в циника. Если бы не поддержка родного брата, бездна одиночества, в которой он очутился, оказалась бы слишком глубокой для его душевного равновесия. Не часто случалось в мировой истории, чтобы благие намерения стольких людей сосредотачивались на одном робком, необразованном мальчике. Но его личность не претерпела ущерба; нужно было лишь, чтобы приверженцы просто оставили его в покое.

Побуждаемый надеждами своих адептов, Кришнамурти решился временно принять навязываемую ему роль и даже говорить от лица Господа Майтрейи (главы Оккультной Иерархии). Но вскоре его скептицизм начал возрастать (предвещая появление на свет настоящего Кришнамурти). И однажды он заявил, что не верит большинству медиумических посланий, "принятых" от Повелителей некоторыми лидерами теософского движения. Один из последних (Уэджвуд) тут же нанес ответный удар. Он сказал, что Кришнамурти стал орудием в руках некоего могущественного черного мага, которого он якобы видел рядом с ним. Среди теософов произошел раскол; назревала буря, и вместе с ней росли сомнения в душе Кришнамурти.

Она разразилась в 1929г., когда Кришнамурти окончательно распустил Орден Звезды — организацию, сформировавшуюся вокруг его мессианской роли. Таким образом, он добровольно отверг богатства и владения, которыми его хотели одарить преданные адепты: вагоны, украшенные жасмином и розами; лагеря, где тысячи людей, затаив дыхание, внимали каждому его слову. Вместо этого он избрал суровое прямодушие, трудную тропу одиночек, которую он наметил в речи, завершившей псевдомессианский период его жизни:

"Я придерживаюсь того мнения, что истина — это страна, где нет дорог, и что к ней невозможно приблизиться ни по какой дороге, будь то дорога какой угодно религии или какой угодно секты.

Это моя точка зрения и я принимаю ее целиком и безусловно. Истину, безграничную, безусловную, недостижимую ни по одной из дорог, невозможно организовать.

Я не хочу иметь последователей. *Таких последователей...* Если наберется хотя бы пять человек, которые будут слушать, которые будут *жить*, которые повернутся лицом к вечности — этого будет достаточно. Какой прок в том, чтобы обладать тысячами, которые тебя не понимают, которые целиком погрязли в предрассудках, которые не хотят нового, но скорее преобразуют это новое таким образом, чтобы оно соответствовало их выхолощенному, косному "я"?

В силу того, что я свободен, ничем не обусловлен, что я целое, а не часть, не относительная, а полная и вечная Истина, мне нужны те, кто хочет понять меня, ради того, чтобы освободиться, а не следовать за мной, не делать из меня клетку, которая станет в будущем религией или сектой. Пусть они лучше избавятся от всех своих страхов — от страха религии, от страха спасения, от страха духовности, от страха любви, от страха смерти, от страха самой жизни" [6].

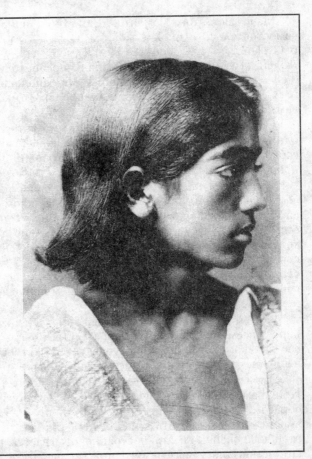

Кришнамурти в год
своей встречи с Лед-
битером (1910).

18 лет, говорил он теософам, вы готовили на роль Всемирного Учителя человека, который должен изменить вашу жизнь и обновить ваше понимание; но все свелось к тому, что вместо старого бога и старой религии поставили новых. Вы все еще пользуетесь внешними формами религии как костылями, и они все еще мешают вам и ограничивают ваши действия.

Ваша психология совершенно не изменилась, и ваша духовность зависит от кого-то другого. А когда этот человек просит вас отказаться от всякой религиозной практики и вместо этого заглянуть внутрь себя, чтобы обрести просветление, величие, очищение и неизменность, вы не делаете этого.

Затем он официально распустил Орден Звезды и посоветовал теософам, чтобы они пошли и поискали другого мессию и учредили новую организацию.

"Это не моя забота, — сказал он, — создавать новые клетки или новые украшения для этих клеток. Единственная моя забота — сделать людей свободными" [7].

Начиная с этого момента, Джидду Кришнамурти стал действовать самостоятельно и вполне мог бы кануть в забвение. И то, что он не был забыт, а стал почитаемым и любимым учителем тысяч и тысяч людей, количество которых намного превосходило общее число членов Теософского общества, дает право предположить, что миссис Безант и К.У. Ледбитер не ошиблись, предвидя в молодом Кришнамурти замечательный потенциал.

Сейчас это знаменитый на весь мир автор многих книг, учитель-одиночка, который до последних дней не позволял создавать вокруг себя организации и, путешествуя из страны в страну, просто объяснял природу человеческой личности всем, кто хотел его слушать.

Что лежит в основе его учения? Большей частью оно представляет собой учение о сознании — безальтернативном сознании, означающем способность осознавать именно этот момент теперь и *таким, каков он есть*, не стараясь выделить из него только те детали, которые мы хотим осознавать. Если преодолеть чувство, выражаемое словами "я сознаю то или это", отказаться от него в пользу сознания, *которое не осуществляет выбора*, то в результате возникнет чрезвычайная ясность ума и спокойствие, при котором привычное чувство обособленного "я" устранится.

Ибо это "я", или "эго" в обыденной жизни своекорыстно манипулирует всеми обстоятельствами; то есть, вместо того, чтобы осознавать все целиком, оно постоянно увлекается частностями и судит о всякой вещи, исходя из своего собственного опыта и интересов.

Что лежит в основе эго? Почему оно действует именно так, а не иначе? Кришнамурти полагает, что в его существовании виновна, главным образом, память. Память, говорит он, это кладовая прошлого, и мы, вместо того чтобы жить в настоящем, всю жизнь извлекаем прошлое из этой кладовой. Память постоянно отзывается в форме симпатий или антипатий, диктуемых нам из этой кладовой, где заложена индивидуальная обусловленность каждого из нас; это способ, которым нас формируют с детства наши культура, религия и образование. В любой момент нашей жизни память отыскивает давно укоренившиеся модели мышления, наличия которых мы, по большей части, не осознаем, — модели, которые способствуют пробуждению чувства собственного "я" и создают иллюзию длительности и постоянства бытия этого "я". Создается впечатление, что это "я" пользуется словами и мыслями, говорит Кришнамурти, но, на самом деле, именно слова и мысли создали это чувство собственного "я".

Значительную ценность в учении Кришнамурти имеет то, что, подобно Алану Уотсу, он пролил свет на структуру эго, на ощущение изолированной обособленности внутри своей собственной кожи, которое ведет не к смирению, а к жажде власти, не к любви, а к ненависти и разрушению.

Первобытные люди древних и нынешних времен, наверное, меньше осознавали свою обособленность, и поэтому были менее подвержены индивидуализму и эгоцентризму, чем мы. Очевидно, ощущение обособленности тесно связано с повышением способности к абстрактному мышлению, к отделению переживаний от самой жизни посредством слова. Человек чаще живет словесными символами, чем реальными переживаниями, и, вследствие этого, его естественная человеческая природа угрожает превратиться из факта в абстракцию. Когда человек перестает быть фактом, непосредственной реальностью для самого себя, он начинает ощущать дистанцию и изолированность. Его эго теперь черпает силы не из настоящего момента, а из реакций на воспоминания, которые извлекаются из кладовой и маскируются символами новой ситуации.

Можем ли мы настолько утихомирить обусловленный разум, — спрашивает Кришнамурти, — чтобы кладовая поставляла нам только материал, необходимый для ориентировки в настоящей ситуации, но при этом не овладевала нами полностью и не диктовала нам наших реакций? Медитация, говорит он, призвана установить, может ли мозг совершенно успокоиться. Это спокойствие не должно быть вынужденным, иначе оно будет проистекать из "я", которое вечно гонится за наслаждениями и которое все еще оперирует понятиями "я" и "мое спокойствие" как символами двух разных переживаний. Нет, мозг ни в коем случае нельзя заставлять успокоиться; вместо этого за ним нужно просто наблюдать и прислушиваться к нему. Каким образом формируются мысли, как выходят на поверхность сознания обусловленные воспоминания, с какой силой по мере их выхода возрастают страхи и желания — за всем этим можно наблюдать; и чем яснее видно каждое из этих движений, тем спокойнее становится разум. Это не покой сна, но скорее беззвучный ход мощной динамо-машины, который становится слышен только в том случае, если возникает трение.

Только спокойный, а не возбужденный разум, — говорит Кришнамурти, — может наблюдать за вещами должным образом. Иногда мы ощущаем это непроизвольно, когда неожиданно сталкиваемся с чем-либо огромным или вызывающим благоговейный ужас, будь то шторм на море, величественный закат или великолепное здание. Разум внезапно становится совершенно спокойным, пусть лишь на долю секунды. Кришнамурти напоминает о том, что ребенок, которому дали новую игрушку, некоторое время бывает целиком поглощен ею. Точно так же, говорит он, величие моря или красота заката полностью поглощают внимание беспокойного разума и полностью его успокаивают.

Но должен ли поглощенный каким-нибудь объектом или какой-нибудь ситуацией разум непременно зависеть от чего-то внешнего, не контролируемого им? Неужели "потерять себя" — то же самое, что "найти себя"? Может ли разум успокоиться без посторонней помощи?

Да, говорит Кришнамурти. На самом деле мозг, который успокаивается *только* с посторонней помощью находится в притупленном состоянии, в состоянии нескончаемого беспокойства, которое не ослабевает всю ночь, тревожит его снами и не дает ни малейшего покоя. Необъятную деятельность головного мозга *можно* утихомирить *изнутри*, не прибегая к подавлению и без больших усилий.

"Как мы уже сказали, в течение дня он проявляет безмерную активность. Вы просыпаетесь, выглядываете в окно и говорите себе: "Какой ужасный дождь!" или "Сегодня чудесная погода, но слишком жарко!" — и работа началась! Так вот, в тот момент, когда вы выглянете в окно, не говорите себе ни слова; не подавляйте свою речь, а просто поймите, что со слов "Какое чудесное утро!" или "Ужасный день!" ваш мозг начнет работать. Но если вы будете смотреть из окна не говоря ни слова (и не подавляя при этом свою речь), а просто наблюдая, при том что ваш головной мозг будет бездействовать, то у вас появится разгадка, у вас появится ключ. Когда не откликается прежний мозг, новый мозг начинает существовать в этом качестве. Вы можете наблюдать за горами, за рекой, за равнинами, за тенями, за красивыми деревьями и чудесными, полными света облаками над вершинами гор — и при этом глядеть, не произнося ни слова, не сравнивая.

Задача усложняется, когда вам приходится смотреть на другого человека, здесь вы имеете дело с уже устоявшимися образами. Но попробуйте просто наблюдать! И вы увидите, если будете наблюдать таким образом, если у вас ясное зрение, что действие приобретает необыкновенную живость; оно становится завершенным действием, которое нельзя перенести в следующую минуту" [8].

Способность изъять мысль, когда она завершена, и не смешивать ее с последующими мыслями — существенный шаг на пути к самореализации. Ибо поместить проблему в ее собственную нишу и не позволять ей оказывать влияние на другие аспекты твоей собственной жизни — значит избавиться от вездесущности проблем, как бы овладевающих всем вашим существом и расходующих вашу психическую энергию, вырастая при этом до гигантских размеров. В противном случае разум притупляется и глупеет, он едва ли способен

Кришнамурти и члены Теософского общества (слева от Кришнамурти — Анни Безант, К. У. Ледбитер).

отвыкнуть от вечных возвращений к данной проблеме, точно так же, как язык постоянно вертится вокруг больного зуба. Но если вам только удастся увидеть коренное отличие настоящего момента от предыдущего; если вам удастся открыть свой разум всему, что *не является* данной проблемой — бремя жалости к себе и поглощенности самими собой будет сброшено и вы почувствуете себя ясными, а не замутненными, собранными, а не расколотыми.

Когда наблюдаешь за движением разума, — говорит Кришнамурти, — то видишь, что существует пропасть между представлением о ситуации — к примеру, ситуации ссоры с кем-нибудь — и реакцией на нее. В эту пропасть *можно* сбросить старые привычки ума, чтобы получить возможность увидеть ситуацию свежим, непредубежденным взглядом. Если продолжать наблюдение за разумом, можно также увидеть, что основным стимулом его работы *являются* проблемы — и что сама сущность проблемы состоит в том, что она не завершена и ее нужно перенести дальше. Но если разум успокаивается, если проблемам позволяется решаться самим собой и на них больше не задерживаются, то мозг, не получая подобных стимулов для своей работы, омолаживается и становится таким же ясным, как у ребенка. Неосложнившийся мозг может стихийно совершать верные действия, если он способен понять, что есть истина и бесстрашно действовать, сообразуясь с ней.

"Невинный разум заключает в себе то единое целое, которое составляют тело, сердце, мозг и разум. Этот невинный разум, которого никогда не касалась ни одна мысль, в состоянии увидеть, что есть истина, что есть реальность, способен вовремя заметить чрезмерность чего бы то ни было. Это медитация. Чтобы обрести эту необычайно прекрасную, экстатическую истину, вы должны заложить для нее фундамент. Фундамент — это понимание мышления, приносящего страх и способствующего наслаждению, это понимание порядка и проистекающей из него добродетели; фундамент — это освобождение от всех конфликтов, от агрессии, жестокости и зверства. Коль скоро этот фундамент свободы будет заложен, возникнет чувствительность, которая является высшим разумом, и вся ваша жизнь станет совершенно иной" [9].

Эта идея разума, свободного от мыслей, пропитывает все учение Кришнамурти. Как мы еще увидим, Рамана Махарши всегда призывал тех, кто приходил к нему, заглянуть внутрь самих себя и узнать "кто я?", чтобы открыть чистое "я", отличающееся от "я — это" или "я — то"; подобным же образом Кришнамурти советует своим ученикам осознавать собственную обусловленность, осознавать свои привычки, которые основаны на стесняющих разум воспоминаниях, и свои привязанности, которые приковывают их к телесности и вызывают ощущение длящегося существования.

Дзэн-буддисты с целью очищения разума призывают своих учеников: "Смотри, но не думай!" Кришнамурти считает, в частности, что и наше мышление, и многие из наших страхов порождены обусловленными воспоминаниями детства. Возьмем, к примеру, боязнь диких животных; если она основана на воспоминании о некогда прочитанном или услышанном, а не на реальном опыте общения с этим животным, то при встрече с ним последует все та же старая реакция. Такого рода страх, не основанный на личном опыте (дикое животное в этот момент может быть вполне миролюбивым), оказывает парализующее и разрушительное воздействие; животное вскоре почувствует это и будет действовать соответствующим образом. Но действие разума, который заставляет человека просто *осознавать страх*, не отождествляя с ним собственный разум — это совершенное действие, приводящее к верной реакции. Так, встретившись на дороге с тигром, он не ощутит самопроизвольного страха перед ним, потому что это обусловленный страх, но испугается только в том случае, если он покажется враждебно настроенным, — и это будет вполне уместное опасение.

Если на самом деле осознать свои страхи подобным образом, то легко увидеть, что многие из них — это давно прекратившиеся отношения, проецирующиеся на нынешнюю ситуацию. Ясный и объективный взгляд на них, по-видимому, может устранить в мозгу барьеры, так что действие будет ощущаться плавно текущим, а не разбитым на отдельные толчки.

Советы Кришнамурти находят отклик у многих жителей Запада, чьи мыслительные привычки отягощены обязанностями и страхами. Но некоторые считают, что он не предлагает реального метода успокоения или возбуждения разума (помимо метода осознания). Они говорят, что все его утверждения правильны, но это всего лишь теория, и что он не дает советов по их практическому осуществлению.

Может быть, собственная обусловленность Кришнамурти, возникшая еще в раннем детстве, сделала его противником любых методик. Он откровенно выступает против всех религиозных организаций а также против многих хорошо испытанных техник — например, таких, как пение мантр. Он говорит, что с таким же успехом можно повторять "Кока-кола, кока-кола..."

Сохраняя верность своим принципам, он согласился создать вокруг себя лишь минимум организационных структур, и только самая малая их часть носит его имя. Он открыл школу для молодежи в Англии, но проводит в ней мало времени, распределяя его в течение года на пребывание в Америке, Швейцарии и Индии. Он не терпит формальных слов, но, несмотря на это, под его именем вышло по меньшей мере двадцать книг и продолжают выходить еще.

Его манера говорить мало изменилась за эти годы. Он отказывается от любых церемониальных форм; он даже не нанял председателя, который помогал бы ему справляться с многочисленными вопросами почитателей, собирающихся на встречу с ним.

Он поднимается на сцену в одиночку — маленький хрупкий человек со строгим красивым лицом — и садится на обычный деревянный стул. Он начинает говорить без вступлений и говорит без "шпаргалок". Но часто, когда он отвечает на вопросы, в его голосе слышен металл нетерпимости; иногда он резко обрывает речь, и это может показаться излишней суровостью.

Он постоянно возвращается к одной и той же теме: что мы должны умереть для нашей обусловленности, умереть для известного нам прошлого, чтобы суметь полностью осознать настоящее, которого мы

Кришнамурти в 1934 г.,
через пять лет после
разрыва с Теософским
обществом.

не знаем. Это умирание, говорит он, должно происходить миг за
мигом. Он ни в коем случае не подразумевает, что мы должны каким-
то образом стереть свою память — будь такое возможно, это привело
бы к гибели человечества. В памяти как таковой нет ничего дурного,
— говорит он, — но мы должны положить конец нашим реакциям,
основанным *только* на обусловленной памяти (тем, которые Гурджиев
называет машинальными). Память поставляет нам факты, но наш
разум должен освободиться от груза этих фактов и воспринимать их
без лишних эмоций, иначе нам придется таскать их с собою повсюду.
Факты можно использовать правильно — но только в том случае, если
разум не желает или отвергает их ради создания своего собственного
эмоционального климата.

Не вызывает сомнения, что мы подчас в полном отчаянии
цепляемся за эмоции, тем самым принимая собственные психические
состояния за явления жизни. Если мы не "увлечены" или не питаем
какого-нибудь определенного чувства, нам кажется, что мы на самом
деле и не живем. Мы цепляемся даже за страдание, придающее жизни
хоть какой-то смысл, — может быть, потому что боимся созерцать

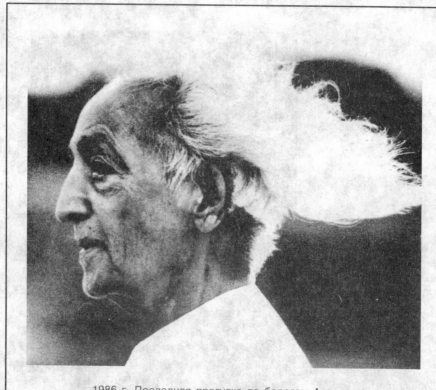

1986 г. Последняя прогулка по берегам Адьяра.

Пустоту, которую можно увидеть, если перестать цепляться. По существу, мы цепляемся за известное, за то, что мы называем жизнью, а боимся неизвестного.

"Задача состоит в том, — говорит Кришнамурти, — чтобы освободить разум от известного, от всего того, что он накопил, достиг, пережил, чтобы он стал невинным и, следовательно, смог понять то, что является смертью — Неизвестное" [10].

Но кто освобождает разум? Кто наблюдает за всем этим процессом? Многие слушатели Кришнамурти считают этот пункт самым трудным для понимания.

"Существует ли мыслитель, наблюдатель, соглядатай отдельно от мысли, отдельно от мышления, отдельно от переживания? Существует ли мыслитель как центр, независимый от мысли? Если устранить мысль, останется ли центр? Если у вас нет ни единой мысли, ни единого стремления, никакой потребности овладевать, никакого желания стать чем-либо, то существует ли центр? Или же этот центр создается мыслью, ощущающей опасность, неустойчивость и текучесть своего положения?

Если вы захотите это понять, вам потребуется интуиция, медитация и проницательность, ибо большинство из нас считает, что мыслитель существует отдельно от мышления. Но если вы чуть-чуть пристальнее рассмотрите этот вопрос, то поймете, что именно мышление создало мыслителя. Мыслителя, руководителя, который является центром, судьей и источником наших мыслей. Это — факт, и вам нужно только как следует присмотреться, чтобы понять это. Большинство людей в силу своей обусловленности полагают, что мыслитель существует отдельно от мысли и наделяют мыслителя качеством вечности; но то, что находится вне времени, откроется только тогда, когда мы поймем весь процесс мышления в целом.

Далее, может ли разум сознавать свои собственные действия, свои движения, если нет центра? Я считаю, что может. Это возможно, если наличествует только сознание мышления, а не сам мыслитель, который мыслит. Вы уже знаете о простом опыте, благодаря которому можно понять, что существует только мышление. Но прочувствовать это очень трудно из-за привычного присутствия мыслителя, который оценивает, судит, осуждает, сравнивает, отождествляет. Если же мыслитель перестанет отождествлять, оценивать, судить, останется только мышление и никакого центра" [11].

Другие мудрецы, о которых идет речь в этой книге, в особенности Рамана Махарши и Алан Уотс, тоже открыли, что мысль не нуждается в мыслителе и, если этот мыслитель, наблюдатель исчезает, то остается только чудесное ощущение облегчения и радости. Тогда словно рушатся барьеры дуалистических, субъектно-объектных противопоставлений, и мир существует таким, каким он есть на самом деле, в своей первозданной целостности.

"Не отождествляйте чувство собственного "я" с тем, что происходит на самом деле", — учит дзэн. Но может ли человек жить так изо дня в день? "А может ли он себе это позволить?" — отвечает дзэн. Кришнамурти полагает, что может, но только в том случае, если он достигнет полного осознания жизни — "осознания, в котором устранены какие бы то ни было цели и альтернативы, но есть одно простое наблюдение" [12].

Жизнь без цели — заявление, весьма сомнительное для западного сознания. Не призыв ли это существовать беспечно, без малейшей заботы о завтрашнем дне? Или, может быть, это значит не предпринимать никаких практических шагов к решению мировых проблем?

Под "целью" Кришнамурти понимает привязанность к результатам. Если мы сделаем все от нас зависящее в какой угодно ситуации, не пытаясь повлиять и не привязываясь к результату, то это значит, что мы действуем немотивированно — в том смысле, что целью нашей деятельности не является корысть. Может быть, эти слова звучат слишком строго: ведь мы так привыкли считать, что наше счастье связано с определенными переживаниями, достигнутыми нашей самостью — и так редко выходим за пределы этого круга. Но необычайно важно служить ситуации ради нее самой. Относиться к вещам без привязанности, ради них самих — значит не мешать им, позволять им существовать самим по себе, в чистоте и незапятнанности, а не

извлекаться всякий раз из безжизненных окраин проецируемых мною
мыслей и чувств:

"Сознавать — это не значит учиться, брать уроки у жизни. Наоборот,
сознавать — это значит не иметь следов накопленного опыта. В конце
концов, разум, попросту набирающийся опыта в соответствии с собственными желаниями, остается очень плоским, поверхностным... Осознание
появляется естественным путем, непроизвольно, стихийно, когда мы
постигаем тот центр, который вечно ищет переживаний, ощущений.
Разум, занятый эмпирическим поиском ощущений, становится бесчув-
ственным, неспособным к быстрым движениям и, следовательно,
никогда не может быть свободным. Но, постигнув сущность своей
деятельности, направленной на себя самого, разум достигает состояния
сознания, которое является безальтернативным, и такой разум обретает способность к полному молчанию и спокойствию...

Только тогда, когда разум совершенно успокоился, он может
познать свои собственные действия, а его действия становятся
неохватными, бессчетными, неизмеримыми. Тогда можно почувствовать то, что находится вне времени...

Творческое спокойствие не может быть продуктом вычисляющего,
дисциплинированного и широко информированного ума. Оно появляется
только в том случае, если мы постигаем ложность всего процесса
бесконечного поиска ощущений посредством опыта. Без этого внутреннего спокойствия все наши размышления о реальности, все философии, все
этические системы, все религии имеют очень мало значения. Только
успокоившийся разум в силах познать бесконечность" [13].

ШРИ АУРОБИНДО (1872 – 1950)

"Есть только два естественных гармоничных движения — несозна-
тельное или в значительной степени подсознательное движение жизни,
гармонию которого мы находим у животных тварей и в низшей
Природе, и движение духа. Человеческое состояние — это стадия
перехода, усилия и несовершенства между одним движением и другим,
между жизнью естественной и идеальной, духовной жизнью" [1].

Поэзия, мистика и политическая борьба столь тесно переплелись
в биографии Шри Ауробиндо, что, пожалуй, невозможно (да и нет
необходимости) отделять их друг от друга и выяснять, что в его учении
является реальным трансцендентальным опытом, а что — плодом его
могучей фантазии. Рассказывая о жизни и учении этого выдающегося
мудреца, я буду руководствоваться примером Сатпрема, — автора
книги "Шри Ауробиндо, или Путешествие сознания", — представив-
шего мистику, политику и поэзию в виде единого потока, который
вознес Ауробиндо к духовным вершинам.

Шри Ауробиндо Гхош родился в Калькутте. Его отец — медик,
получивший образование в Англии, — всецело преклонялся перед

ШРИ АУРОБИНДО (1872 – 1950)

английской культурой. В детстве Ауробиндо звали Экройдом; его родным языком был английский, а в семилетнем возрасте он покинул родину и, вместе с двумя братьями, уехал в Манчестер. Здесь дети оказались под опекой священника Дерветта, которому были даны строгие указания не позволять им заводить какие-либо знакомства среди индийцев и подвергаться индийскому влиянию. Таким образом, юность Шри Ауробиндо прошла в полной изоляции от индийской культуры; даже свой родной бенгальский язык он изучил уже после того, как вернулся на родину.

К двенадцати годам Шри Ауробиндо уже знал французский и латынь; продолжив свое образование в лондонской школе Св. Павла, он овладел немецким и итальянским. Он жил затворником и все свое свободное время посвящал чтению классических европейских авторов. За успехи в учебе ему была предоставлена стипендия для дальнейшего обучения в Кембридже.

Именно здесь восемнадцатилетний Ауробиндо увлекся романтикой революционной борьбы. Он стал секретарем ассоциации индийских студентов Кембриджа, много раз выступал с антиколониальными речами и даже вступил в тайное общество "Лотос и Кинжал"! Такое вольнодумство быстро создало ему дурную репутацию, и, несмотря на диплом бакалавра и блестящие знания, он не был принят на службу в колониальную администрацию Индии, хотя об этом настойчиво ходатайствовал старший преподаватель Кембриджа.

В двадцать лет Ауробиндо вернулся на родину — без должности, без денег, без связей в обществе. К этому времени его отец умер; мать была тяжело больна и не узнала его. Он устроился преподавателем французского языка при дворе бомбейского махараджи Бароды, затем стал его личным секретарем. Все это время его не покидали мысли об освобождении Индии от колониальной зависимости. Вскоре он занялся подпольной работой, но при этом не оставил своего увлечения литературой. В круг его чтения скоро вошли священные книги индуизма: Упанишады, Веды, Бхагавад-гита; он в совершенстве изучил бенгали и санскрит.

Однако настал день, когда интеллектуальная мудрость перестала приносить ему удовлетворение. И тогда один приятель посоветовал ему заняться йогой. Сперва Ауробиндо категорически отказался. Ему казалось, что он не имеет права уходить от мира и заниматься самосовершенствованием, в то время как мир крайне нуждается в его помощи. Но однажды некий бродячий аскет чудесным образом исцелил его брата от лихорадки, и, находясь под впечатлением от этого события, Ауробиндо понял, что йога может дать ему силу, необходимую для освобождения Индии.

Сила стала главным предметом его духовных исканий. Казалось бы, такая цель достаточно необычна для серьезного мистика; однако вот что писал об этом сам Ауробиндо:

"Осуждать Силу, как нечто само по себе неприемлемое и недостойное исканий, из-за того, что она в своей сущности порочна и является злом, — это заблуждение этического или религиозного разума; и, несмотря на то, что в большинстве случаев, как это может

Ауробиндо в 1920-е гг.

показаться, эта точка зрения подтверждается, по сути своей — это слепой, даже иррациональный предрассудок. Как бы ее не извращали и как бы ею не злоупотребляли — как это делают и с Любовью, и со Знанием, — сила является божественной и предназначена и здесь тоже для божественного применения. Шакти — воля, Сила — это движитель миров, и чем бы она ни была — Знанием-Силой, Любовью-Силой, Жизненной Силой, Силой Действия или Телесной Силой, — она всегда духовна по своему происхождению и божественна по своему качеству. Как раз применение этой Силы, которую в неведении используют животные, человек или титан, нужно отбросить и заменить его изначально присущим ей великим — даже если оно нам покажется сверхъестественным — действием, направляемым внутренним сознанием, которое созвучно Бесконечному и Вечному. Интегральная Йога не может отбросить Работу Жизни и удовлетвориться лишь внутренним опытом; она должна идти внутрь для того, чтобы изменить внешнее" [2].

С тех пор революционная деятельность и йогические практики шли в жизни Ауробиндо рука об руку. Применив к различным системам

Мирра Ришар, Мать ашрама.

йоги аналитические методы западной философии, он начал обрисовывать контуры того учения, которое впоследствии было названо интегральной йогой.

Он утверждал, что весь мир пронизан разнообразными энергетическими вибрациями, но наше сознание не воспринимает из них и сотой части. Происходит это, главным образом, из-за вибраций, порождаемых нашим собственным разумом. Поэтому, считал Ауробиндо, первый шаг, который мы можем сделать в сторону расширения своего сознания, — это заставить разум замолчать. Для этого достаточно применить одну из классических медитационных техник; если процесс будет протекать правильно, то вы вскоре ощутите полную *опустошенность* своего разума.

Это ощущение едва ли можно назвать приятным. Разрывается "ментальная завеса", отделявшая вас от мира, и вы начинаете остро ощущать его грубость и несовершенство. Многие прекращают медитации уже на этой стадии, не дожидаясь того момента, когда внутренняя пустота мало-помалу начнет заполняться. По словам Ауробиндо, первым признаком такого заполнения будет ощущение нисходящего потока Божественной силы Шакти:

"Когда устанавливается Покой, эта высшая, или Божественная сила может низойти свыше и работать в нас. Обычно она нисходит сначала в голову и освобождает внутренние центры разума, затем — в сердечный центр... затем в область пупка и другие витальные центры... затем — в крестцовую область и ниже... Она работает одновременно и ради совершенства, и для освобождения; она берет часть за частью нашу природу, и работает с ней, отвергая то, что должно быть отринуто, возвышая то, что должно быть возвышено, создавая то, что должно быть создано. Она все объединяет, приводит в гармонию, устанавливает новый ритм в природе" [3].

Вслед за *нисхождением силы* вы ощутите, что структура вашего сознания изменилась: оно стало более светлым, прозрачным, пористым. Вы обнаружите множество энергетических вибраций, которых не замечали прежде, и с удивлением заметите, что ваши собственные мысли приходят к вам не изнутри, а извне — из Высшего Разума, объединяющего всех людей мира. По мнению Ауробиндо, это открытие является признаком полного овладения ментальным планом собственного сознания.

Далее в технике Интегральной Йоги следует *раскрытие чакр* — семи энергетических центров своего тела, которые Ауробиндо считает также центрами сознания. Здесь медитирующий освобождается от собственного эго (Ауробиндо называет его "фронтальным существом") и "индивидуализирует" свое сознание. В результате в нем пробуждается Сознание-Сила (Чит-Агни), не зависящая от мыслей и желаний и способная исследовать все планы сознания. Пробуждение Чит-Агни характеризуется ощущением безграничной радости бытия (Ананда); однако это — лишь один из самых первых шагов в Интегральной Йоге.

Ауробиндо утверждает, что помимо ментального сознания, человек обладает также витальным и физическим сознанием, и эти сознания тоже имеют свой разум, который следует успокоить с помощью медитации.

Витальное сознание локализуется в области груди и надчревья. Исследуя эту область, просветленное сознание обнаруживает здесь *витальный разум* — инстанцию, которая откликается на все вибрации, приходящие извне, и, тем самым, порождает наши чувства и желания. Молчание этого разума сделает нас неуязвимыми в духовном и даже в физическом плане, поскольку, не откликаясь на враждебные вибрации, мы не позволяем врагу причинить нам вред. Эта Сила Безмолвия, по словам Ауробиндо, способна очистить нашу жизнь от трагизма, печали и озабоченности и открыть дорогу для Истинного Витального, которое радуется любым энергетическим контактам.

"Спокойствие — это очень положительное состояние; есть покой, который не является противоположностью борьбы — покой активный, заразительный и могущественнный, который подчиняет и успокаивает, приводит все в порядок, и каждой вещи отводит свое место", — сказала однажды Мирра Ришар, Мать ашрама Ауробиндо. Таким образом, успокоение витального разума может служить вполне практическим целям, поскольку позволяет управлять хаотическим миром внешних вибраций и оказывать реальную помощь другим людям.

Следующий этап — раскрытие собственной психики. Он начинается с того момента, когда вы обнаружите в мире Центральное Существо и устремитесь к нему. Мирра Ришар описывает этот процесс следующим образом:

“Вы сидите как бы перед закрытой дверью, массивной бронзовой дверью, желая, чтобы она открылась и позволила вам войти. Для этого вы концентрируете все ваше стремление в единый луч, который начинает толкать, толкать Эту дверь, ломиться в нее все сильнее и сильнее, с возрастающей энергией, до тех пор, пока дверь внезапно не откроется и не впустит вас. И вы входите, как будто вас вытолкнули на свет”.

Основной признак того, что ваши усилия увенчались успехом — это психическая радость и некий огонь, ощущаемый внутри. По словам Ауробиндо, с раскрытием психики человек ощущает бесконечность своего бытия и по-настоящему постигает учение о перерождениях.

Все эти духовные достижения значительно облегчают успокоение физического разума — самого тупого и косного изо всех трех. Основное достижение на этом этапе — это освоение сознательного выхода из собственного тела и входа в тело.

Таков, в общих чертах, начальный этап Интегральной Йоги, разработанный и пройденный Ауробиндо до 1908 г. Его внешняя жизнь в этот период была полностью посвящена борьбе за независимость Индии. В 1906 он покинул Бомбей и перебрался в Калькутту — один из основных центров освободительного движения. Здесь он наладил выпуск ежедневной радикальной газеты, возглавил первый Национальный Колледж — и одновременно стал основателем экстремистской партии, призывавшей к бойкоту английских товаров, кораблей и учебных заведений. Вскоре колониальная полиция завела на него досье; его хотели арестовать, но арест пришлось отложить за отсутствием улик.

В 1907 г. Ауробиндо встретился с йогом Вишну Бхаскаром Леле, который должен был дать ему наставление относительно дальнейшего продвижения в йоге. Ауробиндо сразу же заявил своему наставнику: “Я хочу практиковать йогу для работы, для действия, а не ради саньясы (отречения от мира) и Нирваны” [4]. Последовавший за этим опыт Нирваны Ауробиндо описывает следующим образом:

“Я был выброшен в такое состояние над мыслью и без мысли, которое не было запятнано никакими ментальными или витальными движениями; не было ни эго, ни реального мира — лишь глядя сквозь неподвижные чувства, нечто ощущало или связывало со своим абсолютным безмолвием мир пустых образов, материализованные тени, лишенные собственной субстанции. Не было ни Единого, ни даже множественности — лишь абсолютное То, лишенное признаков, безотносительное, сущее, неописуемое, немыслимое, абсолютное и все же в высшей степени реальное и единственно реальное. Это не было ни ментальной реализацией, ни мимолетным озарением, блеснувшим где-то вверху, — это не было абстракцией — это была позитивная, единственно позитивная реальность, которая, хотя и не будучи

Ашрам в Пондишери.

пространственным физическим миром, наполняла собой, занимала или, скорее, наводняла и затопляла эту видимость физического мира, не оставляя никакого места или пространства для иной реальности, кроме самой себя и не позволяя ничему, кроме себя, казаться реальным, позитивным или субстанциональным... Оно (это переживание) принесло невыразимый покой, изумительную тишину, необъятность освобождения и свободу" [5].

Но, несмотря на все это, Ауробиндо не воспринял Нирвану как конечную цель своих духовных исканий. "Нирвана, — писал он впоследствии, — не может быть внезапным завершением Пути, за которым нет ничего, подлежащего исследованию — это конец низшего Пути, пройденного через низшую природу, и одновременно начало Высшей Эволюции" [6]. Он утверждал, что Нирвана является первой (но отнюдь не необходимой) стадией на пути к новому видению. Она освобождает нас от одного неведения, но тут же ввергает в неведение другого рода, отвлекая человека от освоения иных планов сознания — весьма существенного момента интегральной йоги Ауробиндо.

Ауробиндо представлял Вселенную как многоступенчатую шкалу планов сознания, простирающуюся от пропастей чистой материи к вершинам чистого духа. Процесс эволюции человеческого сознания, его восхождения по этим бесчисленным ступеням занимал его больше всего, — если не считать борьбы за освобождение Индии. Ауробиндо твердо верил, что сам Бог поручил ему миссию освободителя родины, и его мистические исследования довольно долго сочетались с активной подпольной деятельностью, — вплоть до 1908 года, когда колониальные власти арестовали его вместе с братом по обвинению в покушении на жизнь английского судьи.

Оказавшись под арестом, Ауробиндо, согласно его собственному признанию, усомнился в своем предназначении и в Боге, который лишил его своей защиты. Но через несколько дней он услышал внутренний голос, который сказал ему: "Жди и смотри", — и подчинился этому голосу. Спустя некоторое время он вспомнил, что за месяц до ареста слышал призыв "оставить все дела, уединиться и взглянуть внутрь себя, чтобы войти в более тесное общение с Ним", но не последовал ему, поскольку был увлечен революционной деятельностью. "Мне показалось, — вспоминает Ауробиндо, — что Он вновь заговорил со мной и сказал: "Я разорвал твои путы, порвать которые ты был не в силах, ибо не в том воля моя, и никогда это в промысел мой не входило — продолжать это дело. У меня есть для тебя другое, и именно ради этого я привел тебя сюда — научить тебя тому, чему ты не смог научиться сам, и подготовить тебя к моей работе. [...] Я не буду говорить обо всем, что происходило со мной в течение этого времени, — скажу лишь, что день за днем Он разворачивал передо мной свои чудеса. [...] День за днем, в течение двенадцати месяцев моего заключения давал Он мне это знание" [7].

Находясь в железной клетке посреди зала суда, Ауробиндо возносился в высшие ментальные планы и достиг Глобального Разума — уровня, который, по его мнению, является высшим уровнем Сверхсознательного. Именно здесь он понял свое истинное предназначение: "не восстание

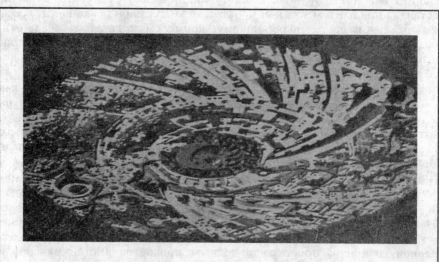

Архитектурная модель Ауровиля.

против Британского правительства, которое может возглавить кто угодно,... а восстание против всей природы Вселенной" [8].

В 1909 году Ауробиндо был оправдан и освобожден из-под
стражи. Сразу же после выхода на свободу он основал радикальный
журнал "The Karma-Yogin" и фактически продолжил свою прежнюю
деятельность. Как-то раз Ауробиндо предупредили о том, что власти
собираются сослать его на Андаманские острова. В тот же день он
услышал отчетливый голос, сказавший ему: "Отправляйся в Шандерна-
гор". Он послушался этого совета; через два месяца тот же голос направил
его в Пондишери — город, находившийся во французских владениях.

В Пондишери Ауробиндо встретился с французским писателем и
журналистом Полем Ришаром, который посоветовал ему изложить
свои идеи в письменной форме. С 1914 по 1920 гг. Ауробиндо создал
все основные труды, насчитывающие около пяти тысяч страниц. В этот
период напряженной ментальной работы он постиг несовершенство
Глобального Разума, который, возносясь над вещами, все же не
понимает их единства и нуждается в разделении. Он увидел, что за
Глобальным Разумом находится непостижимая область Супраментального, и устремился туда. Помощницей в его исканиях была Мирра
Ришар, переселившаяся в Пондишери в 1920г. и впоследствии ставшая
Матерью ашрама Ауробиндо.

Ауробиндо считал Супраментальное сферой глобального сознания,
неописуемой ни на одном из земных языков. Свое ощущение Супраментального он характеризовал как чувство, для которого "ничто на
самом деле не является конечным: оно базируется на ощущении всего
в каждом и каждого во всем: его определяющая способность не создает
никаких стен ограничения; это океаническое и эфирное чувство, в
котором всякое чувственное знание и ощущение — это волна,
движение, брызги или капля, которые все-таки являются при этом
средоточием океана и от океана неотделимы. [...] Тогда кажется, что
в физическом зрении, в "физических глазах" есть дух и сознание,
которым доступен не только физический аспект объекта, но и сама
главная суть его, энергетическая вибрация, свет и сила, и духовная
субстанция, из которой он создан. [...] В то же время происходит
тонкое изменение, которое открывает видение в особого рода четвер-
том измерении, видение, характерной чертой которого является некое
проникновение вовнутрь, видение не только поверхности и внешней
формы, но и всего того, что оживляет ее и простирается в тонком виде
вокруг нее. Материальный объект предстает этому зрению чем-то
отличным от того, что мы видим сейчас: не отдельным предметом на
фоне или в окружении остальной природы, а неотделимой частью, и
даже в тонком смысле — выражением единства всего, что мы видим.
И это единство — единство тождественности с Вечным, единство
Духа. Ибо для супраментального видения материальный мир, пространство и материальные объекты перестают быть материальными в
том смысле, в котором мы сейчас воспринимаем их, то есть посредством свидетельства лишь наших ограниченных физических органов; [...]
Они предстают перед нами, видны нам, как Сам Дух в образе Самого
Себя и Своего сознательного распространения" [9].

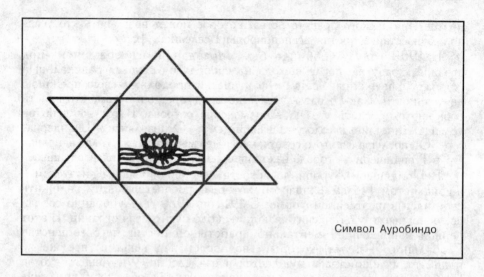

Символ Ауробиндо

Двигаясь к Супраментальному, Ауробиндо обнаружил, что человек является пленником Материи — Черного Яйца, которое сжимает его со всех сторон. Из этого яйца есть два выхода: сон (или медитация) и смерть. Однако задача человека заключается не в том, чтобы покинуть эту оболочку, а в том, чтобы преобразовать ее в ясное и живое пространство. Поэтому для того, чтобы проникнуть в Супраментальное, — считал Ауробиндо, — следует овладеть всеми планами своего Подсознания.

Эта работа сродни психоанализу: на первое место здесь выступает изучение собственных сновидений, мечтаний, иллюзий и переживаний. Ауробиндо утверждает, что "эти переживания — не просто игра воображения или сны, а реальные события... Неверно думать, что живем мы только физически, наделенные внешним разумом и жизнью. Мы постоянно живем и действуем на других планах сознания, встречаясь там с другими и воздействуя на них, и то, что мы там делаем и чувствуем, о чем думаем, те силы, которые мы собираем, и те результаты, плоды, которые мы подготавливаем, имеют неизмеримое значение для нашей внешней жизни и влияние на нее, которые, однако, неизвестны нам. Не все из этого доходит до физического плана, а то, что доходит, принимает там другую форму — хотя иногда имеет место точное соответствие; но эта малая часть и есть основание нашего внешнего существования. Все, чем мы становимся, что мы делаем и претерпеваем в физической жизни, подготавливается за покровом внутри нас. Поэтому для йоги, которая стремится к трансформации, преобразованию жизни, необычайно важно начать осознавать то, что происходит внутри этих сфер, стать там господином и научиться чувствовать, знать и обращаться с теми скрытыми силами, которые определяют нашу судьбу, внутренний и внешний рост или падение" [10].

Ауробиндо рассматривал Подсознательное как своего рода кладовую нашего эволюционного прошлого. Подобно Рудольфу Штейнеру, он верил, что человеческая душа хранит память о всех своих предыдущих воплощениях, и считал, что все эти воспоминания хранятся в тайниках подсознания. В подсознании мы находим источник любви; но оно же является и вместилищем многочисленных темных сил, которые человек преодолел в ходе своего духовного прогресса. Ауробиндо назвал эти силы общим именем Врага. В борьбе с этим Врагом, укоренившимся в подсознании человечества, он видел теперь основную задачу своей революционной деятельности. "Мы предвидим духовную революцию, а революция материальная — это лишь ее тень и отражение" [11], — сказал он однажды.

Ауробиндо был убежден в том, что, овладев своим Подсознательным и прорвавшись в пределы Супраментального, человек неизбежно подвергается некоей психофизической трансформации, существенно расширяющей его возможности. Суть этой трансформации излагалась им неоднократно, но я процитирую более конкретное и сжатое изложение, принадлежащее Мирре Ришар. "Трансформация, — утверждала она, — означает то, что вся эта чисто физическая организация будет заменена точками концентрации силы, каждая из которых будет обладать своим особым типом вибраций; на смену органам придут центры сознательной энергии, активизируемые сознательной волей. Не будет ни желудка, ни сердца, ни кровообращения, ни легких; все это исчезнет, а на смену им придет игра вибраций, отражающая то, что собою символически представляют эти органы... Трансформированное тело, таким образом, будет действовать с помощью своих подлинных центров энергии, а не их символических представителей (как прежде), которые развились в животном теле... Например, за символическим движением легких находится подлинное движение, которое дает свойство легкости, и вы выходите из-под влияния закона гравитации, и так с каждым органом. За каждым символическим движением присутствует движение подлинное".

В 1926 г. Ауробиндо ушел в полное уединение. Его немногочисленные ученики считали, что, достигнув сферы Супраментального, он

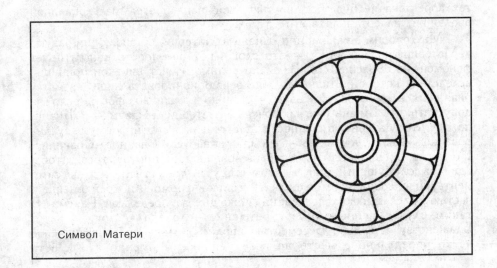

Символ Матери

воспринял в свое тело частицу Божественного огня Агни и теперь проходит первый этап психофизической трансформации. Однако на самом деле планы Ауробиндо были значительно шире. Он хотел использовать Супраментальное для того, чтобы оказать трансформирующее воздействие на весь материальный мир. Подробности работы, происходившей на этом этапе, по-видимому, были известны одной лишь Мирре Ришар; а завершилась она с началом Второй Мировой войны, которую Ауробиндо воспринял как свое личное поражение.

"Для того, чтобы помочь человечеству, для индивидуума, как бы велик он ни был, недостаточно достичь окончательного решения индивидуально, — таков был вывод, который он сделал из этого события. — Даже если весь свет готов низойти, он не сможет закрепиться до тех пор, пока весь низший план также не будет готов воспринять давление Нисхождения" [12]. Исходя из этого, в 1940г. Шри Ауробиндо и Мирра Ришар открыли свой ашрам в Пондишери.

О деятельности этого ашрама существует множество хвалебных отзывов. Поселок Ауровиль, отпочковавшийся от ашрама в пятидесятые годы, благодаря журналистам приобрел славу "города будущего" и едва ли не главного детища Шри Ауробиндо. Между тем, сами сторонники Ауробиндо не выказывают особых восторгов по поводу Ауровиля; к примеру, Сатпрем назвает его "коммерческим предприятием". Из их высказываний можно понять, что уникальная атмосфера творческой свободы, сложившаяся здесь, — всего лишь побочный эффект "супраментального воздействия на Землю", которым Ауробиндо будто бы занимался до самой своей смерти, наступившей в 1950г. Впрочем, сам Ауробиндо не оставил на этот счет никаких замечаний, поскольку уже в 40-е гг. практически отошел от дел своей общины, ничего не писал и не давал интервью.

Однако, по мнению его последователей, это говорит лишь о том, что его деятельность перестала давать зримые плоды, проявляющиеся в материальном плане. И в этом смысле деятельность Ауробиндо не завершилась с его смертью, а продолжается и будет продолжаться до тех пор, пока не будет полностью выполнена программа глобальной эволюции, начертанная в его трудах:

"Мы говорим об эволюции Жизни в Материи, об эволюции разума в Материи; но эволюция — это слово, которое просто констатирует феномен, не объясняя его. Ведь, по-видимому, нет никакой причины, вследствие которой Жизнь должна эволюционировать лишь из материальных элементов, а Разум — только из живых форм, если не допустить, что Жизнь уже заключена в Материи, а Разум — в Жизни, потому что Материя, в сущности, представляет собой форму завуалированной Жизни, а Жизнь — это форма завуалированного Сознания. Но тогда не предвидится особых возражений против того, чтобы сделать следующий шаг в этом ряду и допустить, что и само ментальное сознание может быть только формой, некоей внешней частью более высоких состояний, лежащих за пределами Разума. В таком случае непобедимое стремление человека к Богу, Свету, Блаженству, Свободе, Бессмертию вполне оправданно занимает свое четко определенное место во всей цепочке, а именно это и есть властное стремление, некий императив, с помощью которого Природа старается эволюционировать за пределы разума, причем оно представляется таким же естественным, истинным и обоснованным, как и стремление к Жизни, которым Природа наделила формы Материи, или же стремление к Разуму, которым она наделила, в свою очередь, некоторые формы жизни. ...Животное — это большая лаборатория, в которой Природа, можно сказать, выработала человека. Человек же сам вполне может стать живой мыслящей лабораторией, в которой с помощью его, теперь уже сознательного сотрудничества, Природа хочет создать сверхчеловека, бога. Или, может быть, лучше сказать, проявить Бога?" [13].

ПОРФИРИЙ ИВАНОВ (1898 – 1983)

"Детка! Ты полон желания принести пользу всему советскому народу. Для этого постарайся быть здоровым. Сердечная просьба к тебе, прими от меня несколько советов, как укрепить свое здоровье.

1. Два раза в день купайся в холодной воде, чтобы тебе было хорошо. Купайся в чем можешь: в озере, в речке, в ванной, принимай душ или обливайся. Это твои условия. Горячее купание заверши холодным.

2. Перед купанием и после него, а если возможно, то и совместно с ним выйди на природу, встань босыми ногами на землю, а зимой на снег хотя бы на 1-2 минуты. Вдохни через рот несколько раз воздух и мысленно пожелай себе и всем людям здоровья.

3. Не употребляй алкоголя и не кури.

4. Старайся хотя бы раз в неделю обходиться без пищи с пятницы 18-20 часов до воскресенья 12 часов. Это твои заслуги и покой. Если тебе трудно, то держи хотя бы сутки.

5. В двенадцать часов дня воскресенья выйди на природу босиком и несколько раз подыши и помысли, как написано выше. Это праздник твоего тела. После этого можешь кушать все, что тебе нравится.

6. Люби окружающую тебя природу. Не плюйся вокруг... Привыкни к этому — это твое здоровье.

7. Здоровайся со всеми везде и всюду, особенно с людьми пожилого возраста. Хочешь иметь у себя здоровье — здоровайся со всеми.

8. Помогай людям чем можешь, особенно больному, бедному, обиженному, нуждающемуся. Делай это с радостью. Отзовись на его нужду душою и сердцем.

9. Победи в себе жадность, лень, самодовольство, стяжательство, страх, лицемерие, гордость. Верь людям и люби их. Не говори о них несправедливо и не принимай близко к сердцу недобрых мнений о них.

10. Освободи свою голову от мыслей о болезнях, недомоганиях, смерти. Это твоя победа.

11. Мысль не отделяй от дела. Прочитал — хорошо. Но самое главное — делай.

ПОРФИРИЙ ИВАНОВ (1898 – 1983)

12. Рассказывай и передавай опыт этого дела, но не хвались и не возвышайся этим. Будь скромен".

Не правда ли, просто? Просвещенный западный человек, привыкший к сложным и загадочным речам мудрецов, едва ли способен поверить, что мистическое учение может быть столь примитивным. А между тем, перед вами — одно из наиболее эффективных учений XX века. Тысячи людей, решившихся соблюдать перечисленные правила, не просто улучшили свое здоровье и избавились от болезней, но и приобрели новый, более просветленный и радостный взгляд на жизнь и на окружающий мир.

Жизнь и деятельность Порфирия Корнеевича Иванова, подобно его учению, являет собой пример редкого сочетания чрезвычайной простоты с небывалыми духовными взлетами, зачастую граничащими с чудом.

Иванов родился в большом селе на Украине, в многодетной семье бедного крестьянина. По воспоминаниям современников, в детстве и в юности ничто не предвещало в нем будущего Учителя. Получив начальное образование, Иванов вынужден был оставить учебу. С двенадцати лет он сам зарабатывал на жизнь, нанимаясь на сельскохозяйственные работы; в пятнадцать лет устроился работать на шахту. Его юность совпала с революцией и гражданской войной; вскоре он обзавелся семьей, сменил множество профессий и в тридцатые годы оказался на Кавказе. Здесь он получил выгодную интендантскую должность. Его младший сын вспоминает, что в эти годы Иванов ничем не выделялся из своего окружения. Подобно всем своим коллегам, Иванов пил водку, курил, ругался, плевал на землю, носил с собой револьвер и проводил все свободное время либо в хлопотах по домашнему хозяйству, либо за карточной игрой.

Именно здесь, на Кавказе, в 1933 году, в мировоззрении Иванова произошел удивительнейший перелом. Его причины вряд ли могут быть установлены однозначно. Достоверно известно только одно: в этом году Иванов решился оставить свою семью и ушел к другой женщине. Через некоторое время он вернулся наполовину раздетым, привезя с собой несколько толстых книг по физиологии человека. После этого он увез семью на Украину, и с тех пор уже нигде не работал. Вся его дальнейшая жизнь была посвящена разработке и проведению в жизнь "системы", предваряющей эту статью.

"Система" рождалась не сразу. Сначала это была особая "закалка — тренировка" для тела — обливание холодной водой, пробежки в степь в любую погоду, хождение босиком по росе и снегу. Однако за этой закалкой уже в ранние годы прослеживалась глубокая философская идея о том, что человек должен не просто жить в Природе, а активно взаимодействовать с ней на основе полного взаимного доверия. Такого взаимодействия можно достигнуть с помощью полного "погружения" в суть стихий: земли воздуха и воды. Иванов был уверен, что такое взаимодействие должно принести человеку необходимую духовную и физическую силу, которую он затем сможет использовать для блага всего человечества.

Следуя своей идее, Иванов постепенно освобождался от одежды: сначала снял на зиму шапку, затем все остальное. Ходил в трусах или шортах, босой, в любую погоду. Отказался от алкоголя и курения, тренировал свое тело сознательным отказом от пищи и воды, пробуя, сможет ли человек жить за счет энергии воздуха, воды и земли — "трех живых тел природы". Обходился без пищи и воды сперва один день в неделю, затем два дня в неделю, затем три, затем по 7, 14, 30 и более дней подряд. По нескольку дней находился в лесу или в степи, без пищи и одежды, причем не только летом, но и зимой, стремясь одинаково воспринимать все качества природы: как "теплые и хорошие", так "холодные и плохие". "А природа сама велика, — писал он, — у ней нету конца и краю в своей жизни потока начала. Мы родились в природе для жизни. Мы живем не так, как хочется нам, а так, как нас природа одаряет".

Из сознания этой великой, всеобъемлющей связи человека и природы постепенно родилась философская сторона "системы". Иванов понял, что нельзя жить за счет природы, "за счет чужого добра". Жить нужно за счет самих себя, перестать быть потребителем, убийцей природы. "Мы заразились — убиваем природу, а она нас. Мы ее оружием, а она нас естественно. У нас нету сил защитить себя: поживем и умираем... Это можно сжить путем сознания".

В свете ошеломляющих результатов начатого эксперимента над собой современный человек виделся Иванову ничтожнейшим созданием, ежечасно, ежеминутно убивающим самого себя своей зависимостью от массы нелепых условностей и догм. Люди связали себя по рукам и ногам благами цивилизации, "экономикой", "механикой"... "Человек сам виноват, сам зависимость создал, испугался [природы], отступил. Не захотел пользоваться независимостью, поэтому он ошибся и погиб. Кто же виноват? Он сам струсил, а трусов гонит природа вон подальше. Зависимость учит любить только приятное, теплое, уютное... Спокон веков своею разведкою ищем по природе жизнь и продолжение, а наткнулись на смерть".

Чем раньше человечество осознает эту зависимость и преодолеет ее, — считал Иванов, — тем раньше, соединившись с природой, каждый отдельный человек обретет небывалое здоровье и вечную молодость вплоть до бессмертия. "Нам надо жить в Природе не однобоко, а иметь расширенное сознание, кругозоркое мировоззрение. Надо жить богато, а мы живем бедно из-за нашего незнания".

Но Иванов видел, что осознать эту истину далеко не просто. Слишком сильно современный человек привязан к вещам, которые считает для себя необходимыми — к одежде, пище, жилью. Едва родившись, человек сразу же попадает в эту зависимость. "Только что народился человек на белый свет, уже за ним ходит условие для того, чтобы тело опутать и заставить болеть... Вспомни свою первоначальную детскую жизнь, которая заставила тебя быть окрученным и увязанным, чтобы руки твои ничего не делали, чтобы ноги твои тоже были скручены, связаны. Все это телу твоему мешало, мешало строить психику" [5].

Иванов считал, что необходимость есть, одеваться, иметь жилье порождает другую, не менее ужасную зависимость — необходимость трудиться. А "человек в труде сам себя изнашивает прежде времени, в нем человек теряет свои силы, а накапливает усталость". Трудясь, пытаясь заработать средства на свои жизненные блага, человек теряет такое драгоценное время своей жизни, которое могло бы быть с большей пользой употреблено на самосовершенствование, закалку своего организма, гармоничное общение с Природой.

Последнее утверждение, на мой взгляд, легко истолковать превратно. Ведь все, что бы я не делала в своей жизни — это труд, и перестать трудиться, в известной степени, значит перестать жить. Очевидно, избавляться следует не от самого труда, а от своей *зависимости* от труда. Что же касается Иванова, то проповедуемая им идея, по-видимому, аналогична традиционной восточной идее *недеяния*, невмешательства человека в дела внешнего мира.

День за днем подтверждая свои выводы практическими действиями, Иванов демонстрировал прежде всего себе, а вскоре и не замедлившим появиться ученикам реальный путь физического и духовного освобождения.

Однако изменить общественное сознание в одиночку оказалось непросто. Над "абсурдной идеей" одержимого человека, быстро прославившегося своим появлением везде в одних трусах в сорокаградусные морозы, смеялись все кому не лень. Но и не только смеялись: Иванова штрафовали за нарушение приличий и даже арестовывали. Уже в тридцатые годы его пытались принудительно поместить в психиатрическую лечебницу. Однако правительство СССР выдало Иванову справку о том, что он производит над собой эксперимент по выяснению резервных возможностей человеческого организма, и на некоторое время он оказался вне пределов досягаемости местных властей. Но справка действовала недолго, и с 1935 по 1975 "экспериментатору" пришлось в общей сложности провести в больницах и в тюрьмах не менее 12 лет.

Очевидно, причиной такого отношения властей к Иванову служили не столько его философские, сколько его социально-утопические идеи. Иванов ратовал за отмену смертной казни, телесных наказаний и тюремного заключения; проповедовал уравнивание заработной платы всех членов общества. При этом он часто говорил от имени Бога Живого, якобы сошедшего на Землю в его облике. Однажды он пытался встретиться с высоким гостем из Америки; в другой раз — зачитать обращение Бога делегатам съезда коммунистической партии. Политические утопии Иванова часто находили отражения в его многочисленных обращениях к народу.

И все же главным в учении Иванова остается его пожизненный эксперимент над собой. Колоритная фигура Бога Живого — высокого, мускулистого, с пышной седеющей шевелюрой и длинной бородой, раздетого до трусов в самые жестокие морозы, — появлялась на фабриках и заводах, в больницах и школах, колхозах и правительственных учреждениях.

Осознав в себе природную силу, Иванов открыл для себя удивительный способ передавать людям свое здоровье, пробуждать их внутренние силы для борьбы с болезнью. "С тех пор как отец начал соблюдать свою идею, у нас в семье никто уже не болел", — вспоминает младший сын Иванова. Теперь же, когда Иванов занялся целительством, к нему начались паломничества безнадежно больных, ежедневно происходили "чудеса исцеления".

Вскоре у Иванова появились последователи. Так экспериментатор превратился в Учителя.

За свою жизнь он исцелил и научил правильной, естественной, здоровой жизни в Природе множество тяжело больных людей: парализованных, много лет прикованных к постели, слепых от рождения, раковых, туберкулезных — отвергнутых врачами и обреченных на смерть. Искал их он сам. Приходил в поселок, узнавал, есть ли такие больные, приходил к ним (но только если они просили об этом — "да воздастся каждому по вере его"!), накладывал руки, обливал холодной водой, — и люди поднимались. Но перед этим он как бы спрашивал у Природы: как, правильно ли я иду этим новым путем? И Природа через этих пациентов как бы отвечала ему: "Правильно".

Подобный диалог с Природой сопровождал все начинания Иванова. Например, в 1935 году он задался вопросом: "Если я иду верным путем, то пришло мне время навсегда остаться без обуви и решил: если это так, то просившая исцеления женщина, лежавшая 17 лет с парализованными ногами, должна встать. Так и произошло. Иванов воспринял это исцеление как знак для дальнейшего продвижения в своей "системе".

Со временем хутор, где проживал Иванов с семьей, сделался местом небывалого паломничества. Ученики построили рядом с домом Учителя еще один жилой дом на пять комнат. Его назвали Домом Здоровья; он служил гостиницей, больницей и школой для приезжающих со всех концов страны.

Споры и пересуды, возникшие вокруг имени Иванова, породили новое религиозное течение. Кто-то вспомнил библейское предсказание о новом пришествии Бога на Землю, кто-то узнал Его в Иванове. Начали слагаться легенды о творимых им чудесах, появились толкователи его слов, проповедники его идей. Было написано даже своеобразное "Евангелие" о жизни живого Бога Земли.

Здесь следует сказать, что легенды и домыслы до сих пор доминируют в литературе об Иванове. Между тем, существует множество рукописных тетрадей, содержащих философские заметки и записи Иванова. Тетради эти до сих пор не издавались и не изучались, а только цитировались, причем зачастую с заметными искажениями, и единственная англоязычная работа об Иванове (B. Cantor, "A God of Earth"), подчеркивая этот печальный факт, все же не является здесь исключением.

Сам Бог Земли относился к земным религиям весьма своеобразно. С одной стороны, он хорошо знал Библию и охотно цитировал ее в беседах с учениками. С другой стороны, показателен его ответ на вопрос корреспондента журнала "Огонек": "Говорят, вы в Бога веруете?" — "Брешут. Верил когда-то, пока не понял, что Бог пребывает на Земле, в людях, кои сумели одержать победу над собой". К последним он, очевидно, относил и себя самого.

Ученики и сторонники Иванова оказывали ему обильную материальную помощь, но сам Учитель не принимал ничего, кроме, разве что, материи на трусы или шорты. Все подношения доставались его семье, значительно улучшившей за их счет свое материальное положение.

По мере роста популярности Иванов расширил свое хозяйство; ученики выстроили ему новый дом и построили большой дом для приезжающих. Однако преследования со стороны местных властей становились все сильней и сильней. В семидесятые годы, когда Иванов был уже стариком, его арестовали и отправили в больницу, где он чуть было не погиб от инъекции какой-то вакцины. Его отдали ученикам, надеясь что он умрет у них на руках. Однако ученики выходили его. Раз в пятнадцать-двадцать минут они выносили Иванова на улицу и обливали водой. На другой день Учитель пришел в себя.

В восьмидесятые годы "система" Иванова приобрела стройный и завершенный вид двенадцати заповедей, приведенных в начале этой статьи. Обращение "детка" здесь не случайно, а, напротив, глубоко символично: Иванов взывает к "духовному младенцу", живущему в каждом из нас. Подобно Иисусу Христу, он призывает нас "умалиться как это дитя", помириться с Природой, вернуться в ее лоно. С фотографий этого периода на нас глядит стройный старец с седыми волосами и необыкновенно прекрасными глазами, полными понимания и доброты.

Именно в эти годы он стал говорить о том, что человек может и должен быть бессмертным. В Природе есть силы, которые могут сохранить человека. Но их нужно завоевать; а для этого необходимо работать над собой по "системе": сначала научиться сохранять свое здоровье, затем развить свое сознание и только после этого выйти на тот уровень, где смерть уже не будет властна над нами. О форме же, в которой будет осуществляться это бессмертие, Иванов говорит весьма своеобразно: "Человек легким станет, своим легким зонтом в воздух себя подымет, говорить не будет, виден не будет и будет везде". Такой человек потеряет свой традиционный облик и превратится в некое сверхсущество, выйдет на путь богочеловечества.

Тема физического бессмертия человека несколько непривычна для Запада; однако для русской мистики она является традиционной еще с конца прошлого века, когда философ Н. Федоров написал свою "Философию общего дела". И, хотя после революции имя и труды этого мистика были практически неизвестны в Советской России, его учение о необходимости воскрешения всех умерших средствами современной науки оказало огромное воздействие на дальнейшее развитие русской мистической мысли. Возможно, что в учении Иванова мы тоже видим его отголоски — но как мог узнать о Федорове этот крестьянский сын, не имевший даже среднего образования и живший вдали от центров научной и философской мысли? Загадка... — впрочем, далеко не единственная из загадок, окружающих жизнь и деятельность этого удивительного человека.

В восьмидесятые годы власти ограничили свободу передвижения Иванова до тридцати шагов вправо и тридцати шагов влево по улице. Но в это время Учитель уже почти не принадлежал земному, "плотному" миру. Его видели то у озера Байкал, то в Москве, то в

Калифорнии, в то время как он даже не выходил со своего двора. Именно в последние дни жизни Иванова популярность его учения возросла неизмеримо; а вскоре после его смерти оно сделалось неотъемлемой частью духовной жизни России.

К сожалению, Запад практически незнаком с учением Иванова, и мне представляется, что распространение его идей столкнется у нас с определенными трудностями. Во-первых, далеко не для всех будет приемлема та суровая аскеза, которой он требует от своих последователей; во-вторых, многих насторожит своеобразная, чересчур "простонародная" стилистика поучений Иванова. И все же мне кажется, что практические результаты, возникающие уже на начальном этапе применения его рекомендаций, будут самым красноречивым доводом в его пользу.

БИБЛИОГРАФИЯ

KRISHNAMURTI
1. Rene Fouere *Krishnamurti*, p.1.
2. Lady Emily Lutiens *Candles in the Wind.* (London: Rupert Hart Davis), p.25.
3. Ibid., p.32
4. Ibid.
5. Ibid., p.71
6. Ibid., p.173
7. Ibid.
8. Krishnamurti *The Impossible Question.* (London: Gollancz; New York: Harper and Row), p.77
9. Ibid., p.78
10. Krishnamurti *Talks in Europe 1956.* (Krishnamurti Writing Inc.), p.62
11. Ibid., p.16
12. Ibid., p.18
13. Ibid., p.19

SRI AUROBINDO
1*. Sri Aurobindo *Completed Works, v.2 (The Synthesis of Yoga)* (Pondisheri), p.798.
2. Ibid., p.120.
3. Sri Aurobindo *Completed Works, v.2 (On Yoga II)* (Pondisheri), p.277.
4. Sri Aurobindo *Completed Works, v.26 (On Himself)* (Pondisheri), p.279.
5. Ibid., p.101.
6. Sri Aurobindo *Completed Works, v.22 (Letters on Yoga)* (Pondisheri), p.71.
7. Sri Aurobindo *Completed Works, v.2 (Speeches).* (Pondisheri), pp.3-7.
8. A. B. Purani *Evening Talks.* (Pondisheri), p.45.
9. Sri Aurobindo *Completed Works, v.2 (The Synthesis of Yoga).* (Pondisheri), pp.835, 837-838.
10. Sri Aurobindo *Completed Works, v.2 (On Yoga II).* (Pondisheri), p.110.
11. Sri Aurobindo *Completed Works, v.2 (The Ideal of Karmayogin).*

(Pondisheri), p.10.

12. D. K. Roy *Sri Aurobindo...* (Pondisheri), p.25.

13. Sri Aurobindo *Completed Works, v.18 (The Life Divine).* (Pondisheri), pp.3-4.

IVANOV

1. B. Cantor *A God of Earth. The Life and Teachings of Porfiry Ivanov* (London: Golconda Publishers Co.).

3. БУДДИЗМ ОБЕИХ КОЛЕСНИЦ

Еще с середины первого тысячелетия нашей эры буддизм существует в виде двух основных течений, традиционно называемых Махаяной и Хинаяной, или Большой и Малой Колесницами. XX век отмечен движением этих "колесниц" на Запад — как в форме переноса буддийских идей и понятий на почву европейской культуры, так и в форме непосредственной работы в Европе и Америке знаменитых буддийских учителей.

Трое учителей, представленных в этой книге, родом из разных стран и придерживаются различных традиций, но всем им известны методы и способы, с помощью которых можно постичь истинную природу окружающего мира и своего "я". В этом смысле буддизм является наиболее практической из всех религий. Он не заставляет своих приверженцев во что-либо верить, он просто говорит: следуй моему учению и увидишь, что получится.

Будда жил и учил в VI веке до н.э. Он утверждал, что основной причиной страдания является вера в обособленное эго, не подверженное изменениям и влиянию времени. На самом деле, говорил он, не существует никакого "я". Существует только бесконечный поток ощущений, мыслей и чувств, который мы принимаем за реальность, наделенную силой и властью. Явления, образующие этот бесконечный поток и составляющие этот "мир", происходят одно из другого и являются звеньями строго детерминированной цепи причин и следствий, куда включены и наши собственные тела и наш разум. Но существует также и нечто, не являющееся звеном этой цепи; и просветление состоит в том, чтобы обнаружить эту безусловную вневременную сущность.

Учение Будды легло в основу многочисленных различных буддийских школ. Одна из них, хинаяническая школа тхеравада, к которой принадлежит Дхиравамса, ратует за строгое отделение монахов от мирян и считает, что просветление можно обрести, только уйдя от мира с помощью медитации.

Махаянические школы, к которым принадлежат тибетец Трунгпа и бурят Дандарон, настаивают на милосердном возвращении просветленных в мир с целью освобождения страдающих существ.

В буддизме доминируют два идеала — Мудрость и Сострадание, и все представленные здесь буддисты (несмотря на то, что двое из них в значительной степени далеки от строго традиционного учения) отразили эти идеалы в своей практике.

Дхиравамса обладает совершенной безмятежностью учителя медитации. Трунгпа — тибетский мудрец, ему присущи красочность и энергичность речи. Дандарон — великий мастер эзотерической техники *ваджраяны*, виртуозно владеющий всеми ее тонкостями. При всех различиях в тематике и стилистике своих трудов и проповедей все эти учителя ориентируются в первую очередь на западного читателя и слушателя.

ДХИРАВАМСА (р.1935)

Безмятежная радость и чувство здравого смысла особенно характерны для внешнего облика Дхиравамсы. Хотя Дхиравамса невысок и непредставителен с виду, стоит ему подняться и заговорить — и вся аудитория замирает, объединенная очарованием его личности. Когда, с присущей ему ясностью и обстоятельностью, он обращается к группе людей, — даже самые неразумные и упрямые слушатели переносятся в область практического здравого смысла.

Дхиравамса родился в Таиланде, в большой крестьянской семье — он был старшим из одиннадцати детей. У его родителей имелся небольшой клочок земли, который и поддерживал их существование; кроме того, они активно участвовали в общественной жизни своей деревни. В возрасте тринадцати лет Дхиравамса принял участие в сельском храмовом празднике — событии ординарном, но в тот раз исключительном. Здесь его приметил пожилой храмовый монах, поведавший ему затем глубокие и основополагающие истины буддизма.

Таиландские крестьяне, как правило, не отличаются большой религиозностью. Они любят свою религию — тхераваду, строгий буддизм монахов-аскетов, рассуждающих о недостатках пустого, преходящего мира страстей; но гораздо большее удовольствие они получают от шумных, радостных, пестрых празднеств и церемоний, во время которых огромные разукрашенные статуи Будд увешивают цветами и подарками. Многие таиландцы испытывают такое благоговение перед Буддой, что даже наделяют его титулом бога и часто связывают с ним древние суеверия и странные поверья. Они также глубоко почитают членов сангхья, ордена желторясых монахов, которые ежедневно проходят по деревне со своими нищенскими котомками, и крестьяне наполняют их едой. Кроме того, все здесь беспрекословно верят в дхамму, учение Будды, хотя мало что в нем понимают.

Дхиравамса совершенно не задумывался над жизнью — до тех пор, пока выбор монаха не пал на него. Но несмотря на то, что их беседа была коротка, она произвела на него неизгладимое впечатление. Он

ДХИРАВАМСА (р. 1935)

Демон Мара мешает Будде достичь просветления (индийская фреска).

заметил, что постоянно возвращается к ней в мыслях и страстно желает побольше узнать о предмете этой беседы, о котором он никогда раньше не думал, — об истинной природе бытия.

Он пошел в маленький храм и представился монаху. Тот предложил ему провести в храме четыре недели. Старый монах велел ему сесть в угол, а сам уселся для медитации в другом углу. Дхиравамса должен был научиться сидеть спокойно (нелегкая задача для тринадцатилетнего мальчика!), и от него больше ничего не требовалось. Он боялся темноты, и монах посоветовал ему каждую ночь просыпаться, выходить из храма и подходить к определенному дереву — до тех пор, пока он не перестанет бояться. Этот ритуал помог Дхиравамсе. По истечении четырехнедельного срока его посвятили в послушники.

С тех пор жизнь его круто изменилась. Каждый год он проводил в храме несколько месяцев, пока наконец не достиг того возраста, когда смог поступить в Буддийский университет Махачула Лонгкорн в Бангкоке, где приступил к изучению древних буддийских текстов. Попутно он все больше и больше узнавал о медитации. Каждый день он убирал в комнате своего настоятеля и иногда наталкивался на необычные книги, в которых говорилось о способах медитации. В одной из них кратко описывался метод под названием "медитация спокойствия", и Дхиравамса тотчас же начал самостоятельно его практиковать. Сначала необходимо было во всех подробностях представить себе голову и плечи Будды — задача нелегкая. Затем нужно вообразить, что Будда сидит на голове у Дхиравамсы. Затем постепенно нужно увидеть горло, сердце и все тело Будды до самого солнечного сплетения. Дхиравамса проделывал все это. Но со временем он стал терять интерес к погружению в себя и к зрительным образам, отдавая предпочтение другой, более действенной форме медитации под названием *Випассана*, "прозрение в природу вещей, каковы они суть на самом деле". *Випассана* больше всего привлекала Дхиравамсу, и он до сих пор считает ее наилучшим методом постижения истины. *Випассана* — это медитация осознания и внимания.

"Наблюдайте за любым умственным состоянием, будь то состояние беспокойства, тревоги, рассеянности, мышления, говорения; наблюдайте за ним внимательно, пристально, "не думая о нем", не пытаясь контролировать его и не истолковывая своих мыслей; это приобретает большое значение, когда вы опускаетесь на *более глубокий уровень* медитации. Называние является главной преградой на пути к *более глубокому уровню* медитации, потому что, как только вы называете наблюдаемое, возникают идеи. И вам приходится снова оперировать ими и возвращаться на поверхностный уровень. Вам не удается остаться в глубине наблюдаемой вами реальности. В состоянии глубокого погружения необходимо полностью отказаться от всех понятий, всех названий и слов, чтобы разум мог просто безмолвно наблюдать; и вследствие этого возникает *созидательная энергия*. От всех инородных примесей можно избавиться силою понимания при условии наличия созидательной энергии. Созидательную энергию можно ощутить в состоянии пассивного наблюдения или в состоянии покоя и полнейшего спокойствия" [1].

В 1966 г. Дхиравамса был назначен чаохуном (главой храмовых монахов) в храме Будда-падипа в Лондоне. В его судьбе наступил поворот. Ему предстояло не просто выучить новый язык, но и усвоить совершенно чуждый образ мыслей, если он хотел успешно общаться с западными людьми. Однако он овладел языком менее чем за год и начал писать книги по-английски. Через три года он основал центр медитации в Хиндхэд (Суррей) и стал там учителем медитации. В 1969 г. его попросили взять на себя руководство секцией медитации в колледже Оберлин в Америке, и с тех пор каждый год он проводил несколько месяцев в Соединенных Штатах и в Канаде.

В 1971 г. он снял рясу и расстался с монашеством. Это событие вовсе не столь драматично, как нам кажется на первый взгляд: буддисты не дают пожизненных обетов, и тех, кто решился расторгнуть обет, не клеймят позором. Дхиравамса остается учителем медитации, но теперь он получил свободу, позволяющую изучать людей в обыденной жизни. Он считал, что монашеская ряса препятствовала подлинному общению:

"Ряса — это символ, форма, и, надев ее, мы вынуждены играть определенную роль, пытаться соответствовать некоему идеалу или правилам, не обращая внимания на многие аспекты жизни. Это, естественно, нарушает целостность жизни, разделяя людей на святых и ординарных, и приводит к тому, что индивид утрачивает способность переживать всю полноту жизни. Люди думают, что святой должен быть одет определенным образом, т.е. они связывают святость с внешней формой. Это вступает в противоречие с жизнью, ибо в жизни святой человек — это человек самый обыкновенный и очень простой. Если мы не будем обращать внимание на простоту, то найдем не святого, а всего-навсего идею святости и будем поклоняться ей с помощью религии" [2].

После приезда Дхиравамсы на Запад его учение о медитации Випассана стало более динамичным. Было упразднено огромное число традиционных древних буддийских обрядов, в результате чего учение приобрело новую форму, которая целиком соответствует требованиям современной жизни, т.е. тому, "что есть". Его предметом является прозрение, которого можно достигнуть с помощью простого осознания всего, существующего здесь и теперь, с помощью самого пристального внимания к настоящему моменту:

"Весь смысл ее (медитации Випассана) состоит в безраздельном внимании, или совершенном внимании. Это очень важно. Если мы действительно следим за тем, что мы делаем, что мы испытываем, мы не теряем ни капли энергии и времени, чтобы постичь истину, живой миг жизни. В Саттипаттана Сутре можно увидеть, что Будда советует нам следить за всем, что мы делаем в жизни; идем ли мы, едим, ложимся, стоим, разговариваем, смотрим ли вперед или назад, или храним молчание. Все это нужно делать, чтобы не упустить суть, цель медитационного упражнения, чтобы жить не в прошлом или будущем, а в самом что ни на есть настоящем. Буддийское учение особенно подчеркивает насколько важно жить целиком в настоящем.

Так мы сможем произвести проверку и узнать, следим ли мы за всем в жизни, не упуская ничего. Если же нам это не удается, мы узнаем, что именно мешает нам следить за всей жизнью. Может быть, нам мешают мысли и фантазии, ведь у нас в мозгу происходит столько событий, что мы почти отсутствуем в этом мире: тело находится при нас, а разум блуждает где-то в другом месте в поисках чего-то или забавляясь какими-нибудь мыслями. То есть разум не следит за тем, что происходит в действительности в настоящий момент, и о внимании, следовательно, говорить не приходится.

И еще нам необходимо понять, что, обращая внимание, мы склонны быть серьезными в том смысле, что в определенной точке мозга или области тела мы испытываем напряжение или даже неловкость. Если тело или разум не расслаблены, внимание является лишь своего рода умственным продуктом, а не естественным процессом. Естественный процесс обращения внимания состоит в том, чтобы не препятствовать, не мешать движению потока вещей, не исключать из него ни самого себя, ни что-нибудь другое, потому что весь процесс внимания является процессом включения в себя, то есть динамическим процессом жизни. Кое-кто, возможно, назовет его движением в молчании, или движением в неизвестности. Неизвестное — это то, что нельзя назвать, нельзя подвести под понятие... значит, медитация в вашей повседневной жизни состоит в том, чтобы быть предельно внимательным ко всему... Тогда вы сможете искренне радоваться собственной жизни, собственным переживаниям, не привязываясь ни к чему" [3].

Когда Дхиравамса говорит о радости жизни, он приводит в пример необычайное ощущение свободы, возникающее каждый раз, когда, выглянув в окно или свернув за угол, вы обнаруживаете какую-нибудь новую картину — не давая ей никакой оценки, не высказывая о ней никакого мнения и ничего от нее не ожидая. Если разум никоим образом не мешает вам просто видеть эту картину, значит, она ЕСТЬ.

Мы склонны испытывать собственнические чувства по отношению к своему индивидуальному миру. Мы *знаем*, что должно находиться за углом, — в определенной мере оно уже наше. Но если хоть на мгновение мы покинем эту знакомую, без остатка заполненную нами сцену, она преобразится неописуемо-волшебным способом.

В начале такое наблюдение за вещами может даваться очень непросто. Кажется, что просто наблюдать — нетрудно, и тут вы вдруг ощущаете наплыв множества впечатлений, идей, чувств и мыслей (того, что индусы называют болтовней разума) и получается, что действительное внимание просуществовало очень недолго. И тут вы осознаете, что большая часть вашей жизни прошла в состоянии полуосознанного смятения, и вы едва ли когда-нибудь видели текущий момент таким, *каков он есть*. Но выход из этой дилеммы, который

Трапеза монахов в бангкокском храме Отдыхающего Будды.

предлагают буддисты, заключается не в том, чтобы устранить содержимое своего разума, когда оно начинает вытеснять действительность, а в том, чтобы осознать *все* происходящее (и в том числе и сам разум) при одновременном отказе от суждений:

"... Вы не привязаны, вам не нужно хвататься и держаться. Но вы также и не обособлены, ибо вы избегаете реальности жизни. Вы обретете реалистический взгляд на мир, если будете смотреть на жизнь, воспринимая ее такой, какова она есть. Вы научились принимать все явления и практиковать это приятие в действительности, а не только думать о нем. Мнения, сомнения и неуверенность заменены пониманием и видением... Метод медитации предписывает осознанно наблюдать всякую ситуацию, с которой мы сталкиваемся, для того чтобы мы могли познавать, оставаясь при этом гибкими, текучими. Если у вас появляется ощущение надежности, то оказывается, что вы не попали никуда; вы испытываете неудобства и неспособны функционировать должным образом. Некоторые люди называют это состояние старостью, безумием или скукой. Что же нам делать в таком случае?

Медитация Випассана ответит вам: взгляните на это фиксированное состояние и поймите, что вы сами себя заперли. Что же происходит в данный момент? Если вы целиком проникнитесь настоящим, вы увидите факты и истину того, что есть. Двигайтесь дальше. Вы разрешите проблему в свете ясности, в свете осознания. Если вы знакомы с методами самолечения, вы станете своим собственным психотерапевтом. Вам нужно сказать: "О, я психотерапевт. Загляну-ка я в самого себя". Важен не ярлык, навешенный таким образом, а способность видеть, ибо она влечет за собой прозрение. Прозрение пристально всмотрится в ситуацию, проникнет в нее и сломает ее. Преграды сметены, и мы можем течь в потоке жизни. Здесь радость и счастье; здесь скорбь и страдание. Мы принимаем все. Если мы будем слишком счастливы, мы можем потеряться в счастье и не обрести мудрости. Нам нужно считать неприятные и несчастливые жизненные ситуации духовными уроками роста и зрелости. Они являются для нас проверкой на прочность, проверкой того, свободны мы или нет" [4].

Дхиравамса учит, что прозрение развивается в связи с дальнейшим просветлением нашего сознания. Он считает, что существует четыре уровня сознания. Первый уровень — это сознание хорошего и дурного в нашей обычной, бодрствующей жизни. Мы испытываем желание или нежелание, и даже самые незначительные наши действия обычно направляются той или иной из этих сил. Причина такого понимания добра и зла, по мнению буддистов, заложена в самой природе человеческой личности. Пять частей, из которых состоит человек — тело, ощущение, чувства, восприятие, сознание и идеи — являются причиной существования двух полюсов жизни, между которыми мы постоянно колеблемся. Эти полюса — положительные пути мудрости сострадания, душевного и физического здоровья, и отрицательные пути — ненависти, жалости к самому себе и разрушительного своеволия. Наши блуждания между этими крайними полюсами весьма неприятны. В пути нас подстерегает множество конфликтов и противоречий, из-за которых мы теряем равновесие и ощущаем неуверенность и страх.

Ощутив свою беспомощную прикрепленность к вращающемуся колесу жизни, можно сделать следующий шаг к свободе. По словам Дхиравамсы, таким шагом будет второй уровень сознания — постижение раздвоенности. Нам необходимо понять на собственном опыте, а не только с помощью книг, всю систему взаимоотношений между телом и разумом и то, каким образом между ними возникает раздвоенность. Затем мы сможем перейти в новую область прозрений, которая "... открывает для нас понимание обусловленности. Наблюдая за своими мыслями и эмоциями, мы можем увидеть, что каждая из них обусловлена чем-то другим. Мысль не является вещью в себе. При поверхностном взгляде на нее можно сказать: "Это всего лишь мысль, единичное, изолированное событие". Нет. Присмотритесь получше. Не пытайтесь прибегать к какому-либо толкованию и делать поспешные выводы. Это своего рода самообман. Постарайтесь просто увидеть то, на что вы смотрите, со всей возможной ясностью и глубиной... Может быть, вам удастся увидеть, как мысль соединяется с другими мыслями или с самой основой мышления. Вглядывайтесь своим исследующим умом все глубже и глубже и следите за тем, чтобы он не шумел. Вам не следует пытаться создать мир. Исследующий разум должен безмолвствовать; впрочем, он иногда способен задавать очень точные вопросы по поводу наблюдаемой картины. Поставив вопрос, разум успокаивается, вглядывается внимательно и глубоко, и тем самым обретает ясность. В процессе этого рассеивается тьма незнания, тьма усвоенного "знания" и страха. Устраняются все преграды, и возникает глубокое понимание обусловленности. Таким образом... ваш разум становится очень уравновешенным и ясным. Эта внутренняя устойчивость проявляется в достижении нового уровня восприятия и осознания. Сознание будет бодрствующим и спокойным, но при этом сохранит чувство формы" [5].

Углубление понимания приводит вас к третьему уровню сознания, который характеризуется наличием "объективной мысли". Вместо того, чтобы рассматривать каждую вещь относительно меня, центрального субъекта, я должен выйти за пределы "себя" и начать "думать с точки зрения объекта, с точки зрения ситуации". Помещая себя в положение, полностью отличающееся от того, которое я занимаю обычно, я должен лишиться чувства собственного "я" и вместо этого обрести понимание того, что происходит без "меня". Под этим углом зрения я смогу увидеть, что мое "я" — постоянно изменяющаяся структура, причем переменам подвержены и тело, и разум, и что виды его деятельности молниеносно сменяют друг друга. Я могу из первых рук получить знание того, что все, познаваемое мною с помощью органов чувств, является преходящим. Вслед за этим "Эго становится гибким и перестает цепляться за какую-либо мысль или эмоцию" [6]. Наступает спокойствие, легкость тела и ясность ума. Личность сталкивается лицом к лицу с самым, пожалуй, для нее наихудшим — исчезновением идеи собственного "я" — и теперь начинает претерпевать изменения, ведущие к возникновению более глубокой и чистой формы сознания и к более положительному и творческому существованию в мире.

Храмовый комплекс Боробудур на острове Ява.

Четвертый уровень сознания называется уровнем "пробуждения" или "просветления" —

"... когда наступает просветление, ясность и пробуждение — полное пробуждение при наличии невербального постижения. Это пробужденное сознание приносит с собой свободу, которая не связана ни с какой-либо эмоциональной формой, ни с чувством удовольствия или отвращения. Свобода состоит лишь в том, чтобы просто быть свободным. Если вы сидите — значит, вы вольны сидеть; если вы идете — значит, вы вольны идти. Отсутствует всякое принуждение, всякая тревога, всякие помехи. Когда вы полностью пробуждаетесь, вы видите все совершенно ясно. Вас ничто не отвлекает, потому что вы видите все таким, каким оно есть. Вас не волнуют отдельные части или образы того, что вы видите. Буддизм считает, что это истинное, просветленное сознание внутренне присуще каждому человеку. Его просто затмевает поток впечатлений, вторгающийся в наши органы чувств. Если мы не установим осознание у входных дверей органов чувств, то останемся без сторожа, и разрушительные элементы будут входить в наше сознание, загрязняя его и оскверняя. Наша задача состоит в том, чтобы очистить его путем медитации. Тогда мы сможем вести созидательный образ жизни, для которого характерны энергичность и бодрость, в котором хранятся сокровища нашей жизни".

Многие люди чувствуют, что не знают, как начать осознавать. Дхиравамса говорит: просто возьмите и начните.

"Все дело в видении. Но каким образом я могу видеть? Мы всегда ищем это "каким образом", "каким образом" становится самой большой проблемой. Вероятно, если бы мы просто не обращали внимания на вопрос "каким образом?", а смотрели бы на все с пристальным вниманием в каждый конкретный момент, все стало бы проще и легче. Когда разум спрашивает: "Каким образом?" — ему никогда не прийти к простоте, потому что всегда возникает новая проблема, проблема жизни. Мы не свободны от методов, приемов и техник, с помощью которых мы знаем и видим. Так заглянем же в себя самих..." [7].

Наверное, единственное, что можно делать всегда — это начать сначала. В любой момент времени мне всегда дается возможность отказаться от текущих мыслей и передумать наново, закрыть глаза и посмотреть опять, успокоить свои страхи и поверить еще раз. Моя душа и мой разум снова и снова могут открываться тому, что есть, — я всегда связана определенными отношениями, я не могу стоять вне их.

Медитация таиландских монахов.

"Если мы не состоим в определенных отношениях с людьми, мы можем стоять в отношениях с Буддой или Дхаммой, его учением. Некоторые из медитирующих состоят в отношениях с медитацией. Мы все время связаны с тем или иным объектом. Вероятно, приближаясь к пустоте, мы вступаем в отношения с ней, а если выразиться точнее, само отношение есть отношение целого к целому, и можно сказать, что не существует ни одного отдельного индивида, который бы вступал в индивидуальные отношения. Следовательно, мы можем сказать, что существует только одно отношение, движение жизни, движение бытия без становления" [8].

Дхиравамса говорит об "одиночестве". Под этим термином он понимает отсутствие зависимости от других людей или от опыта, полученного из вторых рук.

Вероятно, для каждого из нас наступает когда-нибудь момент, когда мы постигаем сущностную обособленность своего личного опыта. Я никогда не смогу с исчерпывающей полнотой объяснить вам, что происходит со мной. За пределами уровня коммуникативности я одинока. Осознание того, что я существую, подразумевает осознание того, что я обособлена. Все мои чувства и мысли являются строго личными; я могу рассказать вам о них, но не могу передать вам опыт их переживания.

Такое осознание того, что в любых обстоятельствах мы предоставлены самим себе, иногда приходит к людям перед лицом смерти. Затем может прийти понимание того, что смерть — не единственная вещь, переживаемая нами обособленно, но на самом деле вся жизнь, точно так же, как и смерть, является от начала до конца состоянием "обособленного переживания — нашего "Я".

Но это чувство неизбежной обособленности может породить страх и печаль только в том случае, если считать собственное "я" чем-то, имеющим имя и форму. Страх исчезает, когда вы открываете для себя подлинную природу своего "я", которая не может быть описана с помощью имени или формы, потому что они являются его признаками, а не им самим. Когда вы ощущаете "я" как реальность, вы начинаете ощущать растущее удаление от мира. Но эта невовлеченность не значит, что вы вступили на путь к обособленности. Наоборот, если ни вам, ни мне ничего не надо друг от друга; мы вольны принимать друг друга, каковы бы мы ни были.

Если мне не нужно от вас ничего взамен, ничто не мешает мне полностью принять вас. Именно это полное приятие Дхиравамса называет "отношением с целым":

"Мы можем сказать, что состоим в связи с целым, а не с частностями. В полном одиночестве мы вступаем в отношения с целым. Не существует конкретной связи между вами и чем-то другим, а существует совершенно объективное отношение, являющееся движением жизни. В этом движении жизни — радость, мудрость и свобода. Может быть, другие религии назовут это связью с Богом, Единственным Существом, Высшим Существом, мы же скажем, что состоим в отношениях с Целым; и тогда уже не будет "ты" и "я", не будет индивидуального образа. В этом одиночестве обыденное обретает святость, а поступки обретают совершенство" [9].

ЧОГЬЯМ ТРУНГПА (р. 1938 г.)

Взглянуть на Трунгпа — значит улыбнуться. В его широком лице и уверенной походке ощущается ничем не омрачаемое счастье и большой запас силы. Он всегда сохраняет спокойное равновесие хорошо смазанного механизма, но это равновесие далось ему не без значительных усилий.

Приехав на Запад в 1963 г. трое настоятелей тибетских монастырей (Трунгпа, Чиме и Аконг) были возмущены и шокированы здешним образом жизни. Почти вся их предыдущая жизнь была посвящена медитации и изучению писаний. Расставшись с безбрежной тишиной горных монастырей, с лучезарно-чистым воздухом Восточного Тибета, с блеском усеянных цветами холмов и несказанно-голубого неба, они прибыли сперва в знойные и влажные долины Индии, а затем в Лондон — переполненный людьми, грязный и ужасно шумный.

Все трое были молоды (им лишь недавно исполнилось двадцать), и каждый из них был *тулку*, очередным воплощением длинного ряда великих религиозных учителей. Трунгпа был одиннадцатым воплощением ламы и верховным главой группы монастырей Сурманга. Всю свою жизнь он учился, для того чтобы стать высокопоставленным настоятелем школы Карма-кагью. В этих словах нет преувеличения, потому что Трунгпа не был еще годовалым ребенком, когда его нашли монахи, искавшие очередное воплощение умершего в 1937 году десятого Трунгпа-тулку.

Он был вторым ребенком в семье крестьянина, который познакомился с его будущей матерью, когда та разыскивала яков, принадлежавших ее родственникам. Трунгпа был крестьянским сыном, и местность, где он жил, однажды предстала перед внутренним взором Гьялва Кармана, главы школы Карма-кагью. Он сказал своим монахам, чтобы те искали ребенка, в которого воплотился десятый Трунгпа, в деревне, находящейся в пяти днях пути к северу от Сурманга, в доме с дверями на юг; отца мальчика должны звать Иешедаргье и у него должна быть большая рыжая собака. Трунгпа нашли в точности там, где и предсказывали. Мальчик, словно бы уже зная обо всем, приветствовал монахов надлежащим образом: он взял у одного из них шарф и повесил его на шею этому монаху.

Трунгпа с матерью поселились в доме неподалеку от монастыря, куда его ежедневно водили. Спустя несколько месяцев его возвели на престол в присутствии около 13 тысяч монахов со всех областей Восточного Тибета. Когда ему исполнилось пять лет, мать оставила его в монастыре, а сама возвратилась в деревню. "Я тосковал по ней, как только может тосковать маленький мальчик", — вспоминает Трунгпа.

Последующие годы его жизни были посвящены учебе. В одиннадцать лет он принял клятву бодхисаттвы, которая гласит:

"Перед лицом всех Будд и Бодхисаттв и моего учителя (Рольпадордже) клянусь двигаться к Просветлению. Я отношусь ко всем живым существам с таким же безграничным состраданием, как к своим отцу и матери. Отныне и во имя их блага я буду следовать трансцендентным добродетелям (*парамита*) терпимости, дисциплины, терпения, прилежания, медитативной сосредоточенности, мудрости (*праджня*),

ЧОГЬЯМ ТРУНГПА (р. 1938 г.)

искусных методов (*упайя*), духовной силы, устремленности, гнозиса (*джняна*). Пусть мой учитель примет меня как будущего Будду, но пусть я останусь бодхисаттвой, не достигшим нирваны, если хоть одна-единственная травинка останется непросветленной" [1].

Трунгпа со своим наставником иногда жил в обители на склоне горы. Дом находился так высоко, что каждое утро туман застилал склоны располагавшейся внизу долины; поэтому ее называли Садом Туманов. В программу буддийской метафизики, обязательной для Трунгпа, входили следующие пункты:

1) 100 000 полных поклонов;

2) 100 000 повторений Тройственного Отказа;

3) 100 000 повторений Ваджра Сатва Мантры;

4) 100 000 символических жертв;

5) 100 000 повторений Мантры Гуру Йоги, или "Союза с Учителем".

В то же время ему предлагали пять тем для размышления:

1) Данная тебе редкая привилегия получить духовное знание уже в этой жизни;

2) Мимолетность жизни и всего остального;

3) Причина и следствие *кармы*;

4) Понимание страдания;

5) Необходимость самозабвенного служения.

Он говорит, что все это оставило в нем неизгладимый след: "Живя здесь, вникая в эти учения и постоянно медитируя, я начал развивать в себе все более и более глубокое понимание, готовясь к тому образу жизни, который предназначался мне в будущем" [2].

В эти годы китайская армия уже начала свое вторжение в Тибет и установила во многих местах свои гарнизоны. Их возрастающее влияние на экономическую и политическую жизнь страны угрожало существованию монастырей. Китайцы зачастую считали их шпионскими гнездами; они пытали и убивали лам, сжигали монастыри. Наконец в 1959 г., когда китайцы полностью захватили Тибет, Трунгпа по горным тропам бежал в Индию. Тогда ему было двадцать лет.

Когда-то в Тибете существовало пророчество, что здешняя религия переместится на Запад и станет религией розоволицых людей. Естественно, тибетский буддизм стал привлекать многих жителей Запада, которые страстно искали позитивное религиозное учение, основанное на медитативных упражнениях и интенсивном использовании органов чувств.

Уникальное и очень практичное учение тибетского буддизма вращается вокруг постижения иллюзорности мира, в котором живет каждый из нас. Этот мир представляет из себя нашу собственную проекцию, отделенную от реальности в силу его пристрастия к идеям и мнениям (включая веру в "я", существующее в качестве обособленной, автономной единицы). Будда учит, что такое представление о личном существовании порождает все наши страдания; а уйти от страданий можно только лишь постигнув, что "я" не властвует и не существует само по себе, но на самом деле является Сознанием Будды, бесприродной природой всех вещей, начисто лишенной собственной сущности. Совершенное постижение этой пустоты называется Нирваной. В этом состоит трансцендентная мудрость.

Но одной мудрости недостаточно. Необходимо еще и трансцендентное сострадание ко всей жизни. "Одно единственное "я" мы приручим, одно единственное "я" мы усмирим, одно единственное "я" мы приведем к Нирване — но это не путь Бодхисаттвы. Будда учит, что бодхисаттва, воплощающий в себе сострадание, должен воспитывать себя следующим образом: "Свое собственное "я" я помещу в Такость и, с целью оказать помощь всему миру, всех живых существ также помещу в Такость и поведу к Нирване весь мир бесчисленных существ".

Такость — это реальность, непостижимая для человеческого интеллекта; это мир *в себе*. Это измерение бытия, бесформенное и непознаваемое, однако мы чувствуем, что оно *есть*. Нельзя *понять* Такость, ее можно только испытать, если устранить того, кто находится между нами и нею — наблюдателя, сидящего внутри нас, который постоянно делает сообщения и выносит суждения.

Способы достижения нирваны и помещения своего "я" в Такость рассматриваются буддистами всех школ, но упражнения в сострадании и приведении всех Существ в Такость являются прерогативой одной только махаяны; учения, которое распространялось на север от Индии и наиболее ярко выразилось в Тибете.

В детские годы, наполненные интенсивной, трудной работой, Трунгпа изучал именно эту доктрину предельного сострадания; и сейчас он переводит на язык западного мышления науку о грандиозном понимании использования энергии, покоя, звука, молчания, ритма и воображения. Он уже настолько освоился в Америке, что язык не представляет для него трудностей, и все, что он говорит, излагается с ясностью подлинного учителя.

Он стремится, в частности, пробиться сквозь "духовный материализм", — измышления эго, чтобы самоусовершенствоваться в результате духовных достижений:

"Проблема заключается в том, что эго все что угодно может обратить в свою пользу, даже духовность. Эго постоянно пытается добывать и использовать духовные учения ради собственного блага. Учения рассматриваются нами как нечто внешнее, внешнее по отношению к "я"; как философия, которой мы пытаемся подражать. На самом же деле мы просто не хотим становиться этими учениями и отождествлять себя с ними..." [3].

"Когда бы нам ни случилось почувствовать, что между нашими действиями и этими учениями существует противоречие и даже конфликт, мы немедленно истолковываем ситуацию таким образом, чтобы конфликт сошел на нет. Истолкователем выступает эго в роли духовного советчика. Аналогичную ситуацию можно наблюдать в стране, где церковь отделена от государства. Если политика государства противоречит учению церкви, король, автоматически реагируя на это, идет к главе церкви, своему духовному советчику, и испрашивает

Тибетские монахини (начало XX в).

у него благословения. Глава церкви придумывает какое-нибудь оправдание и благословляет политику государства под тем предлогом, что король является защитником веры. В мозгу каждого индивида происходит в точности то же самое, причем эго является одновременно и королем, и главой церкви...

Важно понять, что основой любой духовной практики является избавление от бюрократизма собственного эго. Это значит избавиться от постоянного стремления эго ко все более высокому, более духовному, более трансцендентному знанию, к религии, добродетели, взглядам, утешению и всему тому, чего ищет данное конкретное эго. Нужно избавиться от духовного материализма. Если мы не избавимся от духовного материализма, а, наоборот, будем его всячески практиковать, мы обнаружим в конце концов, что обладаем огромной коллекцией духовных путей. И, возможно, эти духовные коллекции будут нам очень дороги... Но на самом деле мы просто построили магазин, антикварную лавку" [4].

Однажды Трунгпа спросили: "Перестать быть стяжателем в духовной сфере очень трудно. Но, может быть, стяжательство само собой сходит на нет по пути к просветлению?"

Трунгпа ответил:

"Вы должны подавить в себе самое первое побуждение. Это первое побуждение к духовности может поместить вас в какой-то определенный духовный ландшафт; но если вы и в дальнейшем будете руководствоваться этим побуждением, оно постепенно угаснет и на определенном этапе

Тибетские ламы (начало XX в).

наскучит своим однообразием. Подумайте хорошо над этим. Вам необходимо понять, насколько важно "действительно" соответствовать самому себе, своему собственному опыту. Если вы не соответствуете сами себе, духовный путь таит для вас опасности, он становится чисто внешним предприятием, а не органичной частью опыта" [5].

В соответствии самому себе заключается одна из форм самоотдачи. Многим кажется, что эмоциональное содержание слова самоотдача слегка окрашено истерией; может быть, это связано с экстатическими сочинениями христианских и суфийских святых. Но самоотдача (или подчинение) в понимании Трунгпа означает открытость, отказ от защиты соответственного эго, позитивное приятие обыденных вещей, всего происходящего здесь и теперь.

"Подчинение не подразумевает подготовку к мягкому приземлению; наоборот, оно означает высадку на твердую, обычную почву, в скалистой дикой сельской местности. Как только мы откроемся, мы тут же упадем на *то, что есть*.

Символом подчинения в традиционном понимании является, к примеру, полный поклон, когда человек простирается ниц, как бы сдаваясь на чью-то милость. Но в то же время он открывается психологически и отдается целиком и полностью, отождествляя себя с низшим из низших, признавая свою грубую и суровую природу. Как только мы отождествим себя с низшим из низшего, нам уже больше нечего терять, потому что мы готовы стать пустым сосудом и принять в себя учение" [6].

Трунгпа полагает, что люди, избегающие подчинения, в конечном итоге обманывают сами себя.

"Если вы ищете всякого рода радости и блаженства или осуществления ваших грез и фантазий, вас ожидают неудачи и уныние. В этом вся суть: боязнь обособления, надежда на достижение союза — это не просто самообман и не просто проявление или действие эго (как будто эго является некой реальностью и может выполнять какие-то действия). Эго само по себе и *есть* действия, умственные ходы. Эго *есть* боязнь утратить открытость, боязнь выйти из состояния избавленности от эго. В этом и заключается самообман: в данном случае эго оплакивает утрату состояния избавленности от эго, достичь которого оно так мечтает. Страх, надежда, утрата, приобретение — все это перечень действия мечты эго, самоувековечивающейся, независимой структуры, которая представляет из себя просто самообман.

Следовательно, действительным переживанием, находящимся вне мира грез, являются красота, цвет и волнение действительного переживания *настоящего момента* обыденной жизни. Видя вещи такими, каковы они есть, мы перестаем надеяться на лучшее. В этом нет никакого волшебства, потому что мы не можем приказать самим себе выйти из состояния депрессии. Что бы мы ни испытывали: депрессию или неведение, различные эмоции, — все это есть реальность, содержащая в себе грандиозную истину. Если мы действительно хотим познать и испытать на себе истину, нам нужно остаться там, где мы находимся. Все сводится к тому, чтобы быть песчинкой" [7].

Таким образом, Трунгпа учит, что открытость действительного подчинения подразумевает доверительное отношение к тому, "что есть". Но человек обычно относится ко всему с большим недоверием. Каждый день я (или вы) просыпаюсь (или просыпаетесь), чтобы жить в мире, состоящем из названий, мест и *расписаний*; в беспорядочном нагромождении планов, с помощью которых я надеюсь овладеть этим миром. Потому что, либо я стану владеть полем своих действий, либо оно будет владеть мною. Я считаю, что просто не смогу выжить, если мир одолеет меня, и поэтому использую все мыслимые средства, чтобы овладеть им. И в ходе этого планирования (часто неопределенного и полусознательного) у меня возникает общее ощущение недопустимости веры в то, что мир когда-нибудь начнет вести себя "правильно" (то есть сообразно моим желаниям) без того, чтобы я начал им помыкать и заставил вести себя так, как хочется мне.

А что будет, если я откажусь от этой борьбы? Если я поверю, что *все происходящее* происходит "правильно" — и даже то, что происходит с моим всемогущим "я"? А если я буду продолжать жить как обычно, но при этом ничего ни от кого не требуя, а позволяя событиям разворачиваться так, как им будет угодно? Что же, мир одержит тогда надо мной победу? Я буду страдать? Вероятно, в определенных смыслах, да, но я также смогу ощутить у себя в душе необыкновенный покой и счастье. Потому что настоящее доверие к другому, или, проще сказать, к тому, что является "иным", есть творческий акт, на который тотчас же откликается мир.

. Доверять — значит подчиняться ситуации, ни от чего не отмеже-вываясь. Мы часто думаем, что любим, но наша любовь редко оказывается способной на простое доверие. Мысль никогда не сможет настолько ослабить эго, как это делает доверие, потому что, открыва-ясь всему, что происходит здесь и теперь, я создаю (на том месте, где располагались все мои оборонительные сооружения), целый Космос, куда можно принять иное:

"Деятельность бодхисаттвы подобна сиянию Луны; она светит на сотню чаш с водой, и в каждой чаше отражается по Луне, а всего получается сто Лун. Так происходит не по замыслу самой луны и не по замыслу кого-нибудь еще. Но по какой-то непонятной причине все же получается так, что сто лун отражаются в ста чашах воды. Открытость подразумевает такое же полное доверие ко всему и к себе. Именно такой характер носит ситуация открытого сострадания; попытки умышленно создать сто Лун, по одной в каждой чаше, представляют собой нечто другое" [8].

Трунгпа называет доверие открытым путем — "иметь дело с тем, что есть, совершенно избавившись от опасений по поводу возможных неувязок или неудач. Необходимо избавиться от этого безумия и не бояться, что ты не впишешься в ситуацию и тебя отвергнут. Необхо-димо просто иметь дело с жизнью, какова она есть" [9].

Когда Трунгпа спросили, как может обрести доверчивость человек, который чего-то боится, он ответил:

"Сострадание — это не просто забота обо всех, кому нужна помощь, кто нуждается в заботе; сострадание это всеобщее, основное, органичное, позитивное мышление. Если вы кого-нибудь опасаетесь, это обычно вызывает у вас неуверенность в самом себе. Вот почему вы испытываете страх в той или иной конкретной ситуации или перед тем или иным человеком. Страх происходит от неуверенности. Если бы вы точно знали, как вести себя в данной вызывающей страх ситуации, вы перестали бы бояться. Страх порождается паникой, возникающей от замешательства и неуверенности. Неуверенность связана с недове-рием к самому себе, чувством, что вы не в силах решить пугающую вас таинственную проблему. Страх исчезнет, если вы отнесетесь к себе самому с сострадательным участием, ибо в этом случае вы будете знать, что вы делаете. Если же вы уже знаете, что вы делаете, тогда ваши проекты также становятся, в определенном смысле, методичны-ми и предсказуемыми. И тогда у вас появляется *праджня*, знание того, как действовать в данной ситуации" [10].

В этой книге уже было сказано много слов об эго, которое большинство мудрецов считает основной человеческой иллюзией, являющейся причиной всех войн и вражды. Постижение подлинной природы эго является основной целью буддизма, и Трунгпа объясняет, как эго возникло из изначальной открытости нашей подлинной природы — беспредельной ясности, проблески которой мы улавливаем иногда, когда потрясение, вызванное чем-то прекрасным или диковинным, заглушает у нас чувство обособленного эго, и мы уже не воспринимаем это зрелище обычным аналитическим способом, а просто видим его. Но затем, почти в то же самое мгновение, мы пытаемся дать этому переживанию название, чтобы иметь возможность заморозить его, и в застывшей форме поместить в ряду своих воспоминаний как нечто нам принадлежащее — как знание, которым мы обладаем и, — если на него будет навешен ярлык, — сможем снова вынуть и рассмотреть. Прозрачное пространство исчезает, а поименованный мир становится твердым и плотным.

Трунгпа использует древнюю буддийскую притчу об обезьяне для описания того, каким образом появляется эго и как мы утрачиваем врожденное и чудесное чувство свободы и пространства. Обезьяна, говорит он, обнаружила, что ее заперли в пустом доме (теле) с пятью окнами (органами чувств). Когда-то она раскачивалась на ветвях густолиственных деревьев и ощущала свое единство со всей природой, но теперь те же деревья сомкнулись вокруг нее тесным строем и стали ее тюрьмой. "Вместо того, чтобы залезть на дерево, эта любопытная обезьяна оказалась замурованной в стенах непроницаемого мира,

Священная церемония в тибетском монастыре.

словно бы некий поток, бурный и прекрасный водопад, внезапно замерз. В этом замороженном доме, сделанном из замороженных цветов и энергий, царит полнейший покой. По-видимому, именно в этот момент время начинает делиться на прошлое, настоящее и будущее. Поток вещей становится отвердевшим осязаемым временем, отвердевшей идеей времени" [11]. Выглядывая во все пять окон, беспокойная, затосковавшая обезьяна начинает проверять, насколько прочны окружающие ее стены. Убедившись в их прочности, она примется за пространство, в котором находится, и пожелает овладеть им, сделать его своим собственным увлекательным опытом, своим собственным уникальным пониманием. Или же ее охватит клаустрофобия и разочарование, и она попытается вырваться из дому, питая ненависть ко всему, что ее окружает. А может быть, она попробует не обращать внимания или забыть о своей тюрьме, и просто отключиться ото всех связанных с нею чувств — и станет равнодушной, пассивной и бесчувственно-тупой.

Обезьяна (эго) с самого начала развивается в одном из этих трех направлений — желания, ненависти или тупости — и, обретя внутреннее равновесие, она начинает расклеивать в своем доме ярлыки: "Это окно. Этот угол хороший. Та стена пугает меня, и поэтому она плохая. Она создает понятийный каркас, позволяющий ей развешивать ярлыки, классифицировать и оценивать свой дом, свой мир в соответствии со своими желаниями, чувством ненависти или равнодушия" [12].

Благодаря этим понятиям, у обезьяны развивается мечтательное воображение, вследствие чего все события она видит не такими, каковы они на самом деле, а такими, какими она хочет их видеть. Наверное, все мы поступаем таким образом. Трунгпа говорит:

"У нас есть устоявшиеся мнения о том, каковы вещи и какими они должны быть. На самом деле это проекция: мы проецируем свое представление о вещах на них самих. Таким образом, мы полностью погружаемся в мир, созданный нами самими, мир взаимно враждебных ценностей и мнений. Галлюцинация [или злоупотребление воображением] — в данном случае обозначает, что вещи и события истолковываются превратно, и миру явлений приписывается тот смысл, которым он не обладает" [13].

"Обезьяна имеет возможность усомниться в том, что она с чем-то соотносится; усомниться в прочности того мира, в котором она пребывает. Для этого обезьяне необходимо обрести панорамное сознание и трансцендентное знание. Панорамное сознание позволяет обезьяне охватить взглядом то пространство, в котором происходит борьба, и она начинает видеть ее смешные и комические стороны... Ясность и точность трансцендентного знания позволяет обезьяне по-иному взглянуть на стены [своей тюрьмы]. Она начинает понимать, что мир никогда не существовал вне ее, и что настоящая причина возникшей проблемы — ее собственный дуалистический взгляд на мир, разделяющий все на "я" и "не-я". Она начинает понимать, что сама же и укрепляет эти стены, сделавшись пленницей собственных стремлений. И она начинает постигать, что для освобождения из этой тюрьмы нужно отказаться от стремления убежать и принять стены такими, какими они есть" [14].

"Молитвенные колеса" тибетских буддистов.

Свою историю об обезьяне Трунгпа комментирует так: "Мощная сила, движущая обезьяной — это первобытный разум, выталкивающий нас наружу. Этот разум никак не похож на семя, которое нужно терпеливо взращивать. Он похож на солнце, сияющее сквозь просвет в тучах. Достаточно всего лишь мельком взглянуть на этот просвет, и к нам само собой придет интуитивное понимание нашего дальнейшего пути" [15].

В 1963 г. Трунгпа приехал в Англию молодым, но уже зрелым учителем медитации. Он учился в Оксфорде и попутно организовывал один из первых на Западе центров тибетской медитации Самъя-линг в Дамфрисшире (Шотландия). Здесь к нему присоединились тулку, приехавшие в Англию вместе с ним — Чиме Ринпоче и Аконг Ринпоче.

В первые годы существования Самъя-линг Трунгпа много болел. Сначала он попал в опасную автокатастрофу. Никто не надеялся на его спасение, но он выжил. Затем он несколько удалился от своих друзей. В этот период он, казалось, попал под влияние корыстолюбивого Запада. Хиппи стекались в Самъя-линг, и пожилые английские буддисты свирепо и неодобрительно хмурились. Трунгпа всегда держался как "ванька-встанька", упорно принимающий вертикальное положение благодаря смещенному центру тяжести. С позволения далай-ламы он женился на молодой англичанке и в 1970 г. увез ее в Америку, где основал Центр Медитации Тигрового Хвоста в Вермонте и Центр медитации Карма

Дзонг в Колорадо. Он также основал Институт Наропа в Колорадо, единственное в своем роде учебное заведение, где взаимодействуют восточные и западные интеллектуальные традиции.

Сейчас он чрезвычайно глубоко проник в сущность пути бодхисаттвы (и вероятно, никто даже не догадывается, какую роль сыграл в этом пережитый им шок) и живет и пишет от всей души, просто, непосредственно, доходчиво, что привлекает к нему много учеников.

Главное прозрение Трунгпа всегда состояло в том, чтобы "принять стены тюрьмы такими, какими они есть". Какими они есть, а также ради них самих. Чтобы преодолеть эти стены; чтобы в ясном пространственном свете увидеть всю их несущественность — увидеть, что стены — это только полдела. Нужно рассмотреть эти стены при обычном дневном свете, во всей их обусловленной природе. Нужно увидеть их *сами по себе*, свободными от бремени понятий, которые мы им навязываем. В связи с этим знаменитый художник Тернер однажды сказал: "Моя задача — рисовать то, что я вижу, а не то, что я об этом знаю". Приближаясь к такой же степени чистоты, мы должны позволить нашим органам чувств наблюдать, не прибегая к умственным толкованиям.

"Форма — это то, что *существует* до того, как мы спроецируем на нее свои понятия. Она есть изначальное состояние того, "что есть", — те многоцветные, живые, выразительные, драматические, эстетические свойства, которые присутствуют в любой ситуации. Формой может быть лист тополя, упавший с дерева на поверхность горной реки; ею может быть яркий лунный свет, уличная сточная канава или куча мусора. Эти вещи являются тем, "что есть", и в определенном смысле, они суть одно и то же; все они — формы, все они — объекты, все они суть именно то, что есть. Суждения о них впоследствии создает наш разум. Если мы действительно увидим вещи такими, какие они есть, то поймем, что они — лишь формы.

Итак, форма пуста. Но чем бы ее наполнить? Ее можно наполнить нашими предвзятыми мнениями, нашими суждениями. Если мы не даем своей оценки, не классифицируем лист тополя, опускающийся на воду, как нечто противоположное куче мусора на улице Нью-Йорка, значит, мы понимаем, что и лист и куча *являются* тем, чем они *есть*. Они свободны от наших предубеждений. Они, конечно же, являются в точности тем, чем они есть! Мусор есть мусор, лист тополя есть лист тополя, "то, что есть" — это "то, что есть". Форма становится пустой, если мы смотрим на нее, не пытаясь ее истолковать.

Но пустота — это тоже форма. Такое заявление просто обескураживает. Нам вроде бы удалось во всем разобраться, мы вроде бы поняли, что, отказавшись от своих предубеждений, сможем увидеть, что все есть "одно и то же". И вроде бы сложилась прелестная картина: все, что мы видим, и хорошее и плохое, на самом деле хорошо. Чудесно. Просто замечательно. Но следующий пункт программы гласит, что пустота — это тоже форма, и нам придется все пересмотреть.

Пустота тополиного листка — это тоже форма; на самом деле он не пустой. Пустота мусорной кучи — это тоже форма. Пытаться увидеть эти вещи пустыми — все равно что заключить каждую из них в темницу понятия. Форма возвращается. Полагать, будто избавившись от понятийности, мы тут же увидим все вещи такими "как они есть" — это слишком просто. Но это своего рода бегство, разновидность самоутешения. Надо на самом деле *почувствовать* вещи такими, как они есть, т.е. свойства "мусорной кучести" и свойства "тополиной лиственности", *есть-ность* вещей... Проблема в том, чтобы суметь увидеть мир непосредственно, не стремясь к "высшему" сознанию, смыслу или глубине. Просто научиться непосредственно воспринимать вещи буквально такими, каковы они суть сами по себе" [16].

Даже слова, столь часто обманывающие человеческий разум, могут принести пользу в том случае, если все предубеждения будут рассеяны.

"... Когда человек выставлен на всеобщее обозрение — совершенно раздетый, совершенно голый, совершенно открытый, без всякой маскировки — в этот самый момент он постигает силу слова. Срывая маску с основного, абсолютного, предельного лицемерия, человек видит истинное сияние драгоценностей — энергичное, живое свойство открытости, — живое свойство подчинения, живое свойство самоотречения.

Самоотречение в этот момент состоит не в том, чтобы избавиться от всего, а в том, чтобы, избавившись от всего, мы начали ощущать живое свойство покоя. И этот конкретный покой — не порождение слабости. Это не инертность и не беззащитность, этот покой обладает сильным характером и непобедимым свойством, непоколебимым свойством, ибо в нем нет щелей, куда могло бы просочиться лицемерие. Этот полный покой во всем, покой, при котором даже в самом темном углу не остается места для сомнения и лицемерия. Полная открытость — это полная победа, потому что мы не боимся, мы совершенно не пытаемся защищаться" [17].

"Когда мыслительный поток освободится от самого себя

И ты познаешь сущность Дхармы,

Ты поймешь все,

А видимые явления

Целиком составят ту библиотеку, которая тебе нужна" [18].

ДАНДАРОН (1914 – 1974)

Бидия Дандарон, бурятский лама, воспитанный в той же традиции северного буддизма, что и Трунгпа, тем не менее, являет собой полную противоположность последнему. Он никогда не заботился об изложении буддийской философии в общедоступной форме; он посвящал очень много времени традиционной храмовой деятельности и изучению буддийских классиков; и, наконец, он не покинул свою родину в те времена, когда буддизм подвергался наиболее жестоким преследованиям, и до самой смерти боролся за сохранение и распространение традиции тантрического буддизма в России.

Все это привело к тому, что имя и труды Дандарона практически неизвестны на Западе. Только недавно У. Хаммерсмит перевел на английский язык его работу "Мысли буддиста"; но эта небольшая книжка, чрезвычайно глубокая по содержанию, насыщена специфической буддийской терминологией и довольно трудна для неспециалистов. Для того, чтобы составить себе какое-то представление об учении Бидии Дандарона, следует сперва совершить небольшой экскурс в историю буддизма и основы буддийской терминологии.

Как уже было сказано выше, в середине первого тысячелетия н.э. северные буддисты серьезно разошлись с южными по целому ряду вопросов. Северный буддизм (впоследствии получивший название махаяны) провозгласил, что земное учение Будды и сам Будда Гаутама — всего лишь иллюзии, нужные (но не обязательные) для освобождения из плена Великой Иллюзии. Единственной реальностью, первой и последней, махаянисты объявили *шунью*, т.е. Вселенскую Пустоту. По их мнению, Нирвана является просветленной частью этой пустоты — пустотой, осознающей саму себя. Что же касается *Сансары* (материального мира) — то она тоже является пустотой, но не осознает себя таковой. *Виджняна* — вселенский дух, вместилищем которого является *шунья*, тоже разделен на просветленную и непросветленную часть. Непросветленная виджняна порождает в живых существах иллюзию материального мира; но она же порождает в них и стремление к совершенству и просветлению, поскольку постоянно стремится объединиться со своей просветленной частью.

Другим существенным моментом учения махаяны является утверждение, что не только буддийский монах, оставивший мир ради медитации, но и всякое живое существо способно достичь Нирваны уже в *этой* жизни (поскольку все буддисты убеждены, что ни одно живое существо, не достигшее Нирваны, не умирает окончательно, но всякий раз возрождается для новой жизни и новых страданий в *Сансаре*). Кроме того, человек, достигший Нирваны, но отказавшийся от нее из сострадания к миру, по мнению махаянистов, совершает гораздо более достойный поступок, чем тот, кто сразу же и навсегда погружается в Нирвану. Такого человека называют *бодхисаттвой*; он дает обет спасти все живые существа от оков *Сансары* и возрождается в ней до тех пор, пока все живые существа не будут спасены.

Наряду с бодхисатвами в мире махаяны существует множество религиозных и общественных деятелей, достигших просветления, но все же не покидающих мир *Сансары*. Буддисты считают, что один из таких деятелей, тибетский лама Гумбум Джаягсы Гэгэн, в декабре 1914 года возродился к новой жизни в облике Бидии Дандарона, сына бурятского ламы Агвана Тузол-Доржи. Легенда повествует о том, что вскоре после его рождения в Бурятию прибыла делегация тибетских лам с просьбой отдать мальчика на воспитание в Тибет. Однако Лубсан Сандан, духовный вождь бурятских буддистов, сказал им: "Он нужен здесь".

Таким образом, Дандарон остался в Бурятии. Лубсан Сандан стал его духовным наставником, и в 1921 г. передал семилетнему Дандарону свое духовное могущество и титул Дхармараджи (Короля Учения).

Начало 20-х гг. было тяжелым временем для бурятских буддистов. Гражданская война, уже окончившаяся на западе России, все еще продолжалась в Сибири. В 1919 г. Лубсан Сандан создал теократическое правительство Бурятии, которое уберегло бурятский народ от участия в войне — тягчайшего греха с точки зрения буддийской религии. Его влияние было настолько сильным, что атаман Семенов, так и не сумевший призвать бурят под свои знамена, в гневе развернул репрессии против буддийского духовенства. В 1922 году Семенова разгромили большевики; однако их отношение к буддизму было еще более нетерпимым. Бурятии была предоставлена формальная автономия, но правили ею большевистские наместники, всецело подчинявшиеся указаниям Москвы.

В 1930-е гг. большевики развернули мощную антирелигиозную кампанию, фактически объявив вне закона все религиозные объединения, кроме православной церкви (которую рассчитывали подчинить своему влиянию). Постоянное давление со стороны местных властей вынудило Дандарона покинуть Бурятию. К тому времени он уже очень хорошо изучил буддийскую философию и ритуал, владел тибетским и монгольским языками и пользовался большой популярностью у верующих.

И вот двадцатилетний лама стал студентом Ленинградского института авиаприборостроения. Ленинград был выбран Дандароном не случайно. Именно здесь еще с дореволюционных времен существовала самая сильная буддийская община на европейской территории России; именно здесь формировалась в те годы русская школа востоковедения.

Учась в институте, Дандарон не оставлял занятий языками и посещал лекции на восточном факультете университета. Однако в 1937 г. он был арестован по обвинению в антисоветской деятельности. Судьи признали его виновным в создании подпольных организаций борьбы за освобождение желтых рас и, несмотря на явную абсурдность обвинения, приговорили к смертной казни. Впоследствии смертный приговор был заменен двадцатью пятью годами каторги.

Годы, проведенные на каторге, Дандарон называл своими университетами. Здесь он встретил множество образованнейших людей, арестованных по столь же абсурдным обвинениям. Среди них были ученые, философы, религиозные и общественные деятели, и даже буддийские священнослужители, которые помогли Дандарону завершить религиозное образование.

Общение с учеными, воспитанными в европейской традиции, позволило Дандарону преодолеть философскую ограниченность традиционного буддизма. Осваивая основы материалистической философии, кантианства и экзистенциализма, Дандарон постоянно сопоставлял их с буддийским учением и неизбежно убеждался в правоте последнего. Постепенно он пришел к той же мысли, что и Тейяр де Шарден: новейшие открытия ученых и философов не опровергают, а подтверждают традиционные истины. Например, дарвиновское учение об эволюции живых существ довольно точно отражает махаянистскую теорию о стремлении непросветленного сознания к Нирване:

"Во всей истории возникновения природы (*Сансары*) нам ясно видно неутомимое творческое искание великого закона совершенствования во имя полного совершенствования *Алая-виджняны* вплоть до полного слияния с Нирваной. Причем эта творческая сила комбинировала атомы таким образом, чтобы только обеспечить образование природы, не больше и не меньше...

Борьба за существование в первичных организмах есть первое проявление несовершенства *Алая-виджняны*. Растения питаются за счет воды с растворенными в ней солями и за счет углекислого газа; животные — уже готовыми органическими веществами, образовавшимися в теле растений.

С образованием животных *Алая-виджняна* индивидуализируется и приобретает вместилище и форму в *скандхах* указанных животных. Через них, т. е. через эти тела, они получают возможность актуализировать свое несовершенство в окружающем мире, в борьбе за существование. Образование животного организма характеризует приобретение *Алая-виджняной* определенной индивидуальной формы. Вместе с этим в теле каждого животного появляется великое множество нервных клеток, в центре которых находится невидимый нервный стержень, который проходит вдоль всего тела от коры головного мозга до конца полового члена, на этом стержне расположены пять узлов, он носит (на санскрите) название *Аван-дуди*.

Практически в каждом животном организме он не действует. На пяти узлах указанного стержня условно сосредоточены эмоции, чувства и нервы, которые — естественно, у непросветленной *Алая-виджняны* — реализуют грешные поступки (вернее, являются источниками грехов) и называются *клешами*. Эти эмоции и чувства диктуют свои желания в виде инстинктов тем чувствительным нервам, через которые животные имеют общение с внешним миром" [1].

По мнению Дандарона, естественную эволюцию обезьяны в человека можно объяснить только с помощью буддийского закона совершенствования, т.е. стремления несовершенного духа к Нирване путем просветления. "Наконец, на высшей ступени процесса саморазвития, *виджняна* обретает сознательность в человеческом индивиде. *Алая-виджняна*, как частица Ади-будды, во всех этапах своего развития сохраняет полную непроявленную форму божественной мудрости, которая частично проявляется в виде интуиции. ...Но у несовершенной *Алая-виджняны*, в отличие от Ади-будды, все узлы *Аван-дуди* покрыты мраком *клеш* в виде эмоций: неведение, желание (страсть), гнев, гордость и зависть. В области верхнего узла, который называется "колесо великого блаженства", находится мозг, где раскрывается *сознание*. ...Благодаря появлению сознания субстанция обратилась в *субъекта*, необходимость обернулась в *свободу*. С этого момента совершенствующееся движение *Алая-виджняны* сопровождается качественным изменением" [2].

Это изменение заключается в том, что сознание помогает человеку преодолеть мрак *клеш* — неведения, страстей и эмоций, которым подчинены все действия животных и непросветленных людей. Каждое из таких действий не просто греховно само по себе — оно порочно еще и тем, что находится в *полной зависимости от закона кармы* (причинно-следственной связи) и порождает разнообразные последствия, еще глубже погружающие человека в омут *Сансары*. "Ни один греховный поступок не пропадает бесследно. Наоборот, он неумолимо вызывает несовершенные следствия, соответственные по количеству и качеству называемой причине, таков закон кармы. Если человеку не удается в этой жизни испытать соответствующую карму, то он найдет ее в следующих перевоплощениях. Если мы видим людей, с детства несчастных или, наоборот, счастливых на всю жизнь, то, безусловно, они испытывают следствия предыдущих перерождений" [3].

Дандарон подробно останавливается на каждой из пяти "грубых" *клеш*:

"Во-первых, неведение (невежество) не позволяет индивиду оглянуться и одуматься. Не позволяет ставить вопрос: для чего ведется беспрерывная борьба [за существование]? Если и ставится такой вопрос, то *клеша*-неведение отвечает: для того чтобы обеспечить жизнедеятельную потребность.

Во-вторых, мысль о наличии "эго" (индивидуального "я") требует проявления любви к себе, которая приобретает социальное значение. Жадность, эгоизм и ненасытное желание приобрести все больше и больше богатства для себя толкают индивида в пучину социальной борьбы. ...

В-третьих, индивидуализированная *клеша* (эмоция "гнев") через проявление несовершенства в обыденной жизни постоянно создает грехи. С гневом связаны самые разнообразные преступления человека, начиная с убийства и кончая самыми мерзкими подлостями языка и мысли.

В-четвертых, в процессе борьбы и победы возникает чувство гордости, которое толкает человека к тупой самоуверенности и, тем самым, к установлению и укреплению неведения.

В-пятых, та же вечная и бессмысленная борьба, угнетение одних другими, активизирует эмоцию "зависть". Этот инстинкт непосредственно связан с эмоцией "любовь", особенно в половой любви, где он выступает в виде ревности" [4].

Таким образом, "единственным спасением от сансарной муки является подавление *клеш* путем самосовершенствования" [5]. Согласно классической махаянистской технике, предлагаемой Дандароном, самосовершенствование индивида начинается с сострадания другим существам, которые, подобно ему самому, испытывают все муки *Сансары*. Можем ли мы быть уверены, — спрашивает Дандарон, — что данное живое существо в каком-либо перерождении не было нашей матерью? Едва ли; а посему, абстрагируясь от времени (которое в действительности есть ничто иное как иллюзия), мы должны жалеть каждое живое существо как свою родную мать. Такое эмоциональное единение со всем живущим на Земле очищает душу человека от грешных клеш; проникшись состраданием, человек обретает *состояние бодхисаттвы* и открывается для подлинной *эмоциональной интуиции*. Именно на этом этапе для человека наиболее важны аскеза и медитация: они позволяют ему подавить свое телесное начало и *клешу неведения* и, таким образом, разрушить иллюзию собственного "я", препятствующую подлинному просветлению.

Знание медитационных техник тантрического буддизма (так называемой тантрической йоги) помогло Дандарону не просто выжить в условиях сибирской каторги, но и вести там активную проповедь буддизма. У него появились первые ученики и последователи, в основном европейского происхождения. Очевидно, именно здесь у Дандарона созрела идея, впоследствии выразившаяся в лозунге "Тантра — на Запад!"

Для махаяниста в этой идее нет ничего необычного. Как уже сообщалось в статье о Трунгпа, традиция северного буддизма содержит пророчества о том, что эта религия когда-нибудь станет религией Запада. И даже более того: не далее как в двадцатых годах нынешнего века монгольские ламы утверждали, что время для похода на Запад настало именно сейчас; однако уже к началу тридцатых годов все буддийские школы, процветавшие в Монголии, Бурятии, Хакассии и Туве, были фактически разгромлены.

В начале сороковых годов Дандарон вместе с другими бурятскими ламами написал письмо Сталину, ходатайствуя о восстановлении буддийских монастырей в Бурятии. Удивительно, но это ходатайство не осталось без ответа: вскоре бурятским буддистам было разрешено открыть два монастыря. А в 1956 г. Дандарон был окончательно освобожден и полностью реабилитирован.

К сожалению, на свободе ему суждено было пробыть недолго — меньше двадцати лет. Но за это время Дандарон успел совершить очень много. Он систематизировал и описал огромное количество оригинальных тибетских рукописей; создал краткий тибетско-русский словарь; перевел и издал "Источник мудрецов" — словарь терминологии северного буддизма, созданный в XVIII веке. Параллельно с научной деятельностью он занимался организационной работой по восстановлению буддийской церкви у себя на родине. Буддисты Центральной Азии издавна были разделены на множество сект или школ, зачастую враждовавших друг с другом. Изучая аутентичные источники, Дандарон смог доказать, что все их противоречия носят формальный характер, и создать собственное синтетическое учение, объединявшее в себе несколько разных традиций.

Согласно Дандарону, среди всех многочисленных буддийских школ нет ни одной, которая не содержит в себе пути к просветлению и освобождению. Даже хинаяна, несмотря на немалую трудность предлагаемого ею пути, способна освободить человека от бремени *Сансары*. Однако "хинаяна (малая колесница) помогает переправляться через бурное море становления к далеким берегам Нирваны лишь тем немногим сильным душам, которые не нуждаются ни в помощи извне, ни в утешении почитания. Хинаянистический путь является исключительно трудным путем, тогда как ноша Махаяны легка и не требует от человека, чтобы он немедленно отрекся от мира и от всех человеческих привязанностей. Махаяна предлагает всем существам во всех мирах спасение посредством веры, любви и знания" [6].

Путь к просветлению, предлагаемый Дандароном, с первого взгляда выглядит значительно сложней, чем прямой и логичный путь хинаяны. Это сложная система медитаций и йогических упражнений во многом напоминает эзотерические практики индусской тантры. На первом этапе этого пути *Сансара* преодолевается телесно: "Контроль над телом, посредством принятия им определенных положений и дыхательных упражнений воспитывает безразличие ко всяким окружающим изменениям, резким сменам температур и даже голоду и т.д. Ищущий добивается полного интуитивного знания о том, на чем он сосредотачивается. Самадхи (сосредоточение) является средством, благодаря которому он получает знание о сверхъестественных объектах. Посредством его ищущий познает внутреннюю сущность вещей, отсутствие индивидуального "я", *шуньяту* феноменального мира и в результате достигает величайшего света мудрости" [7].

Дандарон подчеркивает, что на этом этапе искателю просветления больше всего необходимо руководство со стороны просветленного учителя. "Ибо случается иногда с теми йогами, которые еще не достигли полного освоения своей основной цели, заключающейся в полном освобождении от сансарных пут, что эти йоги, достигнув магических сил, увлекаясь этими сверхъестественными способностями, забывают о дальнейшем совершенствовании" [8]. Учитель необходим и по другой причине: буддийская тантра (*ваджраяна*) окружена завесой тайны, и ее тексты изобилуют намеренно зашифрованными местами; кроме того, "наиболее секретные наставления не писались на бумаге, а передавались из уст учителя в ухо ученика через тростниковую палочку. Поэтому такое наставление называется *карнатантра* (тантра в ухо); оно сохранилось доныне и будет всегда" [9].

Почитание и преданность учителю играют решающую роль во всех практиках тантрического буддизма. Чтобы подчеркнуть значение этих факторов, Дандарон рассказывает историю из жизни одного знаменитого тибетского йога, случившуюся во времена его ученичества. Как-то раз его учитель раскрыл перед ним небеса, показав сияющий дворец *Идама* (тантрийского воплощения Будды) и спросил: "Кому ты теперь будешь молиться: мне или этому дворцу с *Идамом*?"

Потрясенный открывшимся зрелищем, ученик ответил учителю, что сначала помолится *Идаму*, а потом учителю, поскольку учителя он видит каждый день, а *Идама* — впервые. Но, едва он начал молиться, и *Идам*, и учитель исчезли, и ему пришлось еще долго скитаться по свету в поисках учителя.

Учитель необходим и на следующем этапе духовного просветления, когда ученику открываются огромные, сверхъестественные силы; когда он постигает прошлое, настоящее и будущее и, достигнув просветления, духовно освобождается от оков *Сансары*. Учитель руководит одним из ключевых процессов буддийской тантры — обретением недвойственности через слияние мужского и женского начал; кроме того, учитель должен направить ученика на путь *бодхисаттвы* — милосердное возвращение в *Сансару* ради ее окончательного просветления.

Сам Дандарон, несомненно, был тем просветленным учителем, который мог передать свет учения Будды не только своим соотечественникам, но и людям, воспитанным в совершенно иной культурной среде. Начиная с середины 60-х гг. к нему приезжали ученики из европейской части России. Он обучал их не только тантрической практике, но и основам буддийской философии — "через абсурд, ситуационную неопределенность, через методы быстрого вскрытия интуиции и реализацию недвойственности, через игру, смех и гнев" [3]. Благодаря Дандарону буддийские общины возникли в Москве и Ленинграде, в Таллинне, Риге и других городах Советского Союза.

Все это привело к тому, что в 1972 г. КГБ инспирировал судебный процесс против Дандарона и его учеников по обвинению в сектантской деятельности. Невежество судей было беспредельным: в своих решениях они руководствовались... буквальным толкованием эротических и устрашающих образов тантрического искусства! В их трактовке учение Дандарона мало чем отличалось от сатанизма или шаманства, и никакие адвокаты не смогли бы убедить их в обратном. Дандарона приговорили к пяти годам каторги, и вскоре он умер в одном из лагерей на южном берегу озера Байкал.

Многие сложности учения *ваджраяны*, излагаемого Дандароном, проистекают, главным образом, из двух причин. Во-первых, в отличие от Трунгпа, Дандарон не стремится модернизировать и упростить философию северного буддизма, сведя ее к ряду основных положений. Во-вторых (и это, очевидно, является здесь основным моментом), Дандарон убежден, что основное преимущество *ваджраяны* заключено в ее практических методиках, способных привести к просветлению любого, кто займется ими всерьез. Сложность буддийской *тантры*, — утверждает Дандарон, — значительно проще тех простых и бесхитростных рекомендаций, которые дают нам учителя хинаяны или дзэн-буддизма. Ибо, сколь бы ни были просты эти рекомендации, следовать им — значит пытаться одним прыжком преодолеть чудовищное расстояние, отделяющее непросветленный разум от просветления. Учитель буддийской тантры разделяет это расстояние на ступени, и ученик, преодолевая их одну за другой, медленно, но уверенно движется к свету.

Преимущества такого пути очевидны, однако, очевидны и связанные с ним опасности: ведь в символике и техниках буддийской тантры содержится много таких деталей, которые при превратном толковании способны принести (и зачастую приносят) немалый вред невежественным ученикам. В частности, это относится к устрашающему облику тантрийских *идамов*, которые напоминают дьяволов христианской иконографии, и к сексуальной магии слияния двух начал, — последняя зачастую истолковывалась европейским оккультистами как своего рода индульгенция для обыкновенного разврата. Кроме того, растущий интерес к тайнам тантры уже давно породил такую ситуацию, когда на одного просветленного учителя приходится не меньше десятка амбициозных недоучек, извлекающих всевозможные выгоды из тантрийских правил почитания учителя. Все это заставляет предположить, что на Западе путь тантры, к сожалению, пока что возможен лишь для тех немногих, кому посчастливится найти настоящего Учителя и вместе с ним пройти этот путь от начала до конца.

БИБЛИОГРАФИЯ

DHIRAVAMSA

1. Dhiravamsa, *The Real Way to Awakening* (Hindhead, England: Vipassana Centre), pp.13-14.
2. Dhiravamsa, *The Middle Path of Life* (No publisher), p.92.
3. Ibid., p.93.
4. Ibid., p.33.
5 Ibid., p.31.
6. Ibid., p.32.
7. Ibid., p.39.
8. Ibid., p.45.
9. Ibid., p.86.

CHOGYAM TRUNGPA

1. Chogyam Trungpa, *Born in Tibet* (London: Allen and Unwin; New York: Penguin), p.56
2. Ibid. p.57.
3. Chogyam Trungpa, *Cutting Through Spiritual Materialism,* (London: Robinson and Watkins Books Ltd.), p.13.
4. Ibid. p.15.
5. Ibid. p.19.
6. Ibid. p.26.
7. Ibid. p.69.
8. Ibid. p.102.
9. Ibid. p.104.
10. Ibid. p.108.
11. Ibid. p.129.
12. Ibid. p.130.
13. Ibid. p.146.
14. Ibid. p.160.
15. Ibid. p.188.
16. Ibid. p.189.
17. Ibid. p.198.
18. *Garuda II,* p.56.

BIDYA DANDARON

1*. Bidya Dandaron *Buddhist's Reflections* (London: The Buddhist Society, trans. by W. Hammersmith), p.8.
2. Ibid., p.12.
3. Ibid., p.25.
4. Ibid., p.24.
5. Ibid., p.25.
6. Ibid., p.112.
7. Ibid., p.158.
8. Ibid., p.157.
9. Ibid., p 157.
10. Ibid., p.2.

4. ПУТЬ ДЗЭН

Наверное, в наше время на Западе не найдется ни одного образованного человека, которому не было бы знакомо слово "дзэн". Это в высшей степени иррациональное и парадоксальное учение давно уже вышло за рамки обычной интеллектуальной моды и за довольно короткий срок сумело оказать значительное влияние на культуру и искусство Запада.

Дзэн является буддийской сектой, однако его учение в значительной степени утратило связь со своими индийскими корнями и давно стало неотъемлемой принадлежностью японской культуры. По сравнению с прочими буддийскими школами дзэн занимает довольно-таки крайнюю позицию: он отрицает не только необходимость Мудрости и Сострадания, но и реальное существование чего бы то ни было. По мнению дзэн-буддистов, даже *шунья* (Великая Пустота, которую махаянисты считают реальной сутью всех иллюзорных вещей) является всего лишь иллюзией, которую следует преодолеть, чтобы проникнуть в истинную природу вещей.

Японский профессор Д.Т.Судзуки, о котором пойдет речь в следующей статье, определяет дзэн-буддизм как учение, претендующее на "особое откровение без посредства Св. Писаний; независимость от слов и букв; прямой контакт с духовной сущностью человека; постижение сокровенной природы человека и достижение совершенства Будды" [1]. Его интерпретация дзэн-буддизма оказала влияние практически на всех ученых и философов XX века, исследовавших этот предмет. Некоторые утверждения Судзуки сегодня считаются спорными: так, например, кое-кто упрекает его в том, что он чересчур прямолинейно отождествляет самобытный японский "дзэн" с китайской сектой "чань"; другие утверждают, что он слишком увлекается теоретическими аспектами дзэн-буддизма, которые на самом деле не играют здесь такой уж значительной роли. Однако даже наиболее рьяные критики не могут отрицать, что Судзуки является наиболее значительным и авторитетным деятелем в современном дзэн-буддизме, и его позиция в любом случае достойна самого пристального внимания.

СУДЗУКИ (1870 – 1966)

"Великая истина дзэн живет в каждом. Загляните внутрь и ищите ее там, не прибегая к чьей-либо помощи. Ваш собственный разум выше всяких форм. Он свободен, покоен и блажен. Он вечно проявляется в ваших шести чувствах и четырех стихиях. Все озарено его светом. Отбросьте двойственность, связанную с субъектом и объектом, забудьте то и другое, поднимитесь выше интеллекта, отделите себя от рассудка, проникая непосредственно в глубины разума Будды, вне которого нет ничего реального. Вот почему Бодхидхарма, когда он пришел с запада, просто провозгласил: "Моя доктрина единственная в своем роде, потому что она имеет дело непосредственно с душой человека. Она не усложняется каноническими учениями. Это непосредственная передача истины" [2].

Профессор Дайсэцу Тайтаро Судзуки никогда не был ни дзэнским монахом, ни просветленным учителем дзэн-буддизма; тем не менее, его знали и уважали во всех храмах Японии. Его заслуги в области религии были отмечены самим императором Японии; он был избран членом японской Академии и получил премию Асахи за свою деятельность в области культуры. По свидетельствам современников, обсуждая просветленные состояния сознания, Судзуки говорил о них, как человек, который в них жил; создавалось впечатление, что цель его деятельности заключается в том, чтобы подобрать интеллектуальные символы для описания явлений, происходящих за пределами интеллекта.

В молодые годы Судзуки жил в качестве мирского ученика в Энкагукей, большом монастыре Камакуры. Этот древний храм, в настоящее время частично разрушенный землетрясением, представлял собой влиятельный центр дзэн-буддийской школы Риндзай. Обстановка большого зала для медитаций, где Судзуки постигал основы дзэн, была типична для всех строений такого рода. В прямоугольном помещении площадью приблизительно двадцать на одиннадцать метров под продольными стенами устроены высокие деревянные подмостки шириной в два с половиной метра. Между ними от начала до конца зала простирается пустое место. "Это место используется для выполнения упражнения "кинхин" ("хождение по сутрам"). Место, которое отводится каждому монаху на подмостках, покрытых соломенными матами (татами), не превышает площади одного мата. Там он сидит, размышляет и спит ночью. Постелью ему служит одно большое ватное одеяло — и летом, и зимой. У него нет никакой подушки; ложась спать, он кладет под голову свои личные вещи. Однако личных вещей у него почти нет. Все его имущество — это "каса" и "коромо" (ряса), несколько книг, бритва и набор чашек. Все это хранится в ящичке, размером около 40x25x7 сантиметров. Когда монах отправляется в путь, он вешает этот ящик на шею с помощью матерчатого ремня" [3].

Поскольку Судзуки был мирским учеником, а не монахом, ему не пришлось странствовать с ящиком на шее; однако все прочие ограничения монашеской жизни коснулись его в полной мере. Впоследствии он часто подчеркивал, что именно чистота и скромность дзэн-буддийского монастыря явились источником *ваби* — одного из

СУДЗУКИ (1870 – 1966)

основных принципов традиционной японской эстетики. *Ваби* — это культ чистоты и добровольной бедности, отразившийся, в частности, в таком специфически японском явлении, как чайная церемония. Судзуки определял ваби как "активное эстетическое отношение к бедности", без которого бедность превращается в нужду и постоянный источник печалей.

"*Ваби* означает недостаточное количество вещей, невозможность удовлетворить все возникающие желания, — писал Сотан, один из основоположников чайной церемонии. — Человек в отчаянии остановился на своем пути, поскольку не может идти дальше — вот что такое *ваби*. Но он не тяготится таким положением. Он научился довольствоваться самым малым. Он не ищет ничего недоступного. Он перестал осознавать свое трудное положение. Но если бы в его разуме возникла мысль о бедности, необеспеченности или полной безысходности, его положение и жизнь лишились бы элемента *ваби*, и он превратился бы в страдающего бедняка. Те, кто действительно знают, что такое *ваби*, лишены зависти, ярости, злобы, лености, беспокойства и глупости" [4].

Можно с уверенностью сказать, что именно дух *ваби*, наполняющий все произведения Судзуки, явился основной причиной их популярности на Западе. Судзуки рассказывает о дзэн-буддизме просто и

"Сухой сад".

откровенно, без восторженности и пропагандистского пыла, не нагромождая излишних доказательств и не слишком увлекаясь внешней экзотикой. Тем не менее, его "Эссе о дзэн-буддизме", опубликованные в Англии в 1927 г., сразу же вызвали живой отклик у многих западных интеллектуалов. Юнг и Гессе, Хайдеггер и Сартр, Олдос Хаксли и Алан Уотс — вот далеко не полный список благодарных читателей этой книги. Доктор Юнг, написавший предисловие к "Введению в дзэн-буддизм" — наиболее известной книге Судзуки, — утверждал, что его произведения "принадлежат к числу лучших вкладов в изучение живого буддизма, появившихся за последние десятилетия"; а Хайдеггер однажды признался, что находит в дзэн-буддизме все, что хотел бы выразить в своих сочинениях.

В отличие от многих своих предшественников, Судзуки никогда не подчеркивал в дзэн-буддизме его специфически японских черт. Напротив, он утверждал, что стремление к непосредственному трансцендентальному опыту, лежащее в основе дзэн-буддизма, свойственно представителям всех вероисповеданий. Его любимый пример — Мейстер Экхарт, средневековый немецкий мистик, призывавший к интуитивному постижению Бога. Но в христианстве такое постижение является уделом одиночек, тогда как дзэн-буддизм систематизирует и развивает его пути, делая его доступным для каждого настойчивого искателя.

Стратегия духовного поиска, которую предлагает дзэн — это подражание Будде, самостоятельно достигшему просветления. Недаром легенда связывает зарождение дзэн-буддизма с "Цветочной проповедью" Будды. Однажды Будда, не говоря ни слова, показал своим ученикам букет цветов — и только один из них понял, в чем заключалась суть этого наставления.

Подобно всякой вещи, букет цветов не поддается адекватному описанию — он тождественен только самому себе. Точно так же и суть учения Будды невозможно изложить словами — ее можно лишь пережить на собственном опыте. Именно это переживание и позволяет проникнуть в суть учения Будды.

"Один древний учитель дзэн-буддизма, желая показать, что такое дзэн, поднял вверх палец, другой — толкнул ногой шар, а третий — ударил вопрошающего по лицу" [5]. Однако Судзуки, писавший о дзэн-буддизме, волей-неволей должен был *рассказать* о сущности дзэн. И нужно сказать, что он блестяще справился с этой задачей.

Используя классическую буддийскую технику "утверждения через отрицание", Судзуки перечисляет целый ряд определений дзэн-буддизма, которые кажутся ему несостоятельными. В частности, дзэн — это не буддизм, поскольку всем буддийским учениям здесь придается лишь чисто прикладное значение. Однако при этом философию дзэн нельзя назвать нигилистической, ибо во всем ее отрицании всегда присутствует некий положительный момент. Дзэн — это не религия: "В дзэн нет Бога, которому можно было бы поклоняться, нет также никаких церемониальных обрядов, ни рая для отошедших в мир иной, и, наконец, в дзэн нет и такого понятия, как душа, о благополучии которой должен заботиться кто-то посторонний, и бессмертие которой так сильно волнует некоторых людей...

...В дзэн нет Бога, но это не значит, что дзэн отрицает существование Бога. Дзэн не имеет дела ни с утверждением, ни с отрицанием. Отрицая что-либо, само отрицание уже включает в себя противоположный элемент. То же самое может быть сказано и об утверждении. В логике это неизбежно. Дзэн стремится подняться выше логики и найти высшее утверждение, не имеющее антитезы" [6].

Таким образом, дзэн — это не религия и не философия. Но дзэн — это нечто большее, чем просто медитативная техника. Медитация дзэн — это не концентрация мыслей на каком-либо определенном предмете, а освобождение ума от всяких препятствий и ограничений, позволяющее воспринимать вещи такими, как они есть. Поэтому те, кто считают дзэн системой духовных упражнений, на самом деле путают его с буддийской хинаяной. Такие определения, как "убийство ума" или "мистическое самоопьянение" не подходят дзэн ни в коей мере, поскольку в нем нет никакого ума, который следовало бы убить, и никакого "я", которое следовало бы опьянять.

Отчасти правы те, кто говорит о мистическом характере дзэн. "...Но Дзэн — это мистицизм особого рода. Он мистичен в том смысле, что солнце светит, что цветы цветут, что я слышу, как с улицы доносятся звуки барабанного боя. Если все это можно назвать мистикой, то такого в дзэн сколько угодно. Как-то раз одного дзэнского учителя спросили, что такое дзэн, и он ответил: "Ваши повседневные мысли". Ясно и предельно откровенно, не правда ли? Дзэн лишен всякого духа секретности. Христиане могут практиковать его в той же мере, как и буддисты. В одном и том же океане и мелкая, и крупная рыба чувствуют себя превосходно. Дзэн — это океан. Дзэн — это воздух. Дзэн — это горы. Это гром и молния, это весенний цветок, знойное лето и снежная зима, и даже более того: дзэн — это человек" [7].

Судзуки демонстрирует нам неуловимость дзэн-буддизма, сущность которого как бы ускользает от любых определений; однако он утверждает, что эта неуловимость не является особенностью учения дзэн-буддизма. Это свойство, присущее всему восточному мышлению в целом.

"Для людей Запада вещь либо существует, либо не существует. Утверждение, что она существует и одновременно не существует, они считают невозможным. Они скажут: если мы родились, то мы обречены на смерть. Восточный ум работает иначе: мы никогда не рождались и никогда не умрем. Нет рождения и смерти, нет начала и конца — вот что такое восточный образ мышления. Западный ум считает, что должно быть начало, что Бог должен был сотворить мир, что в начале было Слово. Нашему восточному уму все представляется совсем иначе: нет Бога-творца, нет начала вещей, нет ни Слова, ни Логоса, ни чего-либо, ни ничего. Запад воскликнет: "Все это чепуха! Это совершенно немыслимо!" Восток ответит: "Вы правы. Покуда существует "мышление", вы не можете избежать дилеммы или бездонной пропасти абсурдов" [8].

"Запад мыслит противопоставлениями. И любое мышление как таковое осуществляется именно таким образом, то есть прежде всего существует сам мыслящий субъект, у которого есть объект, на который направлена мысль этого субъекта. ...Такое мышление можно назвать

Дзэнская медитация в Англии (Западный Суссекс).

объективным, так как в данном случае оно направлено на объект. Но оно начинается с субъекта, и поэтому он всегда присутствует в нем. И как бы далеко он не уходил, он никогда не может исчезнуть совершенно.

Восточный образ "мысли" означает, что мыслитель теряется в мышлении. Это уже не мышление в обычном смысле слова. Вот почему я говорю, что восточному уму несвойственно "мышление". Вот почему учителя не дали Дзэгэну никакого ответа [на вопрос, жив или мертв этот человек]. Если бы они могли, они ответили бы ему "да" или "нет". Но они не могли ни утверждать, ни отрицать. Если бы они прибегли к тому или другому, то они исказили бы свой внутренний опыт. Им не оставалось ничего, кроме как твердить: "ни то, ни другое". Для них мыслитель и мышление — одно и то же. Если бы они остановились на чем-то одном и сказали бы "да" или "нет", это значило бы, что мыслитель отделился от мысли и целостность внутреннего опыта нарушилась" [9].

Возможно, Судзуки несколько преувеличивает, приписывая всему Востоку образ мыслей, в полной мере свойственный лишь некоторым учителям дзэн-буддизма. Очевидно, "западный" стиль мышления преобладает и на Востоке: ведь большинство исторически сложившихся духовных упражнений дзэн-буддизма направлены как раз на преодоление этого образа мыслей. С другой стороны, и на Западе во все времена можно было найти людей, преодолевших "объективность" своего мышления, и Судзуки часто упоминает их в своих работах. Однако не следует забывать, что книги Судзуки написаны на английском языке и рассчитаны на западного читателя; и что, в отличие от Востока, на Западе объективное мышление почти никогда не подвергалось серьезной критике и составляло основу как религиозного, так и научного мировоззрения.

Судзуки впервые посетил Запад в 1936 г., прибыв в Англию в качестве преподавателя по академическому обмену. К тому времени он был уже достаточно популярен в интеллектуальных кругах Европы; однако, подлинная слава пришла к нему только в конце сороковых годов, когда издательство "Райдер и Ко" выпустило восьмитомное собрание его сочинений. Его лекции и беседы произвели подлинный переворот в сознании многих западных интеллектуалов; Карл Юнг написал предисловие к его "Введению в дзэн-буддизм", а Эрих Фромм сотрудничал с ним, работая над книгой "Дзэн и психоанализ".

Таким образом, идеи дзэн в изложении Судзуки сделались неотъемлемой частью интеллектуальной жизни послевоенного Запада. Влияние дзэн-буддизма легко заметить в таких явлениях современной культуры, как экзистенциальная философия и концептуальная живопись, театр абсурда и литературное творчество "битников", в первую очередь Аллена Гинзберга и Джека Керуака. Без преувеличения можно сказать, что "восточное мышление", проповедуемое Судзуки, значительно обогатило современное европейское сознание, а такие дзэн-буддистские термины, как "коан" и "сатори" прочно вошли в большинство европейских языков.

В своих работах Судзуки уделяет большое внимание явлению сатори, подчеркивая, что именно это духовное переживание является сущностью дзэн-буддизма. По его мнению, этот термин можно адекватно перевести английским словом "enlightment" (просветление). "Сатори, — пишет он, — можно определить как интуитивное проникновение в природу вещей, в противоположность логическому или аналитическому пониманию этой природы. Практически это означает открытие нового мира, ранее неизвестного смущенному уму, привыкшему к двойственности. Иными словами, сатори проявляет нам весь окружающий мир в совершенно неожиданном ракурсе. ...Для тех, кто достиг сатори, мир уже не представляется тем самым старым миром, каким он был раньше; даже со всеми его радостями и печалями он уже совсем не тот. На языке логики это значило бы, что все противоположности и противоречия гармонично объединяются в последовательное органическое целое. Это таинство и чудо, но, по словам дзэнских учителей, оно происходит каждый день" [10].

Согласно представлениям буддистов, большинство людей пребывают в неведении относительно своей истинной природы, и цель учения Будды — устранить это неведение. Традиционный буддизм, как мы уже видели в предыдущей главе, предлагает методики, позволяющие преодолевать неведение постепенно, разбив его на отдельные элементы и выводя их из разума один за другим. Дзэн более радикален: по мнению одного дзэнского учителя, сущность буддизма состоит в том, что "у ведра отламывается дно"; иными словами — что все неведение, наполнявшее человека, уходит из него в одно мгновение, как вода из проломленного ведра. Именно это мгновение и называется сатори.

Судзуки настоятельно подчеркивает, что сатори — это не религиозный экстаз, не результат самовнушения и не патологическое состояние психики. Сатори переживается в состоянии бодрствующего ума; отчасти оно подобно интеллектуальному озарению, которое когда-то заставило Архимеда воскликнуть: "Эврика!". Однако, в отличие от подобных озарений, сатори носит иррациональный характер — это мгновение небывалого душевного подъема, связанного с внезапным постижением высшей реальности.

Судзуки убеждает нас в том, что все учение дзэн-буддизма — это ничто иное как средство для достижения сатори. Парадоксальность дзэнской литературы, абсурдное, а зачастую даже грубое и жестокое поведение учителей, аскетизм и тяжелый труд монахов и послушников служат лишь одной цели — разрушению шаблонов объективного мышления, уводящего нас от трансцендентальных истин. О Бодхидхарме, первом учителе дзэн-буддизма, рассказывают, что он упорно не обращал внимания на некоего монаха, пришедшего спросить его о сути буддизма. Монах оказался настойчивым и стоял перед монастырем до тех пор, пока его не замело снегом по колено. Наконец он отрубил себе левую руку и протянул ее учителю в знак искренности своих намерений. "Это нужно искать самому, — сказал Бодхидхарма в ответ, — другие не помогут".

"Моя душа не знает покоя, умоляю тебя, учитель, успокой ее", — взмолился монах. "Принеси сюда свою душу, и я ее успокою", — ответил Бодхидхарма.

Монах был обескуражен таким ответом. После некоторого раздумья он сказал: "Я искал ее все эти долгие годы, и все еще не могу ухватиться за нее".

"Ну вот. Теперь она успокоена раз и навсегда", заявил Бодхидхарма, и монах пережил подлинное просветление [11].

Дзэнская литература содержит множество подобных историй. Один учитель в ответ на вопрос о сущности буддизма схватил спрашивавшего за горло и закричал: "Говори! Говори же!"; испуган-

Смерть Будды. *Скульптурная группа из японской пагоды Нара.*

ный и ошеломленный ученик тут же постиг, в чем заключается ответ на его вопрос. Другой учитель в ответ на тот же самый вопрос дал ученику пощечину, а стоявший рядом монах посоветовал ему поклониться; во время поклона ученик пережил сатори. Еще один учитель подарил сатори своему ученику, протянув ему зажженную свечу, а затем внезапно задув ее. Существуют истории о сатори, вызванном грохотом рассыпавшейся поленницы, ударом камня о ствол бамбука, взглядом на цветущий персик. Однако Судзуки подчеркивает, что все эти внезапные озарения на самом деле являются плодом долгой и трудной душевной работы.

"В дзэн-буддизме имеет место умственный поиск высшей истины, которую невозможно получить с помощью интеллекта; искатель вынужден погрузиться глубже, минуя волны эмоций периодического сознания. Такое погружение сопряжено с трудностями, поскольку искателю неизвестно, где и каким образом его совершать. Он не знает, что делать, и пребывает в полном замешательстве до тех пор, пока вдруг не столкнется с тем, что откроет ему новую перспективу. Такой умственный тупик, сопровождаемый упорным, неутомимым и искренним поиском, является самым необходимым фактором, обуславливающим постижение дзэн" [12].

"Сначала искатель не видит никакого выхода, но, правдой или неправдой, он все-таки должен найти какое-то средство. Он достиг конца пути, и перед ним зияет темная пропасть. Нет света, который мог бы указать искателю, как перебраться через нее, а пути назад он тоже не знает. Единственное, что он может сделать в этот критический момент — просто прыгнуть, рискуя своей жизнью. Может быть, прыжок — это верная смерть, но и жить он уже не в силах. Он в отчаянии. Однако что-то все еще удерживает его: он не может всецело отдаться неизвестному.

Когда он достигает этой стадии, ...всякое абстрактное мышление прекращается, ибо мыслитель и мысль уже не противопоставлены друг другу. Все его существо, если можно так выразиться, представляет собой саму мысль; хотя, наверное, лучше было бы сказать: все его существо представляет собой "отсутствие всякой мысли" (ачитта). Дальше мы уже не можем описать это состояние на языке логики или психологии. Здесь начинается новый мир личного переживания, который можно назвать "скачком" или "прыжком в пропасть". Период созревания пришел к концу.

Нужно хорошо уяснить себе, что весь этот период созревания, начинающийся с метафизического поиска и завершающийся полным постижением дзэн, не проходит в пассивном спокойствии; это период интенсивного напряжения, когда все сознание сосредоточивается в одной точке. Пока все сознание на самом деле не достигнет этой точки, оно продолжает упорно бороться со вторгающимися мыслями. Оно может не осознавать этой борьбы, но само стремление упорно продолжать свой поиск или непрерывно вглядываться в эту бездонную тьму свидетельствует о том, что борьба идет. Сосредоточение ума в одной точке (экагара) достигается тогда, когда внутренний механизм созреет для финальной катастрофы. Она происходит случайно (с точки зрения поверхностного наблюдателя): при колебании барабанных перепонок, когда кто-то произносит какие-то слова, либо при каком-нибудь неожиданном событии; другими словами — при каком-нибудь восприятии" [13].

Чтобы привести искателя истины в такое состояние, дзэнские учителя используют несколько различных методик. Судзуки наиболее подробно останавливается на медитативном упражнении с коанами, распространенном в монастырях школы Риндзай.

Коан, как правило, представляет собой какое-нибудь утверждение того или иного древнего учителя дзэн-буддизма, или его ответ на какой-нибудь вопрос. Любимый коан Судзуки повествует о дзэнском учителе Дзесю. Когда его спросили, обладает ли собака природой Будды, он ответил: "Му". Ученику предлагается поразмыслить над сутью этого ответа. "Отдайте всего себя этому коану, — советует Судзуки, — и попытайтесь найти его значение. Занимайтесь им денно и нощно, независимо от того, сидите вы или лежите, ходите или стоите. Даже одеваясь, принимая пищу, совершая свой туалет, сосредоточивайте все свои мысли на этом коане. Пытайтесь самым решительным образом всегда держать его в уме. ...Освободитесь полностью от всего, что накопилось в вашем разуме — от всего, что узнали, услышали, от всякого ложного понимания, от умных и мудрых изречений, от так называемой "истины дзэн-буддизма", учения Будды, самомнения, надменности и т.д. Сосредоточьтесь на коане, глубина которого вам еще не открылась. Другими словами, сядьте прямо, скрестив ноги, и, не обращая внимания на время, продолжайте сосредоточиваться до тех пор, пока вы не перестанете сознавать, где вы находитесь, где восток, запад, юг, север — но не уподобляйтесь живому трупу. Разум движется, реагируя на внешний мир, вибрациями которого обусловлено наше сознание. Настанет миг, когда все мысли остановятся и сознание прекратит свою деятельность. Тут-то, совершенно внезапно, ваш разум и расколется вдребезги, и вы впервые осознаете, что истина жила в вас с самого начала" [14].

Большинство коанов нарочито парадоксальны или абсурдны. "Кто такой Будда? — Три циня хлопка" (комментатор отмечает, что в этом коане нет ни единой трещины, куда можно было бы вбить хотя бы цинь интеллекта); "Если в человеческом разуме нет ни одной мысли, может ли в нем быть какая-нибудь ошибка? — Такая же большая, как гора Сумеру"; "Что означает приход первого патриарха в Китай? — Кипарис во дворе"; "Мы знаем, как звучит хлопок двух ладоней. А как звучит хлопок одной ладони?" — все эти высказывания, казалось бы, ничего не говорят ни уму, ни сердцу. Здравомыслящий западный человек может усмотреть в них отдаленное сходство с древнегреческими софизмами или апориями; но, трактуя их таким образом, он не найдет в них никакого смысла.

Суть любого коана, — утверждает Судзуки, — не может быть извлечена из его текста. Она изначально заключена в человеке, размышляющем над коаном; таким образом, размышление позволяет ему обнаружить эту суть в себе самом. Однако при этом искатель не должен пользоваться ни одним из логических приемов — ему приходится отбросить дедукцию, индукцию, сопоставление, дихотомию и даже ассоциативное мышление, которое тоже способно увести в сторону от сути коана. Все, что ему остается, — это чистая вера, не позволяющая усомниться в правильности избранного пути, и чистый "дух вопрошения", стремящийся найти ответ за пределами человеческого мышления.

Судзуки часто называет сатори "пробуждением высшего "я". Это высшее "я", или абсолютный разум, — утверждает Судзуки, — имеет Божественную природу. "Последователи христианства или иудаизма озабочены проблемой Бога объективно существующего, или Бога вне нас, а большинство жителей Востока, наоборот, стремится заглянуть внутрь себя, чтобы найти там высшее "я", в котором пребывает реальность. Я бы сказал, что в некотором смысле Бог — это высшее "я". Фактически же они едины: высшее "я" — это Бог, а Бог — это высшее "я". Иное понимание Бога имеет отчетливый привкус дуализма; кроме того, произнося слово "Бог", мы обречены всякий раз вспоминать о богах языческой мифологии. Дзэн-буддизм надежно застрахован от подобных осложнений. Я предпочитаю высшее "я" вместо Бога — "я", которое мирно дремлет в тайниках нашего индивидуального "я" и, в то же время, не знает абсолютно никаких ограничений. Мы должны общаться с ним не только на вершине высокой горы Синай, ...но везде: на рынке, в поле, в рыбацкой лодке, на поле боя, в лице, в Колизее. Быть может, Бог побрезгует посетить некоторые из этих мест, — однако высшее "я" явится туда без колебаний. Высшее "я" не знает преград, и нигде не встречает

Дзэн-буддийский храм в северной части Берлина.

никакого сопротивления — куда бы оно ни направлялось. Риндзай называет его "истинным человеком без титула" и описывает как нечто, охватывающее весь мир — во времени и в пространстве" [15].

Таким образом, в дзэн-буддизме нет Бога (в традиционном понимании этого слова). Кроме того, это учение фактически свободно от любых морально-нравственных предписаний или запретов. Дзэн-буддисты полностью разделяют буддийское учение о карме, и верят в то, что каждый дурной поступок несомненно будет наказан — если не в этой, то в будущей жизни. Однако они не заостряют своего внимания на том, какие именно поступки следует считать дурными или же добродетельными. Единственной абсолютной ценностью дзэн-буддизма является сатори, а все остальные вещи хороши или плохи лишь в той мере, в какой они способствуют или препятствуют достижению этого состояния. "Послушайте, вы, искатели истины, — говорит Риндзай, — если вы хотите достичь правильного понимания дзэн — не давайте себя обмануть! Встретив на своем пути любые препятствия — как внешние, так и внутренние, — немедленно устраните их! Встретите Будду — убейте его, встретите Патриарха — убейте его. Встретите архата, родителей или родственников — убейте их всех без колебаний, ибо это — единственный путь к спасению" [16].

Здесь, однако, не следует забывать, что Риндзай имеет в виду вовсе не то "спасение", о котором говорят западные религии. Это не вечная жизнь и не вечное блаженство: ведь буддисты считают, что всякое блаженство неизбежно рождает страдание, и что каждый из нас обречен вечно возрождаться к жизни, если не образумится и не положит конец этому круговороту смертей и рождений. В понимании буддиста, "спасение" — это окончательное прекращение всех форм жизни и абсолютное, полное *угасание* (именно так переводится с санскрита общеизвестное слово "Нирвана"). И Судзуки утверждает, что дзэн-буддизм подошел к этому идеалу ближе, чем многие другие буддийские школы.

Он часто цитирует высказывание одного из дзэнских мудрецов: "Живя, будь мертв, будь совершенно мертв, и делай все, что хочешь — все будет хорошо" [17]. Это утверждение — квинтэссенция дзэнской этики и морали; поэтому на нем следует остановиться подробнее.

Мертвец и в самом деле волен делать все, что хочет — поскольку он не хочет ничего. "Умереть при жизни" значит освободиться ото всех страстей и желаний, и такой "живой мертвец" никогда не станет делать ничего, выходящего за рамки житейской необходимости. "Когда я голоден — я ем, когда устаю — ложусь спать", — такова "аскеза" просветленного дзэн-буддиста. Он действительно не делает ничего лишнего; он даже не стремится достичь Нирваны и освободиться от бремени кармы, ибо знает, что Нирвана неотделима от *сансары* (иллюзорной жизни в физическом мире), и что освобождение от кармы — это тоже своего рода карма. Он просто *живет*, и каждое мгновение этой материальной жизни является для него неповторимым духовным переживанием.

"Холод ощущают и невежда, и просветленный человек. Когда поет птица, ее слышат все, кто не глух. Но сознание невежды не поднимается выше чувственной плоскости. Для духовно развитого человека восприятие пения птицы и ощущение холода суть переживания духовного мира, который сливается с миром чувственным, ...просветленный человек интерпретирует свой повседневный опыт с духовной точки зрения. Когда мир интерпретируется духовно, отображаясь в зеркале духовного сознания, он перестает быть объектом чувства и разума. Мир, со всеми его страданиями, недостатками и двойственностью, объединяется с духовным миром, и для тех, кто достиг просветления, страдание, несомненно, остается страданием — но оно как бы поглощается их духовным сознанием, в котором все вещи, принадлежащие психологически-естественной плоскости, обретают свое истинное значение, находясь в гармонии с "непостижимым" планом Вселенной...

Именно по этой причине мы утверждаем, что мы гораздо величественнее Вселенной, в которой живем, ибо наше величие заключается не в пространстве, но в духе. А во Вселенной не существует никакой иной духовности, кроме человеческой. Мир своим величием обязан нашему величию, и все вокруг обретает величие только благодаря нам, людям. А величие наше сознается только тогда, когда мы достигаем духовного самосознания и в свете его рассматриваем все, что происходит вокруг нас, и через такое самосознание приходим к освобождению. Согласно легенде, появившись на свет, Будда тут же произнес: "Над небом и под небом я один достоин почитания". Это свидетельствует о том, что он осознал в себе то величие, которое заключено в каждом из нас. Высшее утверждение этого величия достигается через всевозможные страдания, через умственные и нравственные противоречия. Это высшее утверждение формулируется следующим образом: "Когда нам жарко, мы потеем, когда нам холодно, мы дрожим" [18].

БИБЛИОГРАФИЯ

1* D. T. Suzuki, *An Introduction to Zen* (London: Rider and Co.), p.35.

2 Ibid., p.33.

3 Ibid., p.255.

4 Ibid., p.453.

5 Ibid., p.32.

6 Ibid., p.26.

7 Ibid., p.32.

8 Ibid., p.53.

9 Ibid., p.55.

10 Ibid., p.161.

11 Ibid., p.127.

12 Ibid., p.190.

13 Ibid., p.191-192.

14 Ibid., p.291-292.

15 Ibid., p.361.

16 Ibid., p.277.

17 Ibid., p.74.

18 Ibid., p.398.

Суфизм — влиятельная мусульманская секта, занимающая в исламе такое же положение, как дзэн в буддизме или хасидизм в иудейской религии. Учение суфиев, основанное на интуитивном постижении и единении с Богом, издавна привлекает к себе внимание многих мыслящих людей Востока. На Западе же о суфизме знают, главным образом, по тем его элементам, которые содержатся в учениях Гурджиева и Пака Субу.

Согласно Гурджиеву, наше чувство собственного "я" целиком обусловлено наследственностью, образованием, окружающей средой и т.д. и при этом абсолютно нереально. Гурджиев считает, что человек складывается из массы противоречивых эмоций и мыслей, каждую из которых он по ошибке принимает за самого себя. Таким образом всякий человек представляет собой целую массу (или толпу!) колеблющихся "я", каждое из которых эфемерно и ни в коем случае не является подлинным "я".

Истинная сердцевина человека, которую *можно* назвать "я", может выкристаллизоваться в сущность лишь в том случае, если человек придет к осознанию тех импульсов, которые им движут — когда он сможет действовать или "делать" вместо того, чтобы просто реагировать.

Гурджиев, очевидно, полагает, что эта сердцевина наличествует уже при рождении человека. Это его "сущность" — таков суфийский термин, обозначающий истинную индивидуальность человека. Но по мере того, как человек растет, эта уникальная индивидуальность рассеивается, поглощается, захватывается и теряется за тысячами мыслей и чувств, которые постоянно нас атакуют; но сами они — порождаются контактами с внешним миром. Утрата этого "я", т.е. истинной индивидуальности, означает, что из человека уходит центральная энергия. Вместо того, чтобы быть единым, он становится многим, и таким образом его энергии постоянно отклоняются, так что у него никогда нет возможности действовать в гармонии с самим собой. Гурджиев изобрел множество упражнений, направленных на то, чтобы вернуть человеку его сущность. В этой главе речь пойдет прежде всего о той части учения Гурджиева, которая касается этих вопросов; мы оставим в стороне его более эзотерические теории о природе Вселенной, во многом происходящие от древних суфийских верований.

По сравнению с энергичным, властным, сложным и часто проказливым Гурджиевым, Пак Субу выглядит очень бледно. Вероятно, это соответствует желаниям последнего, т.к. он полагает, что не обладает *никакой* властью — им и всеми его последователями движет Божественная Сила Жизни. И все же после смерти Гурджиева некоторые из его учеников примкнули к Субу как естественному преемнику Гурджиева и его учения.

Причина здесь заключалась в том, что мнение Субу о положении человека в мире напоминает мнение Гурджиева, а его убеждения и наблюдения также проистекают из суфизма. Пак Субу считает, что человек состоит из определенных сил, о природе которых он по большей части не имеет понятия. Таких жизненных сил, или уровней, насчитывается пять. Три из них — материя, растения и животные — стоят ниже человека; одна, человеческая — на уровне самого человека; пятый уровень находится над человеком, однако к нему он может лишь стремиться.

Так же, как и Гурджиев, Субу считает, что человек раздробился и заблудился, что неконтролируемые желания и мысли завели его в ловушку низших сил, которые на самом деле пытаются управлять человеком. До тех пор, пока человек отождествляет себя с одной из этих сил, — а каждая из них есть всего лишь часть его самого — он никогда не сможет достигнуть целостности, и Субу полагает, что человеку крайне необходимо освободиться от низших уровней.

В вопросе о способах этого освобождения учения Гурджиева и Пака Субу значительно расходятся.

Гурджиев считал, что человек должен пытаться самостоятельно постигнуть свою сущность, тогда как Субу полагает, что только Бог (или Жизненная Сила) может помочь человеку — самому ему это не под силу. Пак Субу не предлагает никаких упражнений или методов, кроме метода освобождения себя, насколько это возможно, от мыслей и чувств, чтобы Жизненная Сила могла войти в человека и очистить его.

Это происходит во время *латихана* (духовного тренинга), когда сила передается ему от другого человека, уже открывшегося ей.

Ортодоксальные суфии часто порицают Гурджиева и Субу за упрощенный подход к учению и, в конечном итоге, искажение его основных принципов. Однако нельзя отрицать, что именно благодаря деятельности этих двух учителей многие жители Запада впервые открыли для себя мудрость суфиев и прониклись к ней глубоким уважением.

ГУРДЖИЕВ (1873 – 1949)

В противоположность Кришнамурти, Георгий Иванович Гурджиев почти всю свою юность странствовал по Востоку в поисках древней религии. Он входил в группу людей, которая называлась "Сообществом Искателей Истины". Члены ее считали, что когда-то существо-

ГУРДЖИЕВ (1873 – 1949)

вала одна мировая религия, которую впоследствии разделили между собой различные страны Востока. Философия отошла к Индии, теория — к Египту, а практика — к Персии, Месопотамии и Туркестану. Группа "Искателей Истины" состояла из мужчин и женщин, посвятивших свою жизнь поискам древнего эзотерического знания о Вселенной; среди них было много европейцев. "Искатели" полагали, что знание скрыто в символах легенд, в музыке и танце, в памятниках древности (например, в пирамидах) и в устной традиции отдаленных монастырей. Гурджиев был одним из лидеров этой организации. Путешествуя в одиночку или группами, "Искатели Истины" исследовали самые отдаленные районы Азии, часто под видом паломников или купцов. Они вступали в тайные братства, учились в монастырях и постепенно из отдельных фрагментов сложился очерк знания, которое Гурджиев популяризовал под названием Системы или Труда.

Гурджиева всегда привлекало все странное и таинственное. Его отец был плотник русско-греческого происхождения и жил со своей семьей на Южном Кавказе, в глухом селении недалеко от границы с Турцией. В мастерской Гурджиева-старшего по вечерам обычно собиралось много людей, поскольку он глубоко интересовался религией и был певцом, помнившим наизусть многие азиатские легенды и сказания. Эти истории, а также споры, возникавшие вокруг них, производили глубокое впечатление на юного Гурджиева. Его очень интересовали первобытные племена, кочевавшие по Кавказу со своими стадами, и в особенности езиды, поклонявшиеся дьяволу. Они хранили такую верность своим необычным законам и ритуалам, что зачастую — и Гурджиев не раз бывал тому свидетелем — езидского мальчишку разбивал паралич и он застывал без движения, стоило только деревенским ребятишкам начертить вокруг него круг в пыли.

Гурджиев получил хорошее образование. Епархиальный епископ, друг его отца, очень заинтересовался мальчиком и взялся выучить его на священника и врача, поскольку, по его мнению, одно без другого существовать не могло. Но добрый епископ так и не дождался, пока его ученик освоит хотя бы одну из этих специальностей, потому что Гурджиев бросил учебу и стал "Искателем Истины", стремясь найти скрытый смысл Вселенной.

Свои невероятные приключения он описал в книге "Встречи с замечательными людьми"; однако в ней ни слова не сказано о том десятилетии, которое, как предполагают, он провел в Тибете в качестве русского секретного агента и советника далай-ламы. Он умело использовал любую благоприятную возможность и с успехом брался за любое ремесло. Он рассказывает, что однажды поймал несколько воробьев, выкрасил их в желтый цвет и продал как американских канареек, после чего ему пришлось срочно уносить ноги, пока не пошел дождь. Он научился ткать ковры и делать швейные машинки, гипнотизировать людей и утолять людские печали. Типичным примером его предпринимательства, может служить корсетный бизнес: узнав, что на Кавказе входят в моду низкие корсеты, он взялся перешивать старые высокие. Среди его клиенток была одна полная еврейка. Ему потребовался китовый ус, поскольку ее корсет нужно было не только укоротить, но и расширить.

Пытаясь достать китовый ус, Гурджиев обнаружил, что это дефицитный товар. Тотчас же он скупил все старые корсеты, какие только смог найти, (причем по заниженным ценам, потому что лавочники рады были от них избавиться), и начал обрезать и перешивать их. Вскоре он уже нанял девушек, которые изготовляли не менее сотни модных корсетов в день. А Гурджиев продавал их по высоким ценам все тем же лавочникам, которые уже не скрывали своего бешенства.

Деньги, вырученные с продажи 6 тыс. корсетов, а также в результате других, в равной степени изобретательных предприятий (ведь Гурджиев обладал сметливым умом и был безжалостен, если дело касалось его личных интересов), использовались для проведения экспедиций. Одну из них, например, он совершил вместе со своим другом Погосяном, чтобы найти уцелевших членов древнего Братства Сармунг, которое, как он утверждал, было основано в 2500 г. до н.э. в Вавилоне.

Собрав информацию, необходимую для "Системы", Гурджиев уехал в Москву, намереваясь преподавать ее на Западе. Но тут началась Первая Мировая война, и ему не удалось осуществить свои планы. В 1915г. он написал и поставил "индусский" балет под названием "Борьба магов", и заметка об этом событии привлекла внимание журналиста Успенского, которому и суждено было стать самым знаменитым представителем школы Гурджиева. Вот как он описывает свою первую встречу с Гурджиевым:

"Я увидел человека с лицом восточного типа, уже немолодого, с черными усами и проницательным взглядом; он удивил меня прежде всего тем, что казался ряженым, поскольку и это место, и эта атмосфера совершенно ему не подходили. Я все еще был полон восточных впечатлений. И этот человек с лицом индийского раджи или арабского шейха, которого я словно увидел вдруг одетым в белый бурнус или с позолоченным тюрбаном на голове, сидевший здесь, в этом маленьком кафе, где собирались мелкие дельцы и посредники, в черном плаще с бархатным воротником и черном котелке, производил странное, неожиданное и почти тревожное впечатление, как будто он нарочно переоделся нищим. Его внешний вид обескураживал, поскольку было заметно, что он не тот, за кого себя выдает. И, тем не менее, с ним приходилось общаться и вести себя так, словно все эти странности остались незамеченными. Он говорил на ломаном русском с сильным кавказским акцентом; и этот акцент, который мы привыкли связывать с чем угодно, но только не с философскими идеями, еще более усиливал странность и неожиданность производимого впечатления" [1].

Сам Успенский был неудачливым "искателем" знания и уже объездил в своих тщетных поисках всю Индию. Он вернулся в Москву в подавленном состоянии и пребывал в растерянности, не зная, что ему делать дальше. У Гурджиева он обнаружил новое начинание и поехал с ним в качестве ученика на Черное море. Революция вынудила их покинуть Россию. Тогда же Успенский и Гурджиев расстались: Успенский продолжил Дело в Лондоне, а Гурджиев со своими учениками, большой семьей и русскими поклонниками поселился в 1922г. в Шато де Приёрэ, замке XIVв. в Фонтенбло. Здесь им был основан Институт Гармонического Развития Человека, который про-

П. Успенский.

существовал до самой смерти Гурджиева (1949г.). Многочисленные американские и европейские интеллектуалы, обучавшиеся там, получили прозвище "лесных философов".

Основа учения Гурджиева проста, почти элементарна. Он говорил, что человек — это механическая кукла, которую как бы дергает за нитку всякое внешнее событие. Человек — жертва своих переменчивых страхов и желаний; таким образом он постоянно меняется и никогда не бывает долгое время одним и тем же. Человек представляет собой такой запутанный клубок импульсов и реакций, что следует признать его индивидуальность несуществующей: "... все люди, которых вы видите, все люди, которых вы знаете, все люди, *которых вы могли бы узнать*, являются машинами, самыми настоящими машинами, которые приводятся в действие только силой внешних влияний... Машинами они рождаются и машинами умирают..."

Успенский спросил его о том, можно ли перестать быть машиной.

"О, вот в чем вопрос, — сказал Гурджиев, — ... Можно перестать быть машиной, но для этого необходимо прежде всего познать эту машину. Машина, настоящая машина, не знает себя и не может себя познать. Когда машина познает себя, она перестает быть машиной, — по крайней мере, такой машиной, какой она была до этого. Она уже начинает *нести ответственность* за свои действия" [2].

Одной из постоянных гурджиевских тем, к которой он возвращался почти что в каждой беседе, была вера человека в то, что он является вечным и целостным "я". Гурджиев считал эту идею одной из величайших ошибок человечества. Как может "человек-машина", человек, который не может действовать сам по себе, и с которым все "случается", быть единым и целостным "я"? Каждую из следующих друг за другом мыслей и каждое из желаний человек называет своим "я", и величайшее его заблуждение состоит в том, что он считает себя все время одним и тем же "я", в то время как на самом деле он каждую минуту меняется и становится новой личностью. Человек думает, что всякое ощущение и всякая мысль принадлежит *одному* "я" и что он всецело *является* этим "я". Таким образом он приходит к выводу, что действует как завершенная личность и что его мысли и чувства являются выражением этой целостной личности; в то время как в действительности всякая мысль и всякое чувство приходят и уходят совершенно независимо от какой-нибудь "цельной" личности, и никакого индивидуального "я" просто не существует. Вместо этого человек состоит из сотен мелких и мельчайших "я"; некоторые из них просто несовместимы между собой, а некоторые вообще никогда не соприкасаются друг с другом.

"...Каждую минуту, каждый миг человек говорит или думает: "я". И всякий раз его "я" — иное. Только что оно было мыслью, а теперь стало желанием, ощущением, другой мыслью и т. д., до бесконечности... Имя человеку легион.

Чередование этих "я", их постоянная и явная борьба за первенство, контролируется случайными внешними воздействиями. Тепло, солнечный свет, ясная погода немедленно вызывают целый ряд этих "я". Холод, туман, дождь вызывают другой ряд "я", другие ассоциации, другие чувства, другие действия. В человеке ничто не способно контролировать смену этих "я" и, главным образом, потому что человек не замечает или не знает об их переменчивости: он всегда живет в своем последнем "я". Некоторые "я", конечно, сильнее других. Но это не их собственная сознательная сила; они создаются силой обстоятельств или посредством внешних механических стимулов. Образование, подражание, чтение, гипноз религий, каст и традиций или обманчивый блеск новых лозунгов создают очень сильные "я" в человеческой личности, которые управляют целым рядом других, более слабых "я"... Все "я", составляющие человеческую личность, имеют одно и то же происхождение. ...Они являются продуктом внешних воздействий, приводятся в движение и контролируются новыми внешними воздействиями" [3].

Возможно, это новый и полезный взгляд на чувство собственного "я". Он напоминает мнение Раманы Махарши, который, как мы увидим далее, был убежден, что человеческое "я" целиком обуславливается тем, с чем человек его отождествляет. Но, в конечном итоге, между этими двумя мудрецами существует различие. Рамана Махарши никогда не считал человеческую индивидуальность настолько раздробленной, что никакого центрального "я" не существует вовсе; Гурджиев же никогда не утверждал, что, прекратив отождествлять себя со своим непосредственным "я", со своим телесно обусловленным "я", человек откроет то "я", которое является его истинной Причиной.

В данном случае каждый из нас может обратиться к своему личному опыту. Ощущаю ли я сама в себе истинный, неизменный элемент, который лежит в основе всех дел и нужд повседневной жизни? В принципе, ощущаю, и, возможно, Рамана Махарши был ближе к истинной действительности, когда говорил, что человек не смог бы даже пользоваться словом "я", если бы имманентное "я" отсутствовало. Человек смешивает это вечное, неизменное "я" со всем поверхностным и непостоянным, говорил Рамана Махарши. Гурджиев же утверждал, что глубинного "я", лежащего в основе всего, не существует вовсе, это просто какое-то недоразумение.

Какую бы точку зрения мы ни принимали сегодня, можно с уверенностью сказать, что в 30-е и 40-е гг. воспитание западных людей еще базировалось на вере в Эго, созданное Господом для того, чтобы человек мог управлять миром природы. И многие из них считали гурджиевские атаки на священное понятие "я" откровением, дающим возможность освободиться от устаревших клаустрофобных понятий. Ибо в удобной вере, будто человек — избранное создание Бога и создан по Его образцу и подобию, изначально присутствует что-то неприятное и лицемерное. Создать человека по образцу Эго? Конечно же, сразу чувствуется, что от Бога можно было бы ожидать чуть большего. Гурджиев говорил своим последователям, что у человека совсем нет никакой индивидуальности и какого бы то ни было единого "я", что он состоит из множества маленьких и обособленных "я". И многие его приверженцы предпочитали эту грустную оценку человеческого жребия прежнему высокомерному лицемерию.

К выводу, к которому приходит Гурджиев, прийти, конечно же, довольно нетрудно. Какое "я" велит моим ногам двигаться, когда я иду? Не то, которое я в данный момент сознаю. Какое любопытное "я" вынуждает меня обернуться, когда открывается дверь? И какое "я" велит мне любить мужа, заставляет меня испытывать раздражение от поведения соседа и доставляет мне удовольствие во время отдыха на море, когда меня овевает ветерок? Является ли каждое из этих "я" совершенно другим человеком — или же сменяющими друг друга формами выражения одной и той же личности?

Можно заметить, что когда человек поглощен ссорой или испытывает сильное, всепоглощающее чувство, его личность утрачивает свою обычную цельность и как бы подпадает под власть того или иного аспекта. И Гурджиев строил свое учение именно на этой склонности человека постоянно отождествлять себя с тем, что в данный момент привлекает его внимание, занимает его мысли и воображение или возбуждает его желания:

"Человек отождествляет себя с той незначительной задачей, которая перед ним стоит и совершенно забывает о тех больших целях, ради которых он начал работу. Он отождествляет себя с одной мыслью и забывает о других мыслях; он отождествляет себя с одним чувством, с одним настроением и забывает о более удаленных мыслях, эмоциях и настроениях..." [4].

Шато де Приерэ.

Главное — положить конец такому отождествлению, — учил Гурджиев, — а для этого нужно перестать все время называть себя "я". Когда человек перестанет отождествлять все с *собой* (а это произойдет в том случае, если он перестанет называть субъекта действий словом "я"), он вспомнит о своей "сущности", о своем истинном "я".

Что есть сущность человека? Если бы можно было сказать, что Гурджиев обозначает этим термином Бога, это значительно упростило бы все дело; потому что самая простая и самая доступная мысль о человеческом существовании — это мысль о том, что человек начинает переживать бытие Бога, когда отказывается от погруженности в самого себя и перестает отождествлять себя с маленьким, сотворенным "я".

Что же касается гурджиевских идей о человеке и о Боге, то они гораздо сложнее, поскольку развивают суфийское учение о множестве завес между человеком и Богом и о четырех (как минимум) ступенях сознания. "Сущность" — это суфийский термин, обозначающий все то, чем мы наделяемся при рождении, например, цвет кожи и телосложение. Гурджиев полагал, что характер дается человеку при рождении, а не определяется воспитанием, что человек изначально наделен определенным типом характера. Но с этим утверждением можно поспорить: вспомним, как дзэнский учитель Банкэй ответил священнику, желавшему избавиться от врожденного дурного нрава.

"Какую занятную вещицу вы получили при рождении! — воскликнул Банкэй. — Скажите-ка, он у вас с собой, этот ваш нрав? Если да, то покажите мне его сейчас же, и я вас от него избавлю".

Священник ответил, что как раз сейчас не имеет его с собой. "Тогда вы получили его не при рождении, — ответил Банкэй. — Иначе бы он был с вами всегда..." [5].

Гурджиев, подобно этому священнику, полагал, что существуют определенные характерные черты, которыми мы наделяемся при рождении; они всегда остаются неизменными, в то время как личность, которую мы приобретаем под воздействием окружающей среды и образования, постоянно меняется. Личность, говорил он, напоминает платье или маску, которые одевают или снимают в зависимости от обстоятельств и которые можно сменить в считанные минуты посредством гипноза или приема наркотиков. Личность может казаться сильной (например, в том случае, если человек обладает громким и властным голосом), но за ней в действительности может скрываться сущность ребенка. Гурджиев учил, что с личностью необходимо расстаться для того, чтобы обнаружилась сущность:

"Когда мы говорим о внутреннем развитии и внутренних изменениях, мы говорим о том, как растет сущность. Задача состоит не в том,

Посвящение священнослужительницы (из гурджиевских танцев).

чтобы добыть что-то новое, но в том, чтобы обрести и восстановить утраченное..." [6].

Так что основные усилия человека должны быть направлены на то, чтобы научиться отличать сущность от личности и, одновременно с этим, устранять личность — маску навязанную извне. Гурджиев учил, что сущность — это подлинная индивидуальность человека, которая у большинства из нас крепко спит. Многие люди, говорил он, блуждают в полусне, который они называют "бодрствованием", хотя на самом деле от глубокого сна их отделяет всего лишь одна ступенька. Человек знаком только с этими двумя состояниями, и поэтому он отождествляет бодрствование с сознанием. Но иногда что-то насильно приводит его в движение, словно бы совсем выталкивая из времени, и тогда он переживает состояние сознания, которое кажется ему более *реальным*, чем обычное его состояние. Оно приносит ощущение свободы и ясности, которое Кришнамурти называл "удивительно живым и творческим". Для этого состояния характерно ощущение *подлинного бытия* — словно бы до этого момента оно не было подлинным. В этом состоянии, которое Гурджиев называл Объективным Сознанием, внешний мир утрачивает свою реальность и сияет, как никогда прежде, а вместо привязанности и зависимости у человека возникает поистине бескорыстное приятие мира, т.е. он видит мир таким, каков он есть, сняв темные очки обуреваемого желаниями "я".

Гурджиев выделил четыре ступени человеческого сознания: состояние сна, обычное бодрствующее состояние, состояние самовоспоминания и состояние Объективного Сознания. Большая часть его учения посвящена обсуждению этих ступеней.

Человек-машина пребывает в состоянии обычного бодрствования и очень редко достигает состояния Объективного Сознания. Но третьей ступени — состояния самовоспоминания (которое ведет к Объективному Сознанию) — человек может достичь путем напряженной работы и тренировок, и только таким образом можно избавиться от своих машинных реакций. Истинная воля, способность "делать", приходит с обнаружением внутреннего "я" или сущности, проявляющейся уже на третьей ступени. Человек, не достигший третьей ступени, не представляет из себя ничего — это просто спутанный клубок импульсов.

Как же достичь этого третьего состояния? В своем учении Гурджиев уделял большое внимание трем психологическим факторам. Во-первых: большинство людей ничему не верит на слово; чтобы что-нибудь узнать, человек должен испытать это на себе, побыть этим. Во-вторых, сильное переживание оттачивает ум и пробуждает его. И в-третьих, само переживание при слишком частом повторении влечет за собой омертвение разума, в результате чего люди возвращаются к машинным реакциям. Их разум становится настолько поглощен понятиями и мечтами, что они блуждают в мире, никогда по-настоящему не соприкасаясь с ним и даже не понимая, что он существует.

Гурджиев понял, что для использования всех этих трех факторов в процессе обучения необходимо заставить людей напряженно трудиться в обстоятельствах, которые могли бы вызывать постоянные трения. В Приёрэ он постарался создать такие условия, чтобы людям постоянно напоминали — о том, что они делают на самом деле, и о том, что между сознанием и автоматическим поведением неизбежно возникает конфликт: поступки, диктуемые чувством и разумом, вступают в противоречие с бездумными реакциями. "Слияние, внутреннее единство, достигается через "трения", в результате борьбы между "да" и "нет" в человеке, — говорил он. — Если человек живет без внутренней борьбы, если он принимает все происходящее без сопротивления, если он идет, куда его влечет и куда дует ветер, он останется таким же, каким был прежде…" [7].

В связи с этим Гурджиев настаивал на тяжелом физическом труде: его ученики прокладывали дороги, валили деревья, строили здания, отводили реки, сажали деревья, подстригали газоны, доили коров, кормили цыплят.

Один из учеников рассказывает о том, как он научился ломать камни, дробить известняк на мелкие крошки — не больше ореха — и делать это как человек, а не как обычный рабочий или человек-машина. Сначала он считал это напрасной тратой времени. Гурджиев отругал его и сказал, что он зря тратит силы на недовольство. Вместо того, чтобы злиться, лучше бы составить список иностранных слов и заучивать их во время работы, одновременно пытаясь ощущать свое тело и осознавать, чем он в данный момент занят. Ученик обнаружил, что работа начала доставлять ему удовольствие.

Несомненно, Гурджиев считал, что подлинный интерес к *любому* виду деятельности приводит к возникновению искреннего чувства. Мы так легко отвлекаемся, и чуть только отвлечемся, ощущаем свою внутреннюю раздробленность. Вечно сравнивая вещи между собой, невозможно отдаться чему бы то ни было всей душой. Ребенок может всецело увлечься новой игрушкой. У нас же так много игрушек, что мы утрачиваем эту способность, а вместе с нею — и шанс осознать свою целостность.

После тяжелого трудового дня в Приёрэ отдыхать не разрешалось. До поздней ночи ученики должны были разучивать сложные танцы, которые Гурджиев считал существенной частью тренинга. При этом он исходил из убеждения, что человек действует посредством трех центров: интеллектуального, который мыслит и планирует; эмоционального, который ощущает боль и испытывает наслаждение; и физического, или инстинктивного, который двигается и творит. Считалось, что один из этих центров доминирует в каждом человеке.

Танцы были предназначены для выявления этих центров и для раскрытия через движение поистине всей гурджиевской философии. Не только подлинное человеческое "я" как результат самовоспоминания и наблюдения за своими центрами, но также более эзотерические идеи гурджиевской "системы" — вибрации различных уровней сознания; живая природа планет; роль человека как кормильца Земли; отрицательное влияние Луны и многие другие сложные теории, которые Успенский изложил на языке математики и химии в своей книге "В поисках чудесного". Эти теории в большинстве своем базируются на числе семь — лучи и октавы, миры и элементы и т.д. Танцы, которые, по мысли Гурджиева, должны были привести все это в движение, происходили из разных восточных стран. С их помощью

Трон Гурджиева в Шато де Приерэ.

танцор должен был учиться объединять три своих центра, а не выражать какие-то субъективные мысли и чувства. Каждое движение следовало изучить очень тщательно, потому что каждую часть тела нужно было научить совершать движения, которые были бы совершенно независимы от движений прочих частей тела. Это разрушало традиционные танцевальные фигуры, потому что человек уже не танцевал в каком-либо определенном ритме, но должен был иметь готовность к весьма необычным мускульным действиям; его умственные и эмоциональные рефлексы становились такими же гибкими, как и его тело.

В силу чрезвычайной сосредоточенности, необходимой для разучивания этих танцев, танцоры часто производили впечатление загипнотизированных. Они не просто должны были разучить самое замысловатое из движений, но при этом также осознавать каждый из своих трех центров и удостоверяться в том, что их действия совершенно и сознательно скоординированы. В результате у них появлялось бессмысленное выражение лица, что придавало им сходство с зомби.

"Ист" в исполнении тибетских монахов (провинция Ганьсу).

Одним из наиболее важных гурджиевских упражнений было суфийское упражнение "ист", при котором по слову или по жесту Гурджиева все студенты, чем бы они ни занимались, замирали точно в том положении, в каком они находились в данный момент. Запрещались даже самые мельчайшие движения, и даже мысли в голове нужно было зафиксировать. Целью этого упражнения было воспрепятствовать появлению механических реакций и не давать разуму уснуть. Во время знаменитого представления, которое танцоры давали в Нью-Йорке, сотни людей увидели "ист" своими глазами, когда труппа замерла в глубине сцены лицами к публике. Затем по команде Гурджиева, все они помчались к зрительному залу. Публика ожидала увидеть совершенное исполнение "иста", застывшего движения. Но Гурджиев, вместо того, чтобы дать сигнал "замри", спокойно отвернулся от сцены и закурил. Беспрекословно подчиняясь ему, вся труппа взвилась в воздух над огнями рампы, перепрыгивая через оркестровую яму в зал, падая друг на друга; при этом их конечности застывали в самых невероятных положениях. Так они и лежали, совершенно неподвижно, не проронив ни звука, — обрушившаяся лавина тел.

Гурджиев обернулся и взглядом позволил им двигаться. Публика все еще находилась в шоке и не могла поверить своим глазам, но, когда оказалось, что кости у всех целы, и, более того, никто из участников труппы даже не ушибся, публика бурно, хотя и несколько недовольно, зааплодировала. Пожалуй, это упражнение показалось зрителям слишком драматичным.

Более спокойный гурджиевский тренинг для вхождения на четвертую ступень Объективного Сознания (состояния подлинного бытия) был по достоинству оценен многими западными интеллектуалами. Ученик Гурджиева Луи Повель рассказывает, что одно из этих упражнений состояло в том, чтобы осознать свою правую руку в точно установленное время дня и удерживать это осознание как можно дольше.

"Это может показаться смешным, но нам в то время так не казалось. Некоторые из нас полагали, что задача тренинга состоит только в усилении концентрации, которая должна помочь им в различных видах деятельности... Но теперь ясно, что это было дело совершенно иного масштаба. Я очень хочу, чтобы меня правильно поняли. "Обращать внимание" было не так уж важно. Для того чтобы *знать* свою правую руку, от плеча до кончиков пальцев, ровно в без четверти шесть, когда я читаю газету в метро, и знать ее вопреки всем своим минутным желаниям, радостям и проблемам, я должен был отмежеваться от того, что я обычно называю своей личностью, и именно в этом акте отмежевания и заключалась суть этого упражнения" [8].

Он должен был отделиться от всего, что делал в данный момент, и отказаться отождествлять себя с каким бы то ни было обликом, звуком или прикосновением, даже прикосновением тела женщины, которая прижималась к нему в поезде метро. Если возникало желание, он не должен был ему противиться, но обязан был держать его на расстоянии, с тем, чтобы желание не захватило его. Все эмоции и фантазии, сопровождавшие это желание, необходимо было немедленно подавить. Тогда желание уходило на второй план по отношению к осознанию своей руки, и, вместо того, чтобы овладеть сознанием, оно могло использоваться в качестве дополнительного инструмента для самовоспоминания. Этот метод он должен был применять ко всем окружающим картинам и звукам:

"Стараясь не упускать из сознания свою правую руку, я также старался держаться на расстоянии от внешнего мира, а также от себя самого, и на этом расстоянии я *мог объективно видеть* то, что происходило внутри и вокруг меня; реальность была восстановлена для меня во всей ее чистоте, и все, что я видел, позволяло мне снова и снова, бесконечное число раз приносить свою жертву.

В то же время это вроде бы смехотворное усилие дало толчок к рождению большого "Я" за сотнями беспокойных и отождествляемых маленьких "я". В меня была помещена некая субстанция, крошечное зернышко *бытия*" [9].

Следует указать здесь, что "субстанция" эта в корне отличается от индуистского "я", лежащего в основе всего. Как мы уже видели, Гурджиев отрицал существование такого "я".

Наряду с этими ежедневными упражнениями, тяжелым физическим трудом и уроками танцев, ученики Гурджиева должны были наблюдать за собой в ситуациях эмоционального дискомфорта, когда сознание и желания оказываются не в ладах друг с другом. Гурджиев получал удовольствие, создавая такие ситуации, которые открывали бы для людей их самих. Подобно Мехер Баба, он приказывал подготовиться к трудному путешествию, а затем, в последний момент, изменял свои планы; или же, выехав в какой-то отдаленный пункт с кавалькадой машин, наполненных его последователями, он мог неправильно сориентироваться по карте или просто забыть название места, куда они направлялись и все вынуждены были среди ночи остановиться в какой-нибудь маленькой сельской гостинице, где Гурджиев требовал немедленно предоставить постель и ужин для добрых трех десятков человек. Его гипнотические способности заставляли хозяина гостиницы ощутить, что обслуживать Гурджиева — это большая честь для него; а сам Гурджиев обвинял в создавшемся положении своих приверженцев. Его непредсказуемость проявлялась во всей жизни его учеников. Однажды он заявил, что Приёрэ закрывается; и что все должны покинуть это место в течение двух дней. Все надежды учеников, отказавшихся ради гурджиевского учения от блестящей карьеры, были разрушены. Некоторые уехали и уже не вернулись. Остальные перебрались в Париж, а потом постепенно съехались обратно в Приёрэ, и все пошло по-прежнему.

Он был просто фантастически щедр. Однажды он выпросил денег для насущных нужд Приёрэ и потратил их на велосипеды для всех своих учеников. Его американские спонсоры долго не могли прийти в себя от возмущения.

Чтобы ученики смогли осознать, что их разум является подобием машины, Гурджиев требовал от них ежедневно докладывать друг о друге — безошибочный способ создавать те трения, которые он считал необходимыми для пробуждения. Кроме того, он умышленно поддерживал раздражительных и неуравновешенных людей. Фриц Петерс, проведший в Приёрэ свое детство, вспоминает, как дети часто дразнили пожилого русского, Рахмилевича, "мрачного, строгого типа, который все время пророчил разные беды и был всем недоволен" [10]. Они прикладывали все усилия, чтобы сделать жизнь Рахмилевича невыносимой, и он постоянно разражался ужасным гневом. Однажды летом Гурджиев приказал всем без исключения заняться разбивкой газонов. Сам он прохаживался туда-сюда между рабочими, критиковал каждого из них в отдельности, подгонял их, тем самым придавая всему процессу вид яростной и бессмысленной деятельности" [11].

Через несколько дней такой работы негодующий Рахмилевич отставил свой инструмент и сказал Гурджиеву, что если так много людей толчется на лужайке, семена травы можно считать выброшенными на ветер, — ведь люди, не имея понятия о том, что они делают, просто копались на каждом свободном клочке земли.

Гурджиев всегда контролировал свой ужасающий гнев и умел вспылить или успокоиться по собственному желанию. На этот раз он пришел в ярость и сказал, что ему лучше знать, как надо разбивать газоны. Они ожесточенно спорили несколько минут, а затем Рахми- левич повернулся и зашагал в сторону леса.

Гурджиев забеспокоился. Спустя некоторое время он послал Фрица Петерса поискать старого русского, сказав ему, что необходимо найти Рахмилевича и попросить его вернуться назад, иначе он никогда не вернется. Фриц, не зная куда идти, запряг лошадь в телегу и в конце концов нашел Рахмилевича сидящим на яблоне. После долгих уговоров Рахмилевич слез и сел в телегу, и Фриц привез его обратно. Гурджиев был доволен и тайно поведал Фрицу, что платит Рахмилевичу за то, что тот живет в Приёрэ — "Без Рахмилевича Приёрэ был бы другим; я не знаю больше ни одного такого человека, который самим своим присутствием, не прикладывая никаких сознательных усилий, создает трения между всеми окружающими его людьми" [12].

Если посмотреть на Приёрэ со стороны, создается впечатление, что в этом месте люди жили необычной, но тяжелой жизнью, — сообщество людей, зачарованных своим гуру, которые все время старательно трудились, чтобы доставить ему удовольствие. Но Кэтрин Мэнсфилд считала Приёрэ самым лучшим местом на свете и провела там последние недели своей жизни; а другие писатели и знаменитые люди самых различных профессий жили там месяцами и годами.

Может быть, Гурджиев был просто блестящим шоумэном, чрезвычайно талантливым гуру-мошенником, умевшим использовать любую благоприятную возможность, чтобы постигнуть фундаментальные

Ученики Гурджиева. Упражнение внимания.

истины, которые он умел излагать с такой силой, что воздействие его слов, превосходило их содержание. Он произвел на Запад глубокое впечатление, и о нем до сих пор еще пишут книги. Для тех, кто знал его лично, он был очень живым и энергичным человеком, открытым для любой Сущности, в ком бы он ее ни встретил. Но и те, кто всего лишь читал его книги, находят в его учении некоторые из тех великих истин, которые можно обнаружить во всех религиях, — и, возможно, самой важной из них является положение о несовершенстве человека. Если человек таков, каков он есть сейчас, то его личность — это всегда личность машины. Человек не может ничего *делать* сам по себе. Но, наблюдая за действиями своей личности, он предъявляет на них свои права, когда же личность отходит от дел, у него рождается великое "я". Это и есть истинный "субъект действия", истинная жизнь. Гурджиев полагал, что единственный способ решения человеческой дилеммы состоит в изменении самосознания человека, и в этом он сходится с другими учителями, такими, как Кришнамурти, Рамана Махарши и Дхиравамса, которые тоже считают, что посредством осознания собственного "я" можно узнать вещи, превосходящие это "я".

"Всегда и везде помните о себе" [13], — говорил Гурджиев. "Вся энергия, затраченная на сознательный труд, — это вложение капитала; энергия, затраченная на механический труд, потеряна навсегда" [14].

"Самое большее, чего человек может достичь, это обрести способность *делать*" [15].

ПАК СУБУ

Пак Субу родился на Яве, в стране, омываемой потоками четырех религий: индуизма, буддизма, христианства и ислама. Результатом этого явилась плодородная в теософском отношении духовная почва, исключительно предрасположенная к возникновению эзотерических культов и развитию медиумических способностей. Когда, например, родился Субу, его первое имя, — Сукарно, — заменили на "Мухаммед", поскольку один нищий странник предсказал, что иначе такой болезненный ребенок умрет. И с этого момента его здоровье действительно улучшилось. Однако предсказания скорой смерти продолжали преследовать его, и в юности он услышал категоричное пророчество, будто ему суждено умереть в возрасте двадцати четырех лет.

Тогда, не желая терять времени, Пак Субу отправился искать духовных наставлений. Он жаждал найти их как можно скорее, пока еще не слишком поздно, и, будучи мусульманином, посещал разных учителей исламской традиции. Один знаменитый суфийский учитель взял его в ученики, но отказался посвящать его в теорию и практику суфизма, заявив, что Субу получит все, что ему нужно, не из человеческих рук. После этого, Субу оставил поиски духовного знания и снова стал жить мирской жизнью; выучился на бухгалтера и женился.

ПАК СУБУ

(с женой Ибу и Дж. Беннетом)

В 1925 г., в году, когда он якобы должен был умереть, с ним приключилось странное событие, изменившее всю его дальнейшую жизнь.

Он рассказывал, что шел однажды с друзьями темной, безлунной ночью, и вдруг над его головой появился светящийся шар, напоминающий солнце. Затем шар словно вошел в него, наполняя тело ощущением вибрирующих сил. Решив, что это и есть смерть, Субу, отправился домой и лег, но, едва лишь он расслабился, неведомая сила заставила его подняться и совершить мусульманский молитвенный обряд. Далее он рассказывал, что в продолжение следующих трех лет он очень мало спал; каждую ночь его посещали видения, и все та же сила заставляла его тело двигаться помимо его воли. В нем постепенно росло убеждение в том, что эта удивительная сила очищает его тело и душу, и что движения, которые он производит, и звуки, которые он издает, являются выражением внутреннего очищения. Он понял, что переживает *латихан* (так яванцы называют обучение) и что сила, которая им манипулирует, имеет божественную природу. Он поверил, что, покорившись и отдавшись этой силе, он позволил ей "открыть" себя самого. Он постиг, что значит отдаться — это великий ключ, который открывает сердце человека воле Божьей.

"И действительно, открывшись или открываясь, вы отдаетесь Богу — но не так, как поступают те, кто отдается ему на уровне эмоций, мыслей или желаний. Нужно, чтобы отдалось не только сердце, не только разум; необходимо, чтобы сила Божья трудилась и проявляла себя в вашем бытии...

На деле вы можете прийти к такой капитуляции... лишь тогда, когда ваше сердце станет пустым и очистится от всего: от надежд, стремлений, желаний, даже от желания отдаться Богу, потому что та ваша часть, которая желает этого, всегда остается всего лишь вашим собственным сердцем" [1].

Вы должны позволить Богу действовать внутри вас посредством Жизненной Силы, — говорит Пак Субу. Это все равно что позволить другу взять вас за руку и вести — что бы он ни захотел с вами сделать, вы должны ему подчиняться. В этом, по мнению Субу, состоит смысл капитуляции перед Богом.

После трех лет озарений Субу получил откровение, о том, что его миссия состоит в передаче божественной энергии другим. Он уволился с работы — в это время у него уже было пятеро маленьких детей — и сказал своей жене, что им нужно уповать на милосердие Господа, который о них позаботится. Он интуитивно чувствовал, что ему не нужно ни искать учеников, ни рассказывать о полученном откровении, пока его не попросят; но, в то же время, он должен был передавать божественную силу всем, кто этого хотел.

Вскоре после этого к нему приехали ученики одного суфийского учителя, желавшие получить силу (к Субу их направил сам учитель). Отныне Субу стали звать *Бапак*, что на яванском диалекте значит "отец"; Пак — уменьшительная форма этого слова. Так начался *Субуд*.

Субуд — это аббревиатура из трех слов — *Сусила, Будхи, Дхарма*. *Сусила* означает истинный характер человека, когда он действует в соответствии с волей Божьей; *Будхи* — это божественная жизненная сила человека, которую он обнаруживает внутри себя; *Дхарма* означает полное подчинение человека воле Божьей.

Таким образом, Субуд — слово, характеризующее саму суть *латихана*: полное подчинение Богу, которое влечет за собой рост истинной природы человека.

В настоящее время Субуд получил известность на всем Западе, а также в Индонезии. После того, как движение постепенно вызрело на самом о.Ява, Хусейн Рофэ, один из учеников Бапака, познакомил с ним Запад. В 1950г. покойный Дж.Г.Беннет, ученик Гурджиева, встретил Рофэ и увидел в Субуде дальнейшее развитие гурджиевского учения. Он представил для его штаб-квартиры дом в окрестностях Лондона, и вскоре Бапак и его жена приехали туда с визитом. Вслед за этим последовало несколько мировых турне яванской четы и возникновение групп Субуда в более чем тридцати странах, хотя сам Беннет вскоре покинул Братство Субуд.

Почему же Беннет увидел в Бапаке естественного преемника Гурджиева? Наверное, потому что и Бапак и Гурджиев в юности тесно общались с суфийскими учителями, в их учениях действительно можно заметить нечто общее.

Гурджиев считал человека множеством "я", каждое из которых живет короткой и обособленной жизнью и является реакцией на изменение внешних условий, а сумма этих "я" представляет собой своего рода личность-машину, которую человек накладывает поверх своей подлинной и уникальной человеческой индивидуальности. Бапак полагает, что человек складывается из множества низших сил, которым он дает власть над собой, скрадывая таким образом свою собственную человеческую сущность.

Он считает, что существует пять жизненных сил, или уровней, которые управляют обычным человеческим существом; человек обычно сам не сознает их присутствия, ибо считает себя их хозяином. Три низших силы составляют саму природу физического мира, и в то же время каждая из них (материя, растительный мир и животный мир) — является самостоятельной областью. Над ними находится человеческий, или четвертый, уровень; а пятый уровень составляют те проявления жизненной силы, которые стоят выше человеческих.

Бапак учил, что низшие силы образуют физический мир и, следовательно, человек *выражает собой* весь мир, находящийся ниже его уровня. Когда эти три низших силы управляют человеком, а он исполняет их волю, весь мир теряет равновесие, и все сущее страдает: ведь предназначение человека, как наиболее развитого из всех созданий, состоит в том, чтобы примирить эти силы между собой в рамках своей собственной природы. Чтобы выполнить свое предназначение, он должен всецело положиться на творческую силу Бога, которая освобождает его понимание и наделяет его мягкой, но прочной властью над низшими силами.

Бапак много говорит об этой власти. Он полагает, что неодушевленная материя чрезвычайно привлекательна для человека, и что повседневные мысли человека отражают его одержимость материальными объектами и порабощенность ими. Они имеют огромную власть над человеком, и он забывает о том, что это всего лишь вещи и наделяет их самыми разнообразными качествами. Вследствие этого собственность управляет людьми и они перестают понимать, что они делают с вещами.

По мнению Бапака, люди, не понимающие, что истинное предназначение всех вещей — служить общей пользе человечества, сами несут на себе печать сходства с материей — с ее тяжестью и инертностью. Такие люди находятся ниже человеческого уровня и даже ниже уровня самой материи, потому что они совершенно перестали осознавать дух.

В рамках своей собственной сферы, говорит он, материя может поклоняться Богу. Хотя она и не обладает интеллектом, но она духовно сознательна и страстно стремится к тому, чтобы люди позволили ей войти в свои мысли и тем самым подняться до их уровня. Человек должен понять это желание материи присоединиться к нему, если действительно хочет постичь природу тех импульсов, из которых он состоит.

Растения, которые прямо или опосредованно снабжают человека пищей, связаны с ним гораздо больше, чем материя, и оказывают на него еще большее влияние. Когда внутренние чувства человека очищены и он свободен от желания обладать жизненной силой, — другими словами, когда он перестает быть рабом собственного желудка, растительная жизненная сила, из которой он частично состоит, получает возможность тесно соприкоснуться с внешним растительным миром и это, говорит Бапак, "напоминает долгожданную встречу мужа с женой". В силу того, что человек способен осуществить это воссоединение, низшая растительная сила, нуждающаяся в его помощи, боготворит его мудрость.

Как сила материи, так и сила растений разрушают человека изнутри, если он позволяет им управлять собой, — неумышленно, но просто в силу того, что этот уровень не является их естественным полем деятельности, и поэтому они тянут человека вниз. Но самой опасной из трех является, тем не менее, жизненная сила животных, которая проникает в человека более глубоко. До тех пор, пока человек не осознает свою животную природу, ему свойственно полагать, что все свои действия он совершает по собственной воле. Но в действительности, говорит Бапак, почти все его действия вызываются одной из трех низших сил, обычно животной силой.

Все эти три уровня возникают в человеке в результате приема пищи. Люди, однако, не едят друг друга, так что человеческий уровень жизненной силы проявляется иным способом. Взаимодействие на человеческом уровне происходит во время полового сношения. Половое слияние подразумевает в себе акт творения, и Бапак считает, что в этот момент человек становится тем творческим полем, на котором может развиться мир. Он уподобляет человеческое тело почве, которая может иметь разную плодородность, и считает, что различным людям соответствуют различные виды почв, из которых наивысшим является "золотая земля".

Бапак полагает, что акт совокупления дает человеку возможность ощутить влияние чисто человеческой силы, потому что в момент оргазма самое внутреннее "я" мужчины или женщины обособляется от низших сил. Если в этот момент, человек освободится от желаний и мыслей, он осознает внутреннее пробуждение своей истинной природы.

Как же так получается, что мы не осознаем низших сил? Когда они возникают, говорит Бапак, они кажутся человеку единым потоком внешних стимулов, хотя на самом деле они исходят из разных мест. В силу того, что они входят в обычное сознание человека одним общим путем, человек не осознает того, откуда они исходят. Но когда его сознание поднимается до чисто человеческого уровня, как это случается иногда во время полового акта, человек может осознать действия низших сил и отделиться от них. Устранив их власть над собой, он сам становится их хозяином и может направлять вещи по надлежащим путям. После этого он уже не обманется, столкнувшись с уровнем, который кажется человеческим, а на самом деле является низшей силой, надевшей человеческую маску. Как только он начнет управлять ими, нужды каждой из сил будут удовлетворяться должным образом — человеческая сила станет доминировать в человеке, а животная — в животных.

"Вот один из методов, с помощью которого человек может познать все это (впрочем, других методов здесь просто не существует): отбросить все свои мысли, которые всегда гонятся за призраками воображения" [2].

Именно человеческая мысль и воображение управляют человеком в течение дня, и только тогда, когда он сможет от них освободиться, он сможет осознать свое внутреннее состояние. Когда он опустошит себя таким образом, в его сознание войдет ощущение вибрации всего тела, и у него появится такое чувство, словно его коснулась какая-то совершенно новая и уникальная сила. Постепенно, принимая эту силу все полней и полней, он поймет истинную природу своей личности и факторы, которые ее скрывают.

Эта тема освобождения разума от мыслей и воображения является одной из самых важных в учении Бапака. Он считает, что очень важно провести границу между приемом Божественной Силы и человеческими мыслями и чувствами. Ведь мысль и чувство принадлежат к царству низших сил, а *все* наши действия, включая мышление и чувствование, обусловлены именно этими силами. Однако за их пределы можно выйти, если позволить Божественной силе действовать без помех. Как же это осуществить?

Принять в себя эту Силу, говорит Бапак, возможно лишь тогда, когда разум и сердце станут пустыми и спокойными до такой степени, что все мысли и эмоции замрут. Мыслящий разум всегда является орудием той или иной побеждающей силы; человеку никогда не постичь своих духовных внутренних чувств с помощью этого поверхностного мыслящего разума. Разум должен успокоиться и уступить место могучей Жизненной Силе Бога. Эта Жизненная Сила природу которой человек просто не в состоянии постичь, является единственным истинным помощником человека. Его мыслящий мозг — великолепный инструмент, и его следует полноценно развивать обычными методами; но полем его действия является только внешний мир, и с его помощью невозможно постичь Божественную реальность. Сразу вспоминается: "Отдавайте кесарево кесарю, а Божие Богу".

Когда человек откажется от своего мыслящего разума, полностью подчинившись воле Божьей, он обретет подлинную человечность, единство с самим собой и с теми силами, из которых он состоит.

Каким же образом происходит это подчинение? Бапак говорит, что оно осуществляется в результате *латихана*, духовного тренинга, который является сутью Субуда и его основной отличительной особенностью. Во время *латихана* Жизненная Сила передается в первую очередь через тех людей, которых называют "помощниками" и которым Бапак предписал "открывать" своих ближних, это "открывание" однако, никоим образом не связано с личностью Бапака или "помощников". Они — всего лишь канал, по которому передается сила. Любой человек может пройти *латихан* и "открыться" таким образом. Это свободная от классовых и расовых предрассудков религиозная помощь, в которой отказывают немногим, хотя иногда бывает желательно, чтобы человек получил *латихан* уже после изменения внешних обстоятельств своей жизни. *Каждый* кандидат должен перед *латиханом* выдержать трехмесячный испытательный срок, в течение которого проверяется искренность его намерений, а сам он получает необходимую информацию о природе Субуда и того братства, в которое он вступает. Поскольку Субуд не имеет официального учения, здесь не требуется формальной принадлежности к какой бы то ни было конфессии. Тем не менее, во время "открывания" каждый претендент просто утверждает, что "он верит во всемогущего Бога и Его Силу".

Что же в действительности происходит во время *латихана*? Два раза в неделю мужчины и женщины расходятся в разные комнаты ближайшего центра Субуд, откладывают в сторону все хрупкие вещи и стоят, расслабившись, с закрытыми глазами, избавляясь, насколько это возможно, от всех мыслей, ощущений и желаний. Затем они чувствуют, как некая сила, которую они считают Божественной, заставляет их двигаться. *Латихан* — это поклонение Богу и в то же время метод очищения, с помощью которого этап за этапом устраняются последствия неблаговидных дел, дурной наследственности и т.д. Члены братства и не пытаются понять, что с ними происходит, но не противятся ничему — даже если они слегка двигаются или танцуют, или говорят на иностранных языках, или поют, или плачут, или даже кричат и вопят, или подражают голосам экзотических животных, или просто стоят в полной тишине. Они ни на секунду не погружаются в состояние подобное трансу, но при этом не обращают внимания на то, что происходит вокруг. Они могут производить всевозможные движения и издавать всевозможные звуки, потому что каждому человеку приходится управлять своей собственной комбинацией низших сил. Но никто из них никогда не становится настолько одержим, чтобы лишиться рассудка, и каждый из них все время является сознательным наблюдателем. Через полчаса помощник объявляет, что *латихан* завершился.

Латихан, говорит Бапак, предоставляет человеку возможность достичь того состояния реальности, в котором низшие силы неизбежно отделяются от него. Он беспрестанно напоминает, что это упражнение приспособлено к особенностям каждой конкретной личности и проявляется в соответствии с силой и способностями каждого человека. Именно из-за того, что он полностью соответствует особенностям конкретного человека, он никоим образом не может принести ему вреда. Гораздо более вероятно, что этот ритуал даже полезен для здоровья. Переживания, испытываемые во время *латихана*, воспринимаются человеком как благотворные, естественные и присущие ему от рождения.

Одно из преимуществ человека, совершающего *латихан*, заключается в том, что он обретает способность узнавать о дальнейшем течении собственной жизни. Этот метод называется "проверкой" и состоит в том, чтобы по возможности внутренне успокоиться, сформулировать вопрос в словесной форме, а затем совершенно выбросить его из головы и при посредстве "помощников" войти в состояние "*латихана*". Говорят, что ответ появится сам собой. Это оказывается большим благом для многих людей, чей мыслящий разум не справляется с решением жизненных проблем.

Что же это за необычная сила, которая привлекает к себе разнообразных людей — вплоть до квакеров, многие из которых тоже вступают в Субуд.

Хотя Бапак постоянно называет ее силой Бога, он все таки не берет на себя смелость утверждать, что эта сила в действительности исходит от самого Бога. Он говорит, что один только Бог знает об этом. Сила, получаемая людьми, исходит из потока жизни, который находится вне пределов досягаемости низших сил, а также вне того, что обычно называют магией. Но он не может объяснить или классифицировать этот поток. Впрочем, он считает, что говорить об этом бесполезно, поскольку объяснения, какими бы красноречивыми они ни были — это всего лишь проекции мыслящего разума и воображения. Самым подходящим ответом для тех, кто желает узнать, что это такое, будет приглашение прийти и попробовать это на себе. Тогда они познакомятся с фактами, а не со словесным объяснением фактов.

А факты свидетельствуют о том, что все практикующие *латихан*, ощущают в себе благотворную перемену. Болезни идут на спад, организм омолаживается, разум проясняется и становится гибким, а эмоции — более искренними и непринужденными.

Со временем люди обретают возможность получать пятую силу, находящуюся на том уровне жизни, который стоит выше человеческого. На этом уровне пребывают святые и пророки, мужчины и женщины редких дарований, сознание и любовь которых охватывают все формы бытия, хотя сами они достигли бесформенного духовного состояния, которое "можно сравнить с безбрежностью океана".

Субуд — не религия. Его участники принадлежат к различным вероисповеданиям и находят, что, благодаря *латихану*, они гораздо лучше понимают свою собственную религию (может быть, и благодаря тому, что они научились подчиняться). Самого Бапака как основоположника Субуда и исходного "передатчика" силы многие из его "детей" считают пророком, хотя он и считает себя самым обычным из смертных. Ибо "открывание" осуществляет не он, а жизненная сила, а сам он — всего лишь семейный человек, живущий соответствующим образом.

Он говорит об этом так: "Бог захотел, чтобы Бапак просто был таким, каким он есть: пил кофе, ел масло, хлеб и сыр, а также курил — потому что именно этим обычно занимаются люди; и это совсем не мешает мне на пути к Богу, потому что Он хочет видеть меня таким" [3].

Безраздельное доверие Бапака к Жизненной Силе, отрицающее все попытки самостоятельно устроить свою жизнь, может обмануть своим пафосом смирения лишь тех, кто еще не соприкоснулся с нею как следует. Ибо, если человек должен считать себя ничем, а силу Бога всем, если в конечном итоге он должен целиком ей отдаться — не является ли страстное стремление к такого рода капитуляции одним из самых человеческих стремлений?

Заменить свои собственные прозрения и утверждения, зачастую возникающие в результате неудач и сомнений, силой, которая передается из внешнего источника без видимых усилий с твоей стороны — это в некоторой степени все равно что перестать быть человеком.

Но, очевидно, Бапак уже избавился от подобной критики, ибо он твердо верит в то, что повседневная мирская жизнь — лучшая сфера приложения силы Бога, и его учение в наши дни придает особое значение предприимчивости. За семнадцать лет, истекшие с того времени, как Субуд и *латихан* были принесены на Запад, он постепенно стал уделять все большее и большее внимание внешним видам деятельности и, в частности, тем предприятиям, которые сейчас начинают финансировать общественные начинания Субуда.

В своих беседах он советует ученикам бороться за улучшение социальных условий и настоятельно просит их открывать субудовские школы, больницы, дома престарелых и т.д. Это единственный вид рекламы Субуда, который он готов принять: "Нам не следует заниматься пропагандой, но мы должны убеждать других своим личным примером. Для нас важнее всего максимально использовать наш разум и наши сердца, пока мы живем на этой Земле, потому что разум, сердце и пять органов чувств мы получили от Бога для того, чтобы они служили нашим жизненным нуждам, пока мы живем на Земле" [4].

А как же после жизни? Счастье нужно нам не только в этой жизни, но также и после смерти, говорит Бапак, поскольку смерть — это продолжение жизни. Нелепо думать, что все заканчивается с нашей смертью. Конечно, говорит он, наш мозг и сердце прекращают работу, но есть внутреннее чувство, которое продолжает существовать. Если это внутреннее чувство не готово к следующей жизни, если оно еще не очистилось и не открыло для себя силу Бога, оно останется косным, негибким и безжизненным, когда умрут разум и сердце.

"Совсем по-другому обстоит дело, если Сила Бога действует внутри вас во время ваших упражнений, потому что ваше внутреннее чувство тогда начинает пробуждаться и оживать, оживать не под влиянием сердца, разума или желаний, а наоборот, вследствие освобождения ото всех этих влияний. Вернувшись к жизни, это внутреннее чувство обретает способность осознавать жизнь, свободную от влияния разума, сердца и желаний, которые не смогут ни привести нашу внутреннюю жизнь или нашу душу в царство жизни после смерти, ни даже сопровождать нас на этом пути.

Когда ваше внутреннее чувство (или ваше внутреннее "я") оживает, освобожденное от разума, желаний и сердца, оно обретает способность получать то, что вам необходимо и чего хочет для вас Бог, и вы обретаете способность получать внутри вашего внутреннего "я" [знание] о том, что такое жизнь после смерти и что такое жизнь "до рождения" [5].

БИБЛИОГРАФИЯ

GURDJIEFF

1*. P. D. Ouspensky, *In Search of the Miraculous* (London: Routledge Kegan Paul; New York: Harcourt Brace Jovanovitch), p.7.

2. Ibid., p.19.

3. Ibid., p.59.

4. Ibid., p.150.

5. Lucien Stryk and Takashi Ikemoto, *Zen Poems, Prayers, Sermons, Anecdotes, Interviews* (New York: Doubleday and Company, Inc.), p.81.

6. C. S. Nott, *Teachings of Gurdjieff* (London: Routledge Kegan Paul; New York: Samuel Weiser,Inc.), p.65.

7. Ouspensky, *In Search of the Miraculous*, p.32.

8. Louis Pauwels, *Gurdjieff* (London: Times Press Ltd., New York: Samuel Weiser,Inc.), p.86

9. Ibid., p.88.

10. Fritz Peters, *Boyhood with Gurdjieff* (London: Gollancz; New York: Penguin), p.56.

11. Ibid., p.67.

12. Ibid., p.72.

13. Kenneth Walker, *A Study of Gurjieff's Teaching* (London: Jonathan Cape), p.212.

14. Ibid., p.213.

15. Ibid., p.211.

PAK SUBU

1 Muhammad Subuh, *The Meaning of Subud* (Subud Publications International), p.57.

2. Muhammad Subuh, *Susila Buddhi Dharma* (Subud Publications International), p.353.

3. Subuh, *The Meaning of Subud* (Subud Publications International), p.35.

4. Muhammad Subuh, *Subud in the World* (Subud Publications International), p.25.

5. Gordon Van Hien, *What Is Subud?* (London: Rider and Co.), p.145.

Большинство христианских церквей во все времена уделяли большое внимание борьбе с инакомыслием и "ересями"; очевидно, именно здесь кроются корни того глубочайшего кризиса, который поразил христианство в XIX веке. Веками искореняя в себе живую мистическую мысль, культивируя иерархический порядок и незыблемость ритуальных форм, мощные церковные организации постепенно пришли к такому положению, когда не только светская философия и идеология, но и такие "суррогатные религии", как теософия, оккультизм и спиритизм, стали оказывать на умы христиан гораздо более сильное влияние, чем проповеди церковных иерархов. К началу XX столетия практически во всех христианских странах церковь оказалась на обочине общественной, интеллектуальной и духовной жизни. Факт этот тем более прискорбен, что вместе с церковью на обочине европейской культуры оказалось и само учение Христа, столь много способствовавшее ее формированию и развитию.

На мой взгляд, этим отчасти можно объяснить общеевропейский духовный кризис первой половины XX в. Две мировых войны, большевистская революция, террористические диктатуры Гитлера и Сталина едва ли были бы возможны, если бы в сознании европейцев присутствовало активное христианское начало. Едва ли антигуманные и, по сути своей, языческие доктрины нацистов и большевиков имели бы успех у христиански настроенных масс; и не случайно все тоталитарные режимы всегда стремились искоренить христианскую церковь или, по крайней мере, подчинить ее своему влиянию.

С другой стороны, некоторые тенденции развития христианства в XX в. позволяют надеяться на постепенное возрождение христианской духовности. Осмысление современной ситуации с точки зрения христианства, попытки примирить религию с наукой, выработать действительно христианский подход к истинам иных религий и учений легли в основу современной стратегии католической церкви, во многом питаемой доктринами выдающегося философа и мистика Тейяра де Шардена. Этот французский священник-иезуит считал, что уже сам факт веры в Христа подразумевает строго определенные направления развития человечества, и в этом можно убедиться, изучая историю. Согласно его мнению, с течением веков человек совершенствует свою сознательность и чуткость, развивает в себе коллективизм, постепенно приближаясь к моменту слияния всех людей во Христе. Тейяр был столь уверен в этом, что смог посвятить всю свою жизнь поискам научных доказательств своей теории. Его специальностью была палеонтология, воспитавшая в нем большое уважение к материальному миру; будучи мистиком, Тейяр считал, что наш мир является сознанием Христа, выраженным во все более и более разнообразных формах; что присутствие Бога ощущается в каждой частице сотворенного мира, и что вся эволюция — это постепенное приближение к Нему.

Независимо от Тейяра к подобным выводам пришел Александр Мень, деревенский священник из Подмосковья, самостоятельно занимавшийся научным анализом библейских текстов. Ему тоже был свойственен оптимистический взгляд на перспективы человечества; он полагал, что в жизни каждого из нас рано или поздно происходит Встреча с Богом, которая является естественным источником любого религиозного чувства. В отличие от Тейяра, он уделял много внимания восточным религиям и таким неортодоксальным мистическим учениям, как гностицизм и каббала; по его мнению, православное христианство восприняло все истины этих учений, но отвергло все содержавшиеся в них заблуждения.

Отец Серафим, православный богослов из Калифорнии, придерживался диаметрально противоположного взгляда на нехристианские религии. По его мнению, даже иудаизм и ислам имеют ярко выраженную антихристианскую сущность; что же касается "языческих" религий Востока, то все они суть ничто иное как откровенное поклонение демонам. Вся духовная жизнь современного Запада — утверждал о.Серафим — полна демонических искушений и опасных еретических тенденций; "последние времена" уже наступили, и только учение православной церкви способно отделить истинную духовность от ложной.

Еще одна последовательница "традиционного" христианства, мать Тереза из Калькутты, не заостряет своего внимания на вопросе истинной и ложной духовности. Вместе со своими последовательницами она избрала путь практического служения Христу, проявленному в каждом человеке, руководствуясь двумя главными заповедями Нового Завета: "возлюби Господа Бога твоего" и "возлюби ближнего твоего как самого себя". Благотворительная миссия матери Терезы, за короткое время распространившаяся по всему миру, является, быть может, самым веским свидетельством жизнеспособности христианства в XX веке.

ТЕЙЯР ДЕ ШАРДЕН (1881-1955)

"И мы, несомненно, осознаем, что внутри нас происходит нечто более великое и более необходимое, чем мы сами: нечто, которое существовало до нас и, быть может, существовало бы и без нас; нечто

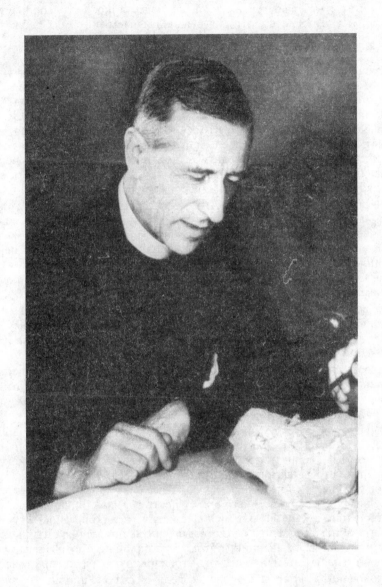

ТЕЙЯР ДЕ ШАРДЕН (1881-1955)

такое, в чем мы живем и чего мы не можем исчерпать; нечто служащее нам, при том что мы ему не хозяева; нечто такое, что собирает нас воедино, когда после смерти мы выскальзываем из самих себя, и все наше существо, казалось бы, исчезает" [1].

Священник-иезуит Пьер Тейяр де Шарден посвятил свою жизнь поискам научного доказательства присутствия Бога в материальной Вселенной. Имея научный склад ума, он еще в раннем детстве интересовался всеми достопримечательностями своей родной Оверни. Он рассказывал, что еще совсем маленьким ребенком любил собирать предметы, казавшиеся ему вечными. Уже в возрасте семи или восьми лет он страстно желал обладать какой-нибудь конкретной вещью, которая была бы при этом неизменной и абсолютной. Его пугало, когда он обнаруживал, что железо ржавеет, а дерево сгорает:

"Я искал такие вещи в других местах. Иногда это было голубое пламя над бревнами в очаге — одновременно такое материальное и такое чистое и неуловимое. Чаще — какие-нибудь прозрачные и ярко расцвеченные камешки, кристаллы кварца или аметиста и, в первую очередь, сияющие кусочки халцедона, которые попадались мне в моей родной Оверни. Эта столь желанная вещь должна была быть прочной, нерушимой и твердой" [2].

Со временем это удивительное желание найти что-нибудь вечное в материальном мире подтолкнуло Тейяра к самостоятельному размышлению и он понял, что Бог проявляет себя в виде сознания на протяжении всей эволюции.

В своих выводах он пришел к мысли, которая в некоторой степени напоминает идею "я" в индуизме. Он решил, что душа (то есть индивидуальное "я") — ничто в сравнении с сознанием, которое властвует над нею и наполняет ее, и с которым она образует одно целое.

В душе нет ничего уникального, — говорил он (и из-за подобных утверждений начальство отказалось публиковать его произведения), — ибо, если бы каждая из душ была бы на самом деле уникальной, это противоречило бы самой цели мира и сущности его развития. Душ великое множество. Но если мы обратим внимание на то, что стоит *между* ними, посредством чего они существуют, на общую для всех них силу творения, то мы встретимся с поистине великой тайной. Обычно мы неспособны увидеть ту единственную объединяющую силу, которая лежит в основе всех явлений, потому что склонны смотреть наружу и направлять наше внимание на то, что изолирует и разделяет нас.

Это очень важное наблюдение: ведь мы, конечно же, проводим большую часть нашей жизни, называя и оценивая весь мир по отношению к "нам", и, тем самым, создаем ложную двойственность. Нас отвлекает внешняя видимость; мы считаем эту видимость миром и, таким образом, начинаем думать, что существует только материальная Вселенная, которую мы воспринимаем с помощью органов чувств. Вследствие этого, все время глядя наружу, мы не можем *заметить* единство всех вещей, ибо настойчиво рассматриваем разнообразие их внешних обликов.

Именно этот объединяющий фактор и привлекал к себе внимание Тейяра.

Если сложить все различия между индивидами, — говорил он, — суммой их будет некий призрачный мир, ибо этих различий так мало и они так эфемерны. Но, если сложить *все* человеческие качества, а затем вычесть из них те немногие, которые отличаются от остальных, вы получите "самый впечатляющий остаток, принадлежащий не какой-либо конкретной душе, но всем душам вместе".

Какова же природа этого остатка? Тейяр полагал, что это направляющая энергия, которая побуждает людей подниматься на все более высокие уровни сознания и единения. Но, подобно Будде, он не размышлял над его природой слишком много. Для него важен был сам факт его существования, и он чувствовал, что факт этот *нужно* принять. Всем живым существам, говорил он, "привита одна и та же Реальность, столь же осязаемая, как и наша собственная субстанция..." Концентрируем ли мы наше внимание на изощренном совершенствовании своей индивидуальности или же препоручаем свою индивидуальность воле Божьей, — едва отведя взор от внешнего мира повседневных отношений, мы должны обнаружить *тут же за своей спиной, словно бы некое продолжение нас самих, — Душу Мира*" [3].

Как же можно узнать эту "Душу Мира" или этот "впечатляющий остаток"? Тейяр говорил, что она проявляется в виде сознания. На протяжении всей эволюции направляющая энергия Бога побуждала организмы развивать в себе сознание, и сознательность организма возрастает прямо пропорционально его сложности. Он полагал, что атом, например, обладает бесконечно малым сознанием своего существования. Когда комбинируются атомы, когда формируются клетки, когда развиваются организмы, — всему этому сопутствует рост сознания. Высшей ступенью сознания будет сознание Бога. Таким образом, вследствие цели и причины своего существования, любое сознание, каким бы элементарным оно ни было, носит духовный характер.

"Духовность — это не какое-нибудь случайное нововведение, внедрившееся в стройную систему окружающего нас мира. Это явление имеет глубокие корни и следы его можно разглядеть во всем обозримом прошлом — в кильватере того движения, которое влечет нас вперед. Как бы мы ни углублялись в прошлое нашей земной коры, мы всегда видим ее уже населенной. Создается впечатление, что ни одна планета не сможет достичь определенной ступени в своей космической эволюции без того чтобы на ней не возникла жизнь. Но это еще не все. Сознание, которое, как мы видим, наполняет все дороги прошлого, не просто течет подобно реке, несущей свои неизменные воды мимо вечно меняющихся берегов. Оно претерпевает перемены в ходе своего течения; оно эволюционирует; жизнь движется *сама по себе*" [4].

Если рассмотреть самую низшую форму жизни — инертную материю — можно ошибочно предположить, что у нее совершенно нет сознания, — говорил Тейяр. Но, возможно в действительности ее сознание настолько прерывисто и рассеяно, что мы можем обнаружить его только в форме "законов природы", или законов статистической организации, которые открыла наука.

"Поднимаясь, все смешивается". *Одна из схем Тейяра де Шардена.*

Если двинуться выше, то мы увидим, как на фоне этой массы начинают выделяться частички в виде индивидов — сознание при этом принимает довольно неопределенную форму, в которой самосознание еще смешано со всей массой окружающих его механизмов. Такими нам представляются растения и животные.

Наконец, увенчав собой весь процесс, появляется мысль. В силу того, что подготовка этой фазы эволюции растянулась на целые геологические эры, "ничто не пошатнулось, когда мысль появилась в природе"; и, поскольку в эволюционной цепи, связующей нас с животными, не произошло заметного разрыва, естествоиспытатели еще до недавнего времени не придавали должного значения факту появления мыслящего человека. Таково заявления Тейяра и сам он, несомненно, принес здесь немало пользы, содействуя несколько запоздалому изучению самого человечества.

Ведь человек — это не только новый биологический вид, он знаменует собой начало совершенно новой эры в истории Земли. Пропасть между человеком и простой органической жизнью гораздо глубже, чем между органической жизнью и неорганической материей. Благодаря появлению сознательного интеллекта впервые возникла Вселенная, сознающая сама себя, "*индивидуализированная*" Вселенная.

В этом месте легко потерять нить рассуждений Тейяра. Что он подразумевает под индивидуализированной Вселенной? Для Тейяра, правоверного христианина, Бог есть конечное Бытие, нашедшее выражение в совершенном человеке, Иисусе Христе. Следовательно, он рассматривал всю цепь эволюции как планомерное движение по направлению к ультраличности — по направлению к той точке во времени, где сознательное, предельно личностное человечество объединится, или станет одним целым с Христом как конечной точкой эволюции, сердцем Вселенной.

Католики всегда верили в то, что исчерпывающее объяснение Вселенной каким-то непостижимым для человека образом содержится в личности Иисуса Христа — не столько в его исторической конкретности, сколько в нем самом как в "космическом Христе", духе Вселенной. "Разгадка Вселенной — это Иисус Христос", — заявляет св. отец Корбишли, настоятель лондонской Фарм Стрит Черч; Тейяр же говорил следующее:

"Если понимать слова Откровения буквально, — а в этом и заключается суть всякой истинной религии, — то нужно признать, что вся масса Вселенной постепенно омывается светом. И точно так же, как на низших уровнях материи существует открытый учеными эфирный флюид, в который все погружено и откуда все возникает, так и на высших уровнях Духа можно заметить мистический поток в котором все плывет и к которому все сходится" [5].

Веруя в это, Тейяр легко смог прийти к заключению, что сознательный интеллект в своем развитии должен двигаться в направлении одной личности — личности Иисуса. Индивидуальным различиям он, как мы видели ранее, не придавал большого значения. Но окончательную единую личность он считал выражением Божественности — бескорыстной, творческой и чистой. Он полагал, что личности всех людей объединяются, притягиваемые словно магнитом, в конечной точке эволюции, в *Плероме*, где все сходится во Христе.

Он полагал, что наши мирские условия существования с самого начала были духовными — это божественная атмосфера, или среда, в которой "Бог обнимает и проникает нас, создавая и оберегая нас". Так что мы созданы как объект деятельности Бога, направленной к одной-единственной цели — к тому, чтобы мы "объединились с ним в одно целое" [6].

Здесь Тейяр ставит передо мной и, как я подозреваю, перед многими другими читателями трудноразрешимую проблему: зачем было Богу создавать жизнь, если конечный результат будет тот же, что и вначале? Каким образом все это происходит, мы можем понять с помощью научных открытий, но на вопрос о смысле существования как такового ни одна религия и ни одно научное открытие еще не дали удовлетворительного ответа.

Ответы, которые дает Тейяр, возможно, имеют некоторые недостатки, возникшие вследствие его ученого затворничества, но никто не сможет отказать ему в блестящих прозрениях и в пылком, но ясном стиле. Быть может, он просто был слишком образован? Все его теолого-мистические интересы казалось, были полностью поглощены желанием научно доказать связь между эволюцией и христианским видением мира. В своей удивительной одержимости, он, по-видимому, едва ли обращал внимание на другие стороны жизни. Искусства не затронули его. Он не интересовался жизнью и условиями существования людей. Он прожил 20 лет в Китае и уделил поразительно мало внимания его культуре и философии. Он побывал в Индии и не сумел постичь индуизм, к которому относился враждебно. В общем, он был из тех людей, которые частично ограничивают свободу собственной личности, чтобы направить всю энергию на поиски доказательств для своих теорий и синтетических построений. И, быть может, именно поэтому некоторые из них кажутся несколько претенциозными и далекими от действительности.

Роберт Спиайт, ведущий исследователь и биограф Тейяра, говорит о нем: "Теперь, со всей твердостью уверовав в то, что человечеством движет прогрессирующая волна сознания, он говорил: "Неужели в том, что осталось позади нас, можно найти что-нибудь еще?" Такой взгляд на историю был чересчур высокомерным. Тейяр настолько уверился в неизбежности прогресса, что почти не обращал внимания на последствия катастроф или процессы деградации. При столь оптимистическом взгляде на мир ему редко приходило в голову, что прошлое иногда может быть сильнее настоящего и может многому его научить. Несмотря на то, что мы покорили атом, все наши попытки встать вровень с Сократом до сих пор остаются безуспешными. Тейяр считал прогресс строго линейным процессом; очевидно, ему не приходило в голову, что процесс может быть плоским камешком, который "печет блины" на поверхности времени " [7].

Тейяр пришел к вере в неизбежность прогресса через веру в магнетическую силу Христа как центра Вселенной. Однажды поместив туда Христа и, к своему собственному удовлетворению, доказав правильность этой позиции своими наблюдениями за эволюционным процессом, он уже не мог позволить себе видеть что-либо, кроме прогресса. Будущее должно быть лучше настоящего. В противном случае его предположение оказалось бы ложным. Ибо, если человечеству суждено завершить свой путь в великом расплавляющем огне Славы, то оно просто *не может* взлететь на воздух в результате ядерного взрыва, так и не дождавшись этого часа.

"Какова та верховная и сложная реальность, к которой готовит нас божественный промысел? Ее открывают нам св.Павел и св.Иоанн. Это количественное преисполнение и качественный итог всех вещей: это таинственная Плерома, в которой субстанциональное *одно* без смешения с сотворенным *многим* сливается в единое *целое*, которое, по существу ничего не прибавляя к Богу, станет, тем не менее, своего рода триумфом и общим итогом бытия...

Наконец-то мы близки к цели. Что же является этим активным центром, живым связующим звеном, организующей душой Плеромы? Тот же св.Павел провозглашает своим звучным голосом: это Тот, в Котором все воссоединяется, в Котором все вещи приходят к совершенству — посредством Которого все здание творения обретает постоянство — Христос умерший и восставший из мертвых...

А теперь давайте соединим начало и конец этого длинного ряда личностей. И, преисполняясь радостью, мы увидим, что *Божественная вездесущность* претворяет себя внутри нашей вселенной через сеть организующих сил абсолютного Христа. Бог оказывает давление, — на нас и внутри нас, посредством всех сил неба, земли и ада, — только в акте творения и в подвиге Христа, который спасает и доодушевляет мир. И поскольку в процессе этих действий сам Христос выступает не в качестве мертвой и пассивной точки схождения, но в качестве центра излучения энергий, приводящих Вселенную через человечество назад к Богу, все уровни Божественных деяний в конце концов приходят к нам насыщенными его органическими энергиями" [8].

Среди религиозных людей распространены два взгляда на мир и время. Один из них — позиция Тейяра, по мысли которого определенная степень совершенства будет достигнута когда-нибудь в неизмеримо далеком будущем. Сторонники такого взгляда считают, что опыт текущей жизни сам по себе несовершенен. Это всего лишь шаг на пути к будущей цели. Многие из таких людей считают, что получили откровение Божественных замыслов и отвергают все, что не сообразуется с их представлениями — точно так же, как Тейяр склонен был игнорировать страдание. Этот религиозный путь требует концентрации на такой цели, которой невозможно достичь *сейчас*, а только в смутном и отдаленном будущем. Такая ментальная позиция разделяется всеми религиями — есть много индуистов и буддистов, которые верят, что слияние с "Я", или Нирвана, может произойти только после бесчисленных перерождений.

Другой подход характерен для мистиков, подобных Томасу Мертону, для которого первостепенное значение имела "настоящность". Настоящий мистик ощущает своим родным домом мир, в котором он живет *в данный момент*. Он так же един с каждой мельчайшей частицей мира, как и со всем целым. Он не ждет раскрытия Божественных замыслов, выдающихся событий или будущих чудес. Он не концентрируется на цели, потому что не испытывает в ней нужды — здесь и сейчас находятся все цели и все чудеса. Для него идея грядущей Плеромы не имеет смысла, потому что каждое мгновение настоящего является уникальным, неповторимым и вневременным.

Вследствие того, что Иисус был человеком, Тейяр полагал, что космическая энергия Вселенной постоянно растет в человеке, и что эта "очеловеченная энергия" возникает в трех видах: смешанная энергия, контролируемая энергия, одухотворенная энергия.

"(а) *Смешанная энергия* — это энергия, постепенно накопленная и гармонизированная нашим организмом, состоящим из плоти и нервов, в результате постепенной эволюции Земли: это удивительная "природная машина" человеческого тела.

(б) *Контролируемая энергия* — это энергия, окружающая человека, которой он искусно и успешно управляет с помощью физической силы, возникающей в его членах, и при посредстве "искусственных машин".

(в) *Одухотворенная энергия* локализована в имманентных зонах нашей свободной деятельности. Она формирует материю наших интеллектуальных процессов, чувств и желаний. Может быть, эту энергию и невозможно измерить, но, тем не менее, она вполне реальна, ибо посредством мышления и страсти она овладевает всеми вещами и их взаимоотношениями" [9].

Именно в учении об одухотворенной энергии Тейяр оказался наиболее уязвим для критики со стороны других ученых. Ведь он постулировал существование трех основных сфер в структуре Вселенной — геосферы, т.е. сферы материи; биосферы, т.е. сферы живого; и ноосферы, т.е. сферы разума и одухотворенной энергии. Именно в ноосфере и будет происходить новый этап эволюции, — утверждал он и сам верил в это:

"Существо, являющееся объектом своих собственных размышлений в результате этих вечных возвращений по собственным следам внезапно обретает способность возноситься в новую сферу. Новый мир рождается наяву. Абстрагирование, логика, логический отбор и изобретательство, математика, искусство, измерение времени и пространства, любовные тревоги и грезы — все эти виды *внутренней жизни* на самом деле суть ничто иное как бурление вновь образовавшегося центра в тот миг, когда он распускается сам в себе" [10].

Многие ученые не могли принять подобных высказываний, в особенности из-за того, что Тейяр рассматривал ноосферу как своего рода физическую оболочку вокруг земного шара, сеть общения и мысленной деятельности. Но скептицизм ученых не остановил Тейяра, и он продолжал пророчествовать о том, что из ноосферы разовьется "любовь, *высшая, универсальная и синтетическая форма духовной энергии,* в которой все другие душевные энергии будут трансформированы и сублимированы, как только попадут в "область Омеги" [11].

"Разве может быть по-другому, — вопрошал он, — если во Вселенной должно поддерживаться равновесие?

Сверхчеловечество нуждается в Сверх-Христе.

Сверх-Христос нуждается в Сверхмилосердии" [12].

Сверхмилосердие, как он полагал, уже приближается к нам и ощущается во многих местах. "В настоящий момент есть люди, много людей, которые, объединив идеи Воплощения и эволюции, сделали это объединение действительным элементом своей жизни и успешно осуществляют синтез личного и всеобщего. Впервые в истории люди получили возможность не просто знать и служить эволюции, но и *любить ее;* таким образом, они скоро смогут сказать непосредственно Богу, (и это будет звучать привычно и не будет стоить людям никаких усилий), что они любят Его не только от всего сердца и от всей души, но и "от всей Вселенной" [13].

При столкновении с его точными формулировками Божественных замыслов относительно человечества (все более и более личностное бытие, в котором все люди станут одним человеком), чувствуется, что Тейяру недостает уверенности. Создается впечатление, что он *слишком уж* настаивал на Плероме, на слиянии всех людей, на единении человечества, усиливающемся и совершенствующемся по мере того, как оно продвигается все ближе и ближе к конечной точке Омега, — как будто сам он был не совсем в этом всем уверен. Большую часть жизни, например, двадцать китайских лет, он провел в изоляции от современной ему мысли и научных открытий, и в дальнейшем, несмотря на постоянное общение с друзьями, его изоляция усугублялась еще и тем, что Ватикан отказался допустить к публикации его основные сочинения. Можно подумать, — и для таких мыслей есть множество причин, — будто идеи Тейяра о Плероме, где человечество наконец достигнет предельного совершенства, объединившись в конечной точке Омега, где погибает и воскресает Христос, едва ли имеют какое-то отношение к нашему миру. Но все же многие люди, в особенности католики, увидели в Тейяре источник мужества. И пусть по своим человеческим качествам он очень сильно отличался от Мертона, обоим им свойственны были большое воодушевление и духовные откровения; произведениям Тейяра, имеющим более выраженный мистический характер (таким как "Божественная среда", "Гимн Вселенной" и др.) свойственна та великая сила чувства, которой так не хватает сочинениям многих современных теологов и которая, быть может, так необходима рационалистическому Западу. Мастерски владея жанром поэтической прозы он сумел наполнить ее подлинной глубиной.

"...И вот, наверное, впервые в жизни (хотя считается, что медитировать надо ежедневно!) я взял лампу и, покинув зону повседневных занятий и отношений, где все казалось мне ясным, спустился в свое сокровенное "я", в ту глубокую пропасть, откуда, как я смутно чувствовал, исходит моя сила действия. Но чем дальше я уходил из безопасного мира условностей, коими одарена поверхность общественной жизни, тем яснее я сознавал, что теряю контакт с самим собой. На каждой ступеньке, ведущей вниз, внутри меня появлялся новый человек, который уже меня не слушался и имени которого я уже не знал. И когда я прервал исследование, — ибо тропинка исчезала с каждым моим шагом, — я обнаружил у себя под ногами бездонную пропасть, из которой, возникая неведомо откуда, исходил поток, который я дерзну назвать моей жизнью...

В этот момент я почувствовал (как почувствовал бы любой взявший на себя труд провести такой же духовный эксперимент) тоску, свойственную частичке, носимой во Вселенной, тоску, из-за которой воля многих людей ежедневно ломается под сокрушительным напором множества живых существ и звезд. Если что и спасло меня, так это голос Евангелия, безошибочно узнаваемый по своему чудотворному действию, который говорил мне из глубины ночи: "Ego sum, noli timere" ("Это Я, не бойся").

Да, о Боже, я верую в это; и верую по своей доброй воле, ибо это не только вопрос утешения, но и вопрос совершенства. Ты стоишь в начале толчка и в конце вечного влечения, я же всю свою жизнь только и могу что следовать этому влечению или благосклонно принять этот первый толчок и все, что за ним последует. Присутствуя во всем, Ты оживляешь для меня (в гораздо большей степени, чем мой дух оживляет одушевленную им плоть) мириады сил, постоянно воздействующих на меня. В жизни, ключ которой бьется во мне, и в материи, которая поддерживает меня, я нахожу не просто твои дары, я нахожу Тебя самого, и вижу, что Ты заставляешь меня стать участником Твоего бытия, творящего меня..." [14].

"Господи, чей зов предшествует самому первому нашему движению, — дай мне волю желать, чтобы вследствие той Божественной жажды, которую ты мне даруешь, внутри меня широко открылся доступ к великим водам. Не лишай меня священной любви к жизни, этой первичной энергии, самого первого из всяких наших начал: Spiritu principali confirma me. Ты, чья любящая мудрость сотворила меня из всех сил и страстей Земли, сделай так, чтобы я смог приступить к обозначению контуров жеста, полная сила которого откроется мне только в присутствии сил уничтожения и смерти; сделай так, чтобы, пожелав, я смог поверить и верил, пламенно и наперекор всему, в то, что ты есть и действуешь" [15].

АЛЕКСАНДР МЕНЬ (1935 – 1990)

Православный священник Александр Мень почти всю свою жизнь проработал на вторых должностях в деревенских храмах Подмосковья и практически не пользовался известностью за пределами своего прихода. Большинство его работ издавалось в Брюсселе под псевдонимом "М.Светлов". Такая скрытность имела свои причины: с одной стороны, любая религиозная деятельность, выходившая за рамки традиционного ритуала, вплоть до недавнего времени сурово преследовалась советскими властями; с другой стороны, ее не одобряло (и не одобряет до сих пор) само руководство православной церкви в силу своего консервативного и догматического подхода к вопросам религии. Даже после трагической гибели Меня глава православной церкви не преминул напомнить в своем соболезновании, что покойный "иногда высказывал суждения, которые без специального рассмотрения нельзя охарактеризовать как безусловно разделяемые всей Полнотой Церкви".

Известность пришла к Меню лишь в конце 80-х годов, незадолго до того как топор неизвестного убийцы оборвал его жизнь. Те, кто знал его лично, утверждают, что Мень находился в самом расцвете творческих сил; подобно Томасу Мертону, он погиб на середине пути, не использовав в полной мере всех своих творческих возможностей.

Александр Мень родился и вырос в образованной еврейской семье, но еще в младенчестве был окрещен а православную веру матерью — прихожанкой подпольной катакомбной церкви. "Мне счастливо удалось миновать... полосу поисков, — вспоминал он позднее, — так как я был рожден в православии не только формально, но и по существу. Семья наша издавна считала себя живущей под благословением о.Иоанна Кронштадтского. Мамина бабушка, которая еще нянчила меня, бывала у о.Иоанна, и он исцелил ее от тяжкой болезни. При этом

АЛЕКСАНДР МЕНЬ (1935 – 1990)

он отметил ее глубокую веру, хотя знал, что она не была христианкой, а исповедовала иудейскую религию... Мать моя с раннего детства прониклась верой во Христа и передала мне ее в те годы, когда вокруг эта вера была гонимой и казалась угасающей".

В 12 лет Мень пережил свою первую "особую встречу с Богом" — опыт живого религиозного откровения, который, как он утверждал впоследствии, непременно лежит в основе всякой подлинной религиозности. Именно эта "встреча" побудила его заняться согласованием Евангелий и исторических источников — работой, которая затем легла в основу его знаменитой книги "Сын Человеческий", повествующей о жизни Христа.

Однако ни в детстве, ни в юности Мень не помышлял о том, чтобы стать священником. Его привлекала зоология; окончив школу, он поступил учиться на охотоведа, но был исключен из института перед самыми выпускными экзаменами "за веру в церковность". Таким образом Меню волей-неволей пришлось избрать духовную карьеру, и он посвятил ей более тридцати лет своей жизни, сочетая традиционную деятельность священнослужителя с обширной научно-исследовательской работой.

Основным предметом исследований Меня было Святое Писание. В ходе работы над его текстами Мень постепенно стал одним из крупнейших специалистов по языку Библии и всем источникам, связанным со Священной Историей. Возникновение и становление библейских текстов, их богатое содержание, их влияние на развитие культуры, искусства, научного мышления — вот лишь некоторые темы научных работ Меня, крупнейшей из которых является семитомный "Словарь по библиологии", восстанавливающий историю изучения Библии и библейских тем в мировой философии.

В круг интересов Меня входили наследия и достижения иных, внебиблейских религиозных и культурных традиций: первобытные и архаические культуры, индуизм, буддизм, религиозные и эстетические традиции Древнего Востока, античности, научное и художественное наследие Нового и Новейшего времени, современная проблематика прав и свобод человека. Осмысление столь разнообразной тематики с точки зрения православного вероучения было делом достаточно сложным и, в определенной степени, первооткрывательским: ведь философия православия представляет собой достаточно жесткую систему метафизических и морально-нравственных воззрений, практически не изменившихся с начала XVIII века! Консервативная и пессимистическая позиция, которую занимает эта церковь в отношении современного мира, нашла отражение в творчестве Серафима Роуза; однако Александр Мень пришел к диаметрально противоположным выводам, во многом напоминающим прозрения Тейяра де Шардена.

Подобно Тейяру, Мень считал Христа энергетическим центром Вселенной, связующим звеном между мирами, целью и конечной точкой всего исторического процесса. По его мнению, Божественная любовь постоянно влечет к себе грешного и несовершенного человека, и именно конфликт между этим влечением и внутренним несовершенством каждого из нас формирует общий ход всемирной истории.

Метафизические воззрения Меня, несомненно, испытали определенное влияние со стороны гностицизма и каббалы. Он утверждал, что существует некая единая душа человечества, называемая Адамом, и все индивидуальные человеческие души суть отделившиеся частички этой единой души. Земная жизнь представляет собой один из этапов развития индивидуальной души; после смерти человеческая "личность не разрушается, разрушается в ней только зло. Но чем больше зла в личности, тем меньше от нее останется... Ибо все должно пройти через огонь. Естественно, речь идет об огне не физическом. Когда душа входит в атмосферу миров иных, в ней сгорает все темное, все злое, все черное и полнота бытия человека в посмертии в значительной степени зависит от того, сколько, выражаясь метафизически, останется после этого сгорания".

Таким образом, Мень считал человеческую личность связующим звеном между материальным и духовным миром. Подобно тому, как наше тело есть отражение материального бытия, *духовный* наш мир, в свою очередь, говорит о реальности духовного мышления. Через себя и в себе человек открывает *иное*, отличное от природы бытие. Наше духовное "Я" может стать для нас окном в мир вселенского Духа.

Физический план нашего мира несамодостаточен: при более внимательном рассмотрении мы легко обнаружим в нем проявления духовного начала, противостоящего хаосу и энтропии. Это силы Божественной регуляции, которые возвращаются в Бытие через внутренний мир человека, преодолевая отчужденность и эгоизм отдельных личностей. Проникая в ткань межчеловеческих отношений, эти силы заново восстанавливают разрушаемый мир в каждом новом поколении людей. Именно в этом, по мнению Меня, заключено основное содержание Библии; именно в этом он находил основной положительный смысл истории человечества и отдельных человеческих судеб.

При этом зло и грех рассматривались Менем как абсолютно реальные силы, паразитирующие на великом влечении человека к Богу. Он считал, что именно эти силы порождают в человеке эгоцентризм, который в ходе исторического процесса оборачивается всеобщим отчуждением, ненавистью и угнетенностью. Но то обстоятельство, что "мир во зле лежит", не дает христианину ни малейшего основания для самолюбования, спеси, для неразборчивого мироотрицания или пессимизма. В статье "Основы христианского мировоззрения", написанной в последние годы жизни, Мень утверждал, что христианин "...рассматривает все прекрасное, творческое, доброе, как принадлежащее Богу, как сокровенное действие благодати Христовой; считает, что зараженность той или иной сферы грехом не может служить поводом для ее отвержения. Напротив, борьба за утверждение Царства Божия должна вестись в средоточии жизни;

— сознает, что Евангелие "аскетично" не столько тенденцией бегства от мира, сколько духом самоотвержения, борьбой с "рабством плоти", признание господства непреходящих ценностей;

— видит возможность реализовать христианское призвание человека во всем: в молитве, в труде, созидании, действенном служении и нравственной дисциплине;

— не считает разум и науку врагами веры. Просвещенное духом веры знание углубляет наше представление о величии Творца".

"Могут ли религия и наука свободно развиваться, не препятствуя друг другу? — спрашивал он в другой своей работе. — Даже если наука окажется способной объять весь материальный мир, сфера материального останется для нее закрытой. Сфера науки — преимущественно сфера интеллекта. Но человек не может и не должен сужать себя до пределов только одной этой сферы. Таким образом, наука и религия — эти два пути познания реальности — должны не просто быть независимыми сферами, но в гармоническом сочетании способствовать общему движению человечества по пути к Истине".

Одна из тем, которые особенно занимали Меня как философа — это тема познания и связанные с ней непосредственно вопросы: типы познания, роль интуиции в познании, познание мира и идея Бога, что есть религиозный опыт человечества, и, наконец, важнейший из вопросов — что такое Божественное Откровение?

Отвечая на эти вопросы, Мень выделяет три уровня постижения: рациональное мышление (основанное на здравом смысле); отвлеченное (физико-математическое и философское) мышление и непосредственное интуитивное восприятие. Причем последний уровень он считал наиболее глубинным и полным восприятием реальности, которое превышает, хотя и не исключает все остальные уровни, ибо познание носит целостный характер, в котором тесно взаимосвязаны все три уровня постижения и "только в органическом сочетании непосредственного опыта, отвлеченного мышления и интуиции рождается высший интегральный тип познания. Он не ограничивается узкими рамками рассудка и способен подняться в сферу парадоксального, антиномичного. Он включает в себя все силы малого разума, как целое — части. Именно это позволяет ему простирать свой взгляд от видимых явлений природы до предельных граней бытия".

В любом из выделенных простых типов познания активна только одна воля — воля человека. Но когда человек включается в процесс познания сверхчувственного бытия, тогда в соприкосновение входят две активные воли — такой процесс предполагает Диалог. Собственно, в этом и заключается главное отличие человеческих открытий от Божественного Откровения.

Так, например, Божественное Откровение Израилю (Ветхий Завет) Мень считает не закономерным результатом эволюции религий, предшествовавших христианству, а "вторжением в историю Трансцендентного Бога", т.е. чудом. Но, с другой стороны, это не означало, что Откровение — односторонняя тирания воздействия на человека. В Откровении тайна Богочеловечества приоткрывается как "преломление небесного света в духе сынов Земли".

Важнейшим следствием Откровения оказывается то, что человек выходит из Встречи уже не таким, каким он в нее вступал. Что-то происходит и с самим человеком. "Откровение есть процесс, тесно связывающий того, кто познает, с Тем, Кто ему раскрывается".

Однако Мень убежден, что чудо Встречи человека с Богом — вовсе не уникальное событие. Рано или поздно оно происходит в жизни каждого человека, и поэтому всякий религиозный опыт имеет универсальный, общечеловеческий характер. Он утверждает, что не только святые, но и миллионы людей, имеющих чистое сердце и искренне любящих истину, способны к переживанию Божественного Откровения. Но для последних это переживание зачастую бывает подобно мгновенной вспышке молнии, за которой нередко наступает мрак, в то время как первые всем своим существом приобщаются к Божественной Жизни и сами становятся ее носителями.

"Религиозный опыт можно в самых общих чертах определить как переживание, связанное с чувством реального *присутствия* в нашей жизни, в бытии всех людей и всей Вселенной некоего Высшего Начала, которое направляет и делает осмысленным как существование Вселенной, так и наше собственное существование. Это ощущение дается в акте непосредственного "видения", исполненного такой же внутренней достоверности, какую имеет видение собственного "я". И только проходя через интеллектуальное осмысление, этот опыт, по существу своему невыразимый, кристаллизуется в понятия и символы".

Мень утверждал, что в каждой древней религии можно найти нечто вечное, актуальное в любую эпоху. Религия, — говорил он, — вносит в земную жизнь высший смысл, связывая ее с Непреходящим. И даже сама борьба против религии есть косвенное признание ее значения.

Считая любой религиозный опыт универсальной и непреходящей ценностью, Мень пришел к мысли о том, что между представителями различных вероисповеданий не только возможен, но и необходим полноценный диалог. Глубоко изучив все мировые религии, он увидел, что историческое многообразие религий отражает различные фазы и уровни Богопознания, а общим звеном между ними является само единство человеческой природы, а также родственность переживаний, которые вызывают у человека чувство Высшего и мысль о Нем. Он был уверен, что для тех, у кого есть настоящий диалог с Небом, обязательно найдутся общие темы и на Земле, ибо "благословение, подлинное ядро религий, роднит между собой даже язычника и последователя высших мировых религий".

Всю мировую историю религий Мень понимал не как "скопище заблуждений", а как потоки рек и ручьев, несущих свои воды в океан Нового Завета, ибо он был убежден, что постижение божественной реальности осуществляется постепенно, в строгом соответствии с готовностью человека к мистической встрече. Несмотря на то, что религиозный путь человечества был сложным и извилистым, в конечном итоге он всегда был устремлен к свету Богочеловека, и длительный всемирно-исторический процесс религиозных исканий человечества завершился в *христианстве*.

Доказывая это положение, Мень отмечал, что большинство дохристианских религий рассматривают человека как частицу Бога, не осознающую свою божественную сущность. В христианстве же человек — не частица Бога, а его творение. "Созданный Богом человек не частица, не излияние, а новая воля, противостоящая Ему, причем свободная, способная восстать против своего Создателя и противиться

Ему, а если прийти к Нему, то свободно. Спасение без свободы не может осуществиться". Созданный по образу Творца, человек является его подобием и в главной своей способности — способности творить.

"Есть некая гармония между нами и природой, но не полная и не всегда она со знаком плюс. И не всегда наши внедрения в природу — злы. Человеку не дано безнаказанно отступать на природный уровень. Он в чем-то ее уже превзошел. Она внеэтична, чего не может себе позволить человек.

В наших "детищах" мало красоты, но в них есть цели и воля человека. Поезда — чудовища, ибо они несовершенная ступень. Ведь и вымершие ящеры были чудовищами. А в том, что человек создает, есть уже много прекрасного... Мы, конечно, соавторы Творца. Но соавторы, столь же ниже стоящие, насколько наша природа элементарней. В твореньях соединены мудрость и эстетика. У людей это пока плохо получается. Но вся природа — это лишь поток, который стремился обрести самосознание в человеке. Мы корнями — в ней, но духом уже поднимаемся в другие сферы.

Поэтому не поддавайтесь мыслям вроде: стоит ли вообще что-то делать. Это искушение. Мы созданы для труда, отдачи и созидания. Это в нас от Творца. Мы меряемся тем, что мы отдаем".

Другая важнейшая тема работ Меня — тема эволюционного развития. Будучи последовательным эволюционистом, он не видел противоречия между Божественным Откровением, запечатленным в первой главе Книги Бытия, и данными науки. "Откровение говорит нам о сущности и направленности процесса, а наука пытается уяснить его конкретное содержание".

Нужно отметить, что в этом вопросе Мень тоже стоял на позициях весьма близких к Тейяру де Шардену, хотя его точка зрения сформировалась абсолютно независимо от последнего. Но, в отличии от Тейяра, Мень всегда последовательно отстаивал церковное учение о грехопадении и Спасении. Он писал, что "у Тейяра де Шардена, если не по форме, то по существу, как-то теряется проблема искаженности человеческой природы. Она оказывается в стороне от его основной интуиции, и это ослабляет его учение, отрывает его от реальной действительности".

Мень считал, что суть грехопадения заключается в искаженности человеческого мировосприятия, в стремлении человека "стать как Бог", "овладеть силами божества, поставить их себе на службу". Этот первородный грех стал источником *магии*, основой магического богопротивления, ибо главный двигатель магии — самость, извечный антипод любви.

На этом представлении о *магизме* как основной силе, противостоящей религиозному мировоззрению, стоит остановиться подробнее. Согласно воззрениям Меня, *магизм* лежит у истоков коллективного, родового сознания, связанного с подавлением личности коллективом, которое само по себе глубоко антагонистично христианскому учению о человеке. "Коллектив, подчиненный воле царя-мага, заставляет личность раствориться среди племенного целого, ибо властителям

легче управлять массами, нежели личностями". Результат этого
оказывается трагичным: коллективное магическое сознание давит на
народы, "парализует творческую активность и религиозный гений
человечества, тормозит движение культуры".

С другой стороны, он утверждал, что "грехопадение не смогло
уничтожить образ Божий в человеке", но что со временем "Бог снова
начинает возвращаться в его сознание и, в конце концов, отзвуки
первоначальной интуиции Единого и новые духовные поиски приведут
к великим мировым религиям и к восстанию против тирании магизма".
А те религии, в свою очередь, стали прелюдией к Новому Завету,
который открыл миру Сущее в лице Богочеловека.

Всецело поддерживая идею отцов христианской церкви о том, что
каждому человеку исконно присуще некое "чувство Бога", Мень
рассматривал многие уродливые явления новейшей истории как извращения этого святого чувства. Атеистическими суррогатами религии он
называл культы Сталина, Мао и Гитлера, идеологию большевизма и
нацизма и даже веру в построение коммунистического общества —
своего рода Царство Божие на Земле. Однако сам по себе массовый
атеизм, — утверждал Мень, — не имеет глубоких исторических
корней и поэтому не может представлять серьезной опасности для
Церкви. Напротив, он позволяет Церкви очиститься от тех "язычни-
ков", которые прежде вынуждены были в угоду обществу называть
себя христианами, не будучи таковыми на самом деле.

Но из этого вовсе не следует, что в эпоху массового атеизма
Церковь должна стать тайным хранилищем Истины, закрытой организацией для немногих посвященных. Не ограждаться от погрязшего
в грехах и обреченного мира, а идти к миру с действенной проповедью
Христовой — таково было жизненное кредо Александра Меня,
оставившего по себе добрую память во многих селах Подмосковья.
Современники вспоминают о нем как о человеке, который умел
сочетать в себе преданность весьма консервативным религиозным
принципам православия с большой внутренней раскованностью и
отзывчивостью ко всем достижениям современной науки. Однако при
этом он считал себя прежде всего священником, а не ученым, понимая,
что суть служения ученого — в отыскании нового общезначимого
знания, суть же служения священника — в отыскании сокровенных
людских путей к святыне.

"Вера, — говорил он, — меньше всего есть бегство от жизни,
замыкание в мире грез. Она есть сила, связующая миры, мост между
тварным духом и Духом Божественным. И укрепленный этой связью
человек оказывается активным соучастником мирового созидания".

ОТЕЦ СЕРАФИМ (РОУЗ) (1934 – 1982)

"Сознательный православный христианин понимает, что он живет
в мире, который совершенно очевидно пал. И земля внизу, и звезды
наверху — все одинаково далеко от потерянного рая, которого он

ОТЕЦ СЕРАФИМ (РОУЗ) (1934 – 1982)

взыскует. Он чувствует себя частью страждущего человечества, происходящего от единого предка Адама, первого человека; он знает, что все люди одинаково нуждаются в искуплении, которое обильно даруется человеку Самим Сыном Божиим через Его спасительную Жертву на Кресте. Он знает, что человеку не предначертано развиться в нечто "высшее" и что нет ни малейшего смысла верить в существование "высокоразвитых" существ на других планетах. Но он, разумеется, знает, что, кроме него самого, во вселенной есть "высшие разумы", и они двух родов; он стремится жить так, чтобы пребывать с теми из них, которые служат Богу (ангелами) и избегать какого-либо контакта с другими, которые отвергли Бога и стремятся в зависти и злобе вовлечь в свое нечестие и человека (демонами). Он понимает, что человек в самолюбии своем и немощи может легко впасть в ошибку, поскольку склонен верить в волшебные сказки, сулящие достижение "высшего состояния" или контакт с "высшими существами" без трудов христианской жизни — что фактически является бегством от этих трудов. Он не доверяет своей способности отличать бесовские обольщения и поэтому крепко держится за руководящие нити Св. Писания и святоотеческого учения, которыми снабдила его на всю жизнь Церковь Христова" [1].

В середине 1970-х, когда волна увлечения "новыми религиями", достигнув своего апогея, постепенно пошла на спад, издательство православного "Братства св. Германа Аляскинского" (Калифорния) выпустило в свет небольшую книжку "Православие и религия будущего". Голос ее автора, иеромонаха Серафима, резко выделялся в общем хоре "духовной" публицистики тех лет. Его жесткий и бескомпромиссный тон, упрямая приверженность духу христианской догматики и непреклонное стремление называть все вещи своими именами прозвучали резким диссонансом среди призывов к единению всех религий мира и "более широких" трактовок вопроса о Боге и духовных ценностях. Отец Серафим напоминал православным христианам о том, что католичество и протестантство находятся вне Истинной Церкви; что так называемый "экуменизм" (популярное движение за объединение всех церквей мира) — влиятельнейшая и вреднейшая ересь XX века, и что нехристианские религии ни в коей мере не могут служить источником духовности для христианина. Близки "последние времена", — предостерегал он, — и все "новые религии" суть ничто иное как эскизы грядущей "религии будущего", т.е. предсказанного в Откровении Иоанна поклонения Антихристу.

О.Серафим (в миру Юджин Роуз) "переболел" восточными религиями еще задолго до того, как они вошли в моду на Западе. Выходец из протестантской семьи, он уже в ранней юности обратился к опыту иных религий, стремясь найти в них ту вечную Истину, которая, по его мнению, отсутствовала в протестантском вероучении. Сведения об этом периоде его жизни довольно скудны, однако по его работам можно судить о том, что он довольно тщательно изучил практический опыт йоги и спиритизма, был знаком с учениями веданты (в изложении Вивекананды) и различных школ буддизма. Врожденная способность к языкам позволила ему ознакомиться с оригинальными текстами Пятикнижия и Вед; кроме того, он основательно проработал канонические тексты конфуцианства и получил степень магистра за филологическую работу о мандаринском наречии китайского языка.

Однако с блестящей карьерой ученого-филолога было раз и навсегда покончено в 1961 г., когда Юджин Роуз встретился с учеником Джорданвильской православной семинарии Глебом Подмошенским, преподавшим ему основы учения восточных христиан. С тех пор его духовные искания приобрели строго определенное направление; под руководством архиепископа Сан-Францисского он изучал труды отцов православной церкви, и в 1963 г. стал одним из основателей Братства св.Германа, проводившего активную миссионерскую работу среди молодых американцев. Одним из итогов этой работы стало строительство монастыря св.Германа Аляскинского в лесах Северной Калифорнии. С конца шестидесятых годов Роуз жил здесь безвыездно.

Средневековый уклад уединенного монастыря, где не было даже таких элементарных удобств как электричество, водопровод и телефонная связь, как нельзя лучше соответствовал новым умонастроениям Роуза. Читая его работы, трудно отделаться от впечатления, что их писал какой-нибудь деятель Контрреформации, чудом заброшенный в XX век. Он рисует мрачную картину мира, всецело находящегося во власти дьявольских искушений и стоящего на пороге ужасной гибели. Только догматы православной церкви, — утверждает он, — помогут нам отличить истинные духовные ценности от ложных; все же прочие религии лишь собьют нас с пути.

Однако — и в этом, по мнению о.Серафима, заключается основная ошибка современного человечества — всевозможные еретические и откровенно демонические влияния уже полностью вытеснили дух христианской догматики в католичестве и протестантстве. Наиболее зловещую роль здесь сыграли индуизм и веданта.

"Если бы христиан уговорили отбросить или (тактически умнее) изменить свои догматы, приспособив их к требованиям более современного, или "универсального" христианства, то это было бы равноценно потере всего, ибо все, что есть ценного в христианстве или индуизме, содержится непосредственно в их догмах. *Но индуистские догматы есть прямое отрицание христианских догматов. И это приводит нас к неожиданному выводу: то, что христиане считают злом, индусы считают благом; и наоборот, то, что христиане считают благом, индусы считают злом.*

Здесь как раз и ведется основная борьба: то, что христиане считают окончательным грехопадением, индусы признают абсолютной реализацией добра. Христиане всегда смотрели на гордыню как на величайший грех, источник прочих грехов; Люцифер — ее полное воплощение — говорит: "Взойду на небо, выше звезд Божиих вознесу престол мой... взойду на высоты облачные, буду подобен Всевышнему" (Ис. 14, 13-14). На другом же уровне гордыня способна даже добродетели человека превратить в грехи. Но для индусов... единственный грех — не веровать в себя и в человечество как в самого Бога. Как говорил

Свами Вивекананда: "...Мы, индусы, в конечном счете человекопоклонники! Человек — вот наш Бог!" На этом построена вся доктрина мукти, или спасения: "Человек призван стать Божеством, постигая свою божественность" [2].

Индуизм извращает учение о первородном грехе, подменяя его теорией первородной божественности каждого человека. Индуизм фактически отрицает ад и не придает никакого значения страданию, считая его не более чем иллюзией. "В отношении другого очень важного аспекта индуизм также разработал очень респектабельное учение. Имеется в виду учение, согласно которому человек сам может достичь совершенства с помощью воспитания (индуизм подразумевает под воспитанием систему гуру) и путем "эволюции" (под эволюцией подразумевается постоянное духовное совершенствование человека). ...По их рассуждениям, нет ничего неестественного в том, что различные нации и народы поклоняются Богу по-разному. Бог, в конце концов, един, а разнообразие поклонения ему способствует общему религиозному "взаимоообогащению" [3].

Большинство нынешних христианин не находит в этих утверждениях ничего предосудительного, и это (утверждает о.Серафим) лишний раз свидетельствует о том, что "подрывная работа" индусских проповедников наконец увенчалась успехом. Начиная с 1893г., когда Вивекананда выступил в Парламенте религий, они постепенно и настойчиво внедряли в умы христиан мысль о том, что между индуизмом и христианством нет никаких противоречий. Конечным итогом их деятельности является общепринятое в католической церкви учение Тейяра де Шардена. "Идеи Тейяра, — пишет о.Серафим, — являются более или менее прямыми заимствованиями из веданты и тантры, переведенными на псевдохристианский жаргон и густо подкрашенными идеями эволюционизма". "Новое христианство" Тейяра фактически удовлетворяет всем требованиям Вивекананды: оно строго научно; в его основе лежит принцип эволюции, "совершенно сознательно отвергнутый христианской церковью"; оно основано на безличных "вечных принципах" и фактически не испытывает потребности в личности Иисуса Христа. "Новое христианство" стремится удовлетворять духовные потребности верующих и, наконец, направляет все человечество к единой цели — некоей "точке Омега", которая есть ничто иное как индусский "Ом".

Еще одним следствием тлетворного влияния веданты о.Серафим называет экуменическую "ересь", овладевшую умами значительной части западного духовенства. Экуменисты утверждают, что духовный опыт един, а вероисповедание — это всего лишь способ его формального истолкования. Равноправный диалог между представителями разных религий — вот их ключевая идея; они организуют межконфессиональные встречи священнослужителей, где обсуждаются вопросы грядущего единения всех религий мира.

Сознаюсь, что я всегда считала и до сих пор считаю экуменизм прогрессивной тенденцией в развитии христианства. Однако работы о.Серафима заставили меня на мгновение устыдиться своего "недальновидного" подхода к этому вопросу. "Нет!" — восклицает о.Серафим.

Православный монастырь Св. Троицы (Греция).

— Ни в малейшей степени не походит наш Бог на бога нехристиан! Ведь познание Отца возможно только через Сына: "Видевший Меня видел Отца" (Ин. 14, 9); "никто не приходит к Отцу, как только через Меня" (Ин. 14, 6). Наш Бог — воплотившийся! Его "видели своими очами... и... осязали руки наши" (1Ин. 1, 1); "Невещественное стало вещественным, и Он открыл Себя нам", — говорил св.Иоанн Дамаскин. Но разве открыл Он Себя нынешним иудеям и мусульманам, на каком основании можем мы предположить, что они знают Бога? Если же они познали Бога помимо Иисуса Христа, то воплощение, смерть и воскресение Христа были напрасны! И если мы, христиане, представим, что у нехристиан есть знание истинного Бога, мы тем самым отречемся от Христа и сами станем нехристианами.

Нет, они не знают Отца. У них есть представление о Боге, но всякое представление о Боге есть идол, потому что представление — всего лишь продукт нашего воображения, сотворение Бога по нашему образу и подобию. Для нас, христиан, Бог, по словам св.Василия Великого, "непостижимый, непредставимый, неописуемый и нематериальный". Для нашего спасения Он стал (в меру нашего единения с Ним) доступным пониманию, описанию и принял естество в Таинстве воплощения Своего Сына. Слава Ему во веки веков. Аминь. И вот почему св.Киприан Карфагенский сказал: "Кому Церковь не мать, тому Бог — не Отец!" [4].

Но наиболее опасное следствие тлетворного влияния восточных религий, по мнению о.Серафима, заключается в том, что они побуждают христианина искать "непосредственного духовного опыта". Когда же человек, лишенный руководства истинной Церкви, бросается в омут мистических исканий, он становится легкой добычей коварных и хитроумных демонов. "Там, где *опыт* берет верх над учением, — утверждает он, — обычные меры защиты христиан против злобы и коварства падших ангелов устраняются или нейтрализуются, а пассивность и "открытость", столь характерные для новых культов, буквально открывают человека действию демонов. Исследование опытов многих "культов сознания" обнаруживает, что регулярные занятия по их методикам приводят вначале к переживаниям, которые кажутся "добрыми" или "нейтральными", затем эти переживания становятся странными или пугающими и в конце концов — определенно демоническими..." [5].

Современные материалисты и атеисты неспособны распознать демона, даже если тот является к ним в своем традиционном обличье. Чаще всего таких демонов считают... пришельцами с далеких планет. И действительно, читая о том, как демоны искушали святых, мы с удивлением замечаем, что эти эпизоды во многом напоминают современные рассказы о визитах инопланетян. Из этого сходства можно сделать два вывода: либо демоны, искушавшие святых, были инопланетянами — либо нынешние инопланетяне являются демонами!

О.Серафим убежден в демонической природе НЛО. "Послание" НЛО, — утверждает он, — заключается в подготовке пути Антихристу; "спаситель" отступнического мира должен прийти, чтобы править ими. Возможно, он сам придет по воздуху, чтобы полнее уподобиться Христу; возможно, что "пришельцы из космоса" приземлятся публично, чтобы совершить "космическое" поклонение своему властелину; быть может, "огонь с неба" (Апок. 13, 13) будет частью грандиозных бесовских зрелищ последних времен. Так или иначе, послание современному человеку таково: ждите избавления, но не через христианское откровение и веру в невидимого Бога, а от пришельцев с неба" [6].

Однако такая форма явления бесов сравнительно безобидна для христианина, поскольку он легко может распознать их в этом облике. Чтобы обольщать христиан, коварные бесы часто являются им в облике Ангелов Света, иногда даже надевая на себя личину самого Иисуса Христа. По мнению о.Серафима, именно такого рода обольщению наиболее подвержено так называемое "харизматическое" христианство, приверженцы которого стремятся, уподобившись св. апостолам, испытать на себе нисхождение Святого Духа.

Первым объединением "харизматических" христиан о.Серафим называет американскую секту пятидесятников, возникшую в начале

XX века. Именно они впервые стали применять так называемое "крещение Святым Духом" — экстатический ритуал, во время которого на особо достойных людей якобы нисходит благодать, и, подобно апостолам во время праздника Пятидесятницы, они обретают способность проповедовать и пророчествовать на иных языках. Постепенно этот ритуал стали применять некоторые католики и протестанты. К концу шестидесятых годов в их среде сформировалось единое "движение харизматического возрождения", которое проникло даже в такую относительно консервативную организацию, как Греческая Православная Церковь.

О.Серафим считает, что *глоссолалия* (так называется это явление) действительно свидетельствует о том, что человек одержим неким духом; но дух этот никоим образом не может быть Святым Духом. Его доводы необыкновенно просты: "Доступна ли Благодать любой группе людей, которые, возможно, и веруют каким-то образом в Христа, но не просвещены Святыми Таинствами, учрежденными Христом, и не имеют общения со св. апостолами и их преемниками, которым Он поручил соблюдать эти Таинства? Нет, сегодня, как и в первый век христианства, точно известно, что *дары Святого Духа не открываются тем, кто пребывает вне* [православной] *Церкви*" [7]. Православным же христианам "харизматическое возрождение" не подходит по той причине, что оно возникло вне православия и имеет ярко выраженный экуменический характер.

"Харизматик", проповедующий и пророчествующий на иных языках, уподобляется не апостолу, а шаману или медиуму, т. е. посреднику между миром людей и миром духов. И эти духи — утверждает о.Серафим — в действительности являются обычными бесами, принявшими более благообразный облик.

"Существуют две основных формы *прелести*, или духовного обольщения, — пишет о.Серафим. — Первая и наиболее эффективная форма связана с тем, что человек стремится к высокому духовному состоянию или к духовным видениям, не очистив сердце от страстей и полагаясь лишь на собственное суждение. Таким людям диавол посылает великие "видения". Множество примеров подобного рода можно найти в житиях святых...

Но более распространена другая, не столь эффектная форма духовного обольщения, при которой жертвы обольщаются не грандиозными виденьями, а экзальтацией религиозного чувства. Как пишет еп.Игнатий Брянчанинов [русский богослов XIX в., наиболее часто цитируемый о.Серафимом]., это происходит, если "исполнены... гордости и безрассудства желание и стремление сердца насладиться ощущениями святыми, духовными, Божественными, когда оно еще вовсе не способно для таких наслаждений..." [8]. Именно этому обольщению, по мнению о.Серафима, наиболее подвержены "харизматики" и прочие экстатические христианские секты.

Демонические обольщения сопровождают каждого христианина от рождения до самой смерти. Анализируя нашумевшую книгу Р.Моуди "Жизнь после жизни", о.Серафим доказывает, что многие из видений, переживаемых в состоянии клинической смерти, тоже имеют демоническое происхождение. В частности, "светящееся существо", часто являющееся в этих видениях, описано в следующих стихах Нового Завета: "...сам сатана принимает вид Ангела света, а потому не великое дело, если и служители его принимают вид служителей правды..." (2Кор. 11, 14-15). То же самое — считает о.Серафим — можно сказать и о тех случаях, когда в предсмертных видениях является сам Иисус Христос или предстают картины рая.

"Тот, кто знаком с православным учением, непременно удивится и ужаснется той легкости, с какою современные "христиане" доверяют все более распространенным видениям и явлениям. Откуда такая доверчивость, понятно: католичество и протестантство, многие века оторванные от православного учения и практики духовной жизни, потеряли всякую способность к ясному различению духов. У них уже совершенно нет самого христианского свойства — недоверия к собственным "добрым" мыслям и чувствам. Вот почему "духовный опыт" и явления духов сегодня, быть может, встречаются чаще, чем в какое-либо другое время христианской эры, а легковерное человечество готово поверить, что наступил "новый век" духовных чудес или "новое излияние Духа Святого", чтобы все это объяснить. Человечество так обнищало духовно, что, даже готовясь к веку бесовских "чудес", продолжает считать себя "христианским", и это — знамение последних времен" [9].

В том, что "последние времена" уже не за горами, о.Серафим не сомневался ни на мгновение. "Сейчас уже позже, чем вам кажется", — отвечал он тем, кто спрашивал его о сроках их наступления. Некоторые его высказывания позволяют предположить, что пришествие Антихриста ожидалось им уже в восьмидесятые годы. "Мы имеем право утверждать, — писал он, — что время Антихриста и в самом деле близко, хотя бы уже потому, что сатанинская жатва совершается ныне не только среди языческих народов, не слыхавших о Христе, но даже среди христиан, которые утратили спасительную силу христианства. Это воистину проявление природы Антихриста: диавольское царство выдать за царство Христа. И "новое религиозное сознание", и входящие в него сегодняшнее "харизматическое" движение и "христианская медитация" — все это предшественники *религии будущего, религии последнего человечества, религии Антихриста*, и главная их "духовная" функция — сделать для христиан приемлемым демоническое посвящение, прежде существовавшее только в рамках языческого мира. И пусть все эти "религиозные эксперименты" пока еще имеют прикидочный, неустоявшийся характер, ...не сомневайтесь: тот, кто успешно "медитирует или полагает, что получил "крещение Святым Духом", на самом деле принял посвящение в царство сатаны" [10].

Православие виделось о.Серафиму единственным "фильтром", способным отделить Божественное от демонического. Он был уверен, что только тот, кто в полной мере следует учению отцов православной церкви, способен на самом деле общаться с ангелами и уберечься от бесовских искушений. Однако "духовный опыт" при этом не должен быть самоцелью: молитва и пост, покаяние и искупление грехов практикуются не ради успокоения души и не ради просветления, а ради духовного спасения, которое должно быть основной целью каждого христианина. Плотская жизнь дается нам для того, чтобы испытать нашу добродетель; а по ее завершении те немногие, кто сумел пройти это испытание, обретут вечное блаженство в раю. Все же прочие, в том числе и все представители неправославных христианских церквей, обречены на вечные муки в аду.

Сам о.Серафим избрал для себя трудный путь аскетического подвижничества: жизнь вдали от "растленного" мира, в тесной келье два на три метра, частые и продолжительные посты, молитвенные бдения и тяжелый физический труд не лучшим образом сказались на его здоровье. Он умер в сорок восемь лет, так и не узнав, сбылись ли его апокалиптические ожидания. Его критика не принесла ни малейшего вреда той "новой духовности", которую он критиковал; однако его работы существенно повлияли на современное православие и, в частности, на русскую православную церковь восьмидесятых годов.

В заключение мне хочется высказать свою точку зрения на деятельность и идеи о.Серафима. На мой взгляд, этот человек обладал незаурядным аналитическим и проповедническим талантом; его мрачные пророчества действительно оказывают сильное впечатление — но отнюдь не убеждают. Табак, алкоголь и наркотики приносят явный и ощутимый вред; но, даже осознав их вредоносность, современный христианин все равно продолжает их употреблять. Вечные муки ада, угрожающие христианам-отступникам, не столь явны и не столь ощутимы при жизни; и эта призрачная угроза тем более неспособна наставить их на путь истинный. С другой стороны, мало кто из нас способен поверить в то, что Бог, обрекающий на вечные муки девяносто процентов христианского человечества, действительно является милосердным и всепрощающим *христианским* Богом. И наконец, даже искренне уверовав в такого Бога, человек вряд ли изменится к лучшему: он либо будет жить в постоянном страхе перед возмездием, либо, возомнив себя одним из немногих спасенных, преисполнится той самой гордыни, от которой предостерегал нас о.Серафим (и которой, похоже, отчасти не избежал и он сам).

МАТЬ ТЕРЕЗА (1910–1997)

Господи Боже, да исполнимся мы достоинства служить братьям нашим, людям всего мира, живущим и умирающим в голоде и нищете.

Дай же им, Господи, хлеб их насущный из наших рук, и любовь Свою из наших душ, дай им радость и мир.

Господи Боже, да буду я руслом благодати Твоей, дабы всем ненавидящим принесла я любовь, всем избравшим неверный путь — прощение, всем разладившимся — гармонию, всем заблуждающимся — истину, всем сомневающимся — веру, всем отчаявшимся — надежду, всем затмившимся — свет, всем впавшим в уныние — радость.

Господи Боже, да почту я благо ближнего своего превыше моего собственного. Да буду я трудиться понять его, а не искать у него

МАТЬ ТЕРЕЗА (1910–1997)

понимания; да буду я трудиться любить его, а не искать у него любви. Ибо только самозабвенные обретут, только простившие прощены будут, только умершие воскреснут для жизни вечной.

Аминь. (Ежедневная молитва Матери Терезы и "миссионерок Милосердия").

Милосердие для всех: отдать свое тело, разум и сердце Богу, проявленному в бродяге, который что-то бормочет себе под нос, сидя на скамейке в парке — или в пьянице, блюющему на перекрестке. Далеко не всем мистикам и мудрецам свойственна такая позиция. Но мать Тереза, никому ничего не объясняя, живет и действует всецело отдаваясь Богу. Что же побуждает ее к этому?

Ее ответ ясен и недвусмыслен. Это Иисус, вечно живущий в сердце каждого человека; это ему служит она вместе со своими сестрами. Лейтмотивом ее учения и ее работы всегда были Его слова: "Так как вы сделали это одному из братьев Моих меньших, то сделали Мне". Она считает каждого человека Иисусом. Каждый осиротевший или брошенный ребенок, или даже полусгнивший прокаженный, — это Воплощение Господа; это Тот, Кому она предана:

"И вот мы прикасаемся к Его телу. Вот голодный Христос, и мы его кормим; вот раздетый Христос, и мы его одеваем; вот бездомный Христос, и мы даем ему кров. Но не тот голод, что утоляется хлебом, не та нагота, которую скрывает одежда; не та бездомность, от которой спасает кирпичный дом. Ибо Христос ныне голоден и в наших бедняках, и в наших богачах; ибо все хотят быть любимы, все хотят быть желанны, все хотят быть услышаны.

И сегодня, как прежде, Иисус приходит к своим, и свои его не принимают. Он приходит в сгнившие тела бедняков; он приходит и в богачей, задыхающихся со своим богатством — сколь одиноки они в сердце своем, и никто их не любит на свете! В них он приходит к тебе и ко мне. И часто, очень часто мы не замечаем его.

Я все время прошу людей, чтобы они приходили умирать в наш Дом. В Калькутте у нас есть много места, и за двадцать один год мы собрали с улиц более двадцати семи тысяч человек. И я зову этих людей не для того, чтобы они мне что-то принесли — я и без них всегда получаю то, о чем прошу. Мне нужно их присутствие, нужно соприкоснуться с ними, нужно улыбнуться им, просто быть рядом с ними — ведь это так много значит для наших людей" [2].

Еще совсем молодой девушкой мать Тереза начала осознавать свое призвание. Ее звали Агнессой Гонджа Бояджиу; она была дочерью бакалейщика-албанца и жила в югославском городе Скопье. Она провела счастливое детство в теплой и доброжелательной атмосфере своей семьи, но уже в этот беззаботный период жизни в ней начало проявляться необыкновенное *постижение* Бога, и к двенадцати годам она уже знала, что каким-то образом должна будет посвятить свою жизнь Богу в форме служения бедным. Но она не собиралась становиться монахиней. С двенадцати до восемнадцати лет она от всей души протестовала против этого религиозного пути. В восемнадцать лет она решила, что настала пора покинуть родной дом, и вступила в миссионерский орден "Лоретских сестер". С тех пор она уже ни в чем не сомневалась.

Прожив некоторое время в Дублине, она приступила к послушничеству в Индии. Свой первый обет она принесла в 1931г. в Лорето, и двадцать лет подряд, с 1929 по 1948, преподавала географию в калькуттском институте св.Марии. За это время она стала директором института, возглавила индийский орден "Дочерей св.Анны", и он присоединился к "Лоретским сестрам". Она была очень счастлива. Она любила преподавание и всю атмосферу высшей школы и, несомненно, была идеальным директором.

Но однажды, уже в зрелом возрасте, она бросила все, покинула институт и радикально изменила свой образ жизни.

Это случилось, когда Тереза ехала в Дарджилинг с ежегодным отчетом. В поезде она услышала "призыв" оставить свою работу и должность и последовать за Иисусом в трущобы, чтобы служить ему через беднейших из бедных. Этот "призыв" прозвучал чрезвычайно отчетливо, и она приняла его без малейших колебаний.

Она написала письмо лично папе Пию XII и получила от него разрешение покинуть свой монастырь. После этого она отправилась к "лоретским сестрам" в Патну, чтобы получить некоторое медицинское образование. Через четыре месяца она вернулась в Калькутту; весь ее "капитал" состоял из пяти рупий. Одна семья, жившая в трущобах, отдала ей свой двор под школу, и она начала собирать сюда уличных детей. Постепенно пошли слухи, и люди стали приносить ей деньги, продовольствие и подарки. К ней пожелали присоединиться и другие "сестры", в том числе и девушки, которые учились у нее в институте. Доктора и медицинские сестры предложили ей добровольную помощь. В 1965г. она открыла первый дом для умирающих, названный "Домом для умирающих бедняков".

Калькутта — город невероятной нищеты. Многие умирают здесь от голода и болезней, и на улицах бедных кварталов можно увидеть множество брошенных мертвецов и умирающих. Первая женщина, которую подобрала мать Тереза, была объедена крысами и муравьями, но еще жива. В больнице ее приняли лишь по настоянию матери Терезы, которая заявила, что не бросит ее до тех пор пока она не умрет.

Она попросила муниципалитет выделить ей место, куда можно свозить умирающих. Ей дали пустой храм, посвященный индусской богине Кали, символизирующей Вселенскую Мать, подательницу жизни и смерти. Никакие христианские предубеждения не помешали матери Терезе с чистосердечной благодарностью принять этот храм. Напротив, ее особенно радовал тот факт, что он будет использоваться как место почитания Бога. За двадцать четыре часа она наполнила его пациентами; все они были бедняками, и большинство из них находилось при смерти. Из многих тысяч людей, найденных сестрами начиная с этого дня, умерло около половины.

Но не стоит заносить мать Терезу в категорию активных благотворителей. Она занимается не обычной благотворительностью, которая бывает связана с социальным благосостоянием и зачастую проистекает из убеждения, будто самое важное — это материальная помощь. Многие филантропы могут быть шокированы отношением матери Терезы к умирающим: хотя "сестры" и делают все, что в их силах, мать Тереза никоим образом не пытается продлить им жизнь. Ее единственная цель заключается в том, чтобы окружить умирающего бедняка любовью и удобствами, чтобы он знал, что о нем не забыли, что он нужен и все о нем заботятся.

Но прежде всего мать Тереза стремится дать им понять, что они близки к Богу и их положение достойно радости. Она говорит, что если бы "сестры" работали эффективно, но не давали людям радости, эти люди никогда бы не приблизились к принятию Бога, — а именно этого ожидает она от них. Им необходимо видеть радостных и счастливых "сестер", необходимо чувствовать, что "сестры" любят их такими, как они есть, и что эта любовь исходит от Бога. Только тогда они смогут умереть без внутреннего сопротивления и с достоинством.

Некоторым образом гуманность матери Терезы напоминает гуманность дона Хуана, "видящего" индейца-яки. Как-то раз он рассказал Кастанеде, что, когда ему было семь лет, мексиканцы убили его родителей у него на глазах. Но его огорчила не столько эта ужасная смерть, сколько тот факт, что они умерли как бедные индейцы. "Они жили как индейцы и умерли как индейцы, и никто не знал, что прежде всего они были людьми".

Мать Тереза по своему поняла бы его сожаление. Она знает о близости Бога к человеку и о том, что знание о присутствии Бога наполняет людей сознанием своего человеческого достоинства. Такие люди уже не считают себя обездоленными и никому не нужными:

"Как-то раз к нам принесли одного человека. Он вопил и стонал; он не хотел умирать. Его позвоночник был сломан в трех местах, все его тело было покрыто жуткими ранами. Его мучения были ужасны. Но он не хотел видеть Сестер. Он не хотел умирать.

Ему давали огромные дозы морфина и любви; ему рассказывали о страданиях Того, Кто любил его больше всех на свете.

Постепенно он начал слушать и принимать любовь. В последний день он отказался от морфина, потому что захотел объединиться с Тем, Кто его спас" [3].

Мать Тереза говорит, что самое худшее состояние — это быть никому не нужным. Современная медицина имеет лекарства от большинства болезней. Но только любовью можно вылечить чудовищную болезнь ненужности и заброшенности. В Калькутте мать Тереза спасает не только умирающих, но и брошенных младенцев. Некоторых младенцев Сестры приносят из больниц, некоторых — из тюрем, некоторых — из полицейских участков. До сих пор они не отказались ни от одного ребенка. Каждого из них они любят. Всех детей они считают воплощением Христа, — и больных, и опухших от голода, и полуживых недоносков, найденных на помойках:

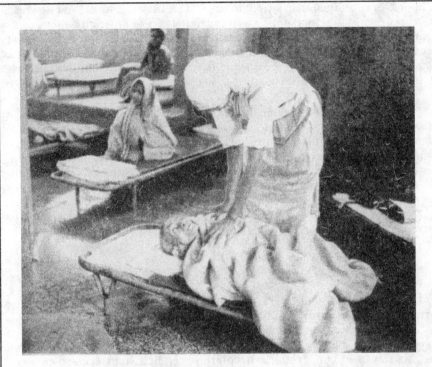

Миссия матери Терезы в Калькутте.

"Я ничего не знаю о будущем, но сейчас, когда жизнь попадает в мои руки, вся моя любовь и энергия идет на то, чтобы поддержать эту жизнь, чтобы помочь этой жизни достичь своей полноты, ибо каждый человек создан по образу и подобию Божьему. Мы не имеем права уничтожать эту жизнь" [4].

Ужасная болезнь — проказа собирает свою дань и среди богатых, и среди бедных. Но если ее вовремя обнаружить, то ее можно вылечить, и Сестры специально обучены делать это. Но для лечения нужно время, около двух лет, а многие индийцы в течение этого срока теряют свою работу и изгоняются из собственных семей. Если они бедны, то им не поможет никто, кроме Сестер. Сегодня сестры ухаживают за 10000 прокаженных в одной только Калькутте; а в местности, называемой Шанти-Нагар, индийское правительство выделило им 34 акра земли под строительство реабилитационного центра, "Города Мира", где прокаженных будут обучать надомным работам, чтобы им не приходилось нищенствовать.

"Сестры окружили своей заботой и любовью 47000 прокаженных в Индии и других странах. Это люди, которые никому не нужны. Проказа — жуткая болезнь; она лишает людей человеческого облика. Она превращает их в чудовищ. Но все равно они остаются достойными любви.

У нас есть мобильные клиники, и мы выезжаем к ним. Мы не зовем их к себе: ведь прокаженные окружены всеобщим презрением, а некоторые из них даже не в состоянии ходить. Когда они видят юных Сестер, которые приходят к ним с улыбкой, заботятся о них, поют для них, они ощущают, что в этом мире есть кто-то, кому они нужны. Мы не можем исцелить их болезнь, но мы можем помочь им понять, что они нужны" [5].

Что же движет матерью Терезой? И что вдохновляет ее Сестер (молодых девушек, многие из которых принадлежат к высшим индийским кастам) выполнять неслыханно унизительные работы ради каких-то презренных нищих? Их обеты очень просты, но трудновыполнимы, кроме того, каждая будущая Сестра должна обладать рядом качеств, упомянутых в следующем списке:

"Телесное и духовное здоровье.

Способность получать знания.

Здравомыслие во всей его полноте.

Бодрость духа.

Бедность, невинность и покорность.

Покорность — это свобода".

Быть может, именно эта завершающая фраза является ключом к источнику духа, который питает и поддерживает их. *Настоящая* покорность — это, действительно, свобода. Но это не свобода делать то, что тебе захочется, представляющая собой одну из форм рабства. Это другая свобода, свобода открытого сердца, чистого и наполненного ощущением единства с чем-то большим, чем ты сам. Изолированное ощущение борьбы за выживание сменяется уверенностью в том, что ты родился не для этого; что сама жизнь столь чудесна и невероятна, что использовать ее ради своих собственных целей значит полностью утратить ее смысл, и что путь к *смыслу* — это повиноваться жизни, отбросив все свои личные интересы — только слушать то, что тебе дают слышать, только смотреть на то, что тебе показывают, только понимать то, что думает другой и принимать то, что он дает. *Повиноваться* — значит всецело полагаться на волю Божью — что бы с тобой ни случилось — безо всяких оценок со стороны Эго.

Мы должны *ощутить Бога как единственное благо*". Это слова мистика, жившего в XVII в., Жана Пьера Коссада, с которым мать Тереза явно имеет много общего. "Мы должны достигнуть того места, где для нас уже не будет существовать всей сотворенной Вселенной, и Бог будет всем... И все создания его сами по себе не имеют здесь ни власти, ни силы; и сердце их не желает ни власти ни силы, ибо величие Божье наполняет их всей своей мощью" [6].

Сердце, наполненное Богом, — продолжает он, движется навстречу Его созданиям, ибо видит в них часть Божественного замысла. Именно такое — мистическое понимание единства внутреннего и внешнего мира дает духовную силу матери Терезе и ее Сестрам Милосердия. Строгое правило бедности относится к их собственному Эго в той же степени, что и к их плоти. Если их "сердце не желает" управлять миром ради своих собственных нужд, то и сам мир становится ничем — лишаясь природы самости. Он больше не имеет власти над ними. Это дает им свободу и силу служить ему и радоваться ему, ибо все проявления Божественного замысла бесконечно чудесны и дороги им. Создателя невозможно отделить от Создания. Безобразный и грязный прокаженный на улице — такой же Христос, как и Тот, Кому они отдали свои сердца.

Без этой самоотдачи не хватило бы сил ни на что. Занимаясь мистической практикой, мать Тереза хорошо знает, как много опасностей подстерегает тех, кто берется служить бедным. Сестры могут заниматься этим ради своих собственных ограниченных нужд, думая, что выполняют необходимую социальную работу — или же посчитать эту работу путем к самосовершенствованию и, таким образом, превратить ее в способ возвышения своего эго.

Мать Тереза говорит, что настоящее спасение от всей этой ложной мотивации — помнить о любви. Помнить, что вся эта работа выполняется не только *ради* Христа, но и *посредством* Христа, и что сама по себе каждая из Сестер — ничто. Если Сестра понимает это, она видит, что всякое совершенствование собственной личности лишено смысла.

Каждое утро мать Тереза посвящает несколько часов медитации. Затем она слушает Мессу, тщательно очистившись от себя самой. Она говорит, что без утренней Мессы и без той силы, которая исходит от нее, она не смогла бы справиться со своей работой. Но, когда вместе со своими Сестрами она выходит на улицу, они счастливы и жизнерадостны, свободны от личных интересов и находят подлинное удовлетворение во всем, что им приходится делать. Любой лично заинтересованный человек пришел бы в ужас от одного лишь вида этих грязных и запущенных улиц. Но Сестры знают, что они встречают Христа, и даже самые скверные, враждебные или жуткие рожи кажутся им исключительно милыми и прекрасными.

“Для меня каждый человек — личность, — говорит мать Тереза. — В этот миг обмена любовью, я могу отдать ему все свое сердце. Это не социальное обеспечение. Мы должны любить друг друга. Это снимает эмоциональные затруднения, позволяя людям ощутить свою нужность” [7].

Во время послушничества Сестры проходят интенсивный духовный тренинг (занимающий девять лет), и ни одну из них не принимают без “призвания”. Обет бедности соблюдается особенно строго, и есть еще один строгий обет — чистосердечного и добровольного служения бедным. Это значит, что отныне им запрещено работать для богатых и брать деньги за свою работу. Немногие из Сестер способны трудиться на таких условиях. Их эмоциональное равновесие должно быть ненапряженным и постоянным, чтобы их на самом деле не возмущало то, что они увидят, и чтобы они не испытывали потребности рассказывать о том, что они делают.

Прикасаться к больным людям необходимо, и сестры учатся выражать любовь одним этим прикосновением. Также они учатся интуитивно постигать, каковы настоящие потребности тех, кого они обслуживают. Далеко не всегда это то, чего можно ожидать. Например, среди всех маленьких, несчастных детей, за которыми присматривали Сестры, мать Тереза заметила одного мальчика, который перестал есть с тех пор как умерла его мать. Она нашла Сестру, которая была "точной копией его матери" и попросила, чтобы та просто поиграла с ребенком. Ребенок выздоровел.

Легко обвинять миссионеров, творящих добро в чужих странах, в том, что они забывают о бедняках, живущих по соседству. Это обвинение не относится к матери Терезе. Ведь Индия (а конкретнее, Калькутта, Нижняя Окружная Дорога, 54а) стала ее родным домом, и она чувствует себя среди здешних бедняков счастливее, чем где бы то ни было. Но она не забывает и о бедняках, всего мира. Ее Сестры, миссионеры милосердия, сейчас находятся в Венесуэле, в Риме, в Танзании, Австралии, Иордании, на Маврикии, в Бангладеш, Йемене, Перу, Нью-Йорке, Лондоне и Белфасте. Мать Тереза посещает все эти места и ее морщинистое албанское лицо неизменно светится любовью. Она так же старательно выполняет все грязные работы, как и любая из ее Сестер.

"Бывают ли у вас выходные дни или праздники?" — спросили ее как то раз.

"Да! — ответила она. — У нас каждый день — праздник!"

БИБЛИОГРАФИЯ

TEILHARD DE CHARDIN

1. Teilhard de Chardin, *Writings in Time of War* (London: Collins; New York: Harper and Row), p.181.

2. Robert Speaight, *Teilhard de Chardin: A Biography* (London: Collins), p.25.

3. Teilhard de Chardin, *Writings in Time of War*, p.182.

4. Teilhard de Chardin, *Human Energy* (London: Collins; New York: Harcourt Brace Jovanovitch, Inc.), p.96.

5. Teilhard de Chardin, *Let Me Explain* (London: Collins; New York: Harper and Row), p.129.

6*. Teilhard de Chardin, *The Divine Milieu* (London: Collins; New York: Harper and Row), p.122.

7. Speaight, *Teilhard de Chardin: A Biography*, p.213.

8. Teilhard de Chardin, *The Divine Milieu*, p.122.

9. Teilhard de Chardin, *Human Energy*, p.115.

10*. Teilhard de Chardin, *The Phenomenon of Man* (London: Collins; New York: Harper and Row), p.165.

11. Teilhard de Chardin, *Science and Christ* (London: Collins; New York: Harper and Row), p.171.

12. Ibid.

13. Ibid., p.172.

14. Teilhard de Chardin, *The Divine Milieu*, p.76.

15. Ibid., p.79.

ALEXANDER MEN

In Memoriam Alexander Men: Last Issues, Lettres, Recollections (London: Oecumena Publishers).

FATHER SERAPHIM (ROSE)

1*. Seraphim Rose, *Orthodoxy and the Religion of the Future* (Platina: St.Herman of Alaska Brotherhood), p.112.

2. Ibid., p.29.

3. Ibid., p.26.

4. Ibid., p.23.

5. Ibid., p.78.

6. Ibid., p.115.

7. Ibid., p.129.

8. Ibid., p.150.

9*. Seraphim Rose, *The Soul after the Death* (Platina: St.Herman of Alaska Brotherhood), p.190.

10. Rose, *Orthodoxy and the Religion of the Future*, p.180.

MOTHER THERESA

1. Daily Prayer

2. Templeton Prize for Progress in Religion (Mother Theresa's reply to Prince Philip)

3. Sister Sue Mosteller, *My Brother, My Syster*, (Toronto: Griffin Press Ltd.), p.65.

4. Ibid., p.81.

5. Ibid., p.105.

6. Jean-Pierre de Cassaud, *Self-Abandonement to Divine Providence* (London: Burns and Oates Ltd., Templegate), p.58.

7. Mosteller, *My Brother, My Syster*, p.84.

Мартин Бубер принадлежит к числу тех мистиков, учение которых труднее всего резюмировать в краткой форме. С первого взгляда может показаться, что основная сложность — это его обращение с термином "Я". На самом деле, здесь все не так уж сложно; но для того, чтобы понять учение Бубера, необходимо подготовить почву — то есть, получить некоторую предварительную информацию о мистическом опыте как таковом. Читатель Бубера должен, по крайней мере, знать о различии между нашим обычным взглядом на мир как на предмет, подчиненный нашему "Эго" — и взглядом человека, видящего мир таким, как он есть, во всей его нуминозной сущности. Если смотреть на мир вторым способом, тип отношений между индивидом и миром может быть назван "я-ты", и, в то время как буддисты считают, что в ощущении собственного "Я" нет никакой нужды, Бубер настаивает на том, что оно необходимо, ибо без чувства собственного "Я" вообще не может быть никаких взаимоотношений.

Влияние Бубера на религиозную мысль было огромным, но его учение слишком запутано, и у читателей едва ли может сложиться однозначное мнение о том, что он в действительности имеет в виду. Многие уже пытались толковать Бубера, и следующий далее отчет надлежит рассматривать как мое личное сообщение, в котором не обязательно учитывается точка зрения других людей.

Хотелось бы, чтобы при чтении этой главы вы не упускали из виду, что Бубер верит в возможность обнаружения священного здесь и сейчас, в данный конкретный момент. Знанием, которым обладает один только Бог, овладеть нельзя и говорить о нем невозможно; Бога нельзя обсуждать, но к нему можно обращаться со словами и его можно слушать. Это единственная действительная связь, которой мы вообще можем обладать — возможность обращаться к Богу и слышать, что он нам говорит.

МАРТИН БУБЕР (1882 – 1965)

"Мир для человека двойственен в соответствии с двойственностью двух основных слов, которые он может произносить.

Основные слова суть не единичные слова, а словесные пары.

Одно основное слово — это пара "Я-Ты".

Другое основное слово — это словесная пара "Я-Оно"; причем можно, не меняя основного слова, заменить в нем "Оно" на "Он" или "Она".

Таким образом, человеческое "Я" тоже двойственно. Ибо "Я" в основном слове "Я-Ты" другое, чем "Я" в основном слове "Я-Оно" [1].

Ощущение собственного "Я", по словам Бубера, возникает только в отношении к чему-либо. "Я" не может существовать само по себе. Если задуматься над этим положением, оно кажется самоочевидным. Но все значительно усложняется, когда Бубер заявляет, что "Я" обладает двумя видами отношений. Один тип отношений — это отношения с Оно, т.е. со всем, что мы можем ощущать, чувствовать, о чем мы можем думать или вспоминать. Второй тип отношений — это отношения с Ты (или, в переводе Кауфмана, с Ним (Thou)). Люди часто думают, что, говоря "Ты", Бубер просто имеет в виду Бога, и в определенном смысле они правы. Но он имеет в виду не конкретного ветхозаветного Бога. Он имеет в виду безусловную вневременную основу Бога, которая также является основой всех существ и которую можно увидеть во всех существах и предметах, если освободиться от собственных обусловленных мыслей и представлений о ней. Я соотносится с трансцендентным Ты, когда обнаруживает это Ты в человеке, животном или неживом предмете. Когда же Я не обнаруживает Ты, или, глядя на Ты, не узнает Ты, Я соотносится с Оно, то есть соотносится с человеком, животным или неживым предметом, глядя на них как на "вещи", которые Я может использовать и переживать самостоятельно. Затем Я включает этого человека, животное или предмет в уже известную категорию у себя в мозгу, думая о них посредством своего личного понятийного запаса — а следовательно, оценивая их, вместо того, чтобы смотреть на них непредубежденным взглядом и считать их тем, что они есть. Соотноситься с Ты означает соотноситься с человеком или ситуацией, оказавшимися в данный момент передо мной, и при этом смотреть на них как на нечто совершенно новое, никогда прежде не виданное.

Мартин Бубер, подобно Алану Уотсу, Рамана Махарши и другим представленным в этой книге мудрецам, понимал, что человеческая индивидуальность, или то, что мы подразумеваем под словом "Я", не является той обособленной самодвижущейся единицей бытия, которой он себя воображает. Чувство собственного "Я" существует как "нечто", и соответственно этому отождествляется с тем или иным фактом. Если оно отождествляется с телом и телесными ощущениями, тогда оно кажется смертным, хрупким и изменчивым. Если оно

МАРТИН БУБЕР (1882 – 1965)

отождествляется с безусловным, с абсолютной Пустотой, Я, Такостью или Богом, оно чувствует себя неизменным и единым со всем остальным.

Подлинное открытие Бубера заключалось в том, что чувство собственного "Я" должно непременно с *чем-нибудь* отождествляться, иначе бы мы не были теми существами, которыми являемся. Людям свойственно с самого момента рождения отождествлять себя с чем-нибудь — сначала с внешним миром, а затем, взрослея, — с сокровенной сущностью Бога.

Наблюдать за тем, как развивается ребенок, значит следить за игрой действительных стремлений человека, потому что с самых первых минут жизни ребенок ищет связей. Бесцельные движения рук, рассеянные взгляды — с помощью всего этого ребенок исследует "другое" в поисках контакта.

"... Ведь тот же самый взгляд, после долгих попыток сосредоточиться, остановится на красном узоре ковра и не оторвется от него до тех пор, пока ему не откроется душа красного; те же самые движения уловят телесную форму и определенность мохнатого плюшевого мишки и обретут любовное и незабываемое знание тела в его цельности... Еще звучат, обращенные в пустоту, бессмысленно и настойчиво, отрывочные, нерасчлененные звуки, но однажды именно они превратятся в беседу..." [2].

Бубер, так же, как и Тейяр де Шарден, верил в то, что человек в процессе эволюции движется к конечному отождествлению и слиянию с Богом. В историческом плане Бубер считал, что чувство собственного "Я" начало развиваться у первобытного человека. Он говорил, что животное не осознает своей обособленности от окружающего мира. Кот *есть* прыжок на добычу, собака *есть* любовь к хозяину; ни одно животное не способно на рефлективное самоосознание, которое выражается в словах: "Я сейчас прыгну" или "Я люблю этого человека". Точно так же, как и животные, первобытный человек поначалу отождествлял себя со своими действиями — он думал о луне только тогда, когда она не давала ему спать ночью. Огонь был горячим и ярким, он был не словом "*огонь*", а процессом, в котором он принимал участие. Субъект переживания не отделял себя от самого переживания, и лишь тогда, когда благодаря инстинкту самосохранения возникли язык и знание, "Я, воздействующее на Ты" и "Ты, воздействующее на Я" раскололись и "стихийно возникло "Я" [3].

Когда человек перестал *быть* своим действием, он начал думать о себе как о единоличном субъекте, совершающем свои действия; так, по привычке, мы думаем о себе и сейчас. В своей поспешности и суетной жизни мы очень редко расстаемся с ощущением своего деятельного "Я"; это происходит быть может лишь в те мгновения, когда мы бываем ошеломлены более величественной реальностью любви или в минуты повергающего в благоговейный трепет откровения.

Человеческий мозг, развиваясь, приобрел, по словам Бубера, способность воображать и вспоминать. Благодаря воспоминанию о прошлом событии он смог вызывать в воображении будущее событие.

Он смог использовать отложившиеся в памяти знания о способах действия вещей (например, воды), для мысленного проектирования, а затем и материального исполнения своего замысла, создав, к примеру, водяное колесо.

Бубер рассматривает эволюцию человека в свете отношений между "Я" и "Оно". Раньше, когда человек не осознавал самого себя, этих отношений не могло возникнуть по той причине, что все человеческие процессы были сами по себе относительными. Но с появлением самосознания возникают отношения между ним самим и тем, что им не является. Ибо отношения, по словам Бубера, возникают только тогда, когда есть пара — когда мое "Я" сталкивается с чем-то, что, как я чувствую, не является мною.

В нашем современном мире мы рассматриваем все внешние вещи с точки зрения переживаний, которые они нам доставляют, и пользы, которую они могут принести; так поступает человек развивающийся. Исходя из пробуждаемых этими вещами ощущений мы создаем Мир — Оно, состоящий из известных явлений, названий и категорий. Мы используем этот мир в целях своего самосохранения и для личной пользы. Овладение этим миром влечет за собой появление чувства обособленности, а обособленное "Я" превращается в Эго — требовательного, ненасытного владельца ваших мыслей и чувств, и таким образом Мир-Оно складывается из "Оно и Оно и Оно, из Он и Он и Она и Она и Оно" [4]. Даже Бог, коль скоро он тоже Он, является объектом, — объектом опыта.

Но это еще не вся человеческая жизнь, говорит Бубер. Существует еще измерение, в котором я не переживаю "чего-то", что являлось бы целью моей деятельности. Это измерение возникает, когда я говорю "Ты".

Что представляет собой Ты-отношения? Мы можем установить Ты-отношение с другим человеком или даже с другим животным или предметом, если освободим их от всех мыслей и чувств, которые мы проецируем на них, и перестанем смотреть на них как на объекты собственного опыта или пользования. Мы начнем видеть, каковы они сами по себе, что они предельно реальны в силу себя самих и сияют своим собственным светом. Руководствуясь собственническими чувствами, мы обычно смотрим на все новое, как на объекты, о которых можно выносить суждения в соответствии с нашим привычным обусловленным взглядом на мир. Но когда мы заметим, что мир — не наша собственность, что даже стул, на котором я сижу, лист бумаги, лежащий передо мной, в сущности непознаваемы для меня, тогда мы сможем осознать высшую и абсолютную тайну существования, которая и является реальностью.

Бубер считал, что наше рождение в мир означает встречу с бытием. Эта встреча не является делом рук самого человека, он сам не является ее творцом. Не им сотворено и существование, с которым он сталкивается и которое в сущности непознаваемо для него. Но человек сам создает *отношение*, которое он устанавливает с бытием, выбирая отношения "Я-Ты" или "Я-Оно".

Процессия со свитком
Торы в праздник Кущей.

Чтобы пояснить свою мысль, Бубер приводил в пример встречу с деревом. Он говорил, что созерцать дерево можно несколькими различными способами. Можно смотреть на дерево взглядом художника, подмечая цветовую гамму: зеленые пятна вокруг колонны ствола на серебристо-голубом фоне. Или же, воспользовавшись ресурсами собственного воображения, можно "почувствовать" движение волокон, текущих вдоль сердцевины ствола; корней, высасывающих из почвы питательные вещества, листьев, дышащих воздухом, и все дерево, растущее в темноте из себя самого. А находясь в мире Оно, его можно наблюдать взглядом ботаника и видеть в нем образец конкретного биологического вида. Или же можно узнавать в нем выражение универсальных законов природы и растворить его в рядах чисел. В любом из описанных случаев, дерево будет Оно, объектом наблюдения человека, обладающим своим собственным местоположением и временной протяженностью.

Но если, по собственной доброй воле, человек вступит в такие отношения с деревом, при которых оно больше не будет существовать вне его в качестве обособленного объекта, при которых двойственность "Я-Оно" исчезнет, а на смену ей придет полнота бытия, в котором нет места чувству собственной обособленности — тогда дерево станет существовать в качестве Ты.

Это, однако, не значит, что все остальные типы Оно-отношений и описаний дерева ни к чему не пригодны:

Здесь "нет никакого знания, которое мне следовало бы забыть. Напротив того, все: образ и движение, вид и экземпляр, закон и число — все нераздельно объединяется здесь" [5].

Все относящееся к дереву собрано в одно целое, в котором оно существует как своя собственная реальность, как "дерево". Оно становится "воплощенным" и предстоит человеку само по себе. Возможно, именно здесь, где говорится о полностью проявленном отношении "Я-Ты", буберовская мысль (которая была столь кристально ясной, пока вела к открытию Ты) становится несколько двусмысленной. Может быть, он говорит о том же, что Трунгпа называет *есть-ностью* вещей, описывая видение дерева в его собственной "*дерев-ности*", как его собственное бытие, как состояние, в котором нету даже тени самости. Посредством этой "*дерев-ности*" дерева устраняется наблюдатель и наблюдающее "Я", хотя это и означает, что "Я" перестает сознавать свое собственное существование. "Я" все еще здесь, в физическом плане "Я" все еще смотрит на дерево и "Я" не смогло бы его увидеть, если бы я закрыл глаза. И все таки, сказал бы Трунгпа, это другое "Я". Создается впечатление, что "Я" стало целостным, однородным; а мириады чувств и мыслей, наполнявших обычно сознание "Я", изгладились из него и потеряли всякий смысл. И я вижу дерево, во всей его бесконечности и безусловности, являющееся самим собой намного более, чем когда-либо, когда я отождествлял себя со своей самостью.

Алан Уотс когда-то писал, что когда конечное видится в свете "бесконечной Реальности, *в сравнении* с нею конечное становится ничем. Оно остается относительной реальностью, но оно столь же неспособно ограничить или скрыть бесконечное, как и совершенное ничто. Это влияние на бесконечное равняется нулю" [6].

Однако Бубер, по-видимому, не заходил так далеко в своем понимании, он остался непреклонным дуалистом, используя свой термин "Я-Ты". Он почти постиг безусловную *есть-ность* жизни, но его "Я" все же уцелело. Там, где другие мистики, например Рамана Махарши, используют термин "Я-Я" для описания постижения недвойственности, возникающей, когда маленькое "Я" сливается с большим "Я", Бубер их строго разграничивает.

Однако он понимает, что такое недвойственность. Он знает, что обычное "Я" может претерпевать видоизменения, и недвусмысленно заявляет, что ни одно из свойств человеческого "Я" (например, способность к рассуждению, переживанию и пониманию) не могут привести к постижению "Ты".

"— Что же тогда узнают о Ты?

— Да ничего. Ибо его не изучают.

— Что же знают о Ты?

— Только все. Потому что никаких частностей о нем больше не знают" [7].

Но вопрос остается неразрешенным: если "человек не испытывает его", почему же тогда остается привычка употреблять термин "Я-Ты"? разве "Я" не обозначает субъект переживания?

Ответ заключается в том, что Бубер — иудей, а иудаизм подчеркивает, что между Богом и человеком существует дистанция. Благодаря этому иудаизм, может быть, более дуалистичен, чем все другие религии. Бубер был убежденным иудеем. Более всего его вдохновляло учение мистической иудейской секты хасидим. Хасиды жили неподалеку от имения его отца, на Буковине, в северной Румынии, где Бубер обычно проводил летние каникулы. Отец иногда брал его с собой в соседнюю деревню Садагора, где находилась резиденция династии хасидских раввинов. Здесь мальчик наблюдал шествие "ребе" между рядами ожидающих благословения и "хасидские танцы с Торой". Здесь он ощутил сильное чувство духовной общности. Именно к хасидизму он духовно возвратился, будучи еще молодым человеком, после того, как на некоторое время порвал с иудаизмом; именно о нем он писал, именно хасидские стихи и легенды он переводил. Однажды он даже резюмировал учение хасидизма (что также не противоречило его собственным взглядам) следующим образом: "Бога можно созерцать в каждой вещи и его можно достичь любым чистым поступком" [8].

Как бы глубоко иудей не ощущал это в душе, ему трудно согласиться с тем, что подчиниться Богу означает отождествиться с его субстанцией. Наверное, поэтому для обозначения отношения между человеком и Богом Бубер избрал термин "Я-Ты"; для него существенно было, что оно является *отношением*, а не *бытием*.

"Я" основного слова "Я-Ты" другое, чем "Я" основного слова "Я-Оно".

"Я" основного слова "Я-Оно" проявляет себя как индивидуальность и осознает себя как субъект [познания и использования].

"Я" основного слова "Я-Ты" проявляет себя как *личность* и осознает себя как субъективность [без косвенного дополнения].

Индивидуальность выявляет себя, обособляясь от других индивидуальностей.

Личность выявляет себя, вступая в отношения с другими личностями.

Первое есть духовная форма природной разъединенности, второе — духовная форма естественного единства" [9].

Слово "личность" было для Бубера чрезвычайно важным, и он настаивал на различии между "личностью" и Эго. Эго принадлежит к Миру-Оно и стремятся к выживанию, обладанию, переживанию и использованию. Но ни одно из перечисленных стремлений не возникает при отношении "Я-Ты", потому что "Я" в данном случае становится безусловным и беспредельным благодаря своему участию в этих отношения. "Я" *актуализируется*, и человек тем самым отделяется от Эго:

Личность говорит: "Я есть", индивидуальность — "Я такова". "Познай самого себя означает для личности: познай себя как бытие; для индивидуальности: познай свой способ бытия" [10].

При отношении "Я-Ты" "Я" не обладает ничем: здесь есть только встреча и узнавание Иного как бесконечно Иного; оно — уже не "он" или "она", а таинственное Единое, включающее в себя и "он" и "она" и при этом превосходящее все классификации. Встреча "Я" с "Ты" происходит сейчас, ибо Оно видится сквозь туман идей и понятий, извлеченных из прошлых событий, обуславливающих настоящее и отложившихся в памяти. Встреча "Я" с "Оно" может стать встречей "Я" с "Ты", если устранить обусловленную память, чтобы прежние ассоциации не заслоняли взор "Я".

Именно в данной ситуации человек обладает возможностью выбора отношений и свободной волей, и Бубер считал, что процесс постоянной замены "Оно" на "Ты" и "Ты" на "Оно" составляет природу мира. Он не верил (в отличие от Тейяра де Шардена), что Мир-Ты в конечном счете одержит верх над Миром-Оно в виде своего рода мистической конгломерации, оставив позади изжившее себя древнее "Оно". Бубер, скорее всего, понимал, что "Ты" не может существовать без "Оно", что они должны чередоваться между собой:

"Оно" — это куколка, "Ты" — это бабочка. "Ты" постоянно погружается в "Оно", непосредственное отношение нисходит до уровня средства, невыразимое улавливается формой. Даже самые благородные формы утрачивают свою реальность, даже любовь может выжить только в результате чередования действительного и возмож-

Равви и его ученики.

ного — "Человек, который только что еще был единственным и лишенным свойств, который не был в наличии — только присутствовал, которого нельзя было познавать, но можно было коснуться — этот человек снова стал "Он" или "Она", суммой качеств, количеством в конкретном образе" [11].

"Отдельное "Ты" обречено, по завершении события-отношения, превратиться в "Оно".

Отдельное "Ты" *может*, через вхождение в событие-отношение, превратиться в *Ты*" [12].

Из этого чередования, полагал он, может возникнуть "религиозный гуманизм", "врожденное качество человека, позволяющее ему встречаться с другими существами". Он считал, что человек обязан развивать эту способность, и сам, без сомнения, обладал ею. Он радовался общению. Он любил людей. Незнакомый прохожий, равно как и близкий друг, вполне могли рассчитывать на теплое внимание и заботливость Бубера. Его дом в Иерусалиме, где он прожил последние 27 лет своей жизни, стал центром, притягивавшим молодых людей со всего мира. Они приезжали сюда для того, чтобы поспорить и подискутировать с ним, чтобы рассказать ему о своих проблемах.

Бубер отличался от других, более ортодоксальных иудеев тем, что не пытался истолковывать свои открытия таким образом, как это в прошлом делали пророки. Для него достаточно было признать, что человек наделен врожденной способностью бескорыстно, с любовью относиться к случайно встречаемым людям. Он не верил в пророчества и откровения и, подобно Будде, не верил в размышления на религиозные темы:

"Я не верю в то, что Бог может назвать себя и охарактеризовать себя человеку. Слово откровения гласит: Я здесь, кем бы я здесь ни был. То, что открывается, есть то, что открывается. То, что обладает бытием, существует, и больше не существует ничего. Струится вечный источник силы, длится вечное прикосновение, звучит вечный голос, и кроме этого нет больше ничего" [13].

Пожалуй, он верил также и в то, что ответы приходят в процессе действия, но никто не может сказать, как следует действовать —

"... точно так же, как ни одна мысль невыразима с помощью общепринятого и общеприменительного знания, никакая практика не может служить удовлетворительным критерием истинности. Но каждый из нас может лично испытать приобретенную мысль на практике, поскольку сам он и вся его жизнь неповторимы. Не существует предписаний, которые привели бы нас к этой встрече, и не существует предписаний, которые увели бы нас от нее" [14].

Буберовские прозрения отличаются глубоким проникновением в сущность современного христианства; и они оказали огромное влияние на таких теологов, как д-р Джон Робинсон, автор "Перед Господом — с искренностью", калифорнийского епископа Пайка и многих других. В частности, именно учение о таинственном и непостижимом столкновении между "Я" и "Ты" воспламенило воображение некоторых христиан и способствовало возникновению таких религиозных движений, как "Бог умер". Это движение было инспирировано одной из самых знаменитых буберовских книг — "Затмение Бога".

Ведь именно это столкновение, это промежуточное "пространство" Бубер называет духом; и одним из самых важных в его наследии является учение о "дистанцированности", о расстоянии, которое возникает тогда, когда "Я" пытается усилием воли перестать проецировать на мир свои идеи и чувства.

В прагматическом Мире-Оно, дистанцирование, по мнению Бубера, является частью развиваемой человеком мысли, обретшей умозрительную форму, потому что способность отделить себя от объекта и абстрагировать его идею для того, чтобы ее можно было воспроизводить снова и снова, не наблюдается у животных, разве что в редких случаях. Чтобы прояснить смысл такого дистанцирования, Бубер приводит в пример обезьяну. Размахивая палкой как оружием, она защищается от человека, наделяющего палку обособленным существованием, в котором она известна ему под названием "оружия".

Способность дистанцироваться от объектов с целью введения их в понятийный ряд — уникальная способность человека, которая служит его самосохранению. В отличие от других существ природа поместила его на некотором расстоянии от мира. Только поэтому, в отличие от других существ, он может снова и снова вступать с ним в отношения. Дистанцирование является очень важным для человеческого самосохранения, и без него человек не стал бы господствующим видом, каким он является в настоящее время. Но у медали господства есть и другая сторона — порабощение; и человек, похоже, злоупотребил своим уникальным даром. Его поработило то, над чем он господствует — материальные объекты и власть. Желания привязывают его к материальному миру "Оно" и делают его неспособным узнавать или отвечать "Ты".

И все-таки он *может* прервать сон рабства в любую минуту и вступить в освобождающие отношения "Я-Ты". Во всем мире только он один может дистанцироваться от "Ты", только он один может обнаружить это "Ты" в "Оно". Бубер считал этот акт освобождения достойным ответом человека на запросы жизни в этом мире. Для Бубера физическая материя никогда не была инертной и мертвой, какой она кажется тем, кто живет исключительно в мире "Оно". Все всегда потенциально является "Ты" во всей своей конкретности. Он говорил, что "Я" находит "Ты" не только в его невыразимой целостности, вневременной "Ты"-сти "Оно", которое "Я" созерцает, но "Я" также должно искать "Ты" в любых его проявлениях. "Я" не должно отвергать ни одного аспекта, считая его неприятным, отвратительным или неисправимым. И тем самым препоручая его застывшему Миру-Оно. "Я" должно сознавать, что "Ты" всегда здесь, и что вся цель жизни "Я" состоит в том, чтобы открыть "Ты" в каждом "Оно". Простого приятия "Ты" недостаточно, это должен быть акт открытия и утверждения.

"...Но если нечто превратилось в "Оно" таким образом, то, застывшее в вещь среди вещей, оно несет в себе стремление и предназначение: возрождаться вновь и вновь. Вновь и вновь — так было предопределено в час духа, когда он явил себя человеку и породил в нем ответ, — объектное будет воспламеняться, разгораясь в настоящее, погружаться в стихию, из которой оно вышло, и люди будут видеть и переживать его как Настоящее" [15].

Каким же образом я могу сознательно повернуться к Ты? Открыв себя всему, что является реальным и действительным. Обладая мужеством двигаться вперед, не ведая о том, куда я направляюсь. Жертвуя "маленькой волей, несвободной и подчиняющейся руководству вещей и влечений", в пользу большей воли, в которой "Я" уже не является помехой и не пытается изменить Существующее, но старается объять его. Прислушиваясь "к тому, что растет, к тому, как осуществляется Бытие в мире". Обладая постоянной силой и мужеством, потому что Мир-Ты чрезвычайно изменчив.

"Он всегда выглядит новым, и его невозможно втиснуть в слова". Ему не хватает плотности; потому что все, находящееся в нем, пронизывает все остальное. Ему недостает постоянства, потому что он является, даже если его не зовут, исчезает, даже если за него цепляются...

Он не помогает вам выжить; он только помогает вам соприкоснуться с вечностью.

"Мир-Оно обладает связностью в пространстве и времени.

Мир-Ты не имеет никакой связности в пространстве и времени.

Сущность переживается в настоящем, объекты — в прошлом" [16].

Самая известная книга Мартина Бубера называется "Я и Ты". Он написал ее еще молодым человеком, но очень мало изменил в ней, когда стал старше. Его основные суждения во многих отношениях помогли сформировать мышление современного человека. Давайте кратко суммируем их.

Действительная природа человека и его цель состоит в том, чтобы ответить "Ты", и этот ответ сам по себе есть "дух".

"Человек говорит на многих языках — на языках речи, искусства, действия, но дух — один; он — это ответ из тайны являющемуся, из тайны взывающему "Ты". ...Дух не в "Я", но между "Я" и "Ты". Он не как кровь, что течет в тебе, но как воздух, которым ты дышишь. Человек живет в духе, когда он может ответить своему "Ты". Он способен на это, если он погружается в отношения всем своим существом. Только благодаря своей способности к отношению человек может жить в духе" [17].

Человек может встретиться с "Ты", если преодолеет свое понимание, сформированное интеллектом, и свои чувства, состоящие из желаний. Посредством этого преодоления он может установить отношения с тем, что отличается от него самого, с "Ты". Но если он крепко держится за свои мысли, идеи и мнения, он не увидит "Ты" должным образом. "Ты" будет его собственным созданием, а не подлинным "Ты"; "Ты" сведется к "Оно", объекту опыта и пользования.

"Ты" присутствует всегда. В любой ситуации человек может обратиться к "Ты" и найти "Ты" при условии, что не будет следить за собственной неприкосновенностью. "Ты" исчезает, когда человек начинает искать "Ты" как обычную вещь среди других вещей. Чтобы установить отношения с "Ты", он должен предаться "Ты", и этот акт должен быть настолько всеобъемлющим, чтобы неразделенная реальность "Ты" целиком заменила человеческое "Я".

"Основное слово "Я-Ты" можно произнести только всем своим существом.

Основное слово "Я-Оно" никогда нельзя произнести всем своим существом" [18].

"В вашем сердце всегда живет знание того, что Бог вам нужнее всего остального. Но знаете ли вы, что Бог также нуждается в вас — именно в вас, заскучав от своей вечности? Как могли бы существовать люди, если бы Бог не нуждался в них, и как бы мог существовать ты? Ты нуждаешься в Боге для того, чтобы быть, а Бог нуждается в тебе — ради того, что есть смысл твоей жизни. Учения и поэмы пытаются сказать как можно больше и говорят слишком много: сколь важно и самоуверенно болтают они о "явлении Господа"! Но мы всегда сами безошибочно узнаем о явлении Бога в наших сердцах. Мир — не божественная игра, а божественная судьба. То, что существуют мир, человек, человеческая личность, ты и я, имеет божественный смысл" [19].

БИБЛИОГРАФИЯ

1*. Martin Buber, *I and Thou,* trans. Walter Kaufmann (Edinburgh: T. and T. Clark, New York: Charles Scribner's Sons), p.52

2. Ibid., p.78

3. Ibid., p.73

4. Ibid., p.55

5. Ibid., p.58

6. Alan Watts, *The Supreme Identity* (London: Wildwood House), p.72

7. Buber, *I and Thou,* p.61

8. Ibid., p.111

9. Ibid., p.112

10. Ibid., p.113

11. Ibid., p.69

12. Ibid., p.84

13. Ibid., p.160

14. Ibid., p.159

15. Ibid., p.90

16. Ibid., p.84

17. Ibid., p.64

18. Ibid., p.89

19. Ibid., p.130

8. ИНДУССКИЙ МУДРЕЦ

Рамана Махарши, индусский мудрец, представленный в этой главе, несомненно, испытал на себе сильное влияние Адвайта Веданты. Это учение считает Божество безличным существом, чистой Реальностью, бескачественной, беспредельной и не поддающейся определению. В то же время, Бог есть ТО, откуда все произошло; ТО, что поддерживает все сущее и лежит в основе природы всех вещей, но только человек в состоянии постичь это. Способ обнаружения своего истинного "я" (так называют постигаемую человеком трансцендентную реальность, поскольку у того, кто постиг истинную основу природы, появляется ощущение, что он обнаружил свое настоящее "я") состоит не в поклонении какому-нибудь определенному объекту (человеку или неодушевленному существу), а в постижении разницы между видимой стороной вещей и их реальной сущностью.

Основной темой учения Рамана Махарши является Самоисследование. Когда люди спрашивали его, что с ними будет после смерти, он говорил: "Зачем вам знать, чем вы будете после смерти, если вы не знаете, чем вы являетесь сейчас?" Суть его учения — в том, чтобы задаться вопросом: "Кто я такой?"; и оказывается, что многие просто не в состоянии ответить на него.

Подобно другим мистикам, о которых говорится в этой книге, Махарши считал, что чувство собственного "я" возникает вследствие ложного отождествления, производимого субъектом переживания. Каждый из нас, думая о своем теле или о своем разуме, мысленно говорит: "я". Но если тщательнее присмотреться к нашему телу и нашему разуму, то мы не обнаружим в них и следа того существа, которое можно было бы назвать "я". Откуда же тогда происходит это чувство собственного "я"? Оно возникает вместе с телом, говорил Рамана Махарши, но тело не является причиной его возникновения. Чувство собственного "я" проистекает из чистого сознания. Когда чувство собственного "я" отождествляется с телом, его называют ощущениями, когда оно отождествляется с разумом, оно становится мыслями. Цель учения Рамана Махарши — постичь это чувство собственного "я", не отождествляя его ни с чем, кроме сознания.

РАМАНА МАХАРШИ (1879 -1950)

В безлюдной, скалистой и выжженной солнцем стране тамилов на юге Индии возвышается двойной холм, который называется Арунахала, Холм Света. Уже многие столетия этот холм является для индусов священным. Они считают, что наш мир просуществовал уже три полных эры (*юги*), а сейчас мы живем в четвертой. На протяжении всего этого времени холм стоял в данном месте, изменяясь в соответствии с возрастом. В первой, самой чистой юге, которую называют Веком Истины, он был столбом света. Когда Вселенная начала клониться к упадку и наступил Век Тройственности, когда проявились творение, разрушение и обновление, он стал кучей рубинов. В Век Двойственности, когда появились добро и зло, он стал золотым столбом; а в нынешнюю Кали-Югу, Век Мрака, он стал каменной горой. Считается, что на протяжении всей своей истории он служил престолом Шивы, бога сна и смерти, воплощающего в себе мрак, который предшествует новому началу.

Рассказы об этом удивительном священном холме волновали душу семнадцатилетнего школьника-брахмана Венкатарамана, которого позже стали звать Рамана Махарши ("Махарши" значит "Великий Мудрец"). Однако лишь после возникновения странного предчувствия близкой смерти он решил отказаться от образования, которое ему планировали дать родители, и вместо этого совершить паломничество в качестве *садху*, т.е. аскета, к холму Арунахала. Поворот в его судьбе случился в тот день, когда он сидел в одиночестве в доме своего дяди. Он редко болел, и в тот день чувствовал себя превосходно. Но вдруг его охватил внезапный и несомненный страх смерти. Никакой видимой причины для появления столь сильного чувства не было, и он даже не пытался его объяснить. Не стал он и паниковать, а вместо этого задался вопросом, что же ему делать. Ему даже не пришло в голову с кем-нибудь посоветоваться; он чувствовал, что это его личная проблема, и сказал себе: "Вот и пришла смерть. Что это значит? Что же умирает? Умирает тело".

Он рассказывал, что сразу же после этого улегся, расправил все члены и напряг мышцы, словно его охватило трупное окоченение. Он задержал дыхание и плотно сжал губы, чтобы по всем внешним признакам тело напоминало труп. Что же произошло дальше? Он подумал:

"Хорошо, теперь это тело мертво. Его отнесут на площадку для сожжения, сожгут, и от него останется горстка пепла. Но умираю ли я сам вместе со смертью моего тела? Являюсь ли я этим телом? Это тело молчит и не шевелится. Но я чувствую всю силу своей личности и даже голос собственного "я" внутри себя, отдельно от тела. Значит я — Дух, превосходящий тело. Тело умирает, но смерть не может коснуться духа, превосходящего его. Значит, я — бессмертный Дух" [1].

Когда Рамана Махарши позже излагал свои переживания ученикам, у них создавалось впечатление, будто все сводилось только к умственному рассуждению. Но он старался объяснить, что это не так. Постижение произошло в мгновение ока. Он непосредственно осознал истину. "Я" стало чем-то предельно реальным, единственной реально-

РАМАНА МАХАРШИ (1879-1950)

стью. Страх смерти исчез раз и навсегда. С тех пор "я" продолжало быть основной музыкальной темой (*сурти*), сочетавшейся со всеми прочими мелодиями". Раману Махарши поглотило осознание собственного "я".

Пережитое Раманой состояние, которое он принял за смерть, может показаться не совсем полной аналогией смерти. Что мы, в конце концов, знаем о ней, и что он мог о ней знать? Опыт с закрыванием глаз и задержкой дыхания, в результате чего можно обнаружить, что чувство собственного "я" не исчезает, едва ли доказывает, что чувство это не исчезнет, когда ты уже не сможешь ни закрывать глаза, ни задерживать дыхание по своей воле.

В этом отношении данный опыт сам по себе оказывается недостаточно глубоким, чтобы привести к мудрому и полному пониманию жизни. Он в такой же мере не может привести к глубоким духовным переживаниям, как и самый распространенный психический опыт, заключающийся в воображаемом пребывании вне собственного тела (обычно это парение над ним).

Но, поскольку Рамана Махарши придает основополагающее значение именно этой "смерти", пережитой им в юности, весьма возможно, что воздействие этого опыта было чрезвычайно сильным и действительно позволило ему проникнуть в природу собственного "я", внутреннего человека, — которого мы так охотно отождествляем с собственным телом.

Индуизм всегда придерживался мнения, что невежество состоит в ложном отождествлении, что мы не понимаем своей подлинной природы, когда отождествляем ее с чувствами и ощущениями тела и называем каждое телесное ощущение "своим". Если бы мы могли заглянуть за рамки этого собственнического мышления и чувства, выражаемого словами "я есмь это тело, которое называется так-то и так-то", наше прозрение привело бы нас в состояние блаженства и освобождения.

Ибо, если мы ничего не знаем о собственной природе, то мы ничего не знаем и обо всем остальном. В силу того, что я отождествляю это тело с самим собой, я отождествляю весь мир со множеством других тел, каждое из которых заключает в себе отдельное "я". Мы задерживаем взгляд только на внешних признаках, и они-то и вводят нас в заблуждение. Нашим мышлением управляет Вселенная имен и форм.

Индуизм учит, что созидательная сила, поддерживающая мир — это не имя и не форма, а само сознание. И для того, чтобы ощутить это сознание, каждому из нас нужно перестать отождествлять себя со всеми *объектами* сознания — с тем миром, в центре которого находится тело.

Упражнения йоги направлены на то, чтобы устранить чувство "я — это мое тело". Возможно, Рамана Махарши в момент высочайшего озарения понял это благодаря острому ощущению, что его тело умерло и больше не является "им". Он обнаружил, что сознание не исчезло и все еще выражается в чувстве "я существую". С тех пор самоисследование (попытки ответить на вопрос: "Кто я?") стало делом всей его жизни, и его открытия и учение принесли ему славу гуру.

После своей "смерти" Рамана покинул дом и направился в Тируваннамалаи, город, расположенный у подножия Арунахала, холма, который так часто будоражил его воображение. С тех пор он оттуда никогда не уезжал. Сначала никому и в голову не приходило считать его учителем. Он просто сидел, погруженный в сознание Бытия, безразличный к тому, живо ли еще его тело или уже умерло. Его состояние было знакомо и почитаемо индусами, которые всегда относились к своим святым с заботой и благоговением; люди каждый день приносили ему чашку с едой. Постепенно он вышел из состояния невыразимого блаженства и вернулся к той повседневной жизни, которую вели все окружающие.

Хотя он был еще очень молод, его понимание обрело такую ясность, что вскоре он был признан учителем, и ученики создали вокруг него ашрам. На протяжении последовавших за этим пятидесяти лет он проникновенно, просто и непосредственно разъяснял свою основную идею — "Кто я?".

Чувство собственного "я" является естественным для всякого живого существа, утверждал он, следуя тем же путем, что и Алан Уотс, который заявлял, что жизнь постоянно возрождается в каждом новом "я". Махарши подчеркивал, что мы всегда выражаем свои чувства с помощью местоимения "я" — "я пошел", "я существую", "я делаю". Обычно эти чувства связаны с телом и его действиями — "я посадил сад", "я читаю книгу" — и таким образом мы начинаем отождествлять свое "я" с самим телом. Мы отождествляем себя со всеми его функциями и видами деятельности и называем их "своими". Но чувство собственного "я" шире и глубже тела, в котором оно возникает и которое является его носителем. Тело само по себе представляет собой всего лишь массу костей и тканей, которая оживает на время, а затем умирает. Если бы тело было *причиной* возникновения сознания собственного "я", мы бы ощущали это сознание постоянно. Но вот мы крепко заснули, и чувство собственного "я" исчезает.

Чувство собственного "я" возникает одновременно с телом, но тело не является причиной его возникновения. Так утверждает Рамана Махарши. Из-за того, что мы этого не сознаем, оно рядится в одежды наших телесных ощущений и становится тем, что мы считаем своим личным "я", или эго. Ибо все ощущения принадлежат телу, и они с неизбежностью влекут за собой возникновение словесной болтовни разума, которую мы называем мыслями. Если отождествление с телом является полным, то в первую очередь возникают мысли, направленные на выживание тела, например, мысли о еде, жилье и деньгах. Так проявляется незнание подлинной природы собственного "я". Когда же начинается постижение (а индуизм учит, что в этой жизни его может и не произойти), чувство собственного "я" очищается и уже не столь полно отождествляется с телом. Тогда возникают бескорыстные и более отвлеченные мысли. Чувство собственного "я" не столько ослабевает, сколько освобождается в чистом сознании.

Само по себе чувство собственного "я" — еще не причина страданий. Дзэнский учитель Банкэй однажды спросил у своих учеников, зачем они "отдают" свое чудесное и бессмертное чувство собственного "я" за мимолетное превращение в алчный или в эгоистичный разум. Вместо того, чтобы пребывать в целом и действовать, исходя из этого целого, мы позволяем себе увлечься частью этого целого и ограничиваем себя ее пределами.

Что же такое "я" и в чем причина возникновения нашего чувства собственного "я"? Этот вопрос, говорит Рамана Махарши, лежит в основе всех святых писаний. Разве можно пройти мимо него? Разве можно жить, не пытаясь доискаться до природы этого "я"? "Я", — говорит он, — сияет внутри сердца, а чувство собственного "я" является постоянным, невыразимым словами и стихийным сознанием, которое лежит в основе всего потока мыслей. Тот, кто обнаружил его и держится за него, расстается со своим невежеством, которое ошибочно отождествляет это "я" с телесными атрибутами. Это и есть освобождение.

Рамана Махарши утверждает, что даже полное невежество не способно затмить это "я". Даже самые непросвещенные говорят о нем. От невежественного человека просто скрыта реальность чистого сознания, в силу чего он путает это "я" со своими телесными ощущениями.

Учение о самоисследовании привлекало многих пытливых людей в Тируваннамалаи. Хотя сам Махарши — которого часто называют *Бхагаваном*, что значит "наделенный великими свойствами" — писал мало, его ответы на разные вопросы были записаны и собраны в несколько книг покойным Артуром Осборном, а также другими (индийскими) писателями. Каждый день он принимал посетителей, среди которых было много людей с Запада; и каждый день он устраивал *даршан* (аудиенцию) многим индийцам и людям других национальностей. Он был хрупок и свят и вызывал чувство глубокого благоговения у своих последователей. Буддийский монах Сангхаракшита, посетивший его ашрам, описывает ежедневный *даршан* следующим образом:

"К тому времени, когда мы приходили, Махарши обычно уже занимал свое привычное место на тахте в дальнем конце зала, где он либо полулежал, опираясь на валик, либо, (значительно реже) сидел, скрестив ноги. Иногда мы приходили пораньше, чтобы услышать, как тамильские брахманы поют Веды, открывая ими утренний *даршан*... Закончив пение, брахманы вереницей выходили из зала, и казалось, что больше здесь уже ничего не произойдет. Махарши сидел на своей тахте. Время от времени кто-нибудь подходил к нему с вопросом или просьбой, получал краткий ответ, иногда ограничивавшийся одним лишь взглядом или жестом, а затем возвращался на свое место. Вот и все. Все остальное время шестьдесят или семьдесят человек, сидевших в зале, или просто смотрели на Махарши (что и подразумевает в своем буквальном значении слово "даршан"), или же медитировали с закрытыми глазами. Разговоры были категорически запрещены, поэтому вновь прибывшие иногда обменивались со своими друзьями, если таковые здесь имелись, молчаливыми кивками; но, по большей части, верующие сидели тихо и неподвижно целыми часами, и в зале царила величественная тишина. Каждый, кто просидел здесь достаточно долго, не мог не осознать, что эта тишина была не просто отсутствием шума, а положительным духовным влиянием. Казалось, что по залу проносится легкий ветерок или течет поток, поток чистоты, и этот ветерок, этот поток будто бы исходил от молчаливого, кивающего головой человека на тахте, который сам ничего не делал, разве что прочитывал подносимые ему письма и время от времени бросал быстрый взгляд своих проницательных, но добрых глаз на кого-нибудь из собравшихся. Когда я сидел в этом зале... я чувствовал, как этот поток охватывает меня, как он охватывает тело и разум, мысли и чувства, пока наконец тело, разум, мысли и чувства не уходили с ним окончательно, а оставался один лишь величественный сияющий покой" [2].

Одним из вопросов, которые постоянно задавали Рамана Махарши, был: "Кто я такой? Как я могу это узнать?" Однажды он ответил на него довольно резко: "Если вы сами не знаете, кто вы такой, кто еще может вам это сказать?" Он знал, что люди погрязли в понятийном мышлении и, если бы только они могли стать проще, они в тот же миг увидели бы истину. Но обычно он терпеливо и подробно отвечает тем, кто задает ему этот мучительный вопрос. Он описал два пути, ведущие к постижению "Я" (индуистский термин "Я" означает Единственную Реальность, Единство, в котором живет и движется мир и которое также является неделимой основой каждого индивида. Осознание этой Основы влечет за собой чувство обретения истинной личности, словно вы вернулись наконец домой, в свое подлинное "я". Поэтому о ней часто говорят как о "Я", о знании своей собственной сущности).

Махарши указывал на два возможных пути: 1) сперва выяснить, кому дана эта конкретная судьба, и кто живет этой конкретной жизнью; а затем прийти к заключению, что узами судьбы связано только эго и что оно не существует в том смысле, который мы вкладываем в слово "существовать"; или 2) подчинить свое эго Богу, постигнув собственную беспомощность и ограниченность своих возможностей и заменив свою собственную волю волей Божьей; при этом любое действие следует воспринимать как должное, не считая ни одно из них своим собственным и, таким образом, устранить малейшее чувство "меня" или "моего". (Махарши часто употребляет слово Бог вместо "Я").

Большинство индусских гуру тяготеют к одному из этих двух путей. У Рамана Махарши было исключительно ясное представление об обоих путях, но в основном его интересовал первый из них, путь самоисследования, хотя он и был глубоко убежден, что отделить разум — это еще только полдела, и что наиболее существенен другой путь — развитие сердца.

Людям, которые следовали путем отделения, на вопрос "Как мне узнать, кто я?" он отвечал: "Тело и его функции — это не "я". Более того, разум и его функции — это тоже не "я" [3].

Подобного рода утверждения пугают и даже вызывают панику у людей, которые привыкли отождествлять себя со своим телом и разумом, в особенности с разумом. Если разум — это не "я", то что же тогда "я"? Это и есть верная формулировка вопроса, говорит Рамана Махарши. Сосредоточенное наблюдение показывает, что чувства и мысли возникают независимо от воли; т.е. процесс этот напоминает реакции симпатической нервной системы. Когда мы перевариваем пищу, в этот процесс наше "я" не включается вовсе. Система кровообращения регулируется отнюдь не силой воли. Но оказывается, что разум и память тоже обладают естественной автономностью, которая имеет мало отношения (если вообще имеет отношение) к чувству собственного "я".

Двести лет назад, на другом конце света, английский философ Юм сделал точно такое же открытие:

"Что касается меня самого, то когда я самым тщательным образом вглядываюсь в вещь, называемую "самим собой", я всегда упираюсь в то или иное частное ощущение, будь то ощущение жары или холода, света или тени, любви или ненависти, боли или удовольствия. Мне никогда не удается схватить "самого себя" отдельно от ощущений, и никогда не удается наблюдать за чем-нибудь, помимо ощущений... Мы представляем собой ничто иное, как пучок или же коллекцию различных ощущений, которые сменяют друг друга с непостижимой скоростью и пребывают в постоянном течении и движении" [4].

А еще дальше на Востоке дзэн-буддизм учит своих последователей не проецировать чувство собственного "я" на мысли, чувства или внешний мир. Когда человек начинает ясно понимать, что его мысли возникают и гибнут точно так же, как рождается и умирает тело, его чувство собственного "я" становится более глубоким и менее личным. Оно превосходит меня и, все-таки, оно *является* мной. Это ощущение уже нельзя назвать ни мыслью, ни чувством — это осознание неизменного состояния бытия, в котором невозможно усомниться. Это не *кажется*, это *есть*. Словам не под силу передать грандиозное чудо этой уверенности.

Дискриминативный путь к этому чуду проходит через постепенное постижение преходящей природы всех сотворенных вещей, пока наконец все они не будут лишены в вашем сознании атрибутов человеческого "я", а единственной точкой их опоры станет Бог, или "Я", иными словами, то, что находится за пределами человеческого понимания.

Иногда это постижение происходит внезапно и уникальным образом, без предварительного тренинга. Именно так обстояло дело с юным Раманой Махарши, когда он понял, что смерть его тела неизбежна, но То, что создало и поддерживает его, бессмертно. Именно тогда он понял великое индуистское изречение "Ты — Это" и постиг, что чувство собственного "я", в самой своей чистой форме, *было* Этим, было чистым Бытием, лишенным свойств.

Он учил своих слушателей прослеживать это чувство сквозь все оболочки интеллекта и личности, которые скрывают его во всех трех состояниях сознания — во сне, во время сновидений, и во время бодрствования — и рассматривать его в качестве субстрата, естественной и безусловной причины всех явлений, включая и сам разум.

"Сущностью разума, — говорил он, — является одно лишь осознание, или сознание. Однако, если эго замутняет его, он начинает выполнять функции рассуждения, мышления или восприятия. Универсальный разум, не ограниченный рамками эго, не обладает ничем вне себя самого и, следовательно, является только сознающим. Вот что значит библейское "Я есмь Сущий" [5].

Когда слушатели заявляли, что не могут обнаружить собственного "я" и что, заглядывая внутрь себя, они его там не видят, Рамана Махарши отвечал им, что это происходит вследствие привычки к ложному отождествлению. Индивид, ограниченный рамками бодрствования, привык смотреть наружу в надежде увидеть что-нибудь отличное от него самого, и просто не может поверить, что сам он, видящий, и предметы, которые он видит, и сам процесс видения — все это одно и то же проявление Сознания.

"Каким образом вы узнаете самих себя?" — спрашивал он. — Неужели вам нужно непременно взглянуть в зеркало, чтобы узнать самих себя? Сознание — это и есть ваше "я". Поймите это, ведь это истина" [6].

Он учил, что даже *ощущение* собственного "я" у самого источника мыслей все еще ассоциируется с формами и даже с физическим телом, и что такое ощущение не может быть чистым сознанием "Я", с которым ничто не может ассоциироваться. "Я" — это чистая Реальность, в свете которой сияют тело, эго и все остальное. Когда успокаиваются все мысли, остается только чистое Сознание" [7].

Некоторым из его последователей путь отделения и самоисследования оказывался не под силу. Таким Рамана Махарши рекомендовал избрать путь подчинения Богу. Подчинение, в его понимании, касается не столько интеллекта, сколько воли, поскольку оно заключается в непрерывном отказе от индивидуальности; в страстном стремлении исполнять Волю Божью в ущерб своей собственной; в полном отказе осознавать себя "деятелем" своих действий.

"Эгоизм, выраженный в формуле "Я действую", похож на большую черную ядовитую змею. Противоядием в данном случае может служить осознание иного факта: "Я не действую". Это знание ведет к счастью", — говорит Аштавакра Гита.

Ощущение, что нет никакого "я", осуществляющего твои действия, приносит с собой чудесное облегчение, словно с тебя сняли тяжелую и бесполезную ношу — волны вздымаются и обрушиваются, ветер дует, но я к этому не имею никакого отношения; точно так же делается шаг, съедается пища, читается книга, но мое "я" не вовлекается в эти процессы:

"Есть только одна Реальность, и эта Реальность есть "Я", — говорит Рамана Махарши, — все остальное — всего лишь явления, проявляющиеся в "Я" или посредством "Я", или являющиеся проявлениями его самого. Зритель, объекты и само зрение — все это суть одно только "Я". Может ли кто-нибудь видеть или слышать, отказавшись от собственного "я"?.. Когда вы подчиняетесь... все идет хорошо... Лишь до тех пор, пока вы считаете себя тружеником, вы обязаны пожинать плоды своих трудов. Если же вы подчиняетесь и сознаете, что ваше личное "я" является лишь инструментом Высшей Силы, эта Сила возьмет на себя исполнение ваших дел и наряду с этим станет пожинать плоды ваших действий. Они больше не окажут на вас влияния, и работа пойдет беспрепятственно. Признаете вы эту Силу или нет, порядок вещей от этого не изменится. Меняется только взгляд на вещи. Зачем вам держать свою поклажу на голове, если вы едете в поезде? Поезд везет и вас, и вашу поклажу, стоит ли она у вас на голове или на полу вагона. Удерживая ее на голове, вы не облегчаете работу поезда, но только без нужды утомляете себя. Таков смысл деятельности тех людей, которые считают себя субъектами действия" [9].

"Жить таким образом, чтобы центр истинного сознания жизни располагался в Другом, — значит, отказаться от самомнения и серьезности и жить "играя", находиться в союзе с Космическим Игроком, — говорит Томас Мертон. — Лишь одного Его следует принимать всерьез. Но принимать Его всерьез — это значит находить непосредственную радость во всем, поскольку все есть дар и милость. Другими словами, жить эгоистично, значит сделать жизнь невыносимым бременем.

Жить самозабвенно — значит, жить в радости, постигая на опыте, что жизнь сама по себе есть любовь и дар. Любить и дарить — значит быть каналом, по которому Верховный Даритель несет в мир свою любовь" [10].

"Подчинитесь Ему и выполняйте Его волю, является ли Он или исчезает: ожидайте воли Его", — говорил Рамана Махарши встревоженному просителю, который чувствовал, что подчинение не приносит ему того утешения, на которое он надеялся. Махарши указал на то, что любое желание, сохранившееся у него, — даже если он просто желает достичь духовной уверенности, — это признак неполноты его подчинения. "Если вы просите Его сделать так, как *вам* угодно, то вы не подчиняетесь, а приказываете Ему" [11].

Быть может, корень нашего высокомерия и самоуверенности кроется в нашей убежденности, будто мы сами знаем, как нам будет лучше. Вследствие этого мы ничего не принимаем на веру и направляем всю нашу энергию на то, чтобы любой ценой достигнуть наиболее благоприятных условий существования. Противоположная жизненная позиция состоит в том, чтобы по-настоящему верить в добрую и справедливую сущность жизни и в то, что условия, сложившиеся в настоящий момент, составляют как раз самые подходящие и самые соответствующие тебе сейчас условия существования. Пытаться изменить их хоть на йоту в свою пользу — то же самое, что навязывать живой реальности свои понятия, которые омертвляют ее и лишают ее смысла.

"Осознавать реальность, живое настоящее — значит открыть для себя, что в каждом моменте, переживаемом вами, есть все, — говорит Алан Уотс. — Искусство жить... состоит в умении быть абсолютно чувствительным к каждому мигу и считать его совершенно новым и неповторимым, в умении открыть свой разум всему и готовности принять все" [12].

Однако принять этот миг таким, как он есть, вовсе не значит отказаться от всякой деятельности. Подлинное подчинение как раз и состоит в том, чтобы делать только необходимое. Когда-то это было основой христианской жизни и сегодня все еще остается неосуществленным идеалом для многих индусов, далеко не всегда понимающих, что подчинение текущему положению вещей требует больших усилий активного осознания, которое должно помочь человеку не только быть, но и *действовать*.

Сталкиваясь с явным безразличием индусов к физической жизни, шокированные зрелищем трупов и падали на улицах Бомбея или Калькутты, наиболее эмоциональные европейцы и американцы приходят к выводу, что концепция безусловного принятия Божественной воли неверна и достойна порицания. Отчасти, может быть, они и правы. Но еще одной особенностью индийской философии, особенностью, которая совершенно сбивает с толку западных мыслителей, является представление о том, что мир является *майей*, иллюзией, и о его реальности говорить вообще не приходится.

Подобно представителям всех религий, индусы склонны неверно толковать собственные священные тексты. В частности, представление о майе, которое некогда было ценным духовным прозрением, часто истолковывалось превратно — в том смысле, что в конечном счете все является созданием ограниченного индивидуального ума и, следовательно, не стоит волноваться о чем бы то ни было.

Рамана Махарши учил своих приверженцев, что физический мир абсолютно реален, поскольку "Я" проявляет себя в каждом творении; а не верить в существование мира — значит отрицать проявленность "Я". Однако если мы считаем, что какая-либо одна часть физического мира обладает обособленной, самодостаточной жизнью, то мы заблуждаемся, поскольку такое мнение о мире иллюзорно. На самом деле большинство из нас совершает эту ошибку в тот момент, когда отождествляет себя со своим телом. Мы считаем себя смертными, считаем других друзьями или врагами и полагаем, что все живое осуществляет над нами свою собственную независимую власть. Думая таким образом, мы создаем иллюзорный понятийный мир, мир-грезу, который заменяет реальность. Рамана Махарши сравнивал этот процесс с кинематографом — театром теней, где зритель видит образы и события, нереальные сами по себе, но обретающие реальность в его воображении. И подобно тому, как свет проекционной лампы становится виден лишь тогда, когда в аппарате нет ленты, так и "Я" начинает сиять лишь в том случае, если умственные иллюзии устранены.

То же самое случается во время сна. Людей, участвующих в сновидении, создает наш разум, но мы ничего не теряем, создавая их образы, и ничего не приобретаем, вбирая их в себя; так и "Я" проявляется во всех созданиях, никогда не изменяя природе своего вечного "Я" и никогда не переставая быть Самим Собой.

У некоторых последователей Махарши эти слова вызывают представление о равнодушной энергетической силе, созидательной, но не заботящейся о своих проявлениях. Но Махарши учил, что человек, сумевший открыть для себя, что "Я" существует всегда и является истинной природой и причиной его собственного бытия, обретет вечную жизнь.

"Я" — это Сердце. Сердце светит само по себе. Свет поднимается из Сердца и восходит к мозгу, где размещается разум. Мы видим мир посредством разума, т.е. с помощью отраженного света "Я". Мы воспринимаем его с помощью разума. Когда разум просветляется, он начинает осознавать мир. Когда же разум не просветляется в необходимой степени, он не осознает мира. Если разум обращается внутрь к источнику света, объективное знание исчезает, а сияет одно лишь "Я", или Сердце" [13].

Он говорил: "Сейчас вы думаете, что вы — личность, вокруг вас находится Вселенная, а вне Вселенной пребывает Бог. В этом и состоит идея разделения. От нее необходимо избавиться. Потому что Бог неотделим от вас и от Космоса" [14].

Махарши был, возможно, величайшим представителем индусской доктрины о Недвойственности (Адвайте) в двадцатом столетии. Его учение о природе разума ясно и недвусмысленно; оно очень напоминает доктрину Мартина Бубера "Я и Ты". Рамана Махарши говорит:

"Сначала возникает мысль о самом себе, а потом уже все остальные мысли. Они захватывают разум... Только после того, как возникла мысль о самом себе, в разум могут войти мысли о "тебе", о "нем", об "этом". Их бы не было, если бы им не предшествовала мысль о себе. Следовательно, сама мысль о себе не принадлежит к числу этих мыслей, а является их причиной. Это субъект, в то время как они являются объектами. Поскольку разум предоставляет собой ничто иное как собрание таких мыслей, он умолкает лишь в том случае, если мы найдем их причину, задав себе вопрос "Кто я такой?" [15].

Метод самоисследования, предложенный Махарши, состоит в том, чтобы отмечать каждую мысль в момент ее возникновения. Он полагал, что не существует разума отдельно от мыслей и, когда мысль возникает, не следует беспокоиться о ее содержании или пытаться прервать ее, а нужно спросить себя: "Кому пришла в голову эта мысль?" И ответом будет: "мне"; а затем, когда вы спросите "Кто я такой?", разум обратится внутрь, перестанет заботиться о возникшей мысли, и она угаснет. В результате постоянных упражнений по данному методу чувство собственного "я" набирает силу истинности. Его больше не отвлекают возникающие мысли, и оно обретает способность "пребывать у своего Источника".

Трудная задача; но Махарши говорил своим приверженцам, что для ее выполнения нужно оттолкнуться от "эго" с такой же силой, с какой утопающий хватает воздух.

Махарши умер в 1950 г. после долгой мучительной болезни, явившейся результатом неоперабельной раковой опухоли. Его собственная философия поддерживала его до самого конца, и многие вспоминают, как на смертном одре он сказал: "Говорят, я умираю, но я не ухожу. Куда мне идти? Я остаюсь здесь" [16].

Хотя писал он очень мало, поэт Муруганер уговорил его сжато выразить суть своего учения в сорока стихах. Из них мы приводим здесь лишь те три, которые, пожалуй, наиболее ясно передают суть прозрения Махарши:

"Хоть мир и осознание мира возникают и угасают одновременно, мир сияет только посредством сознания. Одно только *Целое*, откуда возникают мир и сознание и куда они исчезают, сияющее без рассветов и закатов, одно лишь оно реально" [17].

"Двойственность субъекта и объекта и тройственность видящего видения и видимого существует только в результате поддержки Единым. Если обратиться внутрь в поисках этой Единственной Реальности, двойственность и тройственность исчезнут. Те, кто понимают это, обладают Мудростью. Они никогда не сомневаются" [18].

"Под каким бы именем и в какой бы форме мы не почитали вездесущую безымянную и бесформенную реальность, все это лишь врата постижения. Истинное понимание — это постижение своей собственной истины в истине этой истинной реальности, в единении с нею и растворении в ней. Вот что вам следует знать" [19].

БИБЛИОГРАФИЯ

1. Dr. T.M.P.Mahadevan, *Ramana Maharshi and His Philosophy of Existence* (T. N. Venkatarman), p.6.

2. The Venerable Sangharakshita, *The Thousand Petalled Lotus* (William Heinemann Ltd), p.178-179.

3. Arthur Osborne, ed., *The Teaching of Ramana Maharshi* (London: Rider and Co.), p.116.

4*. David Hume, *Treatise of Human Nature* (London: J. M. Dent & Sons), Vol. 1, p.239.

5. Arthur Osborne, ed., *The Teaching of Ramana Maharshi*, p.23-24.

6. Ibid., p.24.

7. Ibid., p.24.

8. Hari Prasad Shastri, *The Ashtavakra Gita* (London: Shanti Sadan), p.3.

9. *Talks with Sri Ramana Maharshi* (T. N. Venkatarman), p.487.

10*. Swami A.C.Bhaktivedanta, *The Bhagavad Gita as It Is* (London: Collier-Macmillan Ltd.), p.19.

11. *Talks with Sri Ramana Maharshi*, p.425.

12. Alan Watts, *Why Not Now?* (a record).

13. *Talks with Sri Ramana Maharshi,* p.94.

14. Arthur Osborne, ed., *The Teaching of Ramana Maharshi*, p.46.

15. *Talks with Sri Ramana Maharshi*, p.423.

16. Arthur Osborne, *Ramana Maharshi and the Path of Self-Knowledge*, p.185.

17. Mahadevan, *Ramana Maharshi and His Philosophy of Existence*, p.60.

18. Arthur Osborne, ed., *The Collected Works of Ramana Maharshi* (London: Rider and Co.), p.173.

19. Mahadevan, *Ramana Maharshi and His Philosophy of Existence*, p.64.

9. ПРОДОЛЖАТЕЛИ ТЕОСОФСКОЙ ТРАДИЦИИ

Теософия, синкретическое религиозно-мистическое течение, возникшее во второй половине XIX века, представляет из себя достаточно противоречивое явление.

С одной стороны, теософы обратили внимание западного мира на мудрость Востока; именно они открыли для Запада таких индийских мудрецов как Рамакришна, Вивекананда и Кришнамурти; именно они впервые заявили о глубинной общности всех религий мира. Но, с другой стороны, с самого своего рождения теософское движение едва ли представляло из себя источник чистой духовности. Его лидеры, в частности, Е.Блаватская и А.Безант (см. статью о Кришнамурти), всегда были чрезвычайно склонны к раздуванию сенсаций и выдаванию желаемого за действительное. Все это привело к тому, что уже в начале нынешнего столетия, при всей своей популярности и внешнем благополучии, Теософское общество переживало глубочайший кризис. Копируя официальную структуру научных и просветительских обществ, оно погрязло в иерархических склоках, карьеризме и протекционизме; но главным несчастьем Общества стала ультраконсервативная позиция, которую заняло ее руководство. Вследствие этого консерватизма "классическая" теософия в XX веке оказалась бесплодной. Ее хватило лишь на то, чтобы подготовить начальный этап развития нескольких замечательных людей, которые затем либо порывали с теософской традицией (Кришнамурти, Генон), либо со скандалом изгонялись из Общества (Штейнер), либо существовали где-то на обочине Общества, тщетно пытавшегося присвоить себе их труды и заслуги (семейство Рерихов).

Впрочем, учения Штейнера и Рерихов были построены, главным образом, на их личном духовном опыте и, фактически, очень мало зависели от теософской традиции. Опыт Штейнера был визионерским опытом общения с духовными Существами, открывавшими ему тайны мироздания; оно началось в раннем детстве, когда Штейнер еще ничего не знал о теософии. Николай и Елена Рерихи, напротив, развивались под сильным теософским влиянием — однако, оказавшись на Востоке и столкнувшись с его живой мудростью, пересмотрели свои представления и создали совершенно независимое от теософии учение "Живой Этики".

Философская система Рудольфа Штейнера — титанический труд, охватывающий и объясняющий все мироздание, населенное мириадами видимых и невидимых существ. Его терминология во многом базируется на мистической каббале (подробнее об этом учении будет рассказано в статье, посвященной Дион Форчун). Однако наряду с этим Штейнер свободно использует термины и понятия иных религий, прежде всего индуизма и тантрического буддизма. Он утверждает, что в основе его построений лежит прямое откровение внеземных Существ. Как бы мы ни относились к этому утверждению, мы не можем отрицать, что многие тезисы Штейнера уже получили практическое подтверждение, а его идеи принесли и продолжают приносить ценные плоды во многих областях человеческой деятельности.

Откровение Рерихов касается, главным образом, духовного самосовершенствования каждого человека и всего человечества в целом. Его источником послужили послания легендарной Шамбалы — тайного центра светлых сил, затерянного где-то в Гималаях. Легенды повествуют о том, что в Шамбале живут мудрецы, хранящие эзотерическое знание, которое дает человеку полную власть над миром. Наверное, в наш скептический век Рерихи преуспели бы гораздо больше, если бы реже упоминали о Шамбале; однако, по-моему, на этом вопросе едва ли стоит заострять внимание. Ведь жизнь и деятельность Рерихов являет собой редкий пример всесторонней одаренности и научного подвижничества; а созданная ими "Живая Этика", несмотря на некоторую хаотичность изложения, способна принести немалую пользу многим искателям Вечной Истины.

РУДОЛЬФ ШТЕЙНЕР (1861 – 1925)

Когда Рудольф Штейнер был ребенком и жил в удаленном районе Карпатских гор, у него появилось странное чувство присутствия живых существ, которых не видел никто, кроме него. Некоторые дети развивают внутренний мир своей фантазии, но мир Штейнера был больше похож на непосредственно ощущаемый, чем на воображаемый, поскольку он с детства был реалистом, любил порядок и был наделен математическими способностями.

Бывают дети, от рождения чувствующие красоту природы. Такие дети любят выезжать за город; солнечные лучи, пробивающиеся сквозь ветки больших лесных деревьев, ветер, колеблющий все вокруг, мягкая трава и ясный лунный свет неизменно рождают отклик в их душах и сердцах. Такой ребенок глубоко понимает тишину и движение, молчание и звук, свет и тьму — так, как их никогда не понять ребенку, живущему огнями фонарей и уличным движением.

Если такой ребенок живет в селе, его духовная жизнь развивается наиболее интенсивно. Он может ощутить неописуемо глубокое удив-

РУДОЛЬФ ШТЕЙНЕР (1861 – 1925)

ление и благоговение; ощутить, что его коснулась *сущность* вещей, бесконечно превосходящая все видимые предметы. И, как ни странно, это не превращает его в выдумщика или фантазера. Он вступает на путь постижения вещей в их вещественности, обычно ведущий к ценным практическим результатам, ибо интуитивное постижение развивает способность к единству со всем существующим. Ощущать вещи в их бытийности (буддисты называют ее Такостью) вот что характерно для настоящего мистика.

Штейнер одновременно и был, и не был таким мистиком. С одной стороны, он с благоговением осознавал красоту окружающего мира, с другой стороны, его прозрения имели конкретный облик, и он наблюдал (с помощью того, что он называл "ясновидческим восприятием") работу духовных Существ, создающих эту красоту.

Подобно многим из нас, Штейнер вел двойную жизнь. Он чувствовал, что разрывается между духовным миром творения и гармонии и повседневным миром тяжелой работы, бедности и лишений. Он был старшим сыном начальника станции Южно-Австрийской железной дороги. Семья Штейнера не была бедной, но все же с трудом сводила концы с концами. В детстве Рудольфу приходилось ежедневно ходить в школу, расположенную за несколько миль, а при этом еще и помогать по хозяйству своим родителям. В пятнадцать лет он уже сам оплачивал свое школьное обучение, давая уроки другим ученикам. Это оставляло мало времени для воображения и фантазии, но Штейнер утверждал, что никогда не занимался ни тем, ни другим. Он всегда подчеркивал, что все его "видения" были жизненными фактами, которых не видят другие люди; но каждый из нас может развить в себе соответствующий орган восприятия.

Одно из преимуществ жизни около железной дороги заключалось в том, что с ранних лет Штейнер увлекался техникой. Он читал железнодорожное расписание, изучал паровозы, наблюдал за работой машин. В десятилетнем возрасте ему разрешили взять из школы учебник по геометрии, и его сознанию открылись новые двери. Несколько недель подряд его мысли были наполнены геометрическими фигурами и подобиями между ними. Он часто и подолгу размышлял о том, где же в самом деле пересекаются параллельные прямые. Вспоминая свое детство, Штейнер утверждал, что именно в геометрии он впервые испытал сознательное удовлетворение от чисто духовной жизни, рассматривающей вопросы помимо зрительных впечатлений.

Это наслаждение геометрией заставило его понять, что "предметы и события, воспринимаемые человеком, находятся в пространстве наряду с пространством вне человека, внутри него тоже существует некое душевное пространство, арена духовных реальностей и событий" [1].

В своих мыслях он мог найти лишь те прямолинейные умственные представления, с которыми мы сталкиваемся каждый день; но он видел также, что общие представления возникают из этих умственных представлений, взятых с различных уровней мышления. Он объяснял это на примере коровы. Если попросить человека думать о корове, каждый представит себе иную корову, исходя из своего индивидуального опыта. Но, если нас попросить объяснить, что такое корова, —

все мы дадим одно и то же объяснение. Общие представления — это то, чем мы владеем совместно, и в сознании есть области, которые Штейнер считал присущими только для человека; они содержат знания, выводящие его из собственных рамок.

Он пришел к убеждению, что все общие представления имеют свои истоки в духовных Существах. Он принял точку зрения, впервые (хотя и в несколько иной форме) выраженную Платоном: каждое качество — любовь, благо, доброта и т.д. — имеет свой архетип (чистый источник) в мире, находящемся вне человеческого восприятия — в том мире, от которого, человек отдалился вследствие "грехопадения". Штейнер видел архетипы как реальные Сущности, излучающие свои качества на Землю, где человек принимает их тени в свое сознание в качестве общих представлений.

В этом — ключ ко всем последующим мыслям Штейнера. Мир духовен, и все возникло из духовного источника. Не мозг создает мышление, но мышление создало мозг.

Постигнув, что "здесь человеку позволено знать нечто, переживаемое исключительно духом, при посредстве его собственных сил" [2], Штейнер еще в детстве смог примирить между собой оба мира, в которых он жил: ординарный внешний мир и внутренний мир духовных Существ, которые могли показаться созданиями его собственного мышления. Он никому не рассказывал о своем внутреннем мире, но с возрастом ощущение этого мира усиливалось, и наконец он понял, что должен рассказать об этом.

К этому времени он уже больше двадцати лет занимался исследовательской работой, стремясь построить мост между духом и материей, между свои внутренним опытом и миром ординарного физического смысла. Его исследования привели его, среди прочих открытий, к таинственной Изумрудной Скрижали Гермеса Трисмегиста. Рассказывают, что сам Гермес будто бы высек этот текст финикийскими буквами, а Александр Великий, вскрывший его гробницу, нашел скрижаль в его мертвых руках. Ссылки на текст скрижали повсеместны в эзотерической истории Запада. Тайные общества — например, общество розенкрейцеров, активным членом которого был Штейнер, — видело в Изумрудной Скрижали Гермеса ключ к преобразованию человеческих знаний о законах природы в сверхчувственное познание духовных законов Вселенной, ибо первая заповедь Изумрудной Скрижали гласит: "То, что наверху, подобно тому, что внизу, и то, что внизу, подобно тому, что наверху, ради исполнения чуда единства". В дальнейшем Штейнер увидел что этот постулат лежит в основе алхимии, и это привело его к трудам алхимических философов (например, Якоба Беме).

В годы внутренних поисков Штейнер достиг определенного прогресса и в своей внешней жизни — но только благодаря упорной работе и борьбе. Сначала он учился в Венском Техническом Университете, все время находясь в финансовой зависимости от собственных успехов в учебе. Затем, когда он получил ученую степень в области точных наук, к нему пришла большая удача. Ему предложили редактировать научные труды Гете для нового кюршнеровского

Роспись Фиолетового (южного) Окна в первом Гетеануме. Подписи: "Это будет", "Это возникает", "Это есть".

издания. К тому времени он уже ощутил свое духовное родство с Гете, и теперь ему представлялась возможность погрузиться в оба мира, открытые этим человеком. Ведь Гете тоже уделял очень много времени наблюдению за явлениями природы — за растениями и птицами, облаками и цветами. Эти наблюдения привели Гете к вышеупомянутой Платоновой мысли о том, что за каждым явлением природы стоит архетип — его "Идея", — существующая в высшем мире.

Это почти совпадало с личным восприятием Штейнера. Может быть, вовсе не Гете вдохновил Штейнера начертать собственную схему Вселенной — но теперь наконец пришло время разработать все ее аспекты. Он назвал ее Духовной Наукой, или Антропософией (от двух греческих слов, обозначающих "человек" и "мудрость").

Его первая публикация — "Философия свободы" (в новом переводе — "Философия духовной деятельности") — выделяется среди всех его работ. Не ссылаясь на опыт своего собственного ясновидения, он пытался, исходя исключительно из качеств внешнего мира природы, существующего вокруг нас, определить его соотношение с внутренним миром нашего мышления, а также деятельность самого "мышления" с умственной деятельностью, связывающей эти миры в нашем сознании в единый действительный опыт. Именно эта деятельность ведет к свободе, — говорил он, — и это единственный вид деятельности, который нам не удается заметить. Мы замечаем мысли, которые возникают из действий, и мы объявляем их своими собственными. Таким образом мы как бы имеем собственный "мысленный мир", и нам не удается понять, что мысли суть продукты нашей предшествующей деятельности. Эта деятельность соединяет восприятие с общими понятиями, без которых мы не могли бы видеть связей между вещами. Штейнер считал мышление путем к свободе, поскольку оно является единственным инструментом нашего познания. Прежде чем сформируется любая идея, должен существовать сам процесс мышления. Если мы делаем любое утверждение, даже такое как "это трудно понять", — значит мы уже миновали стадию мышления, и получили его продукт: мысль. Мышление предшествует разграничению субъекта и объекта, и это заставило Штейнера подчеркнуть, что именно мышление порождает идею внутреннего и внешнего, "я" и "ты", так же как и все остальные общие понятия.

Таким образом, настоящим исходным пунктом познания и постижения для Штейнера была не идея, а процесс распознавания и мышления, которым достигается эта идея. Он считал этот процесс механизмом, с помощью которого высшие силы действуют внутри нас, и если мы сможем привести свой разум в состояние чистого мышления, в котором он находился до того, как сформировалось общее понятие, мы разовьем в себе свободу, позволяющую видеть истинную природу вещей.

(Свобода от знания была одной из главных тем Кришнамурти и, хотя его выводы очень отличались от выводов Штейнера, он тоже считал, что важно избавиться от мира общих понятий — мира, который индусы называют Майей).

Отношение современников к этим рассуждениям Штейнера не было безоговорочно благосклонным. За несколько лет работы с веймарским архивом Гете он приобрел множество друзей среди художников, философов и писателей, поскольку на грани веков Веймар был значительным центром развития современной мысли. Но "Философия свободы" была написана уже по завершении веймарского периода, когда Штейнер занимался изданием литературного журнала в Берлине, и ведущие мыслители того времени даже не откликнулись на его книгу.

Основную поддержку Штейнеру оказало Теософское общество, в котором он был одним из наиболее уважаемых членов. Сделавшись главой Германского отделения общества (1902), Штейнер включил в теософское учение свою собственную космологию. Некоторые его намеки позволяют догадаться о том, какие надежды он связывал с Теософским обществом. Но его практическая политика была весьма странной. В 1906г. он вступил в другое общество — Орден Восточного Храма (известный в связи с применением сексуальной магии) — и даже возглавил одну из его лож, носившую название Mysteria Mistica Aeterna, но при этом постоянно заявлял, что никогда не имел дел с обществами подобного типа.

Несмотря на критику, его репутация среди теософов оставалась высокой на протяжении нескольких лет, в особенности после публикации его труда "Теософия", за которой последовали "Познание и достижение высших миров" и "Оккультная Наука". В последней книге содержалось все его послание, основанное на ясновидческих наблюдениях.

Он считал, что человек состоит из трех тел, или слоев, развившихся с начала времен, ибо человек — вовсе не самое юное, но одно из древнейших живых существ на Земле. Весь эволюционный процесс был процессом эволюции многочисленных форм человека. Только камни и минералы никогда не содержали в себе никаких аспектов человеческого роста. Но за человеком-рыбой последовал человек — позвоночное животное, и так далее, вплоть до настоящего времени. В каждом аспекте человеческого существа содержалась определенная ступень роста сознания, от растительного мира к духовному. Что же касается многочисленных рыб и животных, живущих рядом с нами по сей день, то им не удалось стать людьми, поскольку они не смогли освободиться от своей рыбьей или животной природы. Они закоснели в своей рыбности или животности (и, можно добавить, что сегодня мы видим многих людей, погруженных в непросветленную форму человечности).

Человек действительно загадочен, и в особенности загадочен тот факт, что *он может размышлять о своем собственном сознании* — способность, которой явно не обладает ничто в живой природе. Так что подобная теория психологической эволюции не лишена некоего правдоподобия. Штейнер считал, что в эволюции постоянно действуют две силы: сила удерживающая, запрещающая и разрушающая, которая исходит непосредственно от земли — и *внеземная* сила, постепенно готовящая разум ко все более и более высоким степеням сознательности и свободы, которая отражается в современном физиологическом процессе. В своем ясновидческом опыте он искал истоки этих двух сил, и очень точные подробности их действия содержатся в двух вышеупомянутых книгах.

Таким образом, человек появился и стал самим собой в ходе необыкновенно долгой эволюции. Ее следы можно найти в самом человеке. Например, человеческий зародыш, развиваясь проходит все стадии этой эволюции; а человеческий разум (по мнению Штейнера) хранит следы воспоминаний об иных эпохах. Его философия утверждает, что каждый человек, рождающийся на свет, — отнюдь не новорожденный. Он существовал все эпохи эволюции в качестве духовной единицы. Смерть — не конец человеческого существования, а только время для отдыха, подобное сну, которым завершается каждый день нашей жизни.

Три тела или слоя, в которые воплощается человек, играют большую роль в теории Штейнера. Эта идея не оригинальна, но Штейнер разработал ее в подробностях, включая технологию взаимодействия этих уровней и роль, которую играет каждый из них.

Первое тело — физическое или земное, в известной степени изученное современной наукой. Штейнер считал, что оно является материальным механизмом двух других тел.

Второе тело — эфирное. Наличие этого тела легко отрицать, оставаясь при этом совершенно честным человеком: ведь никто, кроме ясновидцев, никогда его не видел. Что же это за тело? Штейнер утверждал, что это жизненная сила, сохраняющая целостность и жизнедеятельность живого организма. Ни один из наших органов или частей тела не обладает собственной жизнью. Но вместе они составляют единый организм и выполняют действия. Если эфирное тело покидает органы, плоть умирает и разлагается. Термин *эфирное тело* может ввести в заблуждение, поскольку напоминает о чем-то полуфизическом, вроде газа или атмосферы, окружающей физическое тело в виде облака. Но Штейнер утверждал, что "исследователю духовной жизни эта материя представляется следующим образом. Он видит, что эфирное тело — не продукт материи и сил физического тела, но независимая реальная сущность, оживляющая эти физические материи и силы... Чтобы увидеть это тело, осознать его наличие в другом существе, нужно пробудить свое "духовное зрение". Без последнего его существование может быть доказано логическим путем; но "духовное зрение" может воспринять его так же легко, как глаз воспринимает цвета" [3].

Над людьми, которые говорят об эфирных телах, часто смеются, но в последнее время исследователи уже собрали материал, указывающий на реальное существование данного предмета. Штейнер и его ученики описывали это тело как ауру, окружающую физическое тело и изменяющую свой цвет соответственно физическому здоровью человека. Недавно русские ученые установили, что физическое тело человека испускает электромагнитные волны, которые *можно* увидеть невооруженным глазом. Малая длина этих волн делает их недоступными для зрения большинства людей, но один биолог из Кембриджа, создавший синтезатор зрения — очки с полыми линзами, наполненными полупрозрачным красителем, — ясно увидел эти ауры. Он сообщает, что их не колеблет ветер, но они отзываются на приближение магнита к коже. Они состоят из двух слоев (туманного наружного и яркого внутреннего) и наиболее удлинены у таких телесных выступов как пальцы и нос.

Но другой русский ученый, Кирлиан, пошел еще дальше и сконструировал не только машину, которая генерирует высокочастотные электрические поля, но и оптический прибор, дающий возможность видеть их непосредственно глазами, без пленок и красителя. В результате (впрочем, сведения о нем несколько противоречивы) выяснилось, что любое живое существо окружено свечением высокочастотного разряда и разноцветными светящимися искрами. Но наиболее примечательно то, что узоры и цвета (например, составляющие палец) изменяются в соответствии с состоянием здоровья человека. Лайэлл Уотсон, сообщившая об этом эксперименте в журнале "Supernature", говорит, что "свежесорванный лист сияет внутренним светом, исходящим изо всех его пор в виде лучей, которые постепенно тускнеют по мере того как он вянет. Листья, взятые с одних и тех же растений, дают одинаковый узор, но если одно из растений нездорово, то его лист дает совершенно другой узор".

Так что вполне возможно, что Штейнер мог видеть эфирные тела людей невооруженным глазом, поскольку (и Лайэл Уотсон подчерки-

Первый Гетеанум.

вает это) "... диапазон человеческой чувствительности весьма широк, некоторые люди могут слышать ультразвук, некоторые видят лучи, невидимые для других. Те, кто заявляют, будто видят ауру, окружающую живое существо, могут быть сверхчувствительны к инфракрасному излучению. Волны этого диапазона находятся вне пределов разрешающей способности "колбочек" — клеток сетчатки глаза, которые воспринимают видимые цвета; но диапазон их может оказаться доступным для клеток — "палочек", более чувствительных к менее интенсивному свету" [4].

Однако ни одно из обычных человеческих чувств не способно воспринять третье тело или слой, упоминаемый Штейнером — астральное тело человека. Все живые существа, включая растения, имеют эфирное тело — иначе они бы просто распались; но только животные и человек имеют астральное тело, в котором заключена внутренняя жизнь сознания. Мышление, чувства и желания — действия астрального тела, и оно качественно отличается от двух предыдущих. Физическое и эфирное тела связаны исключительно с материей. Эфирное тело поддерживает жизнь физического тела, поскольку (как считает Штейнер) его влекут вверх и наружу духовные влияния, действующие благодаря круговороту Вселенной. Но на астральном, "мысленном" плане человеческого организма эти духовные влияния проявляются как Существа:

"Говоря об "астральном мире", мы переходим, соответственно восприятию Одухотворенного Сознания, от влияний Мирового Круговорота к духовным Существам. Они проявляются посредством своих влияний — точно так же, как вещество, из которого состоит земной шар, проявляет себя посредством сил, вырывающихся из недр Земли.

Мы говорим о совершенных духовных Существах, действующих из вселенских пространств, точно так же, как говорим о звездах и созвездиях, обнаруживаемых глазами нашего разума в ночном Небе" [5].

Поскольку все мы умеем думать, мы вполне можем согласиться со Штейнером, когда он называет сознание и все его функции неотъемлемой частью человеческого организма. И "астральность" здесь довольно легко понять: она служит для того, чтобы выделить эти функции и привлечь к ним наше внимание. Но следующая ступень — это Существа, отражениями или тенями которых являются наши мысли. Далеко не каждый из нас согласится, что увидеть этих Существ — значит сделать шаг к просветлению.

Кроме того, Штейнер вводит организатора и гармонизатора трех тел, сущностное "Я" или "эго". В чистом чувстве "я" Штейнер видит дух, и в своих определениях он называет астральное тело душой, а "Я" — духом. Другие герои этой книги, в частности, Рамана Махарши, тоже верили в большую духовную значимость внимания к ощущению собственного "Я".

Второй Гетеанум.

"Представитель челове-
чества". *Деревянная
скульптура, выполненная
по эскизу Штейнера.*

Впрочем, штейнеровский анализ Вселенной проще понять, если начать его с другого конца. Вместо того, чтобы восходить от минеральных тел к духовным внепространственным Существам (как он обычно поступает в своих книгах) легче сделать этих Существ отправным пунктом и спускаться вниз, поскольку подлинной основой для всех его размышлений было Целое, разделившееся на части. Если же мы примем во внимание, что Штейнер склонен наделять духовными телами *все*, что он включает в свою иерархию, то мы поймем, почему его Вселенная столь обильно населена существами, Организмами, Душами Народов и т.д. Их количество значительно превышает количество уровней постижения.

Однако не следует думать, что Штейнер стремился прослыть уникумом, способным видеть то, чего не видят другие. Все его современники свидетельствуют о том, что он был чистосердечен и всегда стремился помочь другим людям увидеть то, что было открыто ему оккультными силами. Он разработал несколько циклов упражнений, способствующих развитию ясновидения и подчеркивал, что любая эзотерическая деятельность требует основополагающей моральной подготовки — три ступени морального прогресса на каждую ступень духовного прогресса.

Упражнения для развития мышления, воли, самообладания, конструктивности и открытости сознания объединены в его книге "Тайная Наука"; впрочем, большинство из них явно основаны на Восьмеричном Пути Будды. В частности, одно из этих упражнений — в конце дня вновь пережить всю свою деятельность, как бы наблюдая ее со стороны, — столь способствует открытию ясновидения, что должно стать повседневной практикой. Он также подчеркивал, что никогда не следует ни *судить* о деятельности других людей (в противоположность Гурджиеву, который требовал таких суждений от учеников), ни судить о самих людях, но всегда находить в них потенциальные хорошие стороны и относиться к ним с симпатией.

Более эзотерические упражнения, предназначенные для развития *чакр* (индусское название биоэнергетических центров человеческого тела), преподавались учителями в Штейнеровских центрах. Существовали и другие упражнения, помогающие вспомнить свои предыдущие существования. В связи с этим стоит заметить, что критики называли Штейнера романтиком и фантазером. Ведь он с такой искренней верой писал об исчезнувших континентах Атлантиде и Лемурии, что многие люди, находясь под впечатлением его книг, как бы вспоминали свои предыдущие жизни, прошедшие в этих местах.

Быть может, Штейнер и в самом деле замутил относительно тихие воды теософии. Но даже те, кого возмущают рискованные и шумные прыжки Штейнера в омут оккультных "фактов", не могут отрицать, что его собственный характер был в полной мере цельным и независимым. Пожалуй, даже слишком независимым для того, чтобы понравиться некоторым руководителям Теософского общества, не одобрявшим направления, в котором развивалось их Германское отделение. В сою очередь, Штейнер, будучи искренним христианином, не признал Кришнамурти, предложенного Анной Безант в качестве нового Христа. Возникло также множество других разногласий. Одно из них было связано с Марией фон Сиверс, прибалтийской немкой, которая вышла замуж за Штейнера и оказала сильное влияние на всю его последующую жизнь. Прирожденная актриса, питавшая страсть ко всем видам публичных и драматических выступлений, она воодушевляла Штейнера излагать свои идеи в драматургической форме и фактически переводить свои мысли на язык искусства.

Как-то раз весьма влиятельные члены Теософского общества, прибывшие в Берлин на свой ежегодный конгресс, были поражены, увидев, что лекционный зал украшен яркими картинами, а вместо привычного расписания лекций висит программа выступлений поэтов и актеров (причем сама Мария фон Сиверс играла Деметру). Раскол возник тут же, и в 1912г. Штейнер порвал с теософией.

Под собственным знаменем антропософии Штейнер теперь был волен воплотить на практике все, во что он верил. Он вел курсы, читал лекции и начал привлекать профессионалов из самых разных областей — медицины, экологии и физики, а также искусств и образования. К 1920г. возникла необходимость в творческом центре. В связи с этим в Дорнахе (Швейцария) был построен Гетеанум, замечательное деревянное здание, архитектура которого должна была воплощать в себе тайны Вселенной, а породы дерева подбирались по принципу строения скрипки, чтобы оно воспринимало вибрации всех искусств. Штейнер соотносил все виды искусств с человеческими телами: так, архитектура отражала физическое тело, скульптура — эфирное тело, живопись — астральное тело, музыка — Эго или Дух, поэзия — следующее тело, Духовное Я, а эвритмия (практическое искусство движения, разработанное Марией фон Сиверс) — еще более высокое тело, Жизненный Дух.

Однако вскоре прекрасный Гетеанум сгорел дотла, подожженный врагами Штейнера, среди которых были теологи и ученые, политические и профсоюзные деятели. В то время люди были напуганы "еврейским большевизмом", и любая оккультная группа возбуждала большие подозрения, если ей случалось вступаться за политических мятежников. Штейнера тоже считали неблагонадежным, поскольку он не только явно симпатизировал евреям, но и якобы ослаблял Германию во время войны, гипнотизируя генерала фон Мольтке вплоть до состояния полной военной некомпетентности. Штейнер решительно опровергал это обвинение, но безуспешно.

Бетонный Гетеанум был построен на месте деревянного и продолжил деятельность своего предшественника. Но спустя два года Штейнер тяжело заболел и скончался в марте 1925г.

Многие открытия Штейнера, которыми пренебрегали его современники, сегодня приобретают иной облик в свете нового понимания. Последователи Штейнера, много потрудившиеся для поддержки его идей, сейчас видят результаты своих трудов. В таких областях, как биодинамическая культивация почв, гомеопатическая медицина и обучение нормальных и умственно отсталых детей идеи Штейнера сегодня нашли подлинное признание, хотя и получили несколько иное техническое воплощение.

Например, его труды по органической агрономии являются плодом тщательного изучения растений и их свойств. Однако все открытия в этой области доступны только непредубежденным умам, поскольку он объясняет их... тем, что Земля и Космос имеют противоположную полярность. Он считал, что это является фактором любого роста, поскольку силы Земли (гравитация и электричество) тянут семя в землю, в то время как духовные силы Космоса тянут его в небеса. Таким образом, эти два влияния видоизменяют растение и порождают процесс роста. Сегодня это уже не новость для большинства из нас; но подробности взаимоотношений между Землей и Небом, открытые Штейнером, могут нас удивить:

"Предположим, нам нужно удержать в корневой природе растения то, что иначе выйдет наружу в виде стеблей и листьев. Несомненно, это очень важно в нашу нынешнюю земную эпоху, поскольку с помощью многочисленных условий мы уже создали виды растений с различными фиксированными свойствами. Но в предыдущие эпохи — особенно в изначальную эпоху, — все было иначе. В то время было довольно просто превратить одно растение в другое, и знание всех этих факторов имело очень большое значение. Их не мешало бы изучить и нам, если мы хотим знать, какие условия благоприятны для того или иного растения.

Что же нам следует учесть? Как нам ухаживать за растениями, если мы хотим, чтобы космические силы не тянули их вверх, заставляя цвести и плодоносить?

Например, мы хотим, чтобы формирование стебля и листьев было задержано в корне. Что же мы должны для этого сделать? Мы должны высадить такое растение в песчаную почву, поскольку она содержит много кремния, отталкивающего все космическое. Теперь растение "поймано". Возьмите, например, картофель. С картофелем случится следующее. Цветение будет удержано на нижнем уровне, поскольку формирование стебля и листа происходит здесь ниже, в области корня. Процесс формирования листьев и стеблей будет сдержан и останется в клубне. Картофель — это не корнеплод, это стебель, формирование

Роспись Красного Окна первого Гетеанума.

которого задержано. Вот почему мы должны сажать его в песчаную почву. Иначе мы не сохраним космических сил, имеющихся в картофеле.

Такова азбука роста растений. Нужно всегда знать, что в растении космического, а что земного. Каким образом выбрать грунт, чтобы он уплотнял космическое и, таким образом, удерживал его в корнях и листьях — или же, как сделать его менее плотным, чтобы космическое прорвалось вверх в разреженном виде, переходя в краски цветов или формируя тонкий и нежный вкус плодов. Ведь тонкий вкус абрикос или слив (также, как их цвет) — это космическое качество, поднимающееся вверх, к плодам. В яблоке вы едите Юпитер, в сливе — Сатурн" [6].

Штейнер считал, что Земля, проходя различные планетарные фазы вращения, находится под значительным влиянием некоторых планет. В частности, он полагал, что Луна оказывает сильное действие на условия и сам процесс сева, и сеять непременно нужно при свете полной Луны:

"С лунным светом на Землю приходит весь отраженный Космос. Все влияния, оказываемые на Луну, отражаются от нее. Таким образом, все неподвижные Небеса (хоть мы и не можем доказать это средствами современной физики) посредством Луны отражаются на Землю. Эта весьма мощная космическая сила, посылаемая лунным светом в растения, должна способствовать их севу; таким образом *сила роста превратится в силу воспроизведения*" [7].

Но биодинамическое земледелие наиболее прославилось благодаря гумусу, вскармливающему растения. Соответственно времени года закладывались специально приготовленные компостные кучи. Они составлялись из определенных растений, заключенных в оболочки из внутренних органов (пузырей и кишок) животных. Считалось, что эти добавки будут побуждать силу роста растений к высокой и более эфирной деятельности. Другие операции производились с коровьим навозом и кристаллами кварца. Эта смесь вызревала в коровьих рогах и должна была помочь растению сделаться "гражданином Земли" и, в то же время, найти свое настоящее место под солнцем.

В медицине и в экологии Штейнер тоже учитывал соотношение всех аспектов полярности Земли и Космоса — земной гравитации и левитационной силы духовного космоса — выражающейся, в частности, в подъеме и циркуляции крови. Он считал, что каждая группа органов обладает собственным балансом материального и духовного, который следует поддерживать. Например, если в почках, органах выделения, тесно связанных с Землей, вдруг слишком сильно возобладает астральное тело, то здесь может возникнуть воспаление (диспропорция астрального начала и эго зачастую приводит к воспалениям), в результате чего разовьется нефрит.

Поэтому, наряду с физической диагностикой, должна существовать и духовная. Если такая диагностика произведена, лечение должно соответствовать ей. Так же, как в гомеопатической медицине, пациенту следует психологически помочь преодолеть дисбаланс в своей системе. Эти два пути лечения болезней достаточно хорошо изучены современной медициной, которая в настоящее время уже начинает открывать взаимосвязи между душой и телом.

Вклад Штейнера в медицину обладает исключительной ценностью — но большинство из нас знает Штейнера как педагога, превосходно понимавшего образовательные потребности детей. Совсем молодым человеком, приехав в Вену, он зарабатывал на жизнь уроками. Одного из его учеников родители считали умственно неполноценным, но Штейнер подготовил его к учебе в школе и в университете. Годы тесного общения с этим мальчиком и с другими учениками помогли Штейнеру понять пути развития детского организма, и одним из самых значительных его начинаний стало основание школы для нормальных и недоразвитых детей, которая не препятствовала бы их естественному росту.

Сегодня вальдорфские школы существуют во всем мире и насчитывают более 40000 нормальных учеников. Это школы совместного и равного обучения; и их методики основаны на "духовных исследованиях" Штейнера. Он считал, что каждый из нас — это вечный дух, время от времени воплощающийся в тело, и что детство заключается в постепенном освоении этого тела. Сперва ребенок растит пищеварительные и метаболические функции; затем, после смены зубов, он растит ритм сердца и легких; наконец, он выращивает нервы и разум. Таким образом, Штейнер выделял в детстве три семилетних стадии, приблизительно соответствующие трем функциям астрального тела — воле, чувству и мышлению — и старательно разрабатывал учебные программы, соответствующие этим стадиям.

Доверие и самоотверженность — вот основные составляющие штейнеровской педагогики. Личные отношения между учителем и ребенком ставятся здесь превыше всего, и на протяжении нескольких лет с детьми работает один и тот же учитель. Своей добротой и идеализмом учителя пробуждают в детях чувство удивления и восторга перед миром и любовь к наукам и искусствам.

У многих наших современников, в частности, у молодежи, возникает протест против жизни, скроенной по формальным шаблонам, против дегуманизирующего воздействия больших городов. Труды Рудольфа Штейнера очень привлекают тех, кто хочет жить в согласии с окружающей средой и в гармонии с миром природы.

Они привлекают и тех, для кого важен духовный план, кто черпает высший смысл своей жизни из воспоминаний о прежних воплощениях и придает большое значение информации, полученной сверхчувственным путем.

Но и тому, кто занят "чистой" мистикой, не стоит пренебрегать обществом антропософа Рудольфа Штейнера. Китайцы называют мир "десятью тысячами вещей". Штейнер добавил к этим вещам еще добрый десяток тысяч, если принять во внимание его духов-гномов и духов-фей, действующих на Земле, и всех его космических Существ.

Впрочем, любой мистик скажет вам, что для него важно именно непроявленное, не имеющее облика, имени или формы, и, как ни странно, именно об этом Штейнер не говорит ни слова. Однако все люди, населяющие этот мир — и мистики и реалисты — должны быть очень благодарны этому человеку, который так много заботился о том, чтобы поддерживать в людях их доброе начало и так много сделал ради их духовного благосостояния.

НИКОЛАЙ РЕРИХ (1874 – 1947),
ЕЛЕНА РЕРИХ (1869 – 1955)

Фамилия "Рерих" имеет древнескандинавское происхождение и в переводе означает: "богатый славой". Жизнь Николая Константиновича Рериха действительно была богата славой. Еще при жизни этого выдающегося мыслителя и художника, ученого и путешественника, писателя и общественного деятеля окружали легенды. Поражала его фантастическая работоспособность (Рерих написал около семи тысяч картин, не считая рисунков и набросков); масштаб его рискованных экспедиций, неизменно оканчивавшихся удачей (включая переход через Алтай, Тибет и Гималаи); его ученость и эрудиция. Суеверные тибетцы считали, что Рерих умеет ходить по воде, как по суше; что пули не могут причинить ему вреда; что он в дружбе с самим таинственным Духом Гор. Легендами окружен и его дом в Гималаях, над которым, как говорят, по ночам иногда появляются блуждающие огни.

Удивителен и жизненный путь Рериха — прямой, как стрела, как будто он с самого детства знал, что ему предначертано совершить. Он родился в Санкт-Петербурге, в семье преуспевающего нотариуса; повинуясь воле отца, получил юридическое образование, но ни единого дня не работал юристом. Уже в студенческие годы он серьезно занимался историей, этнографией, философией, и, главное, живописью. Первая же его картина, выставленная в Петербурге, была куплена знаменитым коллекционером Третьяковым, основателем Третьяковской галереи, и высоко оценена Львом Толстым. Несмотря на это, отец не одобрял его занятий, желая видеть в нем продолжателя своего дела. И в 1897 году Рерих ушел от родителей.

Его основным занятием стала этнография. Он много путешествовал по северным деревням России, исследуя народный быт; серьезно изучал труды специалистов по востоковедению и славяноведению. На почве этих занятий он близко познакомился с директором Российского археологического общества князем Путятиным, а племянница Путятина — Елена Шапошникова — вскоре стала его женой. Она разделила с ним все трудности жизни, участвовала во всех его походах и стала соавтором "Живой Этики" — гигантского свода всего учения Рерихов.

И Елена, и Николай Рерихи еще в молодости увлеклись теософией и довольно долго оставались верными этому увлечению. Елена Рерих даже перевела на русский язык "Тайную Доктрину" — многотомный труд основоположницы теософии Е.Блаватской. Однако в постижении Истины они двигались самостоятельным путем, практически не связанным с путями Теософского общества. 24 марта 1920 года в Лондоне они впервые повстречались со своим *махатмой*. Беседа с ним дала толчок к написанию книги, названной его именем: "Листы сада Мории". Это и была первая книга учения Рерихов.

В буквальном переводе с хинди *"махатма"* означает "великая душа". Индусы называют этим словом людей, достигших высших степеней духовного. Считается, что все *махатмы* каким-то образом связаны с Шамбалой — центром эзотерической мудрости, укрытом в

НИКОЛАЙ РЕРИХ (1874 – 1947)

ЕЛЕНА РЕРИХ (1869 – 1955)

горах Непала. Разумеется, рассказы о Шамбале и *махатмах* могут вызвать — и зачастую вызывают — недоверие у скептичных жителей Запада. Первой заявила о своих контактах с *махатмами* Е.Блаватская — и благодаря этому заявлению, и сама она, и все теософское движение в значительной степени утратили свой авторитет. Однако Рерихи не побоялись повторить заявление Блаватской, хотя и знали, к чему это может привести. Не свидетельствует ли это о том, что в легендах о *махатмах* все-таки есть доля истины?

Но, как бы то ни было, а Рерихи всегда отказывались считать себя авторами "Живой Этики" и всячески подчеркивали свои контакты с *махатмами*. В 1926 году, отправлясь в Россию, они оформили официальные документы как специальные представители *махатм*, выполняющие их поручение. И даже более того: Николай Рерих передал большевистскому правительству письмо от *махатм* (всецело одобрявшее действия большевиков и, очевидно, послужившее причиной окончательного разрыва Рерихов с Теософским обществом). И все книги "Живой Этики" построены, главным образом, в форме бесед учителя с учеником, либо в форме обращений учителя к ученикам.

Первая книга этого учения — "Листы сада Мории" — вышла в 1924-25 гг. Она состояла из двух частей — "Зов" и "Озарение". Это было своеобразное предисловие к духовно-нравственному учению *махатм* Востока. Постулаты учения, опирающегося на многовековую мудрость всего человечества, даны здесь в сжатом, концентрированном виде, уложены в поэтическую форму. Местами текст напоминает молитву, местами — притчу. Но чаще всего — это короткие, энергичные афоризмы:

"Спросят — как перейти жизнь?

Отвечайте — как по струне бездну —

Красиво, бережно и стремительно".

Название "Зов" носило символический смысл. Рерихи имели в виду зов нового времени, обращенный к тем, кто томится духовной жаждой и уже осознал, что его мышление и жизнь нуждаются в обновлении. "В новую страну* — Моя первая весть", — такими словами открывается эта книга. Идея постоянного противоборства нового и старого миров остается центральной для всех книг Учения: "Именно делите мир не по северу и югу, не по западу и востоку, но всюду различайте старый мир от нового. Старый мир ютится во всех частях света, также новый нарождается вне границ и условий. Старый и новый мир отличаются в сознании, но не во внешних признаках".

Рерихи считают, что битва Света и Тьмы отнюдь не проста. Она принимает самые необычные формы и зачастую идет незримо для человеческих глаз:

"Дети мои, вы не замечаете, какая битва идет вокруг вас, темные силы тайно и явно сражаются.

Дух ваш, как плотину, срывает волнами.

---

*) В русских изданиях: "В новую Россию" (прим. перев.)

Но не бойся, сердце, ты победишь!"

Стратегия глобального духовного сражения в Агни Йоге (таково более распространенное название учения "Живой Этики") опирается на два важнейших постулата: во-первых, избегать недооценки темных сил. Следует помнить, что для борьбы со Светом — если уж кто-то решится на эту борьбу — "нужен мощный потенциал". Успехи темных сил, по мнению Рерихов, во многом объясняются тем обстоятельством, что ставится под сомнение само их существование. Однако не следует и бояться количественного перевеса темных сил. Его служители, как полагают Рерихи, в большинстве своем безвольны и трусливы, поскольку служат злу поневоле. И в решительной схватке Светлых и Темных сил (Н.Рерих называет ее библейским словом "Армагеддон") Светлые непременно победят:

"Щит и копье! Господь благословил воинов.

Все придет — сумерки кончатся.

Разве не видите — сознание космоса в конвульсии!

Ибо мы знаем ход битвы, не может измениться план Создателя.

Из Начала боролись темные, из Начала Мы побеждаем".

Как же поступать человеку в этом мире, стоящем на грани перед великой битвой Света и Тьмы, чем заниматься, каким воспитывать свой дух, чтобы не увеличить собой полчища темных, а стать Воином Света? Ответы на этот вопрос можно найти буквально на каждой странице книг Живой Этики. Прежде всего, чтобы не стать пусть даже невольным пособником темных сил, необходимо искоренить в себе имеющиеся негативные качества: "Напомним о свойствах, совершенно недопустимых в Общине: невежество, страх, ложь, лицемерие, своекорыстие, присвоение, пьянство, курение и сквернословие". Желающему вступить на путь Агни Йоги молодому ученику махатма советует сначала "сжечь в огне очистительном" три самых плохих свойства своего характера, и, только избавившись от них, найти себе Учителя и начать путь.

Краеугольным камнем Живой Этики является мысль о всеобщей Любви, как основе гармонического развития Мира, берущая свои истоки в христианстве и учении Рамакришны. Это любовь к Богу, и она должна быть божественно велика, божественно самоотверженна и всепрощающа. Но Бог — во всем, что нас окружает:

"Когда капля дождя стучится в окно —
это Мой знак!

Когда птица трепещет —
это Мой знак!

Когда листья несутся вихрем —
это Мой знак!"

И главное воплощение Бога на земле — человек, поэтому каждый человек заслуживает любви. Ведь "Жестокостью не стучатся к посвящению", "желая другим зла, сами угасают", но "когда волшебный цветок ласки на земле расцветает, тогда новая звезда зажигается в Беспредельности".

Н. К. Рерих и Ю. Н. Рерих в экспедиции по Монголии. *1935 г.*

"Любите друг друга.

Я пошлю вам чистые мысли.

Упрочу ваше желание усовершенствоваться.

Люблю неправых в жизни излечить любовью.

Рамакришна говорит: люби, остальное приложится".

Любовь, о которой говорится в книгах Живой Этики, предполагает также и великую силу прощения людям их недостатков, и преодоление зла силой добра. "Не делайте врагов — завет всем. Знайте врагов, берегитесь от них, пресекайте их действия, но злобу не имейте. И если враг ваш добровольно придет под крышу вашу, согрейте его, ибо велика крыша ваша и вновь пришедший не займет ваше место". "Обманывающему скажи — как полезен мне обман твой. Похищающему скажи — видно, настало время получить мне новые вещи".

Другая черта этой любви — жертвенность. "Жертва, жертва, жертва, после — получение, и после — торжество духа", — утверждает Живая Этика, рекомендуя отказаться от роскоши и многих привычек и посвятить свою жизнь труду ради дела Света. Только таким путем, считают Рерихи, можно достичь сокровенного знания.

Н. К. Рерих с сыновьями Юрием и Святославом в Кулу. *1933 г.*

Но одним лишь полученным знанием и одной лишь любовью царства Света достичь невозможно. Необходимо совершенно особое и новое для человечества качество — духовность.

"Уже знаете: доброта и ум не приводят к Нам —
явление духовности необходимо".

Духовность же, согласно Живой Этике, вернее всего достигается чистотой мыслей, творческим отношением к труду и чувством радости от осознания своей миссии. Причем основополагающую силу в этой триаде имеет именно чувство радости, потому что, согласно Учению, все человеческие чувства и мысли порождают резонанс в Тонком мире, стократно и тысячекратно усиливаются и передаются посредством психической энергии во все уголки Вселенной. Отсюда призыв Махатмы к вступающему на путь Йоги ученику: "Радуйтесь, радуйтесь, радуйтесь! Ибо Бог должен знать мудрость радости. Завет Благословенного хранить радость духа. Кто ощущает присутствие духа, тот уже радуется, зная свою беспредельность".

Такого рода высказывания способны навести на мысль о том, что Живая Этика — не мистическое учение, а, скорей, образец некоей социально-нравственной метафизики, в значительной степени напоминающей ранние коммунистические утопии. Однако Рерихи утверждали, что их книги содержат в себе синтез эзотерической информации и позитивного нравственного опыта всех древних и ныне существующих религий.

Идея о необходимости такого синтеза — принадлежность теософии и некоторых других синкретических учений прошлого века. Так, Рамакришна, великий индийский мудрец XIX в., утверждал, что все религии внутренне абсолютно едины и разделяет их лишь внешняя атрибутика. "Я учу вас сложности простого учения Рамакришны", — говорится в книге "Зов".

Христос, Будда, Аум, Абсолют — вот лишь некоторые имена, которыми Рерихи называют своего Бога. Такое смелое смешение разнородных понятий тоже является неотъемлемым свойством теософского подхода к материалу. Очевидно, методы Блаватской и Безант как-то оправдывали себя в XIX веке; но в наши дни их применение выглядит скорей недостатком, чем достоинством учения Рерихов.

В 1929 году увидела свет одна из главных книг Учения — "Агни Йога", в которой излагаются основополагающие принципы Учения и даже сообщается географический адрес его авторов: "Дано в долине Брамапутры, взявшей исток из озера Великих нагов, хранящих заветы Ригвед". За ней последовали остальные книги, названия которых говорили сами за себя: "Беспредельность" (1930), "Иерархия" (1931), "Сердце" (1932), "Мир огненный" (1933-35), "Аум" (1936), "Братство" (1937) и последняя, неопубликованная книга "Надземное".

Внимательный читатель не сможет не заметить очевидного различия в стилистике разных книг Живой Этики. Так, книга "Листы сада Мории" написана художественной прозой, местами переходящей в белые стихи, которые явно перекликаются с поэтическими медитациями из сборника стихотворений Николая Рериха "Цветы Мории". Они похожи даже речевыми оборотами и интонационным рисунком. Так, характерный пример, — образ ловца присутствует в обеих книгах и несет одну и ту же смысловую нагрузку: стать ловцом человеческих душ призывает Учитель своего ученика. Все это неоспоримо свидетельствует о том, что степень участия Николая Рериха в работе над первой книгой Учения была весьма значительной, в ряде случаев определяющей.

Потом положение дела меняется. Меняется принцип подачи материала. Он разбивается на параграфы, каждый из которых представляет собой сжатый или развернутый ответ на тот или иной вопрос, рассуждение медитативного плана на ту или иную тему. Обращение Учителя к своему постоянному собеседнику не оставляет сомнения, что этим собеседником стала Елена Рерих. Книгу "Агни Йога" завершает, например, следующее сообщение: "Я дал огненный камень той, которая по решению нашему будет именоваться матерью Агни Йоги, ибо она предоставила себя на испытание пространственному Огню".

Тексты всех книг Агни Йоги базируются на духовно-философских понятиях Востока и поэтому представляют для западного читателя целый ряд трудностей. Нам, воспитанным в иной традиции, трудно, например, охватить сразу во всей полноте понятие Божественного Учителя. Оно олицетворяет и творческое начало всего мироздания, и высшее "я" самого человека. Мы воспринимаем учителей иначе, поскольку привыкли считать свои достижения результатом своих же собственных усилий. Такая точка зрения неприемлема для Живой Этики, исходящей из незыблемости иерархического строения мироздания, где высшее начало неизменно руководит низшим, а простые формы жизни получают помощь от более сложных и утонченных.

По мнению Рерихов, этому закону подчинена вся Вселенная, и человек тоже не является из него исключением. Потому его достижения не могут быть признаны результатом лишь его собственных усилий. В гораздо большей степени они, эти достижения, результат многовековых усилий человечества, и прежде всего, как утверждает Агни Йога, Махатм:

"Дети. Действие, действие, действие.

Мысли о благе подымают к вибрации души Учителя.

Помни, душа Учителя — ваш дом.

Не забудь Его в стремлении ко благу.

Во имя человечества. Говорю, ваш

Учитель всегда у дверей ваших,

но оставьте двери Открытыми.

Ожидайте Его, и Он ответит на зов ваш,

Так же, как цветок отвечает зову утреннего Солнца.

Во имя Мое иди в жизни и победишь Тьму.

Дождевая туча не омочит вас, и палящее солнце

не причинит вам страдания.

Ибо Я ваш Заступник, и Друг, и Отец.

Дети, дети, дорогие дети".

Еще труднее, может быть, нам принять и разделить мысль о реальности реинкарнации, т.е. допустить возможность того, что человек живет не один, а много раз, пытаясь от воплощения к воплощению повышать уровень своего сознания. А ведь на этой концепции основывается если не все, то почти все философские школы Востока, и учение Агни Йоги здесь не исключение.

Еще одно важнейшее отличие западного и восточного мировоззрения Рерихи видели в том, что на Западе пытаются постичь истину путем логического анализа фактов. На Востоке же считают, что ничто так не приближается к истине, как легенда. В Агни Йоге есть такое категорическое утверждение: "Мы не знаем лживых легенд".

Сказанное в полной мере относится и к Шамбале, "этому краеугольному понятию Азии", по словам Н.Рериха. Шамбала — буддийский термин, перекочевавший на страницы наших книг. Но рассказы о некоей заповедной стране, где живут святые и мудрецы, распространены издавна и повсеместно, и Европа не является здесь исключением.

Живая Этика расширяет наше представление о Шамбале, как бы "заземляя" царство небесное. Древнюю мечту она ставит на современные реальные практические рельсы.

Махатмы, предположительно направлявшие мистические искания
Е. П. Блаватской

Информация о стране Махатм в книгах Живой Этики весьма обширна, хотя и мозаична. Иногда она дается в форме предложений и намеков. "Почему же трудно принять, что группа, получившая знание путем упорного труда, может объединиться во имя общего блага? Опытное знание помогло найти удобное место, где токи позволяют легче сообщаться в разных направлениях". Но есть и совершенно недвусмысленные высказывания: "Географ может успокоиться. Мы занимаем на Земле определенное место".

Это место — пункт, где осуществляется своеобразная стыковка Земли с Космосом, где, по словам "Агни Йоги", "земной мир соприкасается с высшим сознанием". Иными словами, Шамбала — это духовный центр планеты, в силу определенных причин надежно сокрытый от вторжения непосвященных.

Чисто физические пути достижения заповедных границ Рерихи отвергают. "Будьте уверены, что можно обыскать все ущелья, но непрошеный гость путь не найдет". Снега Гималаев встанут непреодолимой преградой не только для праздного туриста, но и для исследователя, преследующего сугубо научные цели. Однако те же самые снега Гималаев, как сказано в "Зове", "не препятствие для ищущих в правде".

Известно (хотя и не из слишком достоверных источников), что трансгималайская экспедиция в составе Николая, Елены и Юрия Рерихов в 1923-1928 гг. будто бы проникла в Шамбалу и получила от Махатм частицу сокровенных знаний и даже некоторые вполне материальные предметы, такие как легендарный Огненный Камень — талисман рождающегося Нового Мира. Более достоверны сведения о том, что экспедиция посетила более ста тибетских святилищ и монастырей, где собрала огромное количество древних сказаний и легенд, преодолела 35 высокогорных перевалов, величайший из которых, Дангла, считался неприступным, и привезла бесценные коллекции минералов и растений, средств тибетской народной медицины и лекарственных трав. Количество собранного материала было так велико, что для его изучения в 1928 году был создан специальный институт "Урусвати", возглавленный старшим сыном Рерихов, Юрием.

Из книг Живой Этики, художественных произведений и дневниковых записей всех членов семьи Рерихов ясно видно, сколь много значения они придавали тому, чтобы понять, каким образом силы природы воздействуют на человека. Природа в их понимании — синоним Абсолюта, средоточие гармонии и радости. "Даже непродолжительное общение с ней облагораживает и освящает", — писал Николай Рерих, одним из первых выступая с идеей о необходимости сохранения природной среды в первозданном виде.

Но есть еще и другая среда — созданная руками и душами многих поколений историческая аура Земли. Она также, как природа одухотворена, так же неповторима и невосполнима в случае разрушения. За ее сохранение Николай Рерих боролся всю свою жизнь. Еще в 1904-1905 гг., во время русско-японской войны, у него появилась идея о необходимости международного соглашения, которое защищало бы исторические ценности разных народов в военное время. Воплотить эту идею удалось, однако, только в 1935 году, когда "Пакт Рериха" подписали руководители государств Американского континента. Эмблемой Пакта стал емкий эзотерический символ "Знамя Мира" — три круга: прошлое, настоящее и будущее в кольце Вечности. А уже после смерти Николая Рериха, в 1954 году в Гааге была подписана международная конвенция "О защите культурных ценностей в военное время", в основу которой положен Пакт Рериха.

Таким образом, метафизика Живой Этики — это далеко не единственный след, оставленный Рерихами в истории человеческой культуры. Напротив, они заявили о себе во многих областях науки и искусства, и, возможно, преуспели бы здесь гораздо больше, если бы не афишировали своих метафизических воззрений. Однако здесь, пожалуй, следует подумать о некоей миссии этих многосторонне одаренных людей, — миссии, суть которой еще не прояснена до конца. Для многих людей, как в России, так и во всем мире, творчество Рерихов стало своего рода мистическим мостом между Индией и Европой, и я полагаю, что именно в этом ключе следует рассматривать их Живую Этику. Это превосходное введение в духовную культуру Востока, стремящееся передать не столько мертвую букву, сколько сам живой дух восточной мудрости; и это введение тем более ценно, что написано людьми, посвятившими Востоку всю свою жизнь и, при всей своей высокой образованности, свято верившими в его чудеса и тайны.

БИБЛИОГРАФИЯ

RUDOLF STEINER

1 Rudolf Stiener, *The Course of My Life* (London and New York: Rudolf Stiener Press), p.11.

2 Ibid., p.12.

3 Rudolf Stiener, *Teosophy: An Introduction to the Supersensible Knowledge of the World and the Destinations of Man* (London and New York: Rudolf Stiener Press), p.27.

4 Rudolf Stiener and Ita Wegman, *Fundamentals of Therapy: An Extension of the Art of Healing through Spiritual Knowledge* (London and New York: Rudolf Stiener Press), p.27.

5 Lyall Watson, *Supernature* (Coronet Books, Hodder Paperbacks Ltd.), p.143.

6 Rudolf Stiener, *Agriculture* (London: Bio-Dynamic Agricultural Association), p.38.

7 Ibid., p.109.

NIKOLAI AND HELENA ROERICH

1*. *Agni Yoga* (New York: Agni Yoga Society).

10. ОККУЛЬТИСТЫ

Оккультизм — еще одно течение европейской мистической мысли, сформировавшееся в середине XIX века. Тайные учения гностиков и каббалистов, алхимиков и розенкрейцеров, античных мистерий и средневековых ведьм, по большей части утерянные либо зашифрованные, составили основу этого учения; недостаток информации зачастую восполнялся избытком фантазии. Оккультизм зародился в Париже, однако со временем его центр переместился в Лондон, где была основана знаменитая оккультная ложа "Золотой Рассвет". Эта беспокойная группа духовных искателей и "практических магов", членами которой были такие разные люди как У.Б.Йейтс, Э.Бульвер-Литтон, Э.Блэквуд, Мак-Грегор Матерс, А.Макен, Дион Форчун, Алистер Кроули, Ивлин Андерхилл, Чарльз Уильямс и Э.Несбит, прочно вписалась в историю английской культуры; фактически она была последним приютом романтиков, мечтателей и символистов, черпавших свое вдохновение в фантастическом мире оккультных доктрин.

Оккультные учения чрезвычайно сложны и запутаны, поскольку каждый новый автор непременно добавлял в них что-то свое. Поэтому говорить о едином учении оккультизма не представляется возможным; можно лишь перечислить основные темы, мимо которых не прошел ни один сколько-нибудь известный оккультист. Это — эзотерическая иудейская каббала, предсказательные карты Таро, путь магического посвящения и ритуалы практической магии.

Дион Форчун, известная своими исследованиями в области каббалы и предсказательного Таро, писала о том, что "существует два пути к Сокровенному: путь мистика, т.е. путь самоотдачи и медитации, субъективный путь одиночки; и путь духовидца, т.е. путь интеллекта, сосредоточения и тренировки воли. Второй путь невозможен без сотрудничества — во-первых потому, что ритуальная магия играет в этой работе важную роль, и для осуществления большинства крупных операций необходима помощь нескольких человек. Мистик получает свое знание в результате непосредственного общения его высшего "я" с Высшими Силами; ему мудрость духовидца кажется дурачеством, потому что его разум не работает в этом направлении. Но, с другой стороны, для людей более интеллектуального и экстравертного склада путь мистика непроходим — до тех пор, пока длительные тренировки не позволят ему преодолевать планы формы. Поэтому мы должны признать, что оба метода имеют право на существование среди тех, кто ищет Путь Посвящения, и помнить, что у каждого из них — своя дорога" [1].

Такое ясное сопоставление помогает нам найти свой собственный путь и (если мы предпочтем прямую дорогу) объективно взглянуть на такие волнующие явления, как магия и ритуал. Еще яснее освещает этот вопрос писательница Ивлин Андерхилл, которая тоже интересовалась каббалой и сказала о магии следующее:

"... Действительное "магическое посвящение" по существу является формой умственной дисциплины, укрепляющей и сосредотачивающей волю. Эта дисциплина, подобно дисциплине монашеской жизни, отчасти складывается из физических лишений и добровольного ухода от мира, отчасти из воспитания силы воли: но главное в ней — это подчинить разум влиянию тех внушений, которые отбирались и накапливались в течение столетий, покорившись их власти над воображением, которое Элифас Леви называет "душевным оком". В этом нет ничего сверхъестественного. Подобно более трудному и бескорыстному самовоспитанию мистика, эта дисциплина нацелена на формирование характера, обладающего героическими масштабами. В магии "воля к знанию" является той осью, вокруг которой формируется личность. Точно так же, как и в мистицизме, бессознательные факторы выходят на свет и частично образуют эту личность. Прорывы мысли, мгновенные прозрения, приходящие к нам из области подсознательного, развиваются, направляются и контролируются ритмами и символами, которые уже стали традиционными, потому что их эффективность была доказана (хотя и не может быть объяснена) опытом столетий: и сила восприятия, которая обычно находится ниже этого порога, может с их помощью получить свободу и возможность поведать миру о своих открытиях" [2].

И, особо ссылаясь на каббалу, Андерхилл подчеркивает:

"Он [мистик] должен найти Бога. Иногда его темперамент вынуждает его обращать основное внимание на длительность поиска; иногда внезапный восторг, венчающий поиск, заставляет его забыть о предварительном путешествии, в котором душа "направляется не к станции назначения, расположенной вне ее самой, а движется скорее к своему собственному Центру". Покои Внутреннего Замка, по которым св. Тереза проводит нас в потайную комнату, святилище живущего здесь Бога; иерархии Дионисия, который восходит мимо самозабвенно служащих ангелов, мимо пылающих любовью серафимов к Богу, восседающему над временем и пространством; мистические пути кабалистического Древа Жизни, которые приводят от материального мира Малкут через вселенные действия и мысли, посредством Милосердия, Справедливости и Красоты к Божественному Венцу — все это только разные способы описания одного и того же путешествия" [3].

И Форчун, и Андерхилл изучали одну из практических форм каббалы — "правую" или "белую" магию. Форчун считала каббалу гигантом в мире религиозных учений, величественной и возвышенной схемой бытия. Она разработала систему "каббалистической йоги", включающую в себя медитацию, сосредоточение и созерцание, чтение мантр и вызывание зрительных образов. Термин "йога каббалы" и способ, каким Дион Форчун переводит эту йогу на язык повседневной жизни, являются ее личным вкладом в западную мысль.

Алистер Кроули, тоже участвовавший в деятельности "Золотого Рассвета", был подлинным enfant terrible в мире оккультизма. Он именовал себя "Великим Зверем" и открыто занимался "черной магией", совершая кровавые жертвоприношения, насылая порчу и вызывая духов. Он как будто задался целью запятнать себя всеми возможными и невозможными грехами; его одиозная репутация до сих пор привлекает к себе больше внимания, чем его оригинальное и весьма незаурядное мистическое учение.

Огромная эрудиция, энергичность и остроумие сочетались у Кроули с безудержной фантазией, сладострастием и неистребимой склонностью к позерству. Краеугольным камнем его учения был раблезианский лозунг "Делай, что хочешь"; "на сей заповеди — заявлял Кроули — утвердится весь Закон". Его бурная и безумная биография как нельзя лучше иллюстрирует эту заповедь: он претворял ее в жизнь с завидной последовательностью, невзирая на все препятствия и зачастую даже вопреки здравому смыслу. Тем не менее, тот, кто возьмет на себя труд внимательно прочесть его основной труд, "Магию в теории и на практике", поймет, что это парадоксальное учение может быть весьма рациональным и эффективным. Ведь мы так редко понимаем, чего же мы хотим на самом деле; и первый шаг к магическому посвящению, по мнению Кроули, заключается в том, чтобы постичь свое Истинное Желание и осмелиться следовать ему от начала и до конца.

Кроули ввел в европейский оккультизм практические методики психоанализа и тибетской тантры; он создал собственное толкование символов каббалы и Таро и изобрел множество мрачных и отвратительных ритуалов, связанных с сексом, наркотиками и жертвоприношениями. Влияние Кроули ощущается в оккультных мистериях Третьего Рейха и в современном сатанизме, хотя сам он никогда не был ни нацистом, ни сатанистом.

Очевидно, Кроули чересчур идеализировал человеческую волю и темные глубины бессознательного, из которых его фантазия извлекала на свет многочисленных "ангелов-демонов" с диковинными именами и свойствами. Поэт и актер до мозга костей, он принес себя в жертву на сцене собственного магического театра, погубив свой блестящий талант и не использовав в полной мере всех своих разносторонних способностей. И я полагаю, что каждый, кто всерьез заинтересуется оккультным учением "Великого Зверя", должен время от времени вспоминать об этом.

ДИОН ФОРЧУН (1891 – 1946)

Настоящее имя Дион Форчун — Виолетта Мэри Ферт. Еще молодой женщиной она вступила в "Золотой Рассвет" и, подобно всем остальным, взяла себе латинское имя. Deo Non Fortuna (Богом, а не удачей) впоследствии сократилось до Дион Форчун — псевдонима, под которым она начала писать романы.

История "Золотого Рассвета" изобилует примерами легковерия и избыточной фантазии. Его члены постоянно ссорились из-за посвящений, степеней и толкований; в частности, Ивлин Андерхилл покинула эту организацию довольно быстро. Но под спудом всей этой шумихи и ссор по поводу астральных путешествий и медиумических сообщений, струился поток истинного постижения, вдохновивший многие стихи Йейтса и некоторые мистические прозрения Андерхилл. Этот поток проистекал из незыблемого Древа Жизни, каббалы. Интересно, отметить, что когда Дион Форчун начала писать о каббале и толковать ее для Запада, эмоциональность и напряженность, свойственная ее первым романам и "Психической самозащите", сошли на нет, и она стала выражаться просто, ясно и понятно.

Каббала никогда не занимала воображение Запада в той же степени, что суфийское, буддийское или индуистское учения. То ли из-за того, что ее приверженцы были слишком увлечены ее научными аспектами, то ли потому, что ее эзотерическая сторона была непомерно развита в ущерб философской, — трудно сказать. Но само упоминание о каббале обычно заставляет тех, кто вообще хоть что-нибудь о ней слышал, вспомнить о том, что вся она базируется на числах и буквах еврейского алфавита и понять ее невозможно.

Но, хотя числа и буквы действительно играют в ней важную роль (достаточно вспомнить, что древнееврейские пророки описывают акт творения в виде развертывания божественной энергии, появления божественного света и божественного *языка*), нет нужд разбирать Древо на ряды букв и чисел для того, чтобы понять и пережить его. Действительный духовный путь начинается с другой стороны.

Для того, чтобы Древо могло стать действенным методом западной йоги, подчеркивала Дион Форчун, — нужно сделать его доступным для всех, включая и тех, кто не знает ни еврейского языка, ни нумерологии. Древо — это йогический способ использования разума, а не система знания.

Что же представляет из себя это Древо? В сущности, это описание процесса, в результате которого из пустоты и невещественности Божества возникли живые существа. Безусловный Абсолют; вневременная Реальность; чистое трансцендентное Бытие, неразделенная Первопричина — все эти термины пытаются выразить то, что нельзя описать никаким способом, — выразить ТО, что совершенно превосходит человеческое разумение. В каббале оно называется Айн, Предельная Пустота.

Посредством Айн Соф, который является еще одной ступенью на пути к творению и понимается как беспредельность (вневременное, без которого не может существовать время, и пустота, без которой не могут существовать и двигаться формы) возникает царство Айн Соф

Аур, Беспредельного Света. Через Айн Соф Аур из непознаваемой и невыразимой области своего собственного Бытия возникает Бог, чтобы явиться в виде творения. Бог, Начало мира, находится на вершине Древа Жизни в виде Кетер, Полого Венца, через который течет и становится явленным Несозданное. Кетер — это живая динамическая сила жизни, "Я ЕСМЬ" бытия, источник всех вселенных и всех созданий.

За Кетер находится несказанный покой и пустота Божества, о которых человек не может ни знать, ни сказать. Перед Кетер располагается окружающий нас мир, мир явлений.

Каббала считает мир символом (т.е. все узнаваемое символизирует вечную Реальность, которая является его источником). Каббалисты суммировали мириады аспектов проявленности в десяти основных категориях, каждая из которых называется сефирой, а все вместе образуют Сефирот. Сефирот образует Древо с Кетером на вершине и Малкутом, физической землей, у подножия (см. схему). Но значение Древа не только в том, что оно позволяет уяснить способы проявления Духа (в этом случае оно было бы просто системой знания), а в том, что Древо символизирует также собственное "я" человека. Ведь Сефирот, схематически изображающий нисхождение и распределение Бога, обозначает также ступени лестницы, по которой человек может взобраться наверх и обрести единство с Богом. Каждая сефира символизирует божественную энергию на различных уровнях.

Дион Форчун представляет нам Древо, состоящее из трех колонн. Сефирот левой колонны является отрицательным и женским; Сефирот правой колонны — положительным и мужским. Две жизненно важных ступени постижения расположены в центральной колонне, которая установлена на земле, а верхушкой упирается в ворота небес. Сефиры в Сефироте соединяются зигзагообразной вспышкой молнии (или вспышкой озарения), и два центральных процесса постижения известны под названиями Тифарет, или Красота, (в которой впервые виден Кетер) и Даат, или Божественное Знание, (хотя Даат является скорее более редкой, чем обязательной ступенью, и не считается определенной сефирой).

Многие читатели заметят сильное сходство между колоннами каббалы и даосским "инь-ян", парными аспектами всей жизни, проявляющимися в виде тьмы и света, женского и мужского и т.д. Дао (Путь) обладает той же природой, что и Срединный Путь буддизма, та же природа и у центральной колонны каббалы.

Все сефироты образуют лестницу, по которой должен взбираться человек, и при этом нижние ее ступеньки не менее ценны, чем ее вершина. Земля физической материи — это тоже Царство, в котором Бог проявляется в своем наиболее плотном и конкретном виде. И тому, кто находится на нижней ступени, не стоит стыдиться своего положения. Это отсутствие принуждения (столь свойственного для некоторых религий) — важное преимущество Тантрической Йоги, которая считает физическую жизнь священной ареной, уникально оборудованной лабораторией для превращения материи в дух; и каббалистские медитации и визуализации столь же родственны Тантре, как тибетские мандалы родственны индусским янтрам.

Древо Жизни, если понимать его как лестницу, явно обладает созидательной силой, которая, подобно вздымающейся волне, заставляет человека двигаться вперед, ничем при этом не рискуя. Символы различных сефир возникают в представлении вполне конкретно в виде путевых указателей, и в них не содержится никаких скрытых опасностей, которые могли бы послужить причиной умственного расстройства. Все постепенно открывается человеку, по мере продвижения вперед, пока он практикует упражнения, укрепляющие волю, фокусирующие внимание и подчиняющие разум влиянию символов, которые насыщались творческой силой на протяжении многих веков.

Благодаря специальным медитативным упражнениям Дион Форчун постигла символику сефирот и обрела душевное равновесие и психическое здоровье. Ее подход к Древу был, прежде всего, глубоко оккультным (что, очевидно, очень смутит действительных мистиков); она действовала с помощью спиритуального мира медиумов и астральных планов. "Мариноваться в Духе" — так назвал этот способ Алан Уотс; и Форчун, наверное, могла бы согласиться с этим определением.

Она была сиротой и родственницей "нержавеющих" Фертов; она выросла в Йоркшире, в семье, в которой со всей строгостью практиковалась "Христианская наука". Она не смогла приспособиться к этой атмосфере и часто надолго уходила от неприятностей реального мира в мир своих мечтаний.

Ее мечтательность возросла до такой степени, что она стала воспринимать ауры и развила у себя медиумические способности. Это встревожило ее опекунов и вызвало переполох в ее родном городке.

Затем в возрасте 20 лет она имела несчастье работать школьной учительницей под начальством директрисы-невротички с порочными наклонностями. Эта женщина когда-то жила в Индии; она научилась там гипнозу и использовала его в качестве оружия. Ее звали Уорден; вскоре она попросила, чтобы Форчун свидетельствовала в ее пользу на судебном процессе против бывшего сотрудника. Форчун описывает, как ее убеждали это сделать. "Метод, которым она пользовалась, чтобы получить мои свидетельские показания, заключался в следующем: она пристально и сосредоточенно смотрела мне в глаза и говорила: "Произошло то-то и то-то" [1].

То же самое повторялось, когда Уорден захотела уволить еще одну штатную сотрудницу и потребовала поддержки у Форчун. После нескольких инцидентов такого рода сама Форчун попала у Уорден в немилость. Посчитав, что в данном случае лучше всего уйти самостоятельно, она собрала вещи и пошла к Уорден заявить о своем уходе. Здесь она пережила ужасную сцену, впечатление от которой повлияло на всю ее дальнейшую жизнь. В течение четырех часов Уорден заставляла ее произнести две фразы: "я некомпетентна" и "у меня нет самолюбия". Форчун рассказывает, что, подобно кролику перед удавом, она была не в состоянии выйти из комнаты, но упорно не желала признавать указанные обвинения, пока наконец не поняла, что единственный способ сохранить душевное здоровье — это притвориться побежденной. Дойдя до своей комнаты она впала в ступор на 30 часов. Наконец одна из коллег обнаружила в каком состоянии она

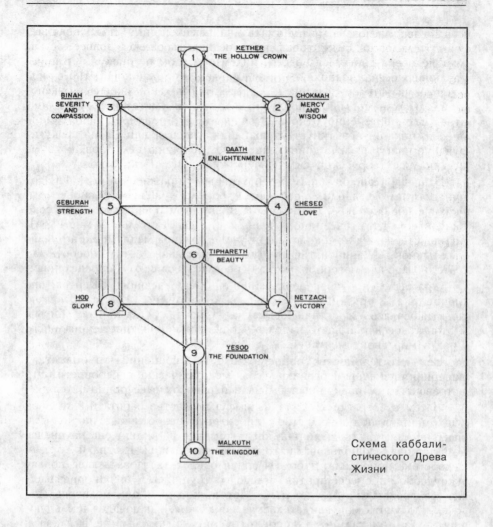

KETHER
THE HOLLOW CROWN

BINAH
SEVERITY
AND
COMPASSION

CHOKMAH
MERCY
AND
WISDOM

DAATH
ENLIGHTENMENT

GEBURAH
STRENGTH

CHESED
LOVE

TIPHARETH
BEAUTY

HOD
GLORY

NETZACH
VICTORY

YESOD
THE FOUNDATION

MALKUTH
THE KINGDOM

Схема каббали-
стического Древа
Жизни

находится и послала за родственниками, которые и забрали ее с собой. Но результатом этого опыта явилось резкое ухудшение здоровья, которое было восстановлено лишь спустя несколько лет благодаря совмещению психоанализа с изучением каббалы.

В 1918г., пройдя курсы при Лондонском университете, она стала внештатным психотерапевтом Восточной Лондонской клиники. Некоторые психосоматические состояния показались ей очень похожими на описанные в тантрической йоге. Она пришла к выводу, что западное отношение к женщине является в основе своей неправильным, поскольку базируется на идее о том, что женственность женщины, выражающаяся в пассивном приятии является дополнением к динамизму и активности мужского начала. Форчун явственно ощущала, что женское начало является положительной созидательной силой, которая пробуждает мужчину и оживляет его мужскую энергию точно таким же образом, как шакти, женская сила в тантрической йоге, поднимается по позвоночнику человека в виде кундалини, змеиной силы, пробуждая все существо человека, пока он и она не соединятся у него в голове.

Увлеченная этими мыслями, Форчун начала писать романы, изображающие союз мужского и женского начал. В 1919г. она вступила в "Золотой Рассвет" и попала под опеку весьма уважаемого ею Дж.В.Броуди-Иннеса. Он научил ее "магическим" ритуалам, которые она позднее приспособила к своему собственному каббалистическому учению.

В 1920г. она вступила в лондонскую ложу "Золотого Рассвета" (Броуди-Иннес был членом Шотландского ордена). Здесь она попала под влияние очень могущественной и довольно разрушительной силы Мойны Матерс, сестры знаменитого философа Анри Бергсона и вдовы С.Лиделла Мак Грегора-Матерса, который был одним из основателей "Золотого Рассвета" и большим знатоком каббалы. Мойна Матерс была красивой, темпераментной и ясновидящей. У.Б.Йейтс и другие глубоко почитали ее ясновидческие способности и были очарованы ее красотой.

Ее несомненно задело критическое отношение Дион Форчун (которая, к тому же, была гораздо младше ее) к системе управления лондонской ложи, носившей название "Альфа и Омега". Форчун считала, что Ложа состоит "главным образом из вдов и седобородых старцев", а основное качество ее учения — это "явное отсутствие всякого учения". Она почувствовала, что Ложа нуждается в притоке свежих сил, и захотела создать самостоятельные организованные общества, члены которого давали бы публичные лекции, выпускали бы журнал и так далее, что могло бы способствовать просачиванию публики в "Золотой Рассвет".

Удивительно, но факт: миссис Матерс согласилась на это (до тех пор большее значение придавалось секретности), и в 1922г. родилось "Братство Внутреннего Света"; впрочем, некоторое время оно носило название "Христианской мистической ложи Теософского общества", в которое Форчун вступила раньше.

Довольно скоро стало ясно, что владения миссис Матерс стремится захватить королева-соперница, и всякой дружбе между ними пришел конец. Миссис Матерс пыталась изгнать Форчун из "Золотого Рассвета", но Форчун пребывала в дружеских отношениях со многими его членами, а также использовала его организационную структуру в своих целях. Вскоре она создала свой собственный Храм, объявив его филиалом ордена "Золотой Рассвет". Миссис Матерс (по словам Форчун) предприняла "психическую атаку", и тело непокорной соперницы "покрылось глубокими царапинами, словно его исполосовала своими когтями гигантская кошка".

Недолго думая, Форчун обвинила Мойну Матерс в "астральном убийстве"! Одна молодая женщина, бывшая ученица миссис Матерс, отправилась медитировать в Йону. Там она пропала, после чего ее обнаженное тело обнаружили лежащим на кресте, который она вырезала в зарослях вереска. Согласно газетным сообщениям, женщина умерла от сердечного приступа, но Форчун обнаружила у нее на теле царапины, похожие на те, которыми было покрыто ее собственное тело. После этого Дион уже не сомневалась, кто их нанес.

Тем временем, и Форчун и "Братство Внутреннего Света" процветали. Она вышла замуж за доктора Генри Эванса, который очень интересовался ее работой. Вместе они лечили шизофреников и других психически больных, и иногда им даже удавалось излечивать явно безнадежных пациентов.

Основная часть ее работы сводилась "к магии", практическому применению в повседневной жизни эзотерических принципов. Одним из важнейших упражнений, которым она лечила, являлась медитация на различные символы Сефирота.

Слово "символ" может вызвать вполне определенную реакцию, поскольку непосредственный мистик обычно слеп к символизму и считает все, с ним связанное, ненужным уходом от реальности. В частности, именно так считают дзэн-буддисты. Но для приверженцев тантризма, символы являются путем к реальности. Они символизируют собой нечто, чего ученик пока еще не сознает, нечто непознаваемо иным путем, кроме как посредством (самого) символа. Символ — это средство узнавания, а следовательно, понимания и знания. В тибетском тантризме, к примеру, изображения богов приближают нас к Пустоте по ту сторону форм. Каждый Бог — это сила, и его индивидуальные качества выражаются в позе и цвете. Например, бог Ратнасамбхава золотисто-желтого цвета, потому что сквозь него сияет золотой свет равенства всех существ. В нем находит выражение принцип Чувства, который через его посредство становится любовью и состраданием ко всему живущему; а то, что он сидит на лошади, символизирует скорость и энергию. Если медитировать на него, то разум наполняется сострадательной любовью, потому что символ этот не просто служит изображением данного состояния, но считается, что он в действительности вызывает это состояние в сознании

медитирующего. В качестве еще более конкретного примера Дион Форчун приводит герб:

"Посвященные в Древнюю Мудрость не ломали голову над своей философией. Они брали любой Природный фактор и персонифицировали его, давали ему имя и мастерили символическую фигуру, изображающую его, точно так же, как британские художники коллективными усилиями создавали символическую Британию — женщину в шлеме, со щитом, украшенным государственным флагом Соединенного Королевства со львом у ног, с трезубцем в руке, стоящую на фоне моря. Проанализировав эту фигуру так, как мы бы анализировали каббалистический символ, мы поймем, что каждый из этих индивидуальных символов, объединенных в сложном глифе [иероглифе] обладает определенным значением. Разные кресты, изображенные на государственном флаге символизируют четыре нации, объединенные в Соединенном Королевстве. Шлем — принадлежность Минервы, трезубец — Нептуна; для того, чтобы разъяснить символику льва потребовалась бы целая глава. На самом деле оккультный глиф более всего похож на герб, и человек, создающий глиф, производит работу, аналогичную работе герольда, придумывающего герб.

Ведь в геральдике каждый символ обладает строго определенным значением, и все эти символы совмещаются в одном гербе, который указывает на род и происхождение своего владельца и говорит нам о его общественном положении. Магическая фигура — это герб той силы, которую она представляет" [2].

Таким же образом Сефироты Древа символизируют качества Господа. Взятые вместе, они показывают нам цветение целого. Ибо ни одна сефира не закрыта, не завершена — каждая из них открыта всем

другим, каждая изливает свое качество соседней по постоянно движущейся спирали.

Начиная преподавать каббалистическую медитацию, Форчун подчеркивает, что очень важно начать с самого верха — с Кетера. Студенты обычно думают, что три верхних сефиры относятся к области Чистого Духа и не могут быть постигнуты, пока мы находимся в телесной форме. Но начать с любого другого места — значит потерять гармонию с законом Вселенной.

"Проявление чистого бытия, вечного, неизменного, без атрибутов и деятельности, основополагающего, содержащего и обуславливающего все — вот первоначальная формула любой магической деятельности. Она происходит лишь в том случае, если разум будет обильно пропитан концентрированным пониманием этого бесконечного и неизменного бытия — пониманием, которое обладает безграничной мощью. Энергия, полученная из любого другого источника, — ограничена и частична. Только в Кетере находится чистый источник всех энергий. Деятельность мага, направленная на концентрацию энергии [а какой еще деятельностью он занимается не ради этого], всегда должна начинаться с Кетера, ибо здесь мы касаемся волнообразно вздымающейся силы Великого Непроявленного, резервуара безграничной энергии.

Человеческому разуму, не знающему иного способа существования кроме формально-деятельного, невероятно сложно создать удовлетворительную и адекватную концепцию совершенно бесформенного состояния пассивности, которое, тем не менее, весьма отличается от небытия. Однако нужно попытаться ее создать, если мы хотим постичь первооснову космической философии. Нельзя смотреть на Кетер

сквозь вуаль негативной сущности — этим мы обрекаем себя на вечную и неразрешимую раздвоенность; Бог и Дьявол будут вечно сражаться в нашем космосе, и их конфликту не будет конца. Нужно тренировать разум для постижения состояния чистого бытия, лишенного атрибутов и деятельности; о нем можно думать как о слепящем белом свете, не разделенном на отдельные цвета призмой формы — или как о темноте межзвездного пространства, абсолютно пустой, но содержащей в себе потенциалы всех вещей. Эти символы, предстающие перед внутренним взором, гораздо лучше помогут вам постичь Кетер, чем самые превосходные философские определения. Мы не можем определить Кетер: мы можем только указать на него" [3].

Чтобы помочь ученикам понять Кетер на уровне сознания, его образ представлен в виде профиля древнего бородатого короля. Видна только его правая сторона, а неявная левая сторона скрыта, поскольку человеческий разум никогда не сможет ее постичь. Подобно королю, Кетер обуславливает все вещи, и все вещи развиваются из него и соучаствуют в его неявной природе.

Две сефироты, увенчивающие внешние колонны и образующие первый треугольник с вершиной в Кетере — это мужское и женское начало (Адам и Ева, Шива и Шакти, Ян и Инь). Хокма, источник мужественности, также является Высшим и Всемилостивым Отцом.

Форчун говорит, что для контакта с Хокмой "нужно познать напор Божественной космической энергии в ее чистой форме; энергии столь жуткой, что смертный человек тут же рассыпается в прах под ее воздействием... Но только Божественный Отец выжигает смертных, будто огнем. Божественный Сын живет среди них по-родственному,

и его можно вызвать соответствующими ритуалами: вакханалией (если это сын Зевса) или евхаристией (если это сын Иеговы). Таким образом, мы видим, что здесь существует низшая форма проявления, которая "показывает нам Отца", но ритуал призывания Сына действенен лишь благодаря тому факту, что он получил свой Просветляющий Разум, свое Одеяние Славы, от Отца, Хокмы" [4].

Бину, венчающую другую колонну и, в то же время, представляющую собой обратную сторону Хокмы, Форчун именует "Строгостью", хотя другие толкователи называют ее пониманием. Это Мать, которая, как и сама природа, равно способна порождать бури и покой, смерть и жизнь. Ее можно сравнить с Шакти, деструктивным аспектом которой является Кали в ожерелье из семи человеческих голов. Это воплощение великой истины, гласящей, что нельзя слепо цепляться за одно лишь созидание и избегать того, что кажется нам разрушением. Бина получает силу от Хокмы, но именно она, а не Хокма, является создательницей форм.

"Таким образом, Хокма и Бина представляют мужественность и женственность в их созидательном аспекте. Но это не просто фаллические символы — в них заключен корень всей жизненной силы. Мы никогда не сможем понять более глубокие аспекты эзотеризма, пока не поймем истинного смысла фаллических культов, однако следует подчеркнуть, что здесь я подразумеваю вовсе не оргии в храмах Афродиты, запятнавшие позднее античное язычество и послужившие причиной его упадка и гибели. Я имею в виду сам принцип стимуляции инертной, но потенциально всемогущей энергии динамическим началом, черпающим свою энергию непосредственно из источника всех энергий — принцип, который лежит в основе всего сущего. В этом принципе — грозный Ключ Знания; это один из наиболее важных пунктов Мистерий. Несомненно, что секс представляет собой только один из аспектов этого фактора; и еще более несомненно, что он имеет множество других, несексуальных применений. Любые предвзятые мнения о значении секса или же общепринятое отношение к этому большому и жизненному предмету недопустимы, поскольку могут увести нас в сторону от великого принципа стимуляции или оплодотворения инертного всемогущего начала активным началом. Таким образом, тот, кто блюдет воздержанность — не готов к Мистериям, над вратами которых начертано: "Познай самого себя".

Такое знание не ведет к нечистоте, ибо нечистота — это потеря власти [над собой], позволяющая силам перейти границу, установленную природой. Кто не властен над своими собственными инстинктами и страстями — столь же не готов к Мистериям, как и тот, кто сдерживает и искореняет их. Однако следует хорошо уяснить, что Мистерии не ставят аскетизм или целибат одним из условий постижения, поскольку они считают дух и материю не несоединимыми противоположностями, а скорее разными уровнями одного и того же явления. Чистота заключается не в стерилизации, а в том, чтобы удерживать различные силы на своих соответствующих уровнях, и в своих соответствующих местах и не допускать их вторжения на иные уровни. Мистерии учат, что фригидность и импотенция — это проявление несовершенства; они столь же патологичны, как и неконтролируемые желания, разрушающие объект своего вожделения и оскверняющие сами себя" [5].

В книге Дион Форчун "Мистическая Каббала" описываются и все остальные Сефироты Древа. Но, прежде чем покинуть Древо, Форчун, несомненно, еще раз остановилась бы на двух странных и интересных пунктах в средней колонне — Тифарет и Даат. Последуем же совету Форчун и представим среднюю колонну Древа своим позвоночником. В этом случае Тифарет и Даат будут представлять состояние нашего сознания.

Тифарет — это Красота, это безграничая ясность первого Божественного взгляда. Это отражение лучей Озарения, отмечающее поворотный пункт нашей жизни. Здесь же, в центре средней колонны, находится центр равновесия всего Древа. Согласно каббале, именно в этой точке сила преобразуется в форму.

Из-за уникальных свойств и расположения Тифарет древние каббалисты называли шесть сефир вокруг нее Адамом Кадмоном, архетипическим человеком. Тифарет, первый миг постижения, царствует над этой шестеркой.

Описывая Тифарет, Форчун сообщает нам:

"Четыре сефиры под Тифаретом представляют личность низшего "я"; четыре сефиры над Тифаретом — Индивидуальность, или высшее "я", а Кетер — искру Божию, или ядро Проявления.

Вследствие этого, Тифарет всегда нужно рассматривать не как изолированный фактор, а как руководящую, форсирующую точку, центр перехода или трансмутации. Центральная колонна всегда занята сознанием. Две боковых колонны — различными способами действия силы на разных уровнях" [6].

Другой, более высокой степенью постижения является Даат, чистое Знание. Если представить все Древо как единое целое, то Даат не является его отдельной ветвью. Это уникальное Знание, отражением которого является Тифарет. Форчун говорит о Даат очень скупо. Однако тем, кто изучает Кундалини, она указывает на то, что Кетер, Даат и Тифарет вместе составляют среднюю колонну, или позвоночник человека, и что Кундалини свернута кольцом в Иезоде, непосредственно под ними в средней колонне.

С возрастом стиль жизни Дион Форчун стал несколько эксцентричнее. В ее бейсуотерском доме было много комнат, посвященных разным аспектам эзотерических мистерий, а ее Братство имело Ложу в Гластонбери, в месте, которое она считала энергетическим центром. Если верить Кеннету Гранту, она

"... носила дорогие украшения и просторный плащ. Выходя на улицу (что случалось довольно редко), она надевала широкополую черную шляпу, и выбивавшиеся из-под нее волосы сверкали вокруг ее головы, подобно золотому нимбу. Она была более чем склонна к эксгибиционизму, и этим очень напоминала Кроули. К старости она окружила себя целой коллекцией талисманов и магических принадлежностей; она сжигала странные благовония в забавных чашках из блестящего металла. Выбираясь вечером в Гайд-Парк, она надевала просторный плащ, похожий на тот, что носила героиня "Лунной Магии" [одного из ее романов], гулявшая по туманным набережным Темзы... И при этом она воображала, что такой плащ сделает ее менее заметной!" [7].

Но в 1939г., когда началась война, характер Форчун неожиданно поменялся. Она начала сотрудничать с разнообразными организация-

ми и общаться с совершенно обычными людьми на самом тривиальном уровне. Она умерла от тяжелой болезни в 1946 г., будучи еще относительно молодой и бодрой женщиной.

Ее смерть, по-видимому, дала новый толчок распространению ее учения, и сегодня оно имеет множество последователей, в частности, среди молодежи. Какие бы тайны ни скрывались внутри ее Братства, ее книги написаны живо, доступно и остроумно; ее подход к магии отличается уважением и здравомыслием.

Ее советы всегда носили практический характер. Например, вот что она говорила о каббалистической медитации:

"Некоторые психологи скажут нам, что Ангелы каббалистов, Боги и Маны всех иных систем — это наши собственные подавленные комплексы; другие, менее ограниченные люди, будут утверждать, что эти Божественные существа суть латентные возможности наших высших "я". Для настоящего мистика это не имеет большого значения. Он получает свои результаты, и это все, о чем он заботится; но мистик-философ (то есть оккультист) обдумывает этот вопрос и приходит к определенным заключениям. Однако понять эти заключения можно лишь тогда, когда мы знаем, что именно считается реальностью, и где следует провести ясную демаркационную линию между субъективным и объективным. Любой человек, сведущий в философских методах, знает, что основной вопрос заключен именно в этом.

Индийские системы метафизики построены на более тонких и сложных философиях, пытающихся выразить эти идеи и сделать их мыслимыми. Однако, хотя многие поколения "видящих" посвятили свою жизнь этой задаче, эти идеи до сих пор остаются столь абстрактными, что лишь после долгого курса дисциплины, которую на Востоке называют Йогой, разум может постигнуть их целиком" [8].

Хотя индийская философия трудна для понимания, Форчун несколько несправедлива к индусской йоге, из которой она сама почерпнула множество идей — в частности, идею чакр, зон психической энергии внутри человеческого тела, которые она соотносила с эндокринной системой человека. Но при всем этом она заявляла, что путь каббалиста отличается от пути индуса:

"Он не пытается вознести разум на крыльях метафизики в разреженный воздух абстрактной реальности; он формулирует конкретную систему, доступную взгляду, и позволяет ей представлять абстрактную реальность способом, постижимым для человеческого ума.

Существует множество символов, используемых в качестве объектов для медитации: крест у христиан, изображения богов в Древнем Египте, фаллические символы в иных религиях. Но посвященные используют эти символы как средства для концентрации разума и введения в него определенных мыслей, вызывания определенных идей и стимуляция определенных чувств. Посвященные же используют систему символов иначе: как алгебру, посредством которой можно прочитать тайны неведомых возможностей; иными словами, они используют символ как средство, направляющее мысли к Незримому и Непостижимому.

Но как же они это делают? Они берут составной символ — символ одиночный и ни с чем не связанный не может служить их целям.

Созерцая такой составной символ, как Древо Жизни, они замечают различные соотношения между его частями. Есть части, о которых мы что-то знаем; есть другие, о которых мы можем только догадываться, более или менее приблизительно, отталкиваясь от исходных позиций. Разум скачет от одного известного к другому известному и, делая это, проходит определенные расстояния. Образно говоря, он как путник в пустыне, который знает местоположение двух оазисов и свершает ускоренный переход между ними. Он никогда не решился бы покинуть первый оазис и выйти в пустыню, если бы не знал, где находится второй. Но в конце своего пути он не только лучше узнал местонахождение второго оазиса, но и изучил пространство, разделяющее оазисы. Таким образом, передвигаясь от оазиса к оазису, он постепенно исследует пустыню, иначе он бы просто не выжил здесь.

Такова каббалистическая система записи. Вещи, которые она содержит в себе, недоступны интеллекту — и все же разум, двигаясь от символа к символу, старается мыслить о них; и хотя мы обречены видеть их "как бы сквозь тусклое стекло", мы все же имеем все причины надеяться, что в конце концов мы встретимся с ними лицом к лицу и познаем их как самих себя. Ибо упражнение развивает человеческий разум, и то, что сперва казалось нам непостижимым, — как математика для ребенка, не знающего арифметики, — наконец входит в диапазон нашего понимания. Думая о вещи, мы создаем ее концепцию" [9].

Форчун очень старалась внушить своим ученикам, что каждая жизненная ситуация является учебной. Поразмыслив над этим тезисом, можно понять, что при таком отношении жизнь вознаграждает и воодушевляет человека. Его рутинный и очерствевший ум вновь ощущает ее новизну, вспоминая, что мы можем только догадываться и никогда не можем по настоящему знать о том, что принесет нам следующая минута.

Но, хотя Форчун призывала своих учеников осваивать все формы нового мышления, в то же время она категорически предостерегала их от психического шарлатанства:

"Беспорядочные дилетантские сеансы, предсказания судьбы, психизм и все тому подобное мы воспринимаем весьма неодобрительно, поскольку здесь не говорят ни о чем, кроме личных желаний, и никогда не спрашивают себя о духовном качестве своих поступков. Если в настоящий момент не происходит никакого явного зла и сохраняется полная видимость показного благочестия (когда Господа призывают для того, чтобы он благословил свершающееся, но никогда не спрашивают, соответствует ли это Его воле), то это как бы должно гарантировать безвредность данного предприятия или даже его способность поднять человеческий разум над материализмом и укрепить его веру. О последствиях при этом не думают — а опыт показывает, что последствия заходят далеко. Впрочем (и здесь мы должны опровергнуть расхожие обвинения), у людей от природы обладающих цельным характером, не наблюдается сколько-нибудь заметного морального упадка. Их действия обусловлены значительным снижением качества их интеллекта и в особенности их способности оценивать и логически мыслить. Все формы беспорядочных занятий психизмом и вообще всевозможное любительство я считаю весьма нежелательным и полагаю, что они наносят ущерб способностям человека, который допускает их в своей серьезной работе" [10].

Впрочем, это строгое предупреждение не относится к предсказательным картам Таро, поскольку Форчун питала глубокое уважение к их символике. Более того, непредубежденный разум извлечет большую пользу, если правильно взглянет на то, что многие люди считают абсолютно пустым суеверием. Фактически, карты Таро представляют символы Древа, и их использование определенно может помочь в визуализации Сефирот. Что же касается их предсказательного аспекта, то при надлежащем изучении оказывается, что они обладают теми же пророческими свойствами, что и гексаграммы "Ицзин" — гадательной книги, изданной Конфуцием. Большое достоинство "Ицзин" заключается в том, что она не столько предсказывает будущее, сколько дает совет, как правильно вести себя в настоящем. Так же и карты Таро дают рекомендации по выстраиванию благородной линии поведения, если изучать их надлежащим образом.

Подход Форчун к Таро лежит в основе ее понимания Древа и равноценен только ее безоговорочной вере в астрологию.

"Древо Жизни, астрология и Таро — это не три мистических системы, а три аспекта одной и той же системы, и каждый из них непонятен без остальных. Только изучая астрологию на основе Древа, мы имеем философскую систему; тоже самое касается и предсказательной системы Таро, и самого Таро, с его всеобъемлющими интерпретациями, дающего ключ к Древу применительно к человеческой жизни.

Все системы предсказания судьбы и все системы практической магии находят свои принципы и философию в символах Древа. Тот, кто пытается использовать их без этого ключа, подобен недалекому шарлатану, обладающему рецептом патентованного лекарства. Такой "врач" лечит себя и своих друзей по рекламному проспекту, где все болезни, не вызывающие боли в груди, объединены под названием "радикулита". Посвященный же, знающий Древо, подобен ученому медику, который понимает принципы физиологии и химии лекарств и прописывает их надлежащим образом" [11].

Форчун была убеждена, что Каббала станет настоящей Йогой Запада. Она видела, что теоретическая и всеблагая религия, которой не хватает йогической практики и медитации, несовершенна и ограниченна. Она постоянно подчеркивала, насколько христианство нуждается в йоге; она как будто предвидела, что, если христианство и впредь будет отказываться от ее обогащающего воздействия, то все больше и больше христиан будут попросту переходить от своей веры к разным восточным методикам.

Сейчас Каббала не столь распространена, как восточная йога, которая уже почти укоренилась на европейской почве. Но нет никакого сомнения, что те, кто последуют оккультным путем древа, получат уникальный ключ к пониманию всех йог, и это доступный для многих последователей путь.

АЛИСТЕР КРОУЛИ (1875-1947)

"Еще не достигнув отрочества, я уже знал, что я — Зверь, число которого 666. Я еще не понимал до конца, к чему это ведет: это было страстное, экстатическое ощущение собственной личности...

На третьем году учебы в Кембридже я сознательно посвятил себя Великому Деланию, то есть Деланию из себя Духовного Существа, свободного от противоречий, случайностей и иллюзий материальной жизни" [1].

С самого раннего детства Кроули часто слышал о Великом Звере Апокалипсиса от своих родителей, фанатичных приверженцев секты "плимутских братьев". Сперва Зверь был чем-то вроде буки; затем мать стала называть Зверем самого Алистера, если тот шалил или не слушался. И нет сомнений, что материнские напутствия сыграли свою роль в формировании личности "самого испорченного человека в мире" (таким титулом наградила Кроули бульварная пресса).

Алистер Кроули родился в год смерти Элифаса Леви, знаменитого французского мистика, которого по праву можно назвать отцом оккультизма. В своих работах "Догма и ритуал в высшей магии", "История магии" и "Ключ к тайнам" Леви впервые ввел понятие "оккультных знаний", систематизировал их и сформулировал теоретические и практические основы современной магии. "Чтобы достичь sanctum regnum, иными словами, магического знания и силы, — писал он, — необходимы четыре условия: разум, просвещенный учебой, безудержная отвага, несокрушимая воля и зрелость, не подверженная растлению и опьянению. ЗНАТЬ, ОСМЕЛИТЬСЯ, ЖЕЛАТЬ, ХРАНИТЬ МОЛЧАНИЕ — таковы четыре заповеди мага" [2].

Кроули утверждал, что в предыдущей жизни он был Элифасом Леви; кроме того, он считал самого Леви воплощением Калиостро и папы Александра IV Борджиа. В молодости он перевел на английский язык две работы Леви и немало способствовал распространению его идей в Англии.

Отец Алистера Кроули был преуспевающим пивным фабрикантом и дал своему сыну хорошее образование: сперва в Малверне, затем в Тонбридже и, наконец, в кембриджском Тринити Колледж. Здесь он научился превосходно играть в шахматы, приобрел некоторый опыт гомосексуальной любви и положил начало своей исключительно мрачной репутации. Именно в Кембридже Кроули начал сознательно заниматься практическим оккультизмом.

Эти занятия привели его в "Золотой Рассвет". Кроули вступил туда в 1898 г, приняв тайное имя "брат Пердурабо" (лат. "я выдержу"). К тому времени его родители уже умерли, оставив ему в наследство значительное состояние. Кроули тратил эти деньги с потрясающей быстротой и фантазией. В своей лондонской квартире он отвел для занятий магией две комнаты, которые назывались "черным и белым храмами". В "черном храме" находился колдовской алтарь, покоившийся на деревянной статуе черного человека и скелете,

АЛИСТЕР КРОУЛИ (1875-1947)

облитом кровью жертв, которые приносил Кроули. "Белый храм" был облицован зеркалами и посвящен более "невинным" аспектам практического оккультизма. Но психологическая атмосфера, царившая в этом храме, по-видимому, тоже была довольно мрачной.

Однажды вечером Кроули со своим другом Джонсом прервали свои занятия в "белом храме" и отправились ужинать, предварительно заперев "храм" на замок. Вернувшись, они обнаружили, что замок открыт, алтарь перевернут, а магические символы разбросаны по комнате.

Они восстановили в белом храме прежний порядок и затем — разумеется, с помощью ясновидения, — обнаружили полуматериализовавшихся демонов, совершавших круговое шествие по комнате.

В том же, 1899 году Кроули и Джонс решили "вызвать зримый образ" демона по имени Буэр — существа, описанного в магическом тексте XVI в., где его называли учителем философии, исцелителем всех болезней и повелителем 50 адских легионов. Операция удалась лишь отчасти; вне защитного магического круга, в котором стояли Кроули и Джонс, появилась туманная фигура воина, у которого были ясно видны лиши часть ноги и шлем.

При столь интенсивных занятиях практическим оккультизмом Кроули за два года прошел все степени посвящения, существовавшие в "Золотом Рассвете". Кроме трудов Элифаса Леви, его учебниками были инструкции, составленные магистром ложи Мак-Грегором Матерсом. Вдобавок к этому Кроули имел личного практического наставника, молодого инженера по имени Алан Беннет.

Алан Беннет, воспитанный в католической традиции, порвал со своей религией в шестнадцатилетнем возрасте. Впоследствии он посетил Гималаи и вернулся оттуда буддийским монахом. Беннет утверждал, что в Гималаях его посвятили в тайны *тантры*. Тех, кто сомневался в его магических силах, он околдовывал с помощью стеклянного подсвечника, который постоянно носил с собой. По словам Кроули, умственная и физическая деятельность околдованнного человека полностью восстанавливалась лишь спустя четырнадцать часов!

Идя по стопам Беннета, Кроули тоже побывал в Гималаях и даже взошел на две из пяти высочайших вершин этого горного массива: Чогори и Канченджангу. Это произошло в 1903 и 1905 годах, в пору максимального творческого подъема Кроули. В те годы он много путешествовал, появлялся в свете, опубликовал несколько сборников весьма талантливых мистических стихотворений в духе Суинберна и оккультный триллер "Лунное дитя".

В 1903г. Кроули женился на Розе Келли, сестре художника Джеральда Келли, в то время занимавшего пост Президента Королевской Академии. Роза обладала медиумическим даром; именно через нее дух по имени Айвасс якобы продиктовал Кроули его первую важную работу по магии, "Книгу Закона" (Каир, 1904г.). Впоследствии Роза стала алкоголичкой, и Кроули воспользовался этим поводом, чтобы развестись с ней.

В начале XXв. Кроули попытался вытеснить Матерса из "Золотого Рассвета" и встать во главе ложи. Дж.Саймондс, автор превосходной биографии Кроули, пишет, что встревоженный Матерс наслал на своего соперника вампира, но Кроули "сразил его своим собственным потоком зла". Однако Матерсу удалось погубить всю свору легавых собак, принадлежавших Кроули, и наслать безумие на его слугу, который совершил неудачное покушение на жизнь своего хозяина. В ответ Кроули вызвал демона Вельзевула и его 49 помощников и послал их наказать Матерса, находившегося в Париже. Однако члены "Золотого Рассвета" сплотились вокруг Матерса и исключили Кроули из своих рядов. Когда в 1918г. Матерс наконец умер, многие были убеждены, что это дело рук Кроули.

После исключения из "Золотого Рассвета" Кроули основал собственное оккультное общество, "АА" ("Argentum Astrum" — "Серебрянная Звезда"), но оно никогда не было столь многочисленным, как "Золотой Рассвет". В пору его максимальной популярности (1914г.) число его членов едва перевалило за три десятка. Однако журнал "The Equinox" ("Равноденствие"), издававшийся этим обществом и, по большей части, состоявший из работ самого Кроули, вскоре привлек к себе внимание оккультистов всего мира.

Оккультизм (от латинского "occultus" — "скрытый") всегда окружал свои учения и ритуалы атмосферой таинственности. Оккультные тайны передавались от учителя к ученику в зависимости от степени посвященности последнего; и поэтому многие предводители оккультных лож были просто шокированы политикой "The Equinox". Тайные доктрины и сокровенные знания, к которым прежде допускались лишь посвященные высших степеней, отныне делались достоянием всех читателей журнала! Возмущенный Матерс использовал все свое влияние, чтобы добиться судебного решения, запрещающего Кроули раскрывать тайны "Золотого Рассвета"; однако Кроули подал аппеляцию и, в конце концов, выиграл процесс. Чтобы склонить судей на свою сторону, он воспользовался довольно простым талисманом из "Священной магии Абрамелина", книги Элифаса Леви, которую перевел и популяризовал Матерс.

Члены германского оккультного общества "Ordo Templi Orienti" ("Орден Восточного Храма") поступили гораздо умнее, чем Матерс. Обнаружив, что Кроули раскрывает их секреты, они направили в Лондон своих представителей, которые сблизились с ним и убедились, что он открыл эти секреты с помощью собственных исследований. Вследствие этого Кроули предложили стать председателем британского отделения ОТО; он занял этот пост под титулом Верховного и Священного Короля Ирландии, Ионы и всех британцев, находящихся в Святилище Гнозиса.

С тех пор и до конца своей жизни Кроули питал особую симпатию к Германии и германским оккультным группам. Во время первой мировой войны он жил в Америке и занимался прогерманской пропагандой; а непосредственно перед установлением гитлеровского режима часто бывал в Германии и фактически воспитал то поколение оккультистов, которое впоследствии оказывало "магическую поддержку" Третьему Рейху. Связь оккультизма и нацистской идеологии бесспорна, и, к сожалению, следует признать, что Кроули сыграл здесь далеко не последнюю роль.

Мрачная сторона Неведомого всегда привлекала внимание Кроули, придавая особый оттенок всем ритуалам, которые он изобрел и

Мак-Грегор Матерс в "еги-
петском облачении".

практиковал. В 1916 г. он сам посвятил себя в Маги, окрестив жабу
Иисусом Христом и затем распяв ее. Все его оккультное творчество
было проникнуто беспокойным духом сексуального вожделения; он
изобрел особое Благовоние Бессмертия, которое должно было привлекать к нему женщин и лошадей. Благовоние состояло из одной части
серой амбры, одной части мускуса и трех частей цибета. Кроули
пользовался им постоянно и почти всегда достигал желаемого эффекта.

Учение Фрейда о либидо и бессознательном оказало глубокое
воздействие на все теоретические построения Кроули. Он считал
бессознательное обиталищем могучих демонов, от которых маг получает свою силу. По мнению Кроули, любой обряд, связанный с
вызыванием духов, непременно должен включать в себя элементы,
позволяющие блокировать сознание и высвободить бессознательное.

Наиболее подробное изложение одного из таких ритуалов дается
в переведенной и усиленно пропагандировавшейся Алистером Кроули
"Книге Самех" ("Liber Samekh"). Текст этой книги имеет подлинное
греко-египетское происхождение, однако Кроули внес в него некоторые дополнения и изменения, проистекавшие из его собственной
магической практики. Он же озаглавил ее еврейской буквой "самех",

Алан Беннет.

соответствующей знаку Умеренности в Старших Арканах Таро. По мнению Кроули, Умеренность символизирует оргазм и переход души с низшего плана на более высокий. Кроме того, книга снабжена подзаголовками Theurgia Goethia Summa, т.е. "Высшая сверхъестественная черная магия" и "Congressus cum Daemone", т.е. "Общение с демонами". Кроули писал о ней как о "Ритуале, использовавшемся Зверем 666 для достижения Знания и Беседы с его Верховным Ангелом-хранителем". Этот ангел — один из аспектов бессознательного "Я" мага и, в то же время, демон, упомянутый в подзаголовке книги. "Люди говорят, что слово Hell (ад) происходит от англо-саксонского helan — советоваться. Это значит, что местом совета, где все вещи обретают свою подлинную суть, является бессознательное". Знать ангела и общаться с демоном, которые являются духами-представителями Мага Абрамелина, значит вызвать и высвободить все силы, заключенные в бессознательном.

Во время этого ритуала маг чертит защитный магический круг и, встав в его центре, воскуривает "фимиам Абрамелина" — смесь из мирры, корицы, оливкового масла и галингала (особый ароматический корень), которая дает приятный запах. Затем он начинает произносить длинный список варварских и фантастических "имен силы". Его голос должен быть монотонным и низким, напоминающим волчий вой; а наиболее важная часть ритуала непременно должна сопровождаться мастурбацией.

Сексуальная сила мужчины — утверждал Кроули — это человеческий аналог творческой силы Господа. Фактически, доведенная до своей высшей точки и направляемая волей, мужская генеративная сила тождественна божественной силе творения. Освобождение этой силы высвобождает Силу, которая управляет всеми вещами во вселенной. Когда маг произносит текст ритуала, он создает "вибрации" — в данном случае, звуковые волны, нагруженные энергией, — которые исходят от него и воздействуют на все, с чем они соприкоснутся. Вибрируя этими именами во всех направлениях из центра своего магического круга, он считает, что излучает на весь космос силу, которую он вызвал из тайников своего бытия.

В первой части ритуала маг произносит заклинания, описывающие саму сущность духа:

"Тебя вызываю, о Нерожденный.

Тебя, создавшего Землю и Небо.

Тебя, создавшего Ночь и День.

Тебя, создавшего Тьму и Свет.

Ты Асар ун-Нефер (Сделал себя Совершенным): Тот, Кого не видел никто из людей никогда.

Ты Иа-Бес (Истина во Плоти).

Ты Иа-Апофрас (Истина в Движении).

Ты, отделивший Правду от Лжи.

Ты, создавший Женское и Мужское.

Ты, породивший Семя и Плод.

Ты, сотворивший людей для любви и ненависти друг к другу..." [3].

Далее маг вызывает духа, называя себя его подлинным именем:

"Слушай же меня, ибо я есмь Ангел Пта-Апофрас-Ра: таково Твое Истинное Имя, переданное Пророками Хема".

Пта был египетским богом разума и мышления, иногда его считали создателем мира. Ра был богом солнца. Хем — старинное название Египта. Истинное имя духа тождественно истинному имени мага, поскольку дух — это его истинное "Я".

Маг движется по кругу и продолжает призывать духа, читая длинный перечень имен, в которых заключены его природа и атрибуты. При этом он ощущает быстрый, мощный поток созидательной энергии, пульсирующей в нем, и создает ясный ментальный образ духа, как если бы тот стоял прямо перед ним.

"Вот Он, Владыка Богов.

Вот Он, Владыка Вселенной.

Вот Он, Кого боятся Ветры.

Вот Он, Чьим велением Голос стал Владыкой Вещей; Царь, Правитель, Помощник" [4].

Последняя строчка напоминает о том, что Бог создал вселенную посредством произнесения слов, посредством "голоса". Маг приказывает духу сделать так, чтобы все духи слушались его: "Приди же, приди и следуй за мной: и приведи всех Духов мне в повиновение, и всех Духов Небосвода, и всех Духов Эфира, над Землей или под

Землей, на Суше или в Воде, Духов Смерча и Пожара, и всякие Чары, и всякий Бич Божий да повинуются мне" [5].

И вот дух является магу из глубин его собственного сокровенного "я". Маг зачитывает еще один список варварских имен, в котором со страстью, доходящей до экстаза, отождествляет себя с духом. Имена звучат все энергичней, с нарастающей яростью; именно здесь Кроули рекомендовал применить мастурбацию. В оргазме полной магической мощи, изливающейся из него, он теряет всякое осознание своего нормального "Я" и превращается в ментальный образ, который он видел перед этим.

"Я — это Он! Я — Нерожденный Дух! Тот, Кто видит свои стопы [имеется в виду: тот, кто может выбрать собственный путь]; Мощный и Бессмертный Огонь!

Я — это Он! Я — Истина!

Я — это Он! Я — Тот, Кто ненавидит зло, творимое в мире!

Я — это Он, гремящий и мечущий молнии!

Я — это Он, проливающий ливень Жизни на Землю!

Я — это Он, чьи уста дышат пламенем!

Я — это Он, порождающий и выводящий на Свет!

Я — это Он! Я — Украшенье Миров!

"Сердце, обвитое Змием" — таково мое имя!" [6].

Ра, солнце, — это сердце, а Пта, бог мудрости, — это змий. Приказ подчинить магу всех духов повторяется снова, но на этот раз он исходит как бы от самого духа, как будто дух проявляется, овладев телом мага. Маг как бы наполняется великим внутренним светом и слышит свой собственный голос, поющий где-то вдалеке, отдаленный и странный, как бы доносящийся снаружи.

Столь подробное описание этого ритуала приведено здесь не случайно. По моему мнению, именно он способен дать наиболее полное представление о творческом методе и своеобразной поэзии Алистера Кроули. Того, кто хочет увидеть в нем великого мага, серьезного исследователя оккультных проблем или хотя бы последовательного сатаниста, непременно ждет большое разочарование. В первую очередь Кроули был поэтом и актером; буквальный смысл его произведений зачастую способен озадачить, однако они дышат подлинным вдохновением и пророческим духом. Кроули стремился шокировать читателя своими парадоксами и делал множество неправдоподобных заявлений, явно рассчитанных на внешний эффект. "Для высшей духовной работы, — писал он, — необходимо соответственно выбирать жертву, имеющую высочайшую и чистейшую силу. Ребенок мужского пола, совершенно невинный, является наиболее удовлетворительной и подходящей жертвой" [7]. Он утверждал, что с 1912 по 1928гг. совершал это жертвоприношение в среднем по 150 раз в год; и очень многие читатели приняли это за чистую монету!

По-видимому, Кроули не столько исследовал теоретическую и практическую магию, сколько играл в мага; и нужно признать, что некоторые его "спектакли" до сих пор производят большое впечатление.

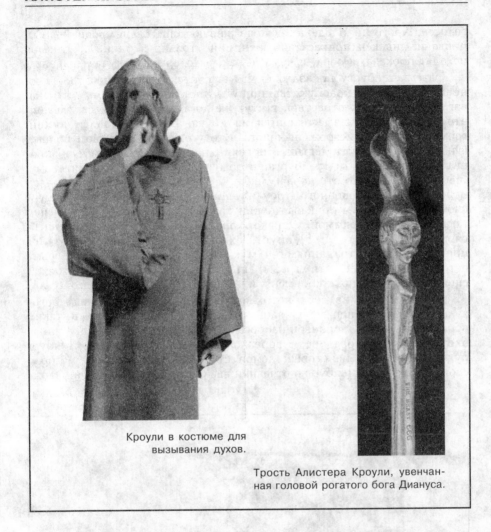

Кроули в костюме для
вызывания духов.

Трость Алистера Кроули, увенчан-
ная головой рогатого бога Диануса.

В качестве примера здесь можно привести историю, рассказанную другом и учеником Кроули В.Нейбургом. В 1909г. он вместе со своим учителем побывал в песках Южного Алжира, где участвовал в вызывании "могучего демона" по имени Хоронзон. Кроули и Нейбург начертили на песке магический круг и Треугольник Соломона, затем вписали в треугольник имя Хоронзона и, перерезав горло трем голубям, окропили песок их кровью.

Кроули надел черный балахон и капюшон с отверстиями для глаз, полностью закрывавший голову. Он вошел в треугольник и нагнулся, чтобы демон смог овладеть им. Нейбург, оставшись в круге, призывал архангелов и читал заклинания из "Гримуаров Гонория".

Кроули взял топаз и, заглянув в него, увидел демона, явившегося из глубины камня со словами, открывающими Адские Врата: "Зазас, Зазса, Насатанада, Зазас!" Демон бушевал и неистовствовал, крича голосом Кроули: "Я сделал всякую живую вещь свей любовницей, и никто не должен прикасаться к ним, но только я один. ...От меня исходят проказа, и оспа, и чума, и рак, и холера, и падучая болезнь".

Затем Нейбургу показалось, что в центре треугольника он видит не Кроули, а прекрасную женщину. Он нежно заговорил с ней и взглянул на нее со страстью, но тут же догадался, что на самом деле это демон искушает его выйти из круга. Вдруг раздался дикий, громкий хохот, и Хоронзон явился в треугольнике в зримом облике. Он осыпал Нейбурга лестью и просил разрешения подойти и преклонить голову к ногам Нейбурга, чтобы почитать его и служить ему. Нейбург понял, что это новая уловка, и отказал ему. Тогда Хоронзон принял облик обнаженного Кроули и принялся просить воды. Нейбург снова отказал ему и приказал покинуть это место, пригрозив Именем Господа и Пентаграммой. Однако Хоронзон и не подумал подчиниться такому приказу, и Нейбург, охваченный страхом, попытался припугнуть его страданиями и муками ада. Но Хоронзон весьма остроумно ответил на эти угрозы: "Не думаешь ли ты, глупец, что есть еще гнев и страдания кроме меня, и что есть еще ад кроме моего духа?"

Демон изверг из себя поток яростных и отвратительных богохульств. Нейбург попытался записать все его слова, и когда он таким образом отвлекся, Хоронзон набросал песок из треугольника на линию окружности, разорвал ее и ворвался в круг. Несчастный Нейбург рухнул наземь, а неистовый демон старался перегрызть ему горло своими клыками. Нейбург в отчаянии выкрикнул Имя Божье и ударил

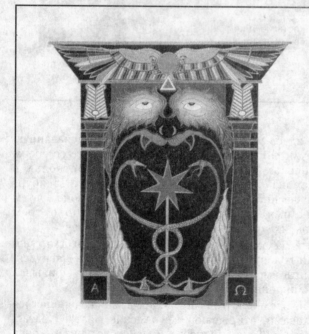

Эскиз убранства, предназначавшегося для магического храма Кроули

Хоронзона магическим ножом. Демон был побежден, бежал из круга и скорчился в треугольнике. Вскоре он исчез без следа, и на его месте появился Кроули в своем балахоне и капюшоне. Хоронзон являлся в облике женщины, мудреца, извивающейся змеи и самого Кроули. Он не имел фиксированного облика, поскольку сам являлся создателем обликов. Он был "ужасом мрака, и слепотой ночи, и глухотой гадюки, и безвкусностью гнилой и стоячей воды, и черным огнем ненависти, и выменем кикиморы; не одной вещью, но множеством вещей" [8].

"Демонические" выходки Кроули часто попадали на страницы бульварной прессы, и его дурная слава росла год от года. В 1920г. он поселился в Чефалу (Сицилия) и, подражая великану Гаргантюа, основал здесь свое Священное Телемское Аббатство (от греческого слова "thelema" — "воля"). "Делай, что хочешь!" — таков был девиз этого аббатства, а возглавляла его "аббатиса" Лия Хираг, Багряная Жена и Сестра Киприда (т.е. Афродита). Кроули отождествил ее с великой блудницей из Откровения Иоанна, и, согласно учению тибетской тантры, она стала его *шакти* — женской половиной сокровенного "я".

К тому времени Кроули уже почти растратил родительское наследство, и основание аббатства оказалось его последней крупномасштабной акцией. Он рассчитывал, что в дальнейшем аббатство будет существовать на пожертвования неофитов; однако их прибыло очень мало, и Кроули понемногу стал впадать в бедность. Слухи об отвратительных ритуалах и оргиях, просачивавшиеся из аббатства, вскоре распространились по всей Италии, и в 1923 г. правительство Муссолини выслало Кроули из страны. Позднее он был выслан из Франции и скитался по Англии, Германии и Португалии, нигде не находя себе приюта. Лучше всего его принимали в Германии, где он стал Великим Магистром "Ordo Templi Orienti" и долгое время консультировал организацию "Рыцарей Внутреннего Круга", близкую к руководству национал-социалистической партии. Однако в конце концов он рассорился с немцами и вернулся на родину.

Многочисленные работы Кроули по магии публиковались в малоизвестных журналах или издавались ограниченными тиражами за его собственный счет. В 1929г. был опубликован его трактат "Магия в теории и на практике". Р.Кавендиш, видный исследователь магии и оккультизма, называет ее "самой лучшей однотомной работой, написанной об этом предмете".

В этой книге, проникнутой духом мистического анархизма и своеволия, Кроули определяет магию как "Науку и Искусство вызывать Изменение, происходящее в соответствии с Желанием". Выдвинув постулат о том, что "любое требующееся изменение может быть вызвано Силой надлежащего рода и уровня, надлежащим способом и при посредстве надлежащего медиума, примененной к надлежащему объекту", он развивает его в ряде следующих положений:

"1) Всякое намеренное действие есть магическое действие (под словом "намеренное" я подразумеваю "желаемое").

2) Всякое удачное действие согласуется с постулатом.

3) Всякая неудача свидетельствует о том, что одно или несколько условий постулата не были исполнены.

4) Первым требованием, необходимым для того, чтобы вызвать любое изменение, является, таким образом, количественное и качественное понимание условий.

5) Вторым требованием, необходимым для того, чтобы вызвать любое изменение, является практическая способность привести необходимые силы в правильное движение...

9) Тому, кто исполняет свое Истинное Желание, помогает инерция всей Вселенной...

14) Человек способен быть и пользоваться всем, что он ощущает, ибо все, что он ощущает, есть в определенном смысле часть его собственного существа. Следовательно, он способен подчинить всю ощущаемую им Вселенную своему индивидуальному Желанию.

15) Всякая сила Вселенной может быть превращена в любую силу иного рода с помощью надлежащих средств. Вследствие этого здесь существует неисчерпаемый приток сил любого рода, какой нам может понадобиться.

16) Человеческое чувство собственной обособленности и противопоставленности всей Вселенной является препятствием на пути ее потоков. Это чувство изолирует человека...

20) Человек способен вызвать и использовать лишь те силы, к которым он действительно готов...

22) Всякий индивид самодостаточен. Но он не будет удовлетворен до тех пор, пока не наладит правильного соотношения со Вселенной...

24) Каждый человек имеет неотъемлемое право быть самим собой.

25) Каждый человек должен применять Магию всякий раз, когда он действует или даже думает, ибо мысль есть внутреннее действие, влияние которого распространяется на поступки, пусть даже и не совершенные в настоящий момент.

26) Каждый человек имеет право на самооборону и на предельную самореализацию...

28) Каждый человек имеет право исполнить собственное Желание, не заботясь о том, чтобы оно не противоречило желаниям других людей, ибо, если он занимает свое надлежащее место, то неправы те, чьим желаниям он противоречит" [9].

Взгляды Кроули на традиционные аспекты практического оккультизма столь же парадоксальны и анархичны, как и его теоретические построения. Классический порядок Старших Арканов Таро, в котором оккультисты видят аллегорию движения человека к Высшим Истинам, он подвергает небольшому, но весьма характерному изменению: во главе этой иерархии знаков, по мнению Кроули, должна стоять карта Глупца, символизирующая беспечность и отрешенность от проблем Земли и Неба. Пути Воли и Знания (обозначаемые картами Мага и Папессы) равно способны привести к Глупцу, завершив таким образом оккультную эволюцию посвященного.

Кроули утверждает, что маг восходит по "лестнице" Таро в обратном порядке, т.е. от Мира — символа земного благосостояния и могущества — к предыдущим картам. Это трудный путь, с которого легко сбиться; во избежание смертельных ошибок на его первых

Кроули - учитель йоги.

ступенях необходимо хранить преданность оккультной организации и следовать указаниям своего духовного наставника.

Одним из символов оккультной дисциплины Кроули считает карту Силы, на которой изображена женщина, укротившая льва. "Зверь, соединенный с женщиной", — так трактует он этот символ, утверждая, что противоестественая победа женщины надо львом обозначает необходимость подчиниться всему ненормальному и отвратительному, ибо "магия насилует Природу; мужчина становится зверем, а женщина блудницей".

Самостоятельный путь мага, по Кроули, начинается с Седьмого Аркана — карты, на которой изображена мчащаяся колесница. Он называет ее символом экстатического слияния со своим сокровенным "я", после которого магу уже не способны помочь ни организация, ни наставники.

Так, например, проходя ступень, обозначенную символом Любовников (юноша и две девушки), маг обязан сделать самостоятельный выбор между послушанием и непослушанием Высшему Закону. Если он выбирает самоуничтожение, он "возрождается" и имеет шанс дойти до высших ступеней оккультной иерархии. "Пролей кровь свою (разумея под этим жизнь свою) в золотую чашу его блудилища... — призывал Кроули. — Смешай свою жизнь со вселенской жизнью. И ты не получишь назад ни капли" [10]. Если же маг не решается сделать этот шаг, он становится "Черным Братом", изолированным от всей остальной вселенной в прочной и злой оболочке своего собственного эгоизма. "Такое суще-ство постепенно разрушается из-за нехватки пищи и медленного, но верного воздействия всей остальной вселенной, несмотря на свои отчаянные попытки оградить и защитить себя и увеличить свои размеры хищническими способами. Впрочем, некоторое время он может даже процветать, но в конце концов он должен погибнуть" [11]. Примером такой ошибки Кроули называл Матерса; однако многие считали, что это в полной мере относится к самому Кроули.

И действительно, жизненный путь Кроули, блестяще заявившего о себе в начале века, а затем постепенно опускавшегося, нищавшего и приобретавшего одиозную репутацию шарлатана и безумца, как нельзя лучше иллюстрирует его притчу о "Черном Брате". Однако сам Кроули не только не замечал этого, но до конца своей жизни сохранил безграничную самоуверенность и непоколебимую веру в то, что ему открыты все тайны Вселенной. Он утверждал, что знает Сокровенное Имя Бога — "утраченный тетраграмматон", при изречении которого вся вселенная рассыплется в пыль. Очевидно, опасаясь за судьбу вселенной, он не раскрыл нам этой тайны; однако некоторые намеки позволяют предположить, что его "утраченный тетраграмматон" мог быть "настоящим" именем Бога, произнесенным наоборот.

Не обошел он своим вниманием и другое знаменитое "слово силы" — буддийскую мантру АУМ (ОМ). Согласно его исследованиям, эта мантра, будучи записана еврейскими буквами и прочитана согласно соответствующим символам Таро, обозначает смерть или жертвоприношение Бога (алеф = Единый, или Бог, вав = проявленность Божественого в материи, а М = смерть). Кроули предложил свой вариант этой древней мантры — АУМГН, где Г (гимел) символизирует знание Бога, а Н (нун) — творение или воскресение. Таким образом, считал Кроули, мы получаем циклическую формулу — Бог, становящийся человеком, и человек, воскресающий подобно Богу. Он называл АУМГН "синтетическим глифом тонких энергий, задействованных в строительстве Иллюзии, или Отражения Реальности, которое мы называем "проявленным существованием", и утверждал, что эта последовательность знаков указывает "на Магическую формулу вселенной как отражательной установки для расширения Пустоты посредством уравновешенных противоположностей"[12].

Кроули умер в Гастингсе в возрасте 62 лет, введя себе (намеренно или случайно) смертельную дозу героина. Но даже после смерти он остался верен себе: чрезвычайно странная и мрачная церемония его отпевания, произведенная, согласно его завещанию, в часовне Брайтонского крематория, вызвала гнев и возмущение местных властей. Во время этой церемонии прозвучало одно из наиболее знаменитых стихотворений Кроули — "Гимн Пану", последние строки которого как нельзя лучше характеризуют его автора:

"... Я твоя супруга, я твой супруг,

Козел из твоего стада, я — злато, я — бог,

Я — плоть от твоих костей, цветок от твоих ветвей.

Стальными копытами я скачу по скалам

Через упрямое солнцестояние к равноденствию.

И я — в бреду; и я насилую, и я разрываю, и я треплю

Во веки веков, весь мир без конца,
Кукла, дева, менада, муж.
Во власти Пана.
Айо, Пан! Айо, Пан Пан! Айо, Пан!" [13]

БИБЛИОГРАФИЯ

1. Dion Fortune, *The Esoteric Orders and Their Work* (London: Rider and Co.), p.77.
2. Evelyn Underhill, *Mysticism* (London: Methuen & Co., Ltd.), p.157.
3. Ibid., p.103.

DION FORTUNE
1*. Dion Fortune, *Psychic Self-Defense* (London: The Aquarian Press), p.12.
2*. Dion Fortune, *The Mystical Qabalah* (London: Ernest Benn Ltd.), pp. 67-68.
3. Ibid., pp. 111-114.
4. Ibid., p.129.
5. Ibid., p.149.
6. Ibid., p.190.
7. Kenneth Grant, *The Magical Revival* (London: Frederick Muller Ltd.), p.178.
8. Fortune, *The Mystical Qabalah,* p.73.
9. Ibid., pp. 14, 16.
10. Dion Fortune, *Applied Magic* (London: The Aquarian Press), pp. 52-53.
11. Fortune, *The Mystical Qabalah,* p.73.

ALEISTER CROWLEY
1. Aleister Crowley, *Magick in Theory and Practice* (New York: Krishna Press), p. xvi.
2. Eliphas Levi, *The Doctrine and Ritual of Magic* (London), p.12.
3. Crowley, *Magick in Theory and Practice*, p.258.
4. Ibid., p.260.
5. Ibid., p.263.
6. Ibid.
7. Ibid., p.265.
8. John Symonds & Granth Kenneth, *The Confessions of Aleister Crowley* (New York: Viking Penguin), p.196.
9*. Crowley, *Magick in Theory and Practice*, pp. xvii-xxii.
10. Ibid., p.430.
11. Ibid., p.237.
12. Ibid., pp.45-46.
13. Ibid., p.iii.

Большинство мистических школ XX века убеждено в том, что человеческий мир неуклонно прогрессирует — или, по крайней мере, остается почти неизменным, изменяя лишь внешние формы своего существования. Традиционализм — самое молодое и, в то же время, самое консервативное и пессимистическое учение нашего времени — считает обе этих точки зрения не более чем заблуждением. По мнению традиционалистов, человечество меняется от лучшего к худшему, и вскоре непременно погибнет вместе со всем остальным миром!

Традиционализм привлекает на свою сторону множество авторитетных источников, так или иначе подтверждающих эту идею. Христианская эсхатология и германские мифы о гибели богов, Золотой, Серебряный, Медный и Железный века из поэмы Гесиода и брахманистская теория о Кали-юге — последнем времени мира — составляют ту призму, сквозь которую они смотрят на события последних двух тысячелетий истории человечества. Ведущие теоретики традиционализма считают, что мир развивается циклично, и в каждом цикле человечество непременно проходит путь от полного совершенства к полному упадку.

В начале цикла человек, сотворенный Богом, еще приобщен к Примордиальной Традиции — некоему иррациональному и всеобъемлющему знанию, которое исходит непосредственно от Творца. Однако по мере своего развития он все больше и больше удаляется от этой Традиции, утрачивая ее сокровенный смысл. Древние религии еще хранят в себе следы Традиции, запечатленные в виде эзотерических учений; но постепенно суть этих учений извращается и выхолащивается до такой степени, что они превращаются в орудия борьбы с Традицией и разрушения сотворенной Вселенной. По мнению Рене Генона, одного из основоположников традиционализма, современная европейская цивилизация уже достигла этой стадии забвения Традиции и стоит на краю гибели, подталкивая к ней все остальное человечество.

Единственный путь к спасению, по мнению Генона, заключается в том, чтобы вернуться к традиционным ценностям, по возможности восстановив их из тех эзотерических учений, которые сохранили свою первозданную чистоту. Одним из таких учений Генон считал суфизм, и это подтолкнуло его к вступлению в один из суфийских орденов.

Генон довольно много писал о достоинствах Традиции, опасности забвения Традиции, невозможности создать новую Традицию и необходимости традиционной цивилизации. Однако в его работах содержится слишком мало сведений о том, что же представляет из себя эта Традиция; очевидно, Генон считал, что их не следует предавать огласке — или же сам не имел о ней достаточно ясного представления.

Гораздо больше информации об особенностях традиционного мировоззрения мы найдем у Мирчи Элиаде — этнографа и культуролога с мировым именем. Элиаде называет это мировоззрение "религиозным" и противопоставляет его "мирскому" мировоззрению современного человека, которое, однако, все же содержит в себе некие остатки скрытой религиозности. Внимательный читатель заметит, что между Элиаде и традиционалистами существует целый комплекс скрытых взаимных влияний; но, скорей всего, Карл Юнг повлиял на него гораздо больше, чем Рене Генон. Во всяком случае, Элиаде почти не критикует современную цивилизацию, не стращает своих читателей близким концом света и не твердит о "пагубности" мирского мировоззрения.

Работая на стыке мистики и науки, Элиаде иллюстрирует свои концепции обширным фактическим материалом из областей этнографии, культурологии и сравнительного религиоведения. Его произведения — своего рода "аргументированный миф" о счастливом традиционном обществе, живущем вне исторического времени и постоянно сознающем свою близость к богам. Разумеется, его нельзя назвать "чистым" традиционалистом; однако в его теориях можно найти немало общего с этим учением.

Традиционализм еще очень молод, и трудно сказать, что может получиться из него в дальнейшем. Пока что его приверженцы, порицающие демократию, науку и прогресс, приводят на память старый анекдот о рядовом Смите, который упорно продолжает идти в ногу, в то время как вся рота идет не в ногу. Своими претензиями на эзотерическую посвященность, таинственной терминологией и намеками на тайное покровительство, якобы оказываемое традиционализму со стороны "некоторых влиятельных лиц", они слегка напоминают оккультистов или масонов. Существует мнение, что традиционализм способен стать идеологической базой для международного объединения ультраконсервативных политических сил; однако, на мой взгляд, такая опасность несколько преувеличена.

РЕНЕ ГЕНОН (1886-1951)

"Но где в современном мире мы сегодня можем еще встретить идею иерархии? Никто и ничто не находится сегодня на своем надлежащем месте. Люди не признают более никакого подлинно духовного авторитета на собственно духовном уровне и никакой законной власти на уровне временном и "светском". Профаническое считает себя вправе

РЕНЕ ГЕНОН (1886-1951)

оценивать Сакральное, вплоть до того, что позволяет себе оспаривать
его качества или даже отрицать его вовсе. Низшее судит о высшем,
невежество оценивает мудрость, заблуждение господствует над истиной, человеческое вытесняет божественное, земля ставит себя выше
неба, индивидуальное устанавливает меру вещей и претендует на
диктовку Вселенной ее законов, целиком и полностью выведенных из
относительного и преходящего рассудка. "Горе вам, слепые поводы-
ри!" — гласит Евангелие. И в самом деле, сегодня повсюду мы видим
лишь слепых поводырей, ведущих за собой слепое стадо. И совершенно очевидно, что, если эта процессия не будет вовремя остановлена,
и те, и другие с неизбежностью свалятся в пропасть, где они все вместе
безвозвратно погибнут" [1].

В 1908г. члены Мартинистского ордена — парижской оккультной
организации, во главе которой стоял знаменитый доктор Папюс, — во
время спиритического сеанса получили от духов совершенно неожиданное указание: восстановить средневековый орден Тамплиеров и
сделать его гроссмейстером некоего Рене Генона, молодого провин-
циала из Блуа. Генон вращался в оккультных кругах всего лишь
несколько лет, но уже успел приобрести обширные познания в "тайных
науках" и несколько раз выступить с критикой деятельности Папюса.
По его мнению, парижские оккультисты не столько занимались
исследованием эзотерической традиции, сколько выдумывали ее сами,
исходя из весьма отрывочных и сомнительных сведений, полученных,
к тому же, далеко не из первых рук.

Традиция "домысливать" недостающую информацию действительно существовала у французских оккультистов еще со времен Элифаса
Леви, однако никто из них не осмелился бы заявить об этом во
всеуслышание, поскольку это могло подорвать авторитет организации.
Пока Генон был мартинистом, он не имел права выступать с публичной
критикой своего орденского начальства; однако, встав во главе собственного ордена, он непременно обнародовал бы свои критические замечания.
Поэтому Папюс не выполнил приказа потусторонних сил, а, напротив,
лишил Генона всех степеней посвященности и исключил из ордена.

Надо сказать, что Рене Генон критиковал не только оккультистов.
Под огонь его критики попадали масоны, теософы, антропософы,
спириты, а впоследствии, как мы уже имели возможность убедиться,
и весь современный мир в целом. Юный бакалавр философии, с
отличием окончивший лицей в родном Блуа, он придирчиво искал
доктрину, которая указала бы ему путь к совершенству. Однако ни
материалистическая наука, ни "тайные науки" французских масонов и
оккультистов так и не смогли заслужить у него отличной оценки.

Изучая эзотерическую литературу и общаясь с европейцами,
принявшими посвящение на Востоке (среди которых был, в частности,
знаменитый "французский даос" граф де Пувурвиль, писавший под
псевдонимом Ма Чжоуи), Генон вскоре пришел к мысли о том, что
Европа разучилась воспринимать мистическую мудрость в ее первозданной чистоте. Человек стал мерой всех вещей, и любое древнее
учение рассматривается здесь лишь постольку, поскольку оно может
служить для решения тех или иных человеческих проблем — от чисто

поверхностных и материальных до более "тонких" проблем нравственного самосовершенствования и общения с Божеством. Все эти проблемы Генон считал слишком мелкими для настоящего мистика; он полагал, что подлинная эзотерическая традиция должна быть выше людских забот и не может поддаваться логическому или чувственному постижению. Наконец, в 1912 г., его искания завершились весьма неожиданным образом: он перешел в ислам и принял арабское имя Абдул-Вахид Яхья ("Служитель Сущего Единого").

Очевидно, именно с тех пор из статей и работ Генона исчезло слово "я". Он заменил его словом "мы", поскольку считал, что излагает уже не свою личную точку зрения, а мнение некоего международного сообщества посвященных. Судя по трудам Генона, это сообщество не было чисто мусульманским, и вообще не принадлежало к какому-либо определенному вероисповеданию, поскольку (как неоднократно подчеркивалось в его работах) все религии смыкаются между собой на уровне эзотерических учений, которые существуют внутри каждой из них. К примеру, в исламе есть суфизм, в иудаизме — каббала, в христианстве — исихазм; внимательный исследователь найдет в этих "внутренних" учениях больше сходств, чем различий, в то время как во "внешних" религиях сходства можно пересчитать по пальцам. Все это, по мнению Генона, свидетельствует о существовании некой Примордиальной Традиции — вечной и единственной Истины, от которой берут начало "внутренние" религиозные учения. "Внешние" учения и являются производными от внутренних, мирская мораль — производной от "внешних" учений; но в каждой новой производной Традиция предстает во все более и более искаженном виде. Если этот процесс не будет остановлен, то через некоторое время в мире воцарятся анти-традиционные учения, где место вечной Истины будет занимать столь же вечная и глобальная Ложь.

По словам Генона, аналогичные процессы происходят на любом уровне человеческой жизни и деятельности. Единая Религия распадается на множество отдельных религий, сект и организаций; Единая Мудрость (София) вырождается в "любомудрие" (фило-софию). И, если на Востоке это вырождение в какой-то степени приостановлено, то на Западе оно идет полным ходом.

Впрочем, Генон был уверен, что постепенная деградация Традиции — лишь отражение общего процесса, происходящего во Вселенной. Согласно излагаемой им метафизической теории (во многом основанной на индуистских источниках), изначально существует лишь некая Вселенская Возможность — совокупность Бытия и Небытия, пребывающих в неразрывном единстве. Вселенская Возможность — не Бог и не Демиург; она не сотворяет мир, а всего лишь поочередно проявляется в каждом из двух своих аспектов. Вступая в фазу Бытия, Возможность проявляется как порождающий Принцип, из которого развивается мир Бытия. Но "развитие всякого проявления с необходимостью предполагает постепенно ускоряющееся движение в сторону удаления от порождающего Принципа. Начиная с самой высшей точки, проявление с необходимостью простирается вниз, причем, как это происходит в случае физических тел, скорость движения постоянно возрастает до тех пор, пока не достигнет предела и движение не прекратится. Этот процесс проявления можно было бы назвать "прогрессирующей материализацией", так как сам Принцип, в свою очередь, соотносится с чистой духовностью, являющейся его прямым выражением..." [2].

Подобно Тейяру де Шардену, Генон считал четыре "царства природы" (минералы, растения, животные, человек) промежуточными уровнями между Чистым Духом и Чистой Материей. Однако там, где Тейяр видел постепенное восхождение материи к духовным высотам, Генон усматривал совершенно обратный процесс: нисхождение Духа в косную материю, вплоть до полного окаменения в царстве минералов.

Четыре стадии нисхождения духа, по мнению Генона, соответствуют Золотому, Серебряному, Бронзовому и Железному векам древнегреческой традиции, или же четырем индусским *югам*, последняя из которых называется *Кали-югой* ("Темным веком") и предшествует полному погружеию Вселенной в фазу Небытия. Впоследствии, пройдя через эту фазу, Вселенская Возможность вновь проявится в форме Бытия. Этот процесс повторялся уже бессчетное множество раз и будет повторяться снова и снова.

Может показаться, что космическая гармония Бытия и Небытия, чередующихся как день и ночь или как вдох и выдох, не оставляет человечеству никакой надежды на будущее. Однако Генон категорически отвергает подобное утверждение. "Истина на самом деле намного сложнее, — говорит он. — ...В действительности, во всем необходимо прослеживать две противоположные тенденции: одну — нисходящую, другую — восходящую, или иными словами, одну — центробежную, другую — центростремительную. От преобладания той или иной тенденции зависят две взаимодополняющие фазы проявления: первая — отделения от Принципа, вторая — возврата к Принципу. Эти две фазы можно сравнить с биением сердца или дыханием, и, хотя эти две стадии чаще всего рассматриваются как *последовательные*, две соответствующие им тенденции следует рассматривать как одновременные и лишь действующие с различной интенсивностью. Иногда случается, что в моменты кажущегося явного преобладания нисходящей тенденции в ходе одного из циклов развития мира происходит некое особое вмешательство, позволяющее укрепить противоположную восходящую тенденцию и восстановить, насколько это позволяют конкретные условия, некоторое, пусть даже относительное равновесие. Это приводит к относительному восстановлению равновесия, вследствие чего упадок может быть приостановлен или временно нейтрализован" [3].

Таким образом, весь ход мировой истории, по Генону, определяется борьбой двух сил, одна из которых стремится возвратить все вещи к порождающему Принципу, а вторая влечет их прочь от Принципа, облекает смертной материальной плотью и, в конце концов, уводит в Небытие. Никто и ничто во Вселенной не является пассивным участником этой борьбы: сознательно или неосознанно, всякая вещь принимает сторону той или другой силы и способствует ее проявлению в мире. Однако тенденция удаления от Принципа все же преобладает, и человечество давно бы сделалось ее жертвой, если бы не сохраняло связи с Примордиальной Традицией.

Традиция является связующим звеном между миром Принципов и миром их конкретных проявлений. Это некая метафизическая доктрина, постижимая только с помощью *интеллектуальной интуиции*, и только те, кто развил в себе такую интуицию, способны адекватно воспринять Традицию и передать ее следующим поколениям. Генон уверен, что интеллектуальная интуиция лежит в основе всякого подлинно традиционного мировоззрения. Всякая попытка заменить ее чем-либо иным (к примеру, чувственной интуицией, логикой, религиозной догмой) приводит к тому, что из учения ускользает его традиционная сущность, и оно превращается в набор ничего не значащих фраз, фактов и гипотез.

В качестве примера Генон приводит современные науки: физику, химию, астрономию. Когда-то — утверждает он — все эти науки применяли принципы, установленные единой Традицией, ко всему необозримому множеству фактов и частных случаев; ныне же они старательно изучают факты, тщетно пытаясь вывести из них какие-то принципиальные закономерности. "Существует ряд современных наук, в полном смысле слова являющихся останками древних наук, истинное понимание которых давно утрачено. В период упадка этих наук их высшие стороны отделялись от всего остального и, подвергшись грубой материализации, становились точкой отсчета для развития в совершенно ином направлении, соответствующем сугубо современным тенденциям. Так возникали новые науки, потерявшие какую бы то ни было связь с предшествующими. Совершенно неверно, к примеру, рассматривать астрологию и алхимию как науки, развившиеся постепенно в современную астрономию и современную химию, хотя, с чисто исторической точки зрения, доля правды в этом есть. Эта доля правды сводится к тому, что эти современные науки вышли из предшествующих им наук не в ходе "эволюции" или "прогресса", но, наоборот, в результате глубокого вырождения последних" [4].

Социальный прогресс, достигнутый западным обществом со времен средневековья, с точки зрения Генона выглядит столь же глубоким вырождением. Высшей и изначальной формой правления в человеческом обществе, по его мнению, является теократия, то есть власть первосвященника. Далее, по мере отхода от Принципа, власть подразделяется на духовную и светскую; возникает монархия, затем демократия и, наконец, *охлократия*, то есть власть толпы. Две последние стадии чрезвычайно близки между собой, поскольку представляют из себя формы власти народного большинства. Но "в чем сущность закона о большинстве, который проповедуется современными правительствами, и в котором эти правительства видят оправдание своей власти? Это — закон материи и грубой силы, закон, тождественный физическому закону, согласно которому масса, увлекаемая своим весом, давит на все, что находится у нее на пути. Здесь мы и обнаруживаем точку соприкосновения между демократической концепцией и материализмом, и именно в этом следует искать причины тому, что данная концепция так укоренилась в современном мышлении. Благодаря ей полностью переворачивается нормальный порядок вещей и устанавливается приоритет множественности, который на самом деле существует только в материальном мире. В духовном же мире и, более обобщенно, в универсальном порядке во главе иерархии стоит Единство, поскольку именно Единство, Единица есть изначальный принцип, из которого происходит в дальнейшем всякая множественность. Как только этот принцип Единства теряется, остается лишь чистая множественность, которая строго тождественна материи" [5].

Аналогичные процессы низведения духа в материю Генон находил во всех сферах западной жизни — от религии до... физической культуры! "...Англо-саксонская мания спорта распространяется все шире и шире — писал он. — Идеал современного мира — это "человеческое животное", развившее свою мускульную силу до последних пределов. Его герои — атлеты, даже если они грубы и бессмысленны. Именно такие персонажи вызывают всеобщий энтузиазм, и их достижения возбуждают страстный интерес толпы. Мир, в котором процветают подобные вещи, действительно предельно пал и близок к своему концу" [6].

Генон был уверен, что современная западная цивилизация обречена на неминуемую и скорую гибель. Даже в том случае, если Запад вдруг решит возвратится в лоно Традиции, он вынужден будет отказаться от демократии, прогрессизма, религиозной терпимости, материалистической науки и светского искусства, таким образом почти полностью отвергнув все достижения своей цивилизации. Если же он будет и впредь упорствовать в своих "заблуждениях", да еще и не прекратит навязывать их народам Востока, еще сохранивших уважение к Традиции, — то его цивилизация погибнет вместе со всем человечеством в ужасной катастрофе Последних Времен, пророчества о которой содержатся во всех религиозных учениях мира.

"Единственный вопрос, который следует здесь поставить, состоит в следующем: переживет ли Восток под влиянием Запада лишь временный и поверхностный кризис, или Запад вовлечет в свое падение все человечество? ...Может статься, что все же духовная сила, присутствующая в традиции... одержит верх над материальной силой, когда та отыграет свою роль, и рассеет ее, как свет тьму. Но вероятно и то, что прежде, чем это произойдет, наступит период полнейшего мрака. Традиционный дух не может погибнуть, поскольку находится вне изменения и смерти. Но он может полностью покинуть этот мир, и в этом случае совершится настоящий "Конец Света", "Конец Мира". Из всего вышесказанного должно быть ясно, что подобное событие, скорее всего, произойдет в самом ближайшем будущем. Смешение, захлестнувшее сегодня Запад и все больше распространяющееся на Востоке, может быть понято как "начало конца", как предупредительный знак о скором наступлении того момента, когда, согласно индусской традиции, вся сакральная доктрина замкнется, как в раковине, из которой она снова появится во всей своей полноте лишь на заре нового мира" [7].

Генон безусловно верил в то, что за всеми этими тревожными процессами стоят некие потусторонние силы, стремящиеся разрушить Традицию и увести человечество как можно дальше от изначального Принципа. Силы эти известны в религиозной традиции под именем “демонических” или “сатанинских”; это силы Небытия, кровно заинтересованные в гибели Вселенной. Они имеют свою традицию, полностью противоположную истинной Традиции, но очень похожую на нее по своей внешней форме. Западный человек, не имеющий подлинно традиционного мировоззрения, зачастую бывает обманут этим сходством и, в результате, легко вовлекается во вредоносную деятельность сатанинских сил. Например, спириты, общаясь с духами умерших, не подозревают, что их собеседники — обыкновенные бесы; теософы, сами того не ведая, готовят почву для появления Антихриста; оккультисты считают себя повелителями демонов, не замечая, что демоны помыкают ими.

Некоторые наиболее способные “ученики” Сатаны удостаиваются полного посвящения в сатанинскую традицию в каком-нибудь из рассеянных по всему свету тайных *контр-инициационных* обществ и становятся его сознательными пособниками. Следуя исламской традиции, Генон называл таких людей “сатанинскими святыми”. Он утверждал, что на свете существует, как минимум, семь центров анти-традиционного посвящения, или “семь башен Сатаны”, расположенных в Азии и Африке, и что Шамбала, о связи с которой заявляют лидеры теософского движения, тоже может быть одним из таких центров.

Тесно общаясь с представителями различных мистических организаций и сект, Генон собрал данные, позволившие ему с уверенностью утверждать, что практически все эти группы подвержены демоническому влиянию. Истинная цель их деятельности (не всегда понятная их участникам) состоит в том, чтобы постепенно “внушать” человечеству анти-традиционные идеи и искажать содержание подлинной Традиции. К примеру, идея демократии усиленно пропагандировалась масонством, и большинство лидеров Великой Французской революции были членами масонских лож. Масонство провело огромную работу по дискредитации и разложению католической церкви, представлявшей “живую Традицию” на Западе. Наконец, масоны (по мнению Генона) фактически управляют Соединенными Штатами Америки, превратившимися в основной очаг распространения анти-традиционной культуры в современном мире. Усеченная пирамида — масонский знак, изображенный на американских долларах, трактуется Геноном как чрезвычайно красноречивый символ обезглавленного западного мира, оторвавшегося от изначального Принципа.

Генон считал, что изначально масонство было подлинно традиционной организацией, которая вела свое происхождение от ордена Тамплиеров; однако агенты анти-традиционных сил проникли в среду масонов и заразили ее своими тлетворными идеями. Что же касается Теософского общества, то эта организация, по мнению Генона, противостоит Традиции с самого своего зарождения. Опасность теософии заключается в том, что она проповедует мирской подход к Священному, то есть профанирует подлинные традиционные источники, пытаясь постигнуть их логическим либо чувственным путем. Учения, излагаемые теософами, напоминают подлинную Традицию в той же степени, в какой мирская химия напоминает священную алхимию; они анти-традиционны по своей сути и способствуют приобщению широких масс к демонической деятельности. Те же самые упреки Генон адресовал практически всем философам и исследователям, пропагандирующим восточные учения на Западе. "Насколько нам известно, — писал он, — кроме нас на Западе не существует ни одного автора, аутентично излагающего идеи Востока. И мы поступаем в этом случае точно так же, как поступил бы на нашем месте любой человек Востока, без малейшего намека на популяризацию или пропаганду, обращаясь лишь к тем, кто способен понять эти доктрины такими, как они есть, безо всяких искажений и упрощений, сделавших бы их по-видимости более доступными" [8].

Восток занимал особое место в теоретических построениях Генона. Как мы уже упоминали выше, он считал, что Традиция в неискаженном виде сохранилась лишь на Востоке; поэтому аутентичное изложение идей Востока должно было стать первой обязанностью подлинного традиционалиста. Почти каждый из немногочисленных единомышленников Генона, объединившихся вокруг журнала П.Шакорнака "Исследования Традиции", был посвящен в какое-нибудь из эзотерических учений Востока; сам Генон принял посвящение суфийского ордена Шадилия и практиковал эзотерический обряд постоянного призывания имени Аллаха. С 1930г. он практически безвыездно жил в Каире, в 1934г. женился (вторым браком) на дочери египетского шейха. Он умер благочестивым гражданином независимого Египта, с именем Аллаха на устах, и, если мусульманский рай действительно существует, то нет никакого сомнения, что душа Рене Генона находится именно там.

Ни один из современных Генону западных мистиков и философов не удостоился от него положительной оценки. Он критиковал даже тех авторов, которые, как и он, искали истину в подлинных эзотерических текстах Востока. Карл Юнг, по мнению Генона, смешал "верх" и "низ" человеческой психики в единое понятие "бессознательного" и, в результате, не способен отличить Божественные архетипы от демонических. "Историки религии" (в частности, Мирча Элиаде) придают слишком большое значение религиозному мировоззрению, которое Генон считает вторичной (по отношению к метафизике) формой отражения Традиции. Даже ближайший сподвижник Генона — Юлиус Эвола, — переводивший его работы на итальянский язык, — не смог избежать его критики, поскольку считал, что в Европе существует своя, "средиземноморская" традиция, которую следует защищать от восточного влияния. При внимательном чтении критических работ Генона — в особенности, таких, как "Кризис современного мира", "Теософия — история одной лже-религии", "Заблуждение спиритов", "Царство количества и знамения времени", — может сложится впечатление, что он считает себя едва ли не единственным западным "автором, аутентично излагающим идеи Востока", а его постоянное "мы" — не более чем литературный прием.

Однако следует заметить, что геноновская манера изложения может произвести довольно необычное впечатление на англоязычного читателя. Его работы, посвященные "чистой" метафизике, как правило, толкуют смысл тех или иных священных символов или писаний; но при этом толковании смысл, как правило, не проясняется, а еще больше затуманивается, обрастая множеством дополнительных смыслов. Очевидно, Генон подражает толкователям иудейской и исламской традиции, которые зачастую использовали традиционный текст как фундамент для собственных произведений, исполненных высокой мистической поэзии. К сожалению, именно поэзия не свойственна Генону ни в коей мере. Для его произведений характерен суховатый академический стиль: он как будто доказывает некую теорему, формулировка которой известна только ему одному; затем, поскольку он обращается к коллегам-посвященным, доказательство сокращается до двух-трех наиболее интересных моментов, и все, что может понять непосвященный читатель — это сакраментальная фраза "Что и требовалось доказать".

Разумеется, произведения Генона не могут дать ясного представления о том, что же представляет из себя Примордиальная Традиция. Однако не будем забывать о том, что это едва ли входило в намерения их автора. Ведь он был убежден, что подлинная Традиция передается только от Учителя к ученику и постигается только интеллектуальной интуицией, помимо чувств и рассудка. Кроме того, в своих критических работах он настолько подробно обрисовал круг анти-традиционных явлений, что, отталкиваясь от него, проницательный читатель легко представит себе, по крайней мере, внешние контуры Традиции.

Итак: Традиция имеет нечеловеческий характер. Гуманизм, индивидуализм, демократия и светская культура Запада анти-традиционны; следовательно, традиционными ценностями являются антигуманизм (то есть безразличие к отдельно взятой человеческой жизни), коллективизм, теократия или монархия, и культура, всецело выдержанная в духе традиционной идеологии. Традиция отрицает методы экспериментальных наук и превозносит метафизику; это наводит на мысль о том, что традиционное мышление склонно презирать практику ради теории и искажать факты ради стройности схем. Традиция считает Бога "чувственно постигаемым символом" безликого Высшего Принципа и допускает религию лишь в качестве "внешней формы" передачи традиционных доктрин; однако подлинные традиционные истины содержатся во "внутреннем" учении, предназначенном только для посвященных.

Может быть, я и ошибаюсь, но мне кажется, что наиболее наглядный пример торжества традиционной идеологии описан в известном романе Оруэлла. Все тоталитарные режимы мира (в том числе исламская "республика" аятоллы Хомейни), по мере своих сил и возможностей, стремятся реализовать мрачные фантазии Оруэлла; но в полной мере это, очевидно, сможет осуществить лишь тот, кто будет иметь соответствующее посвящение в тайны Примордиальной Традиции.

МИРЧА ЭЛИАДЕ (1907-1986)

"...Деятельность бессознательного подпитывает неверующего человека современных обществ, помогает ему, не приводя его, однако, к собственно религиозному видению и познанию мира. Бессознательное предлагает решение проблем его собственного бытия и в этом

МИРЧА ЭЛИАДЕ (1907-1986)

смысле выполняет функцию религии, ведь прежде чем сделать существование способным к созданию ценностей, религия обеспечивает его целостность. В некотором смысле даже можно утверждать, что и у тех наших современников, которые объявляют себя неверующими, религия и мифология "скрыты" в глубине подсознания. Это означает также, что возможность вновь приобщиться к религиозному опыту жизни еще жива в недрах их "Я". Если подойти к этому явлению с позиций иудео-христианства, то можно также сказать, что отказ от религии равноценен новому "грехопадению" человека, что неверующий человек утратил способность сознательно жить в религии, т.е. понимать и разделять ее. Но в глубине своего существа человек все еще хранит Память о ней, точно так же, как и после первого "грехопадения". Его предок, первый человек Адам, так же духовно ослепленный, все же сохранил разум, позволивший ему отыскать следы Бога, а они видны в этом мире. После первого "грехопадения" религиозность опустилась до уровня разорванного сознания, после второго она упала еще ниже, в бездны бессознательного; она была "забыта". Этим завершаются размышления историков религий. Этим открывается проблематика философов, психологов, а также теологов" [1].

Крипторелигиозность, или подсознательная религиозность, свойственная каждому из нас,— одно из ключевых понятий в философии Мирчи Элиаде. Он считает, что всякий культурный человек религиозен, ибо религия и мифология всегда лежат в основе любой культуры. Всемирно известные исследования Элиаде в области истории религий и мифологии разных народов, публикующиеся с конца сороковых годов, отличаются принципиально новым подходом к исследуемому предмету. Элиаде — не антрополог и не этнограф; цель его поисков — своеобразные "ископаемые останки", по которым можно восстановить контуры утраченной Традиции, и каждая его новая работа — новый штрих в предполагаемую картину этой Традиции.

Мирча Элиаде родился и провел свою юность в Бухаресте. В 1928г. он закончил Бухарестский университет, удостоившись за свою дипломную работу степени доктора философии. Благодаря успехам в учебе, он смог продолжить образование в Калькутте, где изучал санскрит и индийскую философию.

Индия оставила неизгладимый след в душе Элиаде, повлияв на всю его дальнейшую творческую судьбу. В Индии он впервые столкнулся с *живым* религиозным опытом, которым пропитано существование индийцев. В отличие от Олдоса Хаксли, он не придал слишком большого значение внешним сторонам их жизни — грязи, болезням, нищете. В его произведениях Индия предстала сказочной страной священных тайн, где слышны голоса богов; Элиаде создал новый миф о Востоке, где хранится Истина, утраченная суетными жителями Запада. Восточный человек, — утверждал он, — считает Реальность иллюзией, среди которой, однако, можно найти некоторые проявления высшей, или Священной Реальности. Такие проявления священного в мирском Элиаде называет *иерофанией* (от греческих слов *hiero* — священный, и *phanie* — проявление). По его мнению, *иерофания* известна не только жителям Востока — понятие о проявлении священного в мирском лежит в основе любой мифологии и религии. "Современный представитель западной цивилизации — писал он в своей работе "Священное и мирское" — испытывает определенное замешательство перед некоторыми формами проявления священного: ему трудно допустить, что кто-то обнаруживает проявления священного в камнях или деревьях. Однако, и это мы скоро увидим, речь не идет об обожествлении камня или дерева *самих по себе*. Священным камням или священным деревьям поклоняются именно потому, что они представляют собой *иерофании*, т.е. "показывают" уже нечто совсем иное, чем просто камень или дерево, а именно — *священное*...

Мы никогда не сможем полностью понять парадокс, заключенный во всякой *иерофании*, пусть даже самой элементарной. Проявляя священное, какой-либо объект превращается в нечто иное, не переставая при этом быть самим собой, т.е. продолжая оставаться объектом окружающего космического пространства. *Священный* камень остается *камнем*; внешне (точнее, с мирской точки зрения) он ничем не отличается от других камней. Зато для тех, для кого в этом камне проявляется священное, напротив, его непосредственная, данная в ощущениях реальность, преобразуется в реальность свехъестественную. Иными словами, для людей, обладающих религиозным опытом, вся Природа способна проявляться как космическое священное пространство. Космос, во всей его полноте, предстает как иерофания" [2].

В 1933г. Элиаде вернулся на родину и начал преподавать в Бухарестском университете. Широкая эрудиция и оригинальность мышления молодого профессора, отличавшегося консервативными взглядами, принесли ему популярность в правительственных кругах. Ультраправые силы, задававшие тон в политической жизни Румынского Королевства, приветствовали религиоведческие исследования Элиаде, видя в них прямую параллель к нацистскому "возрождению арийского духа".

Теоретические концепции Элиаде, действительно, кое в чем смыкались со взглядами фашистских идеологов: как и они, он критиковал христианство и с уважением отзывался о духовном опыте языческих религий. Однако дальше этого внешнего сходства дело не шло: философия румынского исследователя уже тогда была значительно глубже (и, пожалуй, значительно консервативнее), чем узконаправленные исследования гитлеровских "культурологов", выискивавших исторические доказательства превосходства "арийской расы". Элиаде находил свои идеалы у первобытных племен Азии, Африки и Полинезии, сохранивших, по его мнению, наиболее традиционный уклад жизни; он исследовал более современные религии, выявляя в них пережитки двух основных ритуалов доисторической жизни: инициации (мистического посвящения) и возобновления годового цикла. Знакомство с учением Карла Юнга об архетипах коллективного бессознательного (неких обобщенных первообразах, неосознанно присутствующих в психике каждого человека) убедило его, что поиски ведутся в нужном направлении: при всем своем разнообразии культуры разных народов имеют одну и ту же основу, контуры которой наиболее отчетливо прослеживаются в мифологии и религии.

В 1940г., когда в Румынии была установлена фашистская диктатура, Элиаде получил пост атташе по культуре при румынском посольстве в Лондоне, а в 1941г. стал советником посла в Лиссабоне, где находился до самого конца второй мировой войны. После 1945г. с его политической карьерой было покончено, и он всецело занялся преподавательской и научной деятельностью.

С 1945 по 1956 год Элиаде преподавал в Сорбонне, выступал с лекциями в ведущих университетах Европы и участвовал в деятельности культурологического ежегодника "Эранос", в котором активно сотрудничал Карл Юнг. В этот период были написаны практически все его наиболее важные работы, две из которых: "Миф о вечном возвращении" и "Священное и мирское" являются своеобразным введением в утраченную нами Традицию, очертания которой открылись ему в результате тщательного изучения мифологии, антропологии и истории религий.

"Для религиозного человека, — пишет Элиаде, — *пространство неоднородно*: в нем много разрывов, разломов; одни части пространства качественно отличаются от других... Есть пространства священные, т.е. "сильные" и значимые, и есть другие пространства, неосвященные, в которых якобы нет ни структуры, ни содержания, одним словом, аморфные. Более того, для религиозного человека эта неоднородность пространства проявляется в опыте противопоставления священного пространства, которое только и является *реальным*, *существует реально*, всему остальному — бесформенной протяженности, окружающей это священное пространство...

Когда священное проявляется в какой-либо иерофании, возникает не только разрыв однородности пространства, но обнаруживается некая абсолютная реальность, которая противопоставляется нереальности, всей огромной протяженности окружающего мира. Проявление священного сотворяет общую структуру мира. В однородном и бесконечном пространстве, где никакой ориентир невозможен, где нельзя сориентироваться, иерофания обнаруживает абсолютную точку отсчета, некий "Центр"...

Напротив, в мирском восприятии пространство однородно и нейтрально... Всякая *истинная* ориентация исчезает, т.к. "точка отсчета перестает быть единственной с онтологической точки зрения. Она проявляется и исчезает в зависимости от повседневных нужд. Иначе говоря, больше нет Мира, а есть лишь осколки разрушенной Вселенной, т.е. аморфная масса бесконечно большого числа "мест" более или менее нейтральных, где человек перемещается, движимый житейскими потребностями..." [3].

Элиаде подробно анализирует строение священного пространства. По его мнению, оно непременно имеет некий Центр — место, где Земля сообщается с Небесами. Символика этого Центра прослеживается во всех культовых сооружениях — от раскрашенного столба, который втыкали в землю австралийские племена до шаманской юрты или христианской церкви. Кроме того, это пространство имеет границу, отделяющую освященный Космос от неосвященного Хаоса; примером такой границы является порог любого дома, окруженный многочисленными ритуалами и суевериями. Элиаде утверждает, что понятие священного Центра и Порогов можно обнаружить не только в церквах и кумирнях, но и в любом человеческом доме: каждый дом является как бы уменьшенной копией священного Космоса.

"...Человек в традиционных обществах мог жить только в пространстве, "открытом" вверх, где символически обеспечивался раздел уровней и где сообщение с *иным миром* оказывалось возможным благодаря обрядам. Разумеется, алтарь, наиболее совершенный "Центр", находился недалеко от него, в его городе, и чтобы общаться с миром богов, ему достаточно было войти в Храм. Но *homo religiosus* чувствовал необходимость постоянно находиться в Центре... Одним словом, какими бы ни были размеры родного пространства — своя страна, свой город, своя деревня, свой дом — человек традиционных обществ испытывает потребность постоянно существовать в полном и организованном Мире, в Космосе" [4].

Все, что существует за пределами Космоса, приравнивается к Хаосу, населенному демонами и чудовищами. По словам Элиаде, религиозный человек непременно убежден в демонической природе своих врагов; "вполне возможно, — замечает он, — что оборонные сооружения берут свое начало в магических защитных постройках. Эти сооружения — рвы, лабиринты, насыпи и т.д. — создавались в большей степени для того, чтобы помешать нашествию демонов и душ умерших, нежели защититься от нападения себе подобных" [5]. Всякое столкновение с "чужими" — будь то оборона родного поселка или завоевание чужих земель — ассоциируются в традиционном сознании с великим подвигом Бога-творца, победившего космическое чудовище; и все способы обращения с побежденными, вплоть до ритуального каннибализма, всего лишь повторяют поступки мифических высших существ.

Элиаде доказывает, что повторение мифологических образцов определяет течение жизни любого традиционного общества. Время жизни этого общества не течет от прошлого к будущему, как "историческое" время современного Запада. Традиционное "священное" время движется по кругу! "*Священное Время* по своей природе обратимо, в том смысле, что оно буквально является *первичным мифическим временем, преобразованным в настоящее*. Всякий церковный праздник, всякое время литургии представляют собой воспроизведение в настоящем какого-либо священного события, происходившего в мифическом прошлом, "в начале". Религиозное участие в каком-либо празднике предполагает выход из "обычной" временной протяженности для восстановления мифического Времени, выведенного в настоящее самим праздником. Таким образом, Священное Время может быть возвращено и повторено бесчисленное множество раз...

Таким образом, религиозный человек живет в двух планах времени, наиболее значимое из которых — Священное — парадоксальным образом предстает как круговое, обратимое и восстанавливаемое Время, некое мифическое *вечное настоящее*, которое периодически восстанавливается посредством обрядов. Подобное поведение по отношению ко времени достаточно для того, чтобы отличить религиозного человека от нерелигиозного: первый отказывается жить только в том, что в современной терминологии называется "историческим настоящим"; он старается приобщиться к Священному Времени, которое в некотором отношении может быть сравнено с "Вечностью" [6].

Современный человек, по мнению Элиаде, не способен к осознанному восприятию "вечного настоящего времени". Его время "исторично", то есть протекает от настоящего к будущему в виде последовательности взаимосвязанных событий. Он склонен думать о прогрессе или регрессе, об эволюции или инволюции, но уж никак не о вечном возвращении времени. "...Одна из наиболее специфических особенностей нашей цивилизации — отмечает Элиаде — почти ненормальный интерес к истории. Этот интерес проявляется двумя различными способами: во-первых, в том, что можно назвать страстью к историографии, то есть в жажде все более конкретных и исчерпывающих знаний о прошлом человечества, и прежде всего западного мира; во-вторых, этот интерес к истории проявляется в современной западной философии, в ее тенденции определять человека как исторически обусловленное существо и, наконец, как существо, созданное Историей" [7].

"А теперь давайте взглянем на эту страсть к истории с точки зрения, находящейся вне нашей социальной перспективы. Во многих религиях, и даже в европейском фольклоре, можно найти поверье о том, что в момент смерти человек якобы вспоминает всю свою прошедшую жизнь вплоть до мельчайших подробностей, и что он не может умереть до тех пор, пока не вспомнит и не переживет заново всю свою личную историю. На экране своей памяти умирающий еще раз прокручивает свое прошлое. С этой точки зрения, страсть современной культуры к историографии может быть знаком, предвещающим ее близкую гибель. Наша Западная цивилизация, перед тем как пойти на дно, хочет в последний раз вспомнить все свое прошлое, с доисторических времен до мировых войн. Историографическое сознание Европы (некоторые считают его почетным свидетельством непреходящей славы) фактически является тем последним моментом, который предшествует смерти и говорит о ее приближении" [8].

Что ж, нужно заметить, что со времен Освальда Шпенглера "закат Европы" уже стал своеобразным мифом европейской культурологии; и доводы, которые приводит Элиаде, тоже весьма оригинальны и по-своему впечатляющи. Но, по-моему, он чересчур скоропалительно объявил "историзм" *постоянной* особенностью западной цивилизации. Ведь с начала семидесятых годов история занимает умы жителей Запада все меньше и меньше; с другой стороны, она все больше мифологизируется, превращаясь в своеобразное собрание назидательных примеров. Жизнь западного человека, несмотря на быструю смену стилей и мод, в основе своей тяготеет к неизменности и цикличности и, весьма вероятно, что в будущем веке в мире уже не найдется ни одного вполне "исторического" существа. Очевидно, весь пресловутый "историзм" был всего лишь философской модой, так и не внедрившейся в массовое сознание; то же самое можно сказать и о "мирской" модели однородной и однообразной Вселенной, которая, должно быть, существовала лишь в умах упрямых материалистов XIX века.

Однако здесь следует вспомнить, что Элиаде никогда не говорил о том, что западный человек в полной мере *является* историческим и материалистическим существом. "Оригинальность современного человека, его новизна в сравнении с традиционными обществами, — утверждал он — заключается именно в его *установке считать себя* чисто историческим существом, в его *желании* жить в полностью десакрализованном космосе. Насколько современному человеку удалось реализовать это желание — другой вопрос, которого мы здесь не будем касаться. Но факт остается фактом: его идеал давно уже не имеет ничего общего с христианством, и так же точно чужд тому образу себя, который создает человек в традиционных обществах" [9].

По его мнению, житель Центра Вселенной, чье священное время неизменно возвращается к своему истоку, "осознает себя *истинным человеком* лишь в той мере, в какой он походит на Богов, Героев-основателей цивилизации, мифических Предков... Религиозный человек, это не некая данность; он формирует себя сам по божественным образцам. А эти образцы, как мы уже отмечали, сохраняются в мифах, в истории божественных деяний. Следовательно, религиозный человек и себя причисляет к фактам истории, равно как и человек неверующий, однако для религиозного человека существует лишь *священная история* — открываемая мифами история богов... Необходимо подчеркнуть следующее: с самого начала религиозный человек выбирает свой собственный

Магический обряд плодородия на празднике урожая. (Тробриандовы острова, Меланезия)

образец для подражания в области сверхчеловеческого, в той области, которая открывается ему мифами. *Настоящим человеком он становится, лишь следуя учению, содержащемуся в мифах, и подражая богам.*

Добавим, что подобное подражание божеству предполагало иногда для первобытных людей очень серьезную ответственность. ...Некоторые кровавые жертвоприношения находят свое оправдание в каком-либо первичном, божественном акте: "во время оно" бог убил морское чудовище и разрубил его тело на куски, чтобы создать из них космос. Человек повторяет этот кровавый акт, иногда принося в жертву даже человеческую жизнь, когда основывает поселение, приступает к сооружению храма или даже к строительству обычного дома" [10].

"...Бракосочетание людей расценивается как подражание космической *иерогамии* (священному браку). "Я — Небо, Ты — Земля!" — провозглашает муж в Брихадараньяка-упанишаде (VI, VI, 20). Уже в Атхарваведе (XIX, II, 71) муж и жена уподобляются Небу и Земле... В Греции брачные ритуалы воспроизводили пример Зевса, тайно соединявшегося с Герой (Павсаний, II, XXXVI, 2). Как и следовало ожидать, божественный миф есть образцовая модель союза мужчины и женщины...

Ритуальная оргия, призванная способствовать урожаю, также имеет божественный образец: иерогамию оплодотворяющего бога и Матери-Земли. Плодородие в сельском хозяйстве стимулируется безграничным сексуальным неистовством. С определенной точки зрения, оргия олицетворяет хаос, царивший до сотворения. Так, некоторые церемонии по случаю наступления Нового года включают в себя оргиастические ритуалы; социальное "смешение", разврат и сатурналии символизируют возврат к аморфному состоянию, которое предшествовало Сотворению Мира" [11].

В своих работах Элиаде приводит бесчисленное множество подобных примеров, стремясь доказать, что практически вся культура традиционных обществ представляет из себя подражание богам; что жизнь всякого культурного человека представляет из себя тщательное воспроизведение мифологических образцов. Он находит отдельные черты такого поведения даже в современном западном обществе, где основным поставщиком таких образцов являются художественная литература и кинематограф. "Это точное следование божественным моделям, — утверждает он, — приводит к следующим результатам: 1) с одной стороны, имитируя богов, человек удерживается в священном, а следовательно, в реальном мире; 2) с другой стороны, благодаря непрерывному восстановлению в настоящем примерных божественных деяний, мир освящается. Религиозное поведение способствует поддержанию святости мира" [12].

Религиозный человек не просто живет в освященном Космосе, но и сам считает себя уменьшенной моделью этого Космоса. Так же, как и Космос, он не знает смерти в материалистическом понимании этого слова, то есть полного и окончательного уничтожения личности. Для него существуют лишь *переходы* из одного состояния в другое, причем некоторые из этих переходов совершаются им еще при жизни. Это — посвящения, или *инициации*, — ритуалы, которые существуют

Инициационный танец в исполнении девушек из племени Басуто

в любой религиозной традиции. Элиаде придает им чрезвычайно большое значение, считая, что именно через инициации традиционное общество поддерживает преемственность своей культуры и осуществляет живую связь поколений.

"Уже давно замечено, что обряды перехода играют значительную роль в жизни религиозного человека. Разумеется, самым ярким примером обряда перехода является посвящение по достижении половой зрелости, переход из одной возрастной категории в другую (от детства или юношества к зрелости). Но к обрядам перехода могут быть отнесены также и те, что совершаются при рождении, бракосочетании, смерти... Новорожденный ребенок обладает лишь физической сущностью; он еще не признан семьей и не принят в общество. Статус "живущего" ему придают обряды, совершаемые сразу же после родов; только благодаря этим обрядам он включается в сообщество живущих.

Бракосочетание — это тоже один из случаев перехода из одной социорелигиозной группы в другую. Молодой муж выходит из состава холостяков и попадает с этого момента в категорию "глав семьи". Всякое бракосочетание таит в себе некоторое напряжение и опасность; оно способно вызвать кризис, поэтому совершается через обряд перехода. Греки называли бракосочетание словом telos, освящение, а брачный ритуал напоминал мистерии.

Что касается смерти, то здесь мы наблюдаем гораздо более сложные обряды... Умирающий должен пройти через ряд испытаний, от которых зависит его загробная судьба, но кроме этого он должен быть принят сообществом мертвых и признан как один из них. У некоторых народов лишь ритуальное погребение считается свидетельством смерти: тот, кто не был похоронен так, как требует обычай, не считается мертвым" [13].

Элиаде особенно тщательно исследовал две разновидности инициаций — посвящение по случаю зрелости и посвящение в тайные союзы. Эти ритуалы, зачастую связанные с мучительными испытаниями, имитируют смерть и воскресение посвящаемого; он как бы умирает для прежней жизни и возрождается для существования в новом качестве. Чем архаичнее общество, тем сложнее его инициационные ритуалы, тем мучительней испытания, тем более натуралистично имитируется смерть посвящаемого. Благодаря таким ритуалам, — считает Элиаде, — человек изменяет отношение к собственной смерти: теперь она воспринимается как высшее посвящение, как начало нового духовного существования.

Неофита, прошедшего все испытания, посвящают в основы того, что до сих пор оставалось для него неизвестным. Он узнает о мифологических деяниях богов, которые являются образцом для всех его соотечественников. "Говоря современным языком, инициация завершает человека естественного и вводит неофита в культуру. Но для архаических обществ культура — это не человеческое создание, ее источник сверхъестествен. И это еще не все. Через культуру человек восстанавливает свою связь с миром Богов и прочих сверхъестественных существ и соучаствует в их творческой энергии. Мир сверхъестественных существ — это мир, в котором изначально появились все вещи, мир, где возникли первое дерево и первое животное; в котором действие, многократно повторяемое в религиозных ритуалах, было произведено в первый раз (ходьба в определенной позе, выкапывание определенного съедобного корня, охота в определенные фазы луны); в котором Боги или Герои, к примеру, имели такое-то и такое-то столкновение, претерпели такое-то и такое-то бедствие, произнесли определенные слова, провозгласили определенные нормы. Мифы уводят нас в мир, который нельзя описать, а можно только "рассказать", поскольку он состоит из свободно предпринятых действий, непредсказуемых решений, сказочных превращений и тому подобного. Это краткая история всего значительного, что случилось со времен Сотворения мира, всех событий, которые способствовали тому, чтобы сделать человека таким, каков он сейчас. Неофит, посвящаемый в мифологическую традицию племени во время инициации, получает введение в курс священной истории мира и человечества" [14].

С 1956 года и до самой смерти Элиаде жил в США, преподавая историю религий в Чикагском университете. Все его последние работы были написаны по-английски; нация, давшая миру Тейлора и Фрэзера, по достоинству оценила антропологическую и религиоведческую сторону его работ, но, по-моему, так и не смогла в полной мере воспринять заключенного в них мистического послания. Работы Элиаде часто подвергались принципиальной критике; в частности, отмечалось, что он проявляет недопустимые вольности в отношении документального материала, цитирует недостаточно достоверные источники, и многие его теоретические концепции на поверку оказываются бездоказательными. Однако же и сам Элиаде в наименьшей степени стремился что-либо доказывать. Весь фактический материал, использовавшийся в его работах, не столько подтверждал, сколько иллюстрировал его основные концепции. В своей научной деятельности он оставался поэтом и пророком Традиции, творцом нового мифа о Вечном Возвращении.

"Стремление религиозного человека время от времени возвращаться *назад*, — писал он о герое своего мифа, — его усилия восстановить мифическую ситуацию, ту, что была *в начале*, могут показаться современному человеку невыносимыми и унизительными. Подобная ностальгия неизбежно ведет к повторению ограниченного числа жестов и поступков. Можно даже сказать, что в некотором смысле религиозный человек, особенно в "примитивных" обществах, полностью парализован мифом о вечном возвращении. Современная психология постаралась бы обнаружить в таком поведении страх перед новым, отказ принимать ответственность за подлинное и историческое существование, тоску по "райской" жизни, которая является таковой в силу своего эмбрионального состояния, когда еще не произошло достаточного отрыва от природы.

...Отметим, однако, что было бы ошибкой полагать, будто религиозный человек первобытных и древних обществ отказывался брать на себя ответственность за истинное существование. Напротив, ...он смело взваливает на себя огромные ответственности: например, соучастие в создании Космоса, сотворение своего собственного мира, обеспечение жизни растений, животных и т.п...

У нас нет оснований для того, чтобы трактовать периодическое возвращение в священное Время Начала как отказ от *реального* мира, бегство в мир мечты, в мир воображения. Напротив, в этом еще раз отчетливо проявляется *онтологическая одержимость* — главная отличительная черта человека первобытных и древних обществ. Ведь, в конечном итоге, желание восстановить Время Начала — это желание пережить время, когда *боги присутствовали на Земле*, обрести *сильный*, свежий и чистый мир, каким он был во *время оно*. Это жажда священного и одновременно ностальгия по *Бытию*... Всем своим поведением религиозный человек провозглашает, что верит лишь в Бытие, и что его участие в Бытии гарантировано ему первичным откровением, хранителем которого он является. А вся совокупность первичных откровений представлена в его мифах" [15].

БИБЛИОГРАФИЯ

RENE GUENON

1*. Rene Guenon, *The Crisis of the Modern World* (Columbia: South Asia Books), p.69.

2. Ibid., p.15.

3. Ibid., p.19.
4. Ibid., p.50.
5. Ibid., p.76.
6. Ibid., p.91.
7. Ibid., p.97.
8. Ibid., p.100.

MIRCEA ELIADE

1*. Mircea Eliade, *The Sacred And The Profane: The Nature of Religion* (Magnolia: Peter Smith), p.131.
2. Ibid., p.9.
3. Ibid., pp.13-15.
4. Ibid., p.26.
5. Ibid., p.29.
6. Ibid., p.40.
7. Eliade, *Myths, Dreams and Mysteries* (New York: Harper and Row), p.234.
8. Ibid., p.235.
9. Eliade, *Rites and Symbols of Initiation* (New York: Harper and Row), p.ix.
10. Eliade, *The Sacred And The Profane*, p.58.
11. Ibid., p.84.
12. Ibid., p.57.
13. Ibid., p.106.
14. Eliade, *Rites and Symbols of Initiation*, p.xv.
15. Eliade, *The Sacred And The Profane*, p.54.

Мистический и визионерский опыт Даниила Андреева сродни прозрениям Рудольфа Штейнера. Общаясь с духовными Существами, Андреев составил подробное описание миров, существующих за пределами нашего восприятия. Согласно его утверждениям, наш материальный мир является незначительной частью глобальной системы многомерных миров, населенных различными существами. Взаимодействие этих существ во многом определяет положение дел в нашем мире; в частности, история человечества есть отражение *метаистории* конфликта между светлыми и темными силами запредельных пространств.

В метаисторической концепции Андреева заметно влияние многих христианских мистиков — от Иоанна Богослова до Беме и Сведенборга; кроме того, он, несомненно, был хорошо знаком с идеями антропософов и с учением Владимира Соловьева, русского религиозного философа XIX века. Тем не менее, его идеи вполне самостоятельны и не укладываются в рамки какого-либо из вышеперечисленных учений. Несмотря на то, что Андреев считает себя православным христианином, его метафизика и космология не свободны от влияния гностицизма (очевидно, воспринятого при посредстве все той же антропософии). Но прежде всего он — литератор, и все его мистические трактаты несут на себе отпечаток незаурядного литературного мастерства, что, на мой взгляд, в некоторой степени мешает воспринимать их всерьез.

У некоторых читателей Андреева может возникнуть вопрос: а не является ли все, изложенное в его трудах, просто досужей выдумкой автора или же плодом его больного воображения? И в самом деле, любой скептический взгляд способен опровергнуть всю систему бездоказательных утверждений Андреева, единственным обоснованием которых является ссылка на некое Откровение свыше, которого вполне могло и не быть.

В этом отношении позиция Андреева весьма уязвима; но в той же степени уязвима позиция любого визионера, начиная с библейских пророков. Однако скептикам следует напомнить, что даже точные и естественные науки зачастую используют столь же бездоказательные и сомнительные утверждения. В частности, картина мироздания, предлагаемая современной физикой, тоже возникла из умственных построений и предположений выдающихся ученых, и некоторые из ее основных постулатов до сих пор не имеют должного экспериментального подтверждения; тем не менее, они не отвергаются безоговорочно, а становятся предметом научного обсуждения и полемики.

Утверждения, основанные на трансцендентальном опыте, можно проверить только трансцендентальным опытом. И я полагаю, что разумнее всех поступит тот, кто отнесется к учению Андреева как к смелой *гипотезе*, побуждающей исследовать миры, которые находятся за пределами человеческого понимания.

ДАНИИЛ АНДРЕЕВ (1906 – 1959)

"Я принадлежу к тем, кто смертельно ранен двумя великими бедствиями: мировыми войнами и единоличной тиранией. Такие люди не верят в то, что корни войн и тираний уже изжиты в человечестве или изживутся в короткий срок... Оба эти бедствия были для нас своего рода апокалипсисами — откровениями о могуществе мирового Зла и о его вековечной борьбе с силами Света. Люди других эпох, вероятно, не поняли бы нас; наша тревога показалась бы им преувеличенной, наше мироощущение — болезненным. Но не преувеличено такое представление об исторических закономерностях, какое выжглось в человеческом существе полувековым созерцанием и соучастием в событиях и процессах небывалого размаха. И не может быть болезненным тот итог, который сформировался в человеческой душе как плод деятельности самых светлых и глубоких ее сторон" [1].

Даниил Андреев был сыном выдающегося русского писателя и философа Леонида Андреева, идейного и эстетического предшественника таких выдающихся писателей XX века, как Жан-Поль Сартр и Альбер Камю. Леонид Андреев во многом опередил свою эпоху, и немногие современники смогли правильно оценить его творчество. Некоторое время он пользовался скандальной известностью как автор "пессимистических" и "жутких" рассказов; но затем она сошла на нет, и писатель умер в забвении, не дожив до пятидесяти лет, в самый разгар революционных событий в России.

Оставшись без отца, Даниил Андреев рос и воспитывался в семье своей московской тетки. В Москве он окончил гимназию; в Москве же к нему пришло первое метаисторическое озарение.

Это случилось в 1920 г., в сквере у храма Христа Спасителя — грандиозного православного собора, впоследствии взорванного большевиками. Андреев вспоминал, что озарение "открыло передо мной, или, вернее, надо мной такой бушующий, ослепляющий, непостижимый мир, охватывавший историческую действительность России в странном единстве с чем-то неизмеримо большим над ней, что много лет я внутренне питался образами и идеями, постепенно наплывавшими

ДАНИИЛ АНДРЕЕВ (1906 – 1959)

оттуда в круг сознания. Разум очень долго не мог справиться с ними, пробуя создавать новые и новые конструкции, которые должны были сгармонизировать противоречивость этих идей и истолковать эти образы. Процесс слишком быстро вступил в стадию осмысления, почти миновав промежуточную стадию созерцания. Конструкции оказались ошибочными, разум не мог стать вровень со вторгавшимися в него идеями, и потребовалось свыше трех десятилетий насыщенных дополняющим и углубляющим опытом, чтобы пучина приоткрывшегося в ранней юности была правильно понята и объяснена" [2].

Спустя семь лет, когда Андреев учился на высших литературных курсах, озарение посетило его снова, во время пасхального богослужения в одной из московских церквей. С тех пор "прорывы в иной мир" случались время от времени, не играя, впрочем, значительной роли в жизни Андреева. После безуспешных попыток заработать на жизнь литературным трудом он занялся художественным оформлением выставок и музейных экспозиций. На досуге, впрочем, он продолжал писать стихи и прозу мистического содержания, надеясь, что его произведения когда-нибудь увидят свет.

Вскоре после второй мировой войны его арестовали по обвинению в антисоветской деятельности и приговорили к двадцати пяти годам тюрьмы. Все его рукописи и даже письма были уничтожены; Андрееву потребовалось несколько лет, чтобы частично восстановить их по памяти.

Однако именно тюремное заключение помогло Андрееву усовершенствовать и расширить свой мистический опыт. Лишенный контактов с внешним миром, он научился осознанно управлять "трансфизическими странствиями души" во сне и в состоянии бодрствования. Сам он описывает это состояние следующим образом: "На сорок седьмом году жизни, я вспомнил и понял некоторые из своих трансфизических странствий, совершенных ранее; до этого времени воспоминания о них носили характер смутных, клочкообразных, ни в какое целое не слагавшихся хаотических полуобразов. Новые же странствия зачастую оставались в памяти так отчетливо, так достоверно, так волнуя все существо ощущением приоткрывшихся тайн, как не остается в памяти никакое сновидение, даже самое значительное" [3].

Основываясь на этих откровениях, Андреев начал писать "Розу Мира" — грандиозный трактат о сокровенном строении Вселенной, о мистической подоплеке всей истории земной цивилизации и о грядущих судьбах человечества.

"Роза Мира" одновременно и похожа, и непохожа на труды выдающихся визионеров прошлого. В отличие от фрагментарных описаний Сведенборга и довольно туманных абстракций Якоба Беме, Андреев излагает свою концепцию мироздания внятно и систематично, так что его книга местами напоминает учебник или путеводитель. Подчеркивая религиозный характер своих озарений, Андреев особо останавливается на религиозном способе познания мира. По его мнению, существуют три основных предмета такого познания: метаистория, трансфизика и вся Вселенная в целом.

Понятие метаистории было введено в философский обиход русским религиозным философом Сергием Булгаковым; он определял ее как "ноуменальную сторону того универсального процесса, который одной из своих сторон открывается для нас как история" [5]. Принимая этот термин, Андреев, однако, не соглашался с его трактовкой, отмечая, "что понятия ноуменального и феноменального выработаны иным ходом мысли, вызваны иными философскими потребностями. Объекты метаисторического опыта могут быть втиснуты в систему этой терминологии лишь по способу Прокруста" [6].

Метаистория, — утверждал Андреев, — это "лежащая пока вне поля зрения науки, вне ее интересов и ее методологии совокупность процессов, протекающих в тех слоях инобытия, которые, будучи погружены в другие потоки времени и в другие виды пространства, просвечивают иногда сквозь процесс, воспринимаемый нами как история. Эти потусторонние процессы теснейшим образом с историческим процессом связаны, его собою в значительной степени определяют, но отнюдь с ним не совпадают и с наибольшей полнотой раскрываются на путях именно того специфического метода, который следует назвать метаисторическим" [7].

Термин "трансфизическое" введен самим Андреевым; трансфизическими он называет запредельные миры, которые тоже обладают материальностью, но иной, чем наша, и существуют в пространствах с другим числом координат и в других потоках времени. Метафизики прошлого, включая и Рудольфа Штейнера, называли трансфизические Сущности духовными; однако Андреев счел нужным разграничить эти понятия, так как, по его мнению, истинно духовными Сущностями являются лишь Бог и *монады* (о которых будет сказано ниже). Таким образом, под трансфизикой у Андреева понимается вся совокупность иных миров, вне зависимости от процессов, там протекающих.

Описывая трансфизическую реальность, Андреев использует множество своеобразных терминов и названий, встречающихся только в его произведениях. По его словам, вся эта терминология — всего лишь более или менее удачные попытки передать при помощи привычного нам звукоряда необычные имена, уловленные духовным слухом.

Согласно учению Андреева, во Вселенной существует только один физический слой, называемый *Энроф*: это и есть та материальная Вселенная, которую исследуют естественные науки. *Энроф* обладает трехмерным Пространством и одномерным Временем. Рядом с ним сосуществуют многочисленные трансфизические слои, пространство которых измеряется теми же тремя координатами, но время имеет не одно, а несколько измерений. Это значит, что в таких слоях Время течет несколькими параллельными потоками различных темпов. Событие в таком слое происходит синхронно во всех его временных измерениях, но центр события находится в одном или двух из них. Обитатели такого слоя, хотя и действуют преимущественно в одном или двух временных измерениях, существуют во всех измерениях одновременно и осознают их все сразу, что дает им особое ощущение полноты жизни, незнакомое людям. Наибольшее число пространственных измерений — шесть, число временных достигает двухсот тридцати шести.

Каждый из слоев отличается от остальных также характером протяженности своего пространства. Одни, такие как *Энроф*, облада-

Д. Л. Андреев. *1930-е гг.*

ют протяженностью космической, другие ограничиваются пределами Солнечной системы либо еще локальнее — связаны с каким-либо из физических участков планеты. Неодинакова и степень разграниченности разных слоев. Иногда переход из одного слоя в другой требует от живого существа физической смерти либо труднейшей материальной трансформации, но чаще — лишь особых внутренних состояний и концентрации. Смежные слои, сообщение между которыми возможно, складываются в систему, обозначенную индийским словом *сакуала*, а все слои одного небесного тела (например, Земли), будучи связаны между собой общими метаисторическими процессами, составляют огромную, тесно взаимодействующую систему — *брамфатуру*. *Брамфатура* Земли называется *Шаданакар*, и, как утверждает Андреев, в настоящее время имеет 242 слоя. Кроме того, в Солнечной системе есть *брамфатуры* Солнца, Луны, Юпитера, Сатурна, Урана, Нептуна и Венеры. Остальные планеты мертвы: это либо руины погибших *брамфатур*, либо они не были *брамфатурами* никогда.

Среди многочисленных слоев *Шаданакара* есть многомерный мир, где пребывают человеческие *монады* — неделимые и бессмертные духовные единицы, высшие Я людей. Творимые Богом и только Богом, они входят в *Шаданакар*, облекаясь наитончайшей материей — ее правильнее было бы назвать энергией. Это субстанция, пронизывающая весь *Шаданакар*. Каждый индивидуальный дух, вступая в *брамфатуру* Земли, неизменно облекается ею.

Творческий труд, ведущий к просветлению Вселенной, — задача каждой человеческой *монады*. Они осуществляют этот труд в низших мирах, создавая там для себя материальные облачения и с помощью этих облачений воздействуя на среду соответствующих слоев.

Прежде всего *монада* создает *шельт* из материальности пятимерных пространств, затем — астральное тело из материальности четырехмерных. Оба этих облачения часто объединяются в нашем представлении словом "душа". *Шельт* — материальное вместилище *монады* со всеми ее божественными свойствами и ее ближайшее орудие. Не сама *монада*, но именно *шельт* является тем "Я", которое начинает свое странствие по низшим слоям. *Шельт* творится самою *монадою*, в творении же астрального тела принимает участие великая *монада-стихиаль* — Мать-Земля. Она принимает участие в сотворении астральных тел всех существ Шаданакара — людей, ангелов, *даймонов*, животных, *стихиалей*, демонов и даже великих иерархий, когда последние спускаются в те слои, где астральное тело необходимо. Это тело — высший инструмент шельта. Оно обладает духовным зрением и слухом, духовным обонянием и памятью, умеет летать, общаться с *даймонами*, *стихиалями* и ангелами и ощущать космические панорамы и перспективы.

Далее Мать-Земля оплодотворяется духом Солнца и создает для воплощающейся монады тело эфирное: без него невозможна никакая жизнь в трех-четырехмерных мирах. В Энрофе *шельт* облекается физическим телом — совместным произведением ангельских иерархий и великой *стихиали* человечества, которую зовут Лилит. Облекаясь физическим телом, монада достигает самой нижней точки своего спуска и тут же начинает новое восхождение [8].

Монада, покинувшая свое физическое тело, может впоследствии получить новое, которое будет создано специально для нее. Что же касается эфирного тела, то, как утверждает Андреев, оно создается заново лишь в том случае, если его носитель, подпав закону возмездия, принужден был совершить путь по кругам великих страданий. А в восходящем пути эфирное тело сопутствует *монаде* во всех мирах Просветления, вплоть до *затомисов* — обителей просветленного человечества, небесных градов *метакультур*. Состоит оно из жизненной субстанции, которую Андреев называет индийским термином *арунгвильта-прана*; причем он утверждает, что *праны* различных трехмерных и четырехмерных миров отличаются друг от друга.

"Астральное тело сопутствует носителю выше, включая *сакуалу* Высокого Долженствования, а еще выше остается только *шельт*,

12 Зак. 110

просветленный до конца и слившийся с монадой в единство. Тогда монада покидает *Ирольн*, и, облеченная предельно истонченным шельтом, вступает на лестницу наивысших миров *Шаданакара*" [9]. Вершиной этих миров является *Мировая Сальватэрра*, где пребывает Синклит Человечества — верховное собрание всех светлых сил метаистории. Астрономическое соответствие этой сферы — созвездие Орион.

Такова, в общих чертах, метафизическая космология, изложенная в "Розе Мира". Нетрудно заметить, что она носит заметные следы антропософского влияния; и действительно, современники вспоминают, что Андреев был знаком с работами Штейнера и относился к нему с симпатией. Однако, если антропософия определила лишь некоторые частности учения Андреева, то влияние гностицизма было здесь гораздо более глубоким.

Читатель, знакомый с мифологией гностиков, несомненно, помнит о том, что они считали наш мир ошибочным творением Божественной Софии Эпинойи, которая "захотела открыть в себе самой образ без воли Духа". В результате она будто бы создала жуткого и уродливого демона Иалтабаофа; устыдившись затем своего творения, она отбросила его от себя и окружила светлым облаком, чтобы никто его не видел. Именно этот демон, — утверждали гностики, — стал творцом и владыкой нашего мира, и мы почитаем его под именем Бога-Отца.

Конфликт, который лежит в основе андреевской метаистории, очень напоминает этот гностический миф: "В незапамятной глубине времен некий дух, один из величайших, называемый нами Люцифером или Денницей, выражая неотъемлемо присущую каждой монаде свободу выбора, отступил от своего Творца ради создания другой вселенной по собственному замыслу". К нему примкнули другие *монады*, разные по силе и величине и стали пытаться создавать миры, но эти миры оказывались непрочными и рушились, потому что, восстав, богоотступнические монады отвергли тем самым любовь — единственный объединяющий, цементирующий принцип.

"Вселенский план Провидения ведет множество *монад* к высшему единству. По мере восхождения их по ступеням бытия формы их объединяются, совершенствуются, любовь к Богу и между собой сближает их все больше. И когда каждая из них погружается в Солнце Мира, и со-творит Ему — осуществляется единство совершеннейшее: слияние с Богом без утраты своего неповторимого "Я" [10].

Вселенский замысел Люцифера противоположен. Каждая из примкнувших к нему монад — только временная его союзница и потенциальная его жертва. Каждая демоническая *монада*, от величайших до самых малых, лелеет мечту — стать владыкой Вселенной; гордыня подсказывает ей, что потенциально сильнее всех — именно она. Ею руководит своего рода "категорический императив": есмь Я и есть не-Я, все не-Я должно стать мною, другими словами, все и все должны быть поглощены этим единственнным, абсолютно самоутверждающимся Я. Бог отдает Себя; противобожеское начало стремится вобрать в Себя Все. Вот почему оно есть, прежде всего, вампир и тиран, и вот почему тираническая тенденция не только присуща любому демоническому Я, но составляет неотъемлемую его черту" [11].

На Земле силы Зла персонифицировались в великого демона *Гагтунгра*, которому удалось исказить законы развития животного мира, созданные Божественными силами, ибо "если Бог есть Свет и нет в Нем никакой Тьмы", то поражающий нас своей жестокостью закон "борьбы за существование" не может быть ничем иным как закономерным творением сил демонических.

Любые эмоции любого существа в *Энрофе* дают особые излучения, проникающие во все другие слои космоса. Излучения злобы, ненависти, алчности, похоти животных и людей проникают в демонические слои, восполняя убыль жизненных сил их обитателей. Но этих излучений едва достаточно, чтобы насытить лишь некоторых демонов. Существует еще излучение страдания и боли — оно называется *гаввах*, — и именно оно способно насыщать гигантские толпы демонов всех видов и рангов. Именно для "производства" *гавваха* демонические силы превратили трансформацию в смерть, а нижние, "инфрафизические" слои *Шаданакара* — в миры возмездия, где царствуют мучители, питающиеся страданиями земных "грешников". Эти миры географически соответствуют более плотным внутренним слоям земного шара, однако "дно" их находится в том месте, где мы видим звезду Антарес.

"Этот закон возмездия, железный закон нравственных причин и следствий — тех следствий, которые могут проявляться и в текущей жизни, но во всей полноте проявляются в посмертии и даже в следующих воплощениях, — можно назвать индуистским термином Карма, — утверждает Андреев. — Карма есть такая же равнодействующая двух противоположных воль, как закон смерти и закон борьбы за существование" [12].

Карма порождает *гаввах*; но она же является и очистительной силой Энрофа: "замысел Провидения — спасение всех жертв. Замысел *Гагтунгра* — превращение всех в жертвы" [13]. Метаисторический вывод из всего вышесказанного таков: "Богочеловечество следующего мирового периода будет добровольным единением всех в любви. Дьяволочеловечество — по-видимому, его не удастся избежать в конце текущего периода — будет абсолютной тиранией одного" [14].

Весь ход мировой истории представляется Андрееву в виде единого процесса нисхождения в Шаданакар *Планетарного Логоса* — великой богорожденной монады, которая представляет из себя Божественный разум нашей *брамфатуры*. Демон *Гагтунгр* и его соратники всячески препятствуют проникновению *Логоса* в созданные ими плотноматериальные слои. *Гагтунгру* удалось войти в контакт с Лилит и оплодотворить ее сатанинским семенем *эйцехоре*, в результате чего в плотноматериальных мирах появились всевозможные демонические существа: *уицраоры*, *велги*, *рыфры*, *игви*, *ангелы мрака*. Для просветления плотноматериальных слоев *Логос* создал монады ангелов и титанов, однако *Гагтунгр* вытеснил их из *Энрофа*; здесь остались только человеческие монады, посланные в *Энроф* для просветления животного царства.

"Процесс медленного просачивания духовного в сферу сознания [людей] шел тысячелетие за тысячелетием, капля за каплей; временами накапливался в подсознании, по прошествии веков, как бы известный заряд энергии, некий духовный квант, и прорывался сразу в душу и разум личности. Это были первые люди светлых миссий, своего рода вестники. Вокруг них создавались маленькие содружества, открывались ближайшие отрезки дорог совершенствования. Определенный рубеж во времени, когда это началось, указать трудно, но, во всяком случае, проблески заметны уже к концу Кроманьона. Затем наступил долгий регресс, потом новые вспышки на Американском континенте, и, наконец, накануне образования Атлантической культуры, они слились уже в непрерывные цепочки света.

Гибель Атлантиды поставила под угрозу всю духовность, достигнутую за эти невеселые столетия. Тончайшую ниточку удалось унести в Африку и через Суданскую культуру передать Египту. Другую ниточку перебросили в Америку. Наступили века мучительного волнения для всех сил Света, ибо натиск тьмы бывал таков, что нить порою воплощалась в одном-единственном человеке на Земле...

Прежде чем достичь вочеловечивания, которое бы вполне отразило Его сущность, Великий Дух исполнил подготовительный спуск, воплотившись около 7000 лет назад в Гондване. Там Он был великим учителем. Однако человечество еще не было готово принять духовность, низливавшуюся через воплощенный Логос. Было основано лишь глубокое и чистейшее эзотерическое учение, брошены первые семена, перенесенные ветрами истории на почву других стран и культур: в Индию, Египет, Китай, Иран, Вавилонию" [15].

Далее, — пишет Андреев, — Великий Дух занялся подготовкой почвы для воплощения Христа. По разным причинам им были отвергнуты Индия, Египет, Иран и избран еврейский народ, не отступившийся от своей монотеистической религии.

По мнению Андреева, Христос должен был низвести свет в плотноматериальные слои, однако Гагтунгру удалось частично воспрепятствовать этому. Самым великим деянием Христа во время первого пришествия Андреев считает его нисхождение в преисподнюю и освобождение всех грешников, находившихся в подземных мирах. Христу не удалось изменить *Энроф*, однако он существенно изменил характер его метаистории.

Вся история христианской эры видится Андрееву отражением борьбы между постепенно набирающим силу Христом и демоном *Гагтунгром*. Значительную роль в этой борьбе играют *уицраоры* — гигантские чудовища из запредельных слоев, которые являются демонами великодержавной государственности. Уицраор размножается почкованием и пожирает своих детей до тех пор, пока кто-нибудь из них не пожрет его. Все коллизии борьбы между земными империями — считает Андреев — обуславливаются бесконечными схватками между *уицраорами*. Однако главная цель, которая занимает *Гагтунгра* после первого пришествия Христа — это создание *Антихриста*.

Гагтунгр не способен самостоятельно порождать *монады*, однако он сумел похитить несколько *монад* и заменить их "светлую материальность" демонической. С тех пор они время от времени воплощаются в *Энрофе*, наращивая свою мощь и ожидая своего часа. Среди них уже выделился наиболее вероятный кандидат в Антихристы; Андреев намекает, что в прошлом перерождении его деятельность была связана с инквизицией.

Решающее столкновение между Христом и Антихристом, по мнению Андреева, должно произойти через два или три столетия, когда обе стороны будут готовы ко второму пришествию Христа и смене эонов.

Но перед этим в одном из трансфизических миров произойдет еще одно чрезвычайно важное событие — рождение *Звенты-Свентаны*. Эта великая женственная *монада*, которая спустилась в *Шаданакар* в прошлом веке, должна облечься *шельтом* в ближайшем столетии и стать *Женственной Ипостасью Троицы* (Андреев утверждает, что без такой ипостаси Троица неполна, ибо Бог-Отец не может быть никем иным, кроме Бога-Духа Святого). В истории человечества рождению *Звенты-Свентаны* будет соответствовать возникновение *Розы Мира*, которая вскоре примет бразды всемирного правления, знаменуя тем самым начало Золотого Века человечества.

Несмотря на то, что Андреев много и восторженно говорит о *Розе Мира*, все его высказывания едва ли дают возможность четко представить себе структуру и деятельность этой организации. Очевидно, под этим названием подразумевается что-то вроде грядущей всемирной церкви, которая объединит все религии мира на основе единого духовного опыта, превратит весь мир в единое государство и, воспитав "человечество облагороженного образца", сможет непосредственно влиять на его деятельность. По мнению Андреева, основная цель *Розы Мира* будет состоять в том, чтобы уменьшить количество грядущих жертв *Гагтунгра* и способствовать просветлению человечества. Правление *Розы Мира* рисуется в виде довольно наивной религиозно-коммунистической утопии, что заставляет усомниться в истинности многих пророчеств Андреева. Но факты последних лет

Д. Л. Андреев и А. А. Андреева. *24 февраля 1959 г.*

свидетельствуют о том, что, во-первых, мировые религии действительно обнаруживают тенденцию к объединению, а, во-вторых, аналогичная тенденция наблюдается и в международной политике развитых европейских государств. А ведь книга Андреева писалась в разгар "холодной войны", когда о подобных событиях нечего было и мечтать!

Жизнь и творения Андреева свидетельствуют о том, что он действительно *верил* в то, о чем писал. Говорят, что, когда ему зачитали приговор, он рассмеялся, поскольку знал, что сталинский режим не продержится еще двадцать пять лет. Он не верил и в неизбежность третьей мировой войны, о которой так много говорили в пятидесятые годы. Выйдя на свободу в 1957 г., он оказался бездомным и безработным, однако не стал заниматься устройством своей дальнейшей жизни, а всецело посвятил себя упорядочению и завершению своих произведений. "...За меня не беспокойся, — писал он своей жене из тюрьмы, — все кончится хорошо, в этом я уверен... Если бы планетарный космос не представлял собой систему разно-значных, разно-мерных миров, от Мировой Сальватэрры до демони-ческого антикосмоса, и если бы путь *монады* не пронизывал их все, выше и выше, до ступени *демиургов* галактик и еще выше, до самого Солнца Мира — тогда бы могло быть место отчаянию..." [16].

В системе мироздания, описанной Андреевым, действительно нет места отчаянию. Просветление и преображение нашего мира в XXIV столетии воспринимается им как неизбежная данность, хотя он уверен также, что перед этим человечество пройдет через этап крушения *Розы Мира* и воцарения Антихриста, когда Земля погрязнет в разврате и жестокости, и на лице ее появятся существа, родившиеся от брака людей и демонов. Однако силы Света вскоре одержат победу над силами Мрака.

Феерия великой битвы Света и Тьмы и последующего преображения *Шаданакара* описана на последних страницах "Розы Мира". Андреев говорит о том, что вести о сражениях и победах, происходящих в трансфизических мирах, будут доходить на землю в виде знамений; некоторые из этих знамений уже описаны в Апокалипсисе. "Наконец, одно из знамений прочтется как знак, что в высших мирах метаистории все подготовлено, и что старый эон вступает в свои последние дни.

Несколько десятков человек — все, что останется от *Розы Мира*, установят связь с теми немногими из людей и *полуигв* [полудемонов], которые независимо от Единой Церкви и даже не зная о ней, совершили внутренний выбор светлой направленности. Будет подан знак о том, что наступает время соединения всех оставшихся в живых братьев Света в одной точке на поверхности Земли. Преодолевая все препятствия, сто или двести верных соберутся воедино, и последний из верховных наставников возглавит их...

И в этот час вздрогнет сверху донизу весь *Шаданакар.*

В мире ангелов, *даймонов, стихиалей,* во всех мирах восходящего ряда явится Тот, Кто проходил по дорогам земной Галилеи столько веков назад. Непредставимое ликование охватит эти миры, и обитатели их пройдут через еще одну, светлейшую *трансформу.*

Он явится во всех *затомисах* человечества, и все синклиты [духовных правителей] устремятся за ним, сходя в *Энроф.*

Князь Тьмы ужасал людей, являясь в трех-четырех физических обликах одновременно. Христос явится во стольких обликах, сколько будет тогда в *Энрофе* воспринимающих сознаний, каждому из них показуя себя и каждому из них глаголя..." [17].

Светлые силы преобразуют демонические и преисподние миры и освободят *монады* демонических существ от темной материальной оболочки. "Так завершится мистерия первого эона — борьбы Мрака со Светом за овладение Землей и поражения Мрака...

Ни человеческого рождения, ни болезней, ни смерти, ни страданий души, ни вражды, ни борьбы не будет знать второй эон: он будет знать лишь любовь и творчество ради избавления погибших и просветления всех слоев материи. Ибо для этого и существуют все человечества и все содружества: и наше, и ангельское, и *даймонское*, и царство животных, и стихиали, и все иерархии Света. Для этого мы и воплощаемся здесь, в плотной, еще не озаренной материи...

Так, восходя от света к свету и от славы к славе,

все мы, населяющие Землю теперь,

и те, кто жил, и те, кто явится жить в грядущем,

будем подниматься к неизреченному Солнцу Мира,

чтобы рано или поздно слиться с ним

и погрузиться в него

для сорадования

и сотворчества Ему

в созидании Вселенных и вселенных" [18].

БИБЛИОГРАФИЯ

DANIEL ANDREYEV

1*. D.Andreyev, *The World-Rose* (London: Golconda Publishers), p.2.

2. Ibid., p.36.

3. Ibid., p.38.

5*. Sergius Bulgakov, *The Orthodox Church* (New York: Saint Vladimirs Seminary Press), p.[114.

6. Andreyev *The World-Rose*, p.34.

7. Ibid.

8. Ibid., p.49.

9. Ibid., p.50.

10. Ibid., p.61.

11. Ibid., p.86.

12. Ibid., p.87.

13. Ibid.

14. Ibid.

15. Ibid., p.188.

16. Ibid., p.496.

17. Ibid., p.482.

18. Ibid., p.483.

Дуглас Хардинг предполагает, что мы обычно думаем о себе как о "вещи", расположенной внутри нашего тела (где мы действительно располагаемся в этот момент) — и, в частности, в голове, откуда мы смотрим и говорим. Но, — спрашивает Хардинг, — где же прямые свидетельства того, что это действительно так? Имеются косвенные доказательства: мы можем увидеть множество людей, ведущих себя соответственно этой гипотезе — но происходит ли то же самое с нами?

Все, что находится над верхней пуговицей моей рубашки — это то, что я *вижу* в настоящий момент, сцена вокруг меня. Эта сцена, какова бы она ни была, заменяет собой мою голову и отбирает у меня чувство ограниченного "Я". Вместо моей головы здесь находятся вещи — такие, каковы они на самом деле — и нет никакого "Я", которое мыслило бы о них или оценивало их. Хардинг считает, что в этом факте заключено освобождение: если человек лишается своей головы, он очищается и освобождается от себя самого.

Увидеть, кто ты такой на самом деле (не твоя голова, а сцена вокруг тебя) — вот главная тема Хардинга, и он разработал множество технических приемов, чтобы помочь людям совершать это "простое" действие. Это действительно несложно — но и не просто; то, что происходит в результате, напоминает внезапное изменение известной загадочной картинки, на которой с первого взгляда видны два профиля, а со второго — ваза. Но это отнюдь не самый глубокий скрытый смысл, заключенный в учении Хардинга.

"Видение" дона Хуана кое-в чем напоминает "видение" Хардинга. Дон Хуан заявляет, что "остановив мир", он больше не идентифицирует себя с миром и *видит* его, не проецируя себя на него. Но он формулирует все это совершенно иначе — живым, свежим и воодушевляющим языком:

"Для того, кто научится *видеть*, уже не останется ни одной знакомой вещи".

Дон Хуан научил *видеть* Кастанеду, который сперва хотел проконсультироваться с ним по поводу лекарственных растений, применяемых в народной медицине. Техника дона Хуана заключалась в том, чтобы в первую очередь заставить Кастанеду *замечать* вещи. Кастанеда, подобно большинству из нас, был столь поглощен собственными мечтами, что считал внешний мир несомненной данностью и на самом деле уделял ему мало внимания. Когда же его заставили обратить внимание на мир (например, с помощью рассказов о растениях), он перенес свое внимание на внешние вещи и это ослабило в нем ощущение собственного "Я". Следующей ступенью было направлять сосредоточенное внимание на предметы и *видеть их, не зная о них.* Это и было настоящее *видение,* вне интеллектуального контекста представлений и концепций.

Дон Хуан — милый, трогательный и мудрый человек. Хотя его "видение" в чем-то напоминает систему Хардинга, он не говорит об устранении головы или каких-либо других частей тела. Его технические приемы столь мудры и практичны, что "видение" — это всего лишь один из многих полезных аспектов его мировоззрения.

ДУГЛАС ХАРДИНГ (р.1909)

Дуглас Хардинг родился в Лоустофте (Суффолк, Англия). Его родители принадлежали к экстремистской секте "плимутских братьев". Эта ультрафундаменталистская христианская церковь, ханжеская, нетерпимая и мелочная до предела, запрещает все контакты с "миром", кроме самых необходимых. Постепенно у Хардинга возникли сомнения, он начал задавать вопросы, искать истину, и в двадцать один год, будучи студентом архитектурного отделения в лондонском Юниверсити Колледж, он официально покинул общину "братьев". Родители лишили его наследства, и он оказался в Лондоне один, без работы и без средств к существованию.

Его воспитатели, при всей своей узости и фанатичности (ни газет, ни романов, ни театра, ни кино, ни искусств, никакого общения, кроме собраний "братьев", никаких улыбок, плюс постоянное ощущение греха), тем не менее, отличались заботливостью и своеобразной духовностью. Они оставили в душе Хардинга неизгладимый след, и он всегда был благодарен им за это. За исключением молодости, весьма нестабильной как в материальном, так и в духовном плане, вся дальнейшая жизнь Хардинга была направлена на то, чтобы достичь более высокого уровня и иным путем возвратить себе религиозную уверенность, утраченную вместе с религией. Несмотря на профессию архитектора и благополучную работу в Англии и Индии (где он жил около восьми лет), Хардинг говорил, что никогда не вкладывал души в эту деятельность. Не опираясь ни на какие внешние авторитеты (ни на учителей, ни на книги, ни на школы), Хардинг упорно искал ответа на великие вопросы: "Кто или что я такое?", "Чем я был до сих пор?", "Каково мое истинное отношение к окружающим, к миру и к Богу?". Его книга "Об отсутствии головы" описывает, как в возрасте тридцати четырех лет он "приобрел ясное *видение собственной природы*" и, таким образом, нашел собственные ответы на все эти вопросы. Со

ДУГЛАС ХАРДИНГ (р.1909)

временем он постепенно выяснил, что его "видение" имеет много общего с опытом мистиков и, в частности, дзэнских и суфийских учителей. Воодушевленный их книгами, он посвятил вторую половину своей жизни углублению и практическому применению своих исходных прозрений, излагая свои открытия в книгах и лекциях. Недавно его труды воплотились в деятельности учебных групп с постоянно растущим репертуаром невербальных "игр" или "рабочих упражнений".

Довольно долго Хардинг не имел успеха — он был один и не умел как следует изложить свое послание. После того, как он двадцать лет подряд писал "об отсутствии головы", многие начали считать (а некоторые считают и до сих пор), что он либо говорит загадками, либо слегка не в своем уме. Никто не верил, что он на самом деле так думает. Только в начале 1960-х он поделился своим опытом с несколькими друзьями и вдохновил их внимательнее рассмотреть "первое лицо единственного числа настоящего времени". С тех пор число "безголовых" начало расти по обе стороны Атлантического океана, особенно среди молодежи. Ибо Хардинг считает, что главное — просто понять его идею; тот, кто ее поймет, может *тут же* передать ее другому независимо от Хардинга (который потратил на это двенадцать лет) и от его работ. Он апеллирует к собственному, непосредственному опыту каждого человека, поскольку каждый из нас считает себя единственным авторитетом по вопросу о состоянии того места, где он находится. В связи с этим Хардинг не создает ни секты, ни организации и заявляет, что не считает себя наставником или гуру. Он и его друзья утверждают, что просто заглядывают внутрь самих себя, и эта практика, в любом случае, очень естественна и не представляет из себя ничего нового. Они заявляют, что вопреки всем языковым различиям, это занятие является основой всех великих мистических традиций; но там оно зачастую подвергается пересмотру или недооценивается. Здесь же, очищенное от излишних наслоений, это занятие сделалось столь доступным и наглядным, что его вполне можно пустить на самотек и оценивать его результаты по существу, без дополнительной нагрузки личностных или вымышленных качеств. Посвящение в "безголовость" или "невещественность" — свободный и непосредственный акт, не имеющий никаких ограничений.

Хардинг проживает в Нэктоне (Суффолк), где имеется приемная для всех заинтересованных посетителей. Каждый год он проводит несколько недель в путешествии по Америке и Европе, руководя "студиями" и проводя информативные беседы. Все его слова и утверждения обращены к нему лично как к первому лицу единственного числа. Наверное он считает, что не *в состоянии* говорить для вас или для меня; или же полагает, что, заглянув в самих себя, мы поймем, что его поведение — это намек, который должен настроить нас на предельную честность с самими собой. Но не он ли сам утверждает, что слова "только я в состоянии сказать, что здесь происходит" относятся только к голове, а не ко всему телу, включая голову?

"Что значит внимание? — сказал он мне. — Обычно я более или менее внимателен к миру вокруг меня — к предметам, начиная со звезд, солнца и луны, облаков, холмов и деревьев, домов и улиц, машин и людей — и кончая моими собственными руками, ногами и туловищем. Но в этом месте, находящемся так близко к Дому, мое внимание внезапно отвлекается. Я не хочу знать, что находится в истинном центре моей многослойной, луковицеподобной Вселенной — и находится ли там что-нибудь. Я вроде бы пугаюсь того Места, которое я занимаю, и отвожу от него свой взгляд.

И что еще хуже — я вижу на этом Месте вещи, которых здесь нет. Не доверяя результатам собственных поисков, я позволяю кому-то, находящемуся снаружи, подсказать мне, что здесь такое. И они отвечают, что именно там, где я нахожусь, наличествует твердый, непрозрачный, разноцветный, ограниченный, составной кусок вещества — что-то навроде шара из мяса, и что я выглядываю из него через две небольшие дырочки. Они говорят мне это в один голос с самого детства; их так много и все они такие важные и настойчивые. Неудивительно, что я принимаю их слова как истину и отказываюсь от своих собственных. И они отвлекают меня от сути моей природы — миллион против меня одного.

Но ведь это абсурд. Только я в состоянии сказать, что здесь находится. Все, что они мне отвечают, говорит лишь о том, каким они меня видят. Находясь снаружи, на расстоянии около фута, они имеют превосходный наблюдательный пункт, чтобы описать мне мой общий вид, но они совершенно не в состоянии говорить о той центральной Реальности, которая порождает этот облик. Никто не заглянет в это гораздо менее населенное место — никто, кроме меня. Здесь я единственный авторитет; только я один получаю информацию изнутри. И если наконец я решусь взглянуть, как я выгляжу безо всего этого, увидеть, что я представляю из себя с расстояния 0 футов, вместо того чтобы воображать, каким видят меня другие с расстояния (скажем) 6 футов, то почему я непременно должен увидеть здесь формы, цвета, непрозрачность, ограниченность и что-либо еще? Во всяком случае, мой личный опыт убедил меня в обратном.

Ведь это действительно больше чем *совсем* ничего. Во первых, я знаю: здешняя Пустота целиком и полностью осознает свою пустоту. Она наслаждается собой как безупречной Ясностью. Во-вторых, именно потому, что она является ничем, она является всем. Это Объем, Пространство, где можно встретиться с миром. Я — это космос, но космос наполненный, в котором выставлено это тело, эти руки и ноги, эти люди, машины и дома, и так далее, вместе со всеми мыслями и чувствами, которые они вызывают. При отсутствии в этой пустоте меня самого я наполнен всем остальным. Будучи третьим лицом, я — это мир; будучи первым лицом — я заключаю его в себе. Увидеть это, жить этой простой истиной — значит быть тем, Кем я есть. И этого достаточно. В этом смысл моей жизни и радикальный ответ на все мои проблемы".

Таково послание Хардинга. Он полагает, что два основных состояния человеческого опыта — это то, что он называет первым и третьим лицом. В состоянии первого лица личность идентифицирует себя не с *содержимым* своего сознания (своим телом, разумом и окружающим миром), а с источником всего — самим актуальным Сознанием. В состоянии третьего лица (в котором обычно проходит жизнь большинства людей) личность ощущает себя сделанной из частей (содержимого сознания) таких как форма, цвет, имя, местоположение. Учение об этих двух состояниях и о том, как достичь первого из них, можно найти в индусской Адвайта-веданте, в частности, в джнана-йоге. Но оригинальность Хардинга заключается в том, что он разработал собственные техники, ведущие к раскрытию "первого лица". Он считал, что интеллектуальное постижение истины, пусть даже постоянно углубляющееся, имеет очень небольшую ценность. Нужно действительно увидеть, что на месте вашей головы, где вам представлялся (или мог представляться) некий предмет, на самом деле ничего нет. Книги и лекции, размышления и медитации с равным успехом способны и увести вас от Места, которое вы занимаете, и направить вас к нему. Например, эти страницы находятся в двенадцати дюймах от Точки, т.е. от Того, Кто их читает. Хардинг советует читателю развернуться на сто восемьдесят градусов и провести несколько совсем простых экспериментов — понаблюдать за Наблюдателем. Ниже приводятся наиболее типичные из его предложений. Хардинг настаивает, что этим экспериментам нет альтернативы, и что минута активных исследований равноценна годам чтения; благодаря им вы на самом деле сразу увидите, вопреки всем возможным сомнениям, Кто вы такой на самом деле. Все что вам нужно сделать — это ответить на следующие вопросы исходя из *того, что вы видите в данный момент*, а не из того, что вам говорят другие люди:

"а) Укажите на ваши ступни, ноги, живот, грудь, затем на то, что находится над ней. Посмотрите, на что теперь указывает ваш палец. Что вы видите?

б) Сколько глаз глядят из вас наружу? Посмотрите, что происходит, когда вы медленно надеваете очки. Очертите рукой границу ваших "глаз". Что находится за ней?

в) Если у вас есть напарник, встаньте друг напротив друга. Чтобы не отвлекаться, возьмите бумажный пакет площадью около 12 квадратных дюймов, отрежьте у него дно, и пусть ваш партнер вставит свое лицо с одного конца, а вы — с другого. Что находится на вашем конце пакета?

г) Пронаблюдайте, где вам случается видеть свое лицо? Там ли оно, где вы находитесь? Или же вы видите его в зеркале, или узнаете о нем от вашего друга, который видит его (и может сделать снимок)?

д) Трите, хлопайте, щипайте свои плечи до тех пор, пока они не превратятся в нечто розовое, непрозрачное, сложное, ограниченное в пространстве. Попытайтесь войти вовнутрь и описать что там находится. Вы не можете войти внутрь? Взгляните на свое туловище. Вы находитесь в нем, или же оно в вас?

е) Пусть ваш партнер исследует вашу безликую пустоту (с расстояния 0 футов), подойдя к вам вплотную с фотоаппаратом (или листком бумаги, в котором сделано отверстие). И пусть он начнет подходить с расстояния, откуда вы видны целиком (скажем, с 6 футов), затем (скажем, с 3 футов) он увидит половину человека, затем голову, затем глаз, затем просто какое-то пятно. [При надлежащем оборудовании он мог бы увидеть это пятно как ресницу, затем как клетки, затем как одну клетку, затем как элементарные частицы все меньше и меньше — и в конце концов увидел бы совершенно пустое пространство — проницаемое, лишенное свойств и цвета. Не правда ли, чем ближе он подходит к вам, тем ближе он подходит к вашему собственному взгляду на себя как на Не-вещь?

ж) Закройте глаза и не двигайтесь. Сколько у вас пальцев? Ног? Рук? Голов? Попытайтесь определить собственные границы. Сколько вам лет? Какого вы пола? Каковы ваши свойства? Есть ли в вас что-нибудь кроме этого безграничного пространства, куда приходят и откуда уходят звуки и запахи, мысли, чувства и впечатления? Но, если здесь ничего нет, если вы не то и не это — и вообще ничто — то как сказать "Я СУЩЕСТВУЮ"? (Лучше всего, чтобы ваш партнер читал вам эти вопросы; в этом случае вам не нужно будет открывать глаза)".

Хардинг считает, что выполнив эти упражнения, вы сможете ясно увидеть свое отсутствие.

"Есть две исходные позиции, — объясняет он, — моя личность, и все, что происходит вокруг нее. Теперь, когда я вижу, что даже отдаленно не похож на то, о чем мне говорят другие люди, я уже не смогу притворяться, что не вижу разницы, и как я жил раньше — когда я был маленькой, ограниченной, смертной *вещью*. Притворство здесь просто губительно. Если пытаясь утаить наиболее очевидный и доступный изо всех фактов — собственную Не-вещественность, — я столь неверно представляю себе то, что находится в истинном центре моей Вселенной, то могу ли я правильно представлять себе то, что находится вокруг меня? Может ли жизненный стиль, основанный на такой лжи, породить какой-либо смысл, создать эффективный и естественный жизненный план? Мне важно знать, что за инструмент мне случается использовать (молоток, пилу или бритву-горлорезку), но гораздо важнее знать, Кто использует этот инструмент — чтобы все было в порядке, и работа пошла как следует. Не говорите, что это просто смешно! Неужели вам неинтересно дознаться, Кто Это? Если уж вам случилось существовать, то не всмотреться в этот вопрос поглубже — значит проявить свою лень и трусость и, наконец, опозориться сверх всякой меры!"

И это тем более стыдно, если учесть, что сложности здесь чисто воображаемы. Хардинг считает, что нет ничего проще, чем увидеть свое потерянное ядро, т.е. Себя. С другой стороны, видеть это постоянно, вопреки всем диверсиям и всему давлению повседневной жизни — весьма непросто. Необходима практика, чтобы это "видение" происходило беспрерывно и естественно и приносило соответствующие плоды.

Эта практика — сознательное обладание "перволичностью". Здесь может помочь и медитация — но только весьма радикальная и отличающаяся от обычных медитаций. Хардинг описывает ее следующим образом:

"Во-первых и прежде всего, это *двоякое наблюдение*, одновременный взгляд внутрь и наружу, который не растворяется ни в Пустоте, ни в том, что ее наполняет, но удерживает их вместе в едином воззрении. [Вне бумажного пакета (см. упражнение "в"), как и внутри него, вы увидите полное различие между лицом, находящимся с той стороны и не-лицом, находящимся с этой. Таким образом вы преодолеете чувство разделенности, вызванное мыслью о том, что это два разных лица]. Эта медитация окажет свое воздействие и на рыночной площади, и в зале для медитаций, беседуете ли вы, гуляете ли или ведете машину. Если вы не сидите с закрытыми глазами, это не ослабит ее воздействия. Совсем не желая создавать и не создавая никакого трансообразного состояния и временного ухода от мирской суеты, это обостряет ваше восприятие происходящего. Вы *более живы*. Вам не нужно ничего созерцать — нужно просто кое-что упустить из виду.

Видящий увидит, что видимое затемняется и расплывается. Не только "внешний" мир, но и ваш внутренний мир психологических состояний затемняется, если вы игнорируете Сокровеннейшее, которое покрывает их и лежит в их основе".

Не каждый согласится, что обычная медитация непременно приводит к трансообразным состояниям. С другой стороны, Хардингово "Сокровеннейшее" может показаться излишне усложненным образом, вроде тех, которые Уотс называл "Вселенским студнем". А если серьезно, то обнаружение великолепной пустоты внутри самого себя — цель большинства мистиков, и стоит ли описывать эту Пустоту с помощью определений, таких как Сокровеннейшее?

Эта достаточно заметная частность проливает свет на существенное различие между позициями индуизма и буддизма (в частности, махаяны). Хардинг принимает сторону индуизма — он верит в полное разграничение между субъектом и объектом, самостью и "Я", первым и третьим лицом, не-личным и личным. Но если смотреть на Сознание и его содержимое как на две вещи, отстоящие друг от друга, то очень легко заполнить Сознание или Пустоту воображаемыми качествами — такими, как Сокровеннейшее. Буддисты же и, главным образом, дзэн-буддисты, считают, что неличное и личное единосущны, между ними нет никакого расстояния. Пустота не наполнена миром, поскольку она и есть этот мир. Видя, что Сознание и его содержимое суть одно и то же, воображение не сможет найти щели, чтобы пробраться туда и наделить Сознание качеством.

Хардинг утверждает, что, однажды увидев свое Отсутствие, его можно видеть снова и снова, в любой момент, *по собственной воле*. Подобно мыслям и чувствам, оно может являться к вам, как только это вам понадобится, даже если вы возбуждены или взволнованы. Фактически же он считает, что для занятий такой медитацией благоприятен любой момент, а выйти из состояния первого лица вы сможете опять-таки в любой момент, причем без всякого вреда для себя. В конце концов, говорит он, вы окажетесь в собственном Доме, где все процессы идут непрерывно, но при этом весьма ненавязчиво, как басовый аккомпанемент в музыке.

Однако это вовсе не значит, что наше обычное видение мира улучшается (или ухудшается) в результате медитации. Хардинг утверждает, что занимаясь этой бескомпромиссной медитацией, мы не можем медитировать плохо. Можно увидеть половину своего отсутствия, но никак нельзя увидеть его наполовину. Либо вы видите то, что является вашим центром, либо вы не замечаете его. Он говорит, что для тех, кто настойчиво занимается этой медитацией, не может быть ни иерархии, ни порядка, ни гуру, ни учеников, ни духовного превосходства. Они ничего не достигают, они только открывают. И это Открытие выглядит довольно скромно: однажды увидев свое Несуществование, вы уже никогда в нем не усомнитесь. Одно лишь это способно убедить вас.

Вот место, где вы реальны и не имеете облика, единственное место, вполне свободное от эгоизма и всего прочего — одним словом, свободное.

Оно свободно от всякого содержания. Эта медитация, — говорит Хардинг, — не мистический и не религиозный опыт, не эйфория, не внезапный прорыв ко всеобщей любви или космическому сознанию, не способ мыслить или ощущать что-либо. Совсем наоборот, она абсолютно лишена свойств, бесцветна, нейтральна. Это взгляд в чистую, вечно холодную, прозрачную струю Источника — и одновременно взгляд из нее наружу на текущий бурлящий мир; но при этом мир не увлекает вас с собой. Вы сможете в полной мере обеспечить себя опытом, не следуя за течением мира; вы увидите, что все, что в нем есть, находится ниже вас, и, следовательно, проистекает из того источника, который находится в вас.

Хардинг говорит, что благодаря отсутствию свойств, в описываемой им медитации нет ничего особенного. Здесь не нужно ничего изучать и не требуется опытного руководства, здесь не нужны ни учебники, ни учителя, не нужно выбирать между взаимоисключающими системами, не нужно искать безупречного наставника — ведь Он живет внутри вас. Эта медитация — безопасное средство, которым невозможно злоупотребить, поскольку она довольно незатейлива и не ставит никого в зависимость от других людей. В ней нет ничего восхитительного, ничего фантастического, ничего постигаемого только верой, ничего неверно понимаемого, ничего отделяющего нас от обыкновенных людей. Она безопасна, поскольку позволяет понять порядок существования вещей, а не пытаться манипулировать ими. Что может быть более безопасного, чем честно сказать о Месте, в котором мы постоянно находимся — и что может быть более опасно, чем лгать о нем?

Но сколь же мы непоследовательны и упрямы! Мы хотим, чтобы медитация отделила нас от всех созданий — и объединила нас с ними, чтобы свела нас к нулю — и увеличила до размеров Вселенной, сделала нас вполне присутствующими и самосознающими — и в то же время полностью отсутствующими. И самозабвенными, дала нам покой — и побудила к действию, расслабила нас — и наделила нас энергией. Мы хотим, чтобы медитация была бесцельной — но многообещающей; чтобы она позволила нам ничего не делать (ибо мы увидим, что уже достигли цели) — и в то же время заставила нас браться за любое дело (ибо мы поймем, что мы еще только начали путь). Короче говоря, нам нужна медитация, которая примирила бы все наши врожденные противоречия.

По словам Хардинга, все наши беды происходят из-за того, что нам не хватает смелости для собственного Видения, и мы слишком зависим от внешних авторитетов, которые вовсе не являются авторитетами, поскольку находятся снаружи. Об этом предмете не полномочен заявлять никто, кроме самого этого Предмета — "первого лица". Здесь любое Писание должно проверяться собственным опытом, а не опыт — Писанием. И фактически "Писание" Хардинга выдерживает такую проверку. В центре любой великой мистической традиции находится простое, непосредственное Освобождение или Пробуждение — чтобы стать тем, кем или чем мы есть на самом деле.

Чтобы обосновать свою позицию, Хардинг цитирует множество книг. Он говорит, что, согласно индусской адвайте, существует только один Видя-щий, — одно Сознание, одно Существо. Оно присутствует во всех вещах в качестве их Сущности или Реальности, и оно свободно от всех атрибутов: Освободиться — значит увидеть, что ты — не тело и не разум, а только Это как таковое. Просветление Хой-нэна, одного из основоположников дзэн-буддизма, заключалось в том, чтобы увидеть свое "Изначальное Лицо" — что, по мнению Хардинга, значило увидеть свое не-лицо. Он добавляет также, что многие из коанов и загадок, используемых в дзэн-буддизме, предназначены для того, чтобы помочь нам увидеть свое Изначальное Лицо. Иисус тоже считал, что мы должны искать Царства внутри себя (но не среди крови, мозга и костей, — добавляет Хардинг). А Руми, великий суфийский поэт, восхвалял "безголовость" во многих своих стихотворениях.

Впрочем, говорит он, все это ничего не доказывает — это лишь дает множество поводов проверить то Место, на которое указывали учителя.

"Нормальные" условия человеческого существования Хардинг считает патологическими (при этом он, к сожалению, опирается на теистическое представление, будто условия человеческого существования отделены от своего Источника и плохи лишь в сравнении с этим Источником, который один и может считаться "хорошим").

"Вот безумие, неизмеримо более глубокое, чем безумие многих сумасшедших — и оно лежит в основе всего. Ибо, если я более склонен считать себя одной разновидностью вещей, чем другой (например, Наполеоном или чайной чашкой, а не Дугласом Хардингом), то различие между этими предпочтениями гораздо менее значительно, чем разница между убежденностью в том, что я *вещь* и пониманием того очевидного факта, что я *Не-вещь*. Это не значит, что первое и третье лицо отличаются друг от друга, — это значит, что они просто несравнимы. То, что верно для одного, неверно для другого. Вот почему это заблуждение приносит так много вреда".

Прослеживая развитие этого "патологического" состояния, Хардинг продолжает:

"Как и любое животное, новорожденный ребенок не имеет лица; весь он неотделен от этого мира и, сам того не зная, пребывает в первом лице. Маленький ребенок мимоходом и урывками ознакамливается с самим-собой-в-собственных-глазах. Однако чем дальше, тем больше он узнает о самом-себе-в-чужих-глазах — свойственном всем людям полном третьем лице, включающем в себя человеческую голову и лицо. Оба взгляда на себя считаются правильными, необходимыми и здоровыми. И углубляются по мере взросления.

Но, когда ребенок вырастает, приобретенный им облик себя-самого-в-чужих-глазах затеняет и, наконец, вытесняет исходный взгляд на себя-самого-изнутри. Фактически он *уменьшается*. Влия-

ние и намеки окружающих приводят к тому, что он уже не является
первым лицом. Съежившись из целого в эту ничтожную часть, он
растет жадным, ненавидящим, запуганным, замкнутым и усталым.
Жадным, поскольку он пытается любой ценой вернуть себе хоть
небольшую часть своей потерянной империи; ненавидящим, ибо
жаждет отомстить обществу, которое жестоко урезало его в размерах;
запуганным, потому что считает себя набором вещей, которым
угрожают другие вещи, замкнутым, поскольку все вещи отталкивают
друг друга; усталым, потому что тратит так много энергии на
поддержание своего внешнего вида вместо того чтобы направлять ее
туда, куда следует — на других людей. И все эти беды возникают из
его основной идентификационной ошибки — его бредового представления о том, что он есть то, на что он похож. Он страдает, находясь
рядом с самим собой".

Хардинг считает, что для излечения человеку нужно проснуться и
прийти в чувство, вернуться к себе. Семь упражнений, описанных
выше, позволяют ему сделать это и являются средствами первой
помощи. После этого человек должен начать видеть свою истинную
индивидуальность, и, если он сможет это сделать, его "видение" будет
естественным и непрерывным. Ибо, как только он это сделает, придет
и все остальное. Результаты — освобождение от жадности, ненависти,
страха и прочих неприятностей — достигаются только тогда, когда он
наблюдает себя здесь и сейчас (в качестве первого лица единственного
числа), свободным от всего, чего угодно.

Но не слишком ли много Хардинг говорит о лечении, лечебных
процедурах и средствах первой помощи, освобождающих от условностей человеческого существования (которые, наряду с "жадностью,
ненавистью, страхом и прочими неприятностями", включают в себя
любовь, счастье и красоту)? Вначале он говорил: "[Безголовость] —
это смысл моей жизни и радикальный ответ на мои проблемы", но со
временем он, похоже, больше занялся проблемами, чем смыслом.
Может быть здесь заключается основной недостаток всего его учения,
поскольку техника, используемая только ради человеческих целей, может
привлечь лишь тех, кто стремится убежать от своих проблем. Искоренить
"патологические" условия человеческого существования, чтобы высветить
преимущества "безголовости" — значит превратить совершенно оригинальное прозрение в банальную панацею, волшебное лекарство ото всех
болезней, свести его на уровень курсов самоусовершенствования.

Подобно Махараджу Джи, Хардинг находит себе слушателей
преимущественно среди молодежи. В своем собственном кругу он
говорит о своем предмете пространно, пылко и часто очень остроумно;
он охотно путешествует и рассказывает о нем всем желающим.

Действенны ли его советы? Для многих людей они, несомненно,
оказываются действенными. Они уже помогли небольшому, но постоянно растущему кругу людей понять себя как Сознание и идентифи-
цировать себя с Видя-щим, а не с видимостью. Они помогли им
освободиться от навязанных чувств и мыслей и увидеть их как внешние
или "стекающие" с Пустого Сознания.

Дальше этого Хардинг не идет. Он не предпринимает никаких шагов по воссоединению Сознания с его содержимым. Таким образом, возникает опасность, что последователи Хардинга примут свое первое прозрение за окончательное, что "безголовость" превратится в конец пути, вместо того, чтобы стать его началом.

Но все это едва ли способно преуменьшить несомненные преимущества хардинговских техник. Ведь именно они указывают на очевидный, но обычно игнорируемый факт, выясняющийся при непосредственном восприятии: что люди видят все что угодно, кроме своей головы, и, следовательно, пора перестать воображать голову тем местом, где живет наше "Я". Ибо, если я смотрю и вижу окружающий мир вместо себя самого, то я исчезаю, становлюсь одним целым с миром, и мне уже не нужно воспринимать себя отдельно от него.

"ДОН ХУАН" КАРЛОСА КАСТАНЕДЫ

Дон Хуан Матус, мексиканский индеец яки, по праву занимает место в этой книге как один из настоящих Учителей. Несомненно, он бы от души посмеялся, если бы кто-нибудь сказал ему об этом. Он совершенно безразличен к чьему бы то ни было мнению и считает, что у него нет никакой личной истории. Точно так же он относится и к книгам. Когда Карлос Кастанеда гордо преподнес ему первое издание "Учения дона Хуана", он взял книгу как колоду карт и переворошил страницы; с одобрением взглянул на зеленую суперобложку, пощупал ее и, дважды перевернув книгу, возвратил ее Карлосу. Кастанеда попросил принять книгу в подарок. Но дон Хуан с улыбкой ответил, что не примет ее — так будет лучше. "Ты же знаешь, — сказал он, — что у нас в Мексике делают с бумагой" [1].

Отношения между юным антропологом Карлосом Кастанедой и старым индейцем, которого он называет доном Хуаном, напоминают отношения между Босуэллом и доктором Джонсоном, Успенским и Гурджиевым. С одной стороны, здесь есть серьезный ученик, склонный понимать слова учителя чересчур буквально и часто попадающий из-за этого в нелепые ситуации; к нему относятся с любовью, но его неповоротливость, его шаблонное и ограниченное мышление постоянно вызывают насмешки. И, с другой стороны, здесь есть живой и непредсказуемый учитель; кажущаяся простота его учения постоянно обманывает надежды и предположения его последователей. В любой момент он способен удивить вас новой идеей, открыть вам неведомые миры — и посмеяться над последствиями своих действий.

Карлос Кастанеда, латиноамериканец, изучавший антропологию в Калифорнийском университете (Лос-Анджелес) встретился с доном Хуаном в 1960 году. В то время Кастанеда уже заканчивал учебу и исследовал воздействие лекарственных растений, используемых индейцами юго-запада США, еще не подозревая, что ему суждено стать учеником колдуна. Их встреча произошла в маленьком городке на границе между Мексикой и штатом Аризона, на автобусной станции

КАРЛОС КАСТАНЕДА

(Кастанеда как раз ждал автобуса, чтобы уехать из городка). Именно здесь гид и помощник Кастанеды заметил дона Хуана, седого индейца из мексиканского штата Сонора, известного знатока растений и, особенно, галлюциногенного кактуса пейота.

Они заговорили с доном Хуаном; тот вроде бы проявил свое дружелюбие и готовность к сотрудничеству. Кастанеда говорил по-испански (это был его родной язык), и дон Хуан тоже хорошо и бегло говорил на этом языке. Кастанеда сказал, что собирает информацию о растениях, особенно о пейоте и, чтобы произвести впечатление на дона Хуана, постарался показать ему, что знает о растениях гораздо больше, чем знал на самом деле. Он говорил напористо, но дон Хуан отвечал ему очень мало. Однако его глаза как будто просияли неким особенным светом, свойственным лишь ему одному. Он как будто понял, что Кастанеда преувеличивает свои познания, но, тем не менее, пригласил его к себе домой. Затем подъехал автобус, и они расстались.

Сияние глаз дона Хуана возбудило в Кастанеде большое любопытство, поскольку никогда прежде ему не случалось видеть такого взгляда. Ему захотелось узнать, что стоит за этим взглядом, и это желание овладело им всецело. Он без конца вспоминал об этом взгляде, и чем дальше, тем более и более необычным он ему казался.

Он вернулся в Мексику, чтобы посетить дона Хуана, и постоянно встречался с ним на протяжении года. Дон Хуан обладал воодушевляющей манерой речи и заметным чувством юмора. Но все его слова и все его действия как будто имели какую-то скрытую содержательность, которая странным образом озадачивала Кастанеду. Он увидел, что общение с доном Хуаном заставляет его пересмотреть все свои ценности. Он чувствовал, что присутствие дона Хуана доставляет ему не только удовольствие, но и неудобство, поскольку ему казалось, что дон Хуан живет иначе и лучше, чем он сам.

К удивлению Кастанеды дон Хуан принял его в ученики как единственного человека, которого он ждал и которого мог посвятить в свои магические знания (о лекарственных растениях и об удивительных тайных силах). Причем он делал это почти вопреки собственному желанию, поскольку всегда был невысокого мнения о его способностях. Кастанеда не был индейцем и казался дону Хуану "очень странным закупоренным чудаком". Но некое чрезвычайное знамение побудило дона Хуана принять его всерьез, поскольку он верил, что Кастанеду привел к нему Мескалито — персонализированная форма пейота, котрая возникает в пейотных видениях. Дон Хуан считал Мескалито благосклонным помощником и учителем людей, знающим "правильный путь жизни". Когда Кастанеда, впервые испытав на себе воздействие пейота, затеял странную игру с собакой и даже начал лаять по-собачьи, дон Хуан понял, что эта собака — Мескалито. А Мескалито не часто играет с людьми, и это значит, что он благосклонен к Кастанеде как к наследнику дона Хуана.

С тех пор он начал передавать Кастанеде свое понимание мира; но после пяти лет частых визитов Кастанеда прекратил свое обучение. Мир XX века, мир западного интеллектуала почувствовал угрозу в учении дона Хуана. Он ощутил, что на карту здесь поставлена его личность, поскольку обучение пошатнуло основы его уверенности в обычной, повседневной жизни. Он понял, что утратил собственное здравомыслие, перестал понимать обстановку и потерял уверенность во всем.

Кое-кому Кастанеда может показаться слишком легковерным и чересчур эмоциональным. ("Ты слишком жалеешь себя", говорил дон Хуан, когда Кастанеда, рыдая на его плече, твердил, что отказывается от его уроков). Кастанеда и сам признается, что от природы склонен к излишней драматичности. Скорей всего, именно поэтому он столь рьяно взялся за учение дона Хуана и столь категорично от него отказался: ведь ни одна деталь этого учения не способна вызвать большего душевного сопротивления, чем уроки некоторых дзэнских мастеров или слова некоторых героев этой книги. Да и сам Кастанеда вскоре передумал. Спустя три года он вернулся к дону Хуану, был тепло принят им и начал второй этап ученичества, который существенно отличался от первого и был пройден гораздо успешнее. Он уже не чувствовал непреодолимого страха, и дон Хуан вел себя более непринужденно, даже не без некоторого шутовства в наиболее напряженных ситуациях, помогая Кастанеде легче усваивать свое знание.

"Ты испугался и удрал из-за того, что чувствуешь себя чертовски важным. Чувство важности делает человека тяжелым, неуклюжим и самодовольным. А чтобы стать человеком знания, нужно быть легким и текучим" [2].

Но даже при этом Кастанеде понадобилось еще пять лет, чтобы понять, что все наставления дона Хуана о психотропных растениях и его подробные лекции о колдовстве — не самое важное для понимания жизни; их назначение — помочь Кастанеде высвободиться из тисков известного мира. Поняв, что колдовские "фокусы" — вещь довольно второстепенная, Кастанеда начал постигать истинный смысл уроков дона Хуана, и в своей второй ("Отдельная реальность"), а также в третьей книге ("Путешествие в Икстлан") сообщил читателям некоторые чрезвычайно важные детали его учения. Эти детали, смысл которых он понял только со временем, касались техники "остановки мира".

Таким образом, первая книга Кастанеды о доне Хуане ("Учение дона Хуана: Путь знания индейцев яки") в некотором смысле написана по недоразумению. Кастанеда считал, что прием галлюциногенов является важной частью учения и вел читателя сквозь густой лес захватывающих сведений о самих растениях, о способах их сбора, об их использовании и их воздействии. Он добросовестно обработал свои полевые заметки, и эта книга передает подлинные ощущения человека, находящегося на пороге великих открытий. Он пережил множество волшебных и ужасных минут, путешествуя в пустыню с доном Хуаном, принимая пейот и другие растения; но открытия пришли к нему позже. Что же это были за открытия?

Наиболее важным из них, несомненно, является *видение*. Эта способность напоминает "видение" Дугласа Хардинга, но развивается иным путем и имеет сопутствующие эффекты.

Подобно Хардингу, дон Хуан подчеркивает, что *видение* — это путь зрительного восприятия мира, но способы зрения бывают разными. Человек, который не *видит*, смотрит на мир и верит в то, что он реален. Таким образом, смотреть, значит истолковывать; смотрящий истолковывает для себя все, что видит. Смотрение никогда не может быть ясным и чистым видением, лишенным ограничительного истолкования; скорее, оно является процессом мышления, в котором истинное видение объекта менее важно, чем мысли об этом объекте. Существует индивидуальное "эго" или "я", которое смотрит, истолковывает и мыслит. Когда же происходит *видение*, чувство индивидуального "я" исчезает, поскольку его вытесняет видимый объект. В результате этого возникает изумительная свобода от ига оценок и толкований — объект существует сам по себе, он уникален и не подлежит никаким толкованиям или комментариям ("о них в самом деле нечего сказать", — заявил дон Хуан, когда его спросили о растениях). На восприятие объекта уже не влияет обычный мыслящий разум, поскольку все мысли каким-то образом становятся одинаково чисты и свободны от "я".

Нельзя сказать, что при этом исчезает память. Вовсе нет. Название объекта, который я вижу, остается тем же самым: это гора, или роза, или дерево. Здесь "нет никакого знания, которое мне следовало бы забыть. Напротив того, все: образ и движение, вид и экземпляр, закон и число — все нераздельно объединяется здесь", — говорит Бубер. Но все названия принадлежат к режиму смотрения, который становится неуместным и неважным. По словам дона Хуана, весь мир, на который мы смотрим — это всего лишь описание мира. Если я избавлюсь от этого способа описательного смотрения и начну видеть, — я увижу *это*, объект, превосходящий любые названия в своей безграничной ясности, которая сейчас от меня скрыта; его нуминозную бытийность, о которой невозможно сказать словами.

Эта тайна столь глубока, и в ней так мало меня самой, что мои личные планы, желания и надежды выглядят такими же бессмысленными, как свадебный наряд на невесте, от которой сбежал жених.

В связи с этим дон Хуан однажды сказал Кастанеде, что уже не ощущает никакой своей личной истории. Обескураженный этим заявлением, Кастанеда возразил, что дон Хуан, по крайней мере, знает, кто он такой. Но дон Хуан ответил, что не знает о себе ничего, и катался по полу, смеясь над удивленным Кастанедой. Как он может знать, кто он такой, если он — это все вокруг, — сказал дон Хуан, указывая на окружающее.

Другим камнем преткновения для Кастанеды стал способ действия его собственного мыслящего ума, сравнивающего одну вещь с другой и находящего различия между ними. Для того, кто *видит*, каждый предмет совершенен сам по себе, и сравнения не имеют смысла — все вещи одинаково важны или одинаково не важны.

Дон Хуан объяснил ему, что сперва мы учимся мыслить обо всем, а потом учим свои глаза видеть те вещи, которые, как мы думаем, существуют. Например, мы думаем о себе как о важных людях, а затем чувствуем себя важными! Но человек, научившийся *видеть*, понимает, что о вещах не нужно думать, и его мысли уже не касаются вещей. Вследствие этого все они кажутся ему одинаково неважными.

Кастанеда был обеспокоен его заявлением о том, что ни одна вещь не может быть важнее всех остальных. Затем он почувствовал, что вся его жизнь становится неважной и из-за этого теряет свой смысл. Но дон Хуан сказал ему, что это происходит из-за привычки думать, глядя на вещи, и думать, думая о вещах.

Под "думанием" дон Хуан подразумевает непрерывный поток мыслей, создаваемых нами по поводу всего, чего угодно. Впрочем, от привычки подменять видение думанием можно избавиться — стоит только начать видеть. Как-то раз он сказал Кастанеде, что человек действия живет действием, а не мыслями о действиях и не представлениями о том, что он будет думать, когда действие прекратится. Человек, способный действовать, не думая, — это человек знания; такой человек выбирает путь с сердцем и идет по этому пути. Он знает, что его жизнь не вечна; он знает, что этот путь никого никуда не приведет, и что все вещи одинаково важны. Такой человек знания может пренебречь собственной честью и достоинством, отказаться от своего рода и своей родины, ибо он знает, что единственный смысл жизни состоит в том, чтобы жить. Он просто улыбается и радуется вещам, принимая их такими, как они есть. Внешне он ведет себя точно так же, как остальные, потому что может управлять своей "глупостью" и своей жизнью. И он выглядит как обычный человек, "взмокший и пыхтящий под грузом повседневных забот". Он настолько владеет собой, что может взяться за любое дело и сделать его так, как будто он родился на свет именно для этого. Но он знает, что все это неважно, и отказывается от дел. Однако, выполнив действие, он способен спокойно уйти и не заботиться о его результатах.

Все еще не в силах принять эту точку зрения, Кастанеда рассказал дону Хуану про одного богатого американского юриста, который занимался политикой. Он был консерватором и боролся против многих нововведений — в частности, против Нового Курса. Он потерпел поражение и был вынужден отступить, преисполнившись горечи и обиды. Наконец в возрасте 84 лет он сказал Кастанеде, что впустую потерял 40 лет своей жизни. Затем Кастанеда задал вопрос: в чем же разница между опустошенностью этого старика и дон-хуановским ощущением незначимости всего существующего. Чем же позиция дона Хуана отличается от позиции этого юриста?

Дон Хуан ответил, что друг Кастанеды остался один, поскольку начал действовать, не *видя*. Он считает свою жизнь потерянной, потому что ожидал побед, а получил одни поражения. Он не знал, что и его победы, и его поражения одинаково важны. Но его путь, где ничто уже не имеет никакого значения, совсем не похож на положение дона Хуана. Для дона Хуана поражения и победы не имеют значения, поскольку его жизнь наполнена до краев, все в ней одинаково ценно, и он чувствует, что вся его борьба не была напрасной:

"Чтобы стать человеком знания, нужно быть воином, а не плаксой. Нужно биться и не сдаваться, не жалуясь и не отступая до тех пор, пока не станешь видеть лишь для того, чтобы понять — ничто не имеет значения" [3].

Несомненно, дон Хуан *видит*, точно так же, как и Дуглас Хардинг, но *видение* дает ему еще один результат, неведомый Хардингу. Ибо, если для Хардинга видимый мир "пуст", то для дона Хуана он наполнен неким сиянием. *Видящий* видит, что люди состоят из светящихся волокон, которые исходят из пупка; эти волокна длинны или коротки в зависимости от человеческой просветленности. Дон Хенаро, друг дона Хуана, на глазах у Кастанеды взбирался на гладкую скалу и без видимых усилий перелетал через водопад. Дон Хуан объяснил Кастанеде, что он делает это с помощью своих волокон, прикрепляя их ко всем выступам скал.

Именно этот аспект дон-хуановского "видения" заставляет многих читателей усомниться в его основательности. Преподаватель вечных истин на наших глазах превращается в шамана, все поступки которого обусловлены специфической местной культурой, едва ли пригодной для всего остального человечества. Тут же возникает и другой вопрос: не связано ли его восприятие действительности с постоянным употреблением пейота и курением двух других растений (дурмана *Datura inoxia* и гриба из семейства *Psylocybe*)?

Роль пейота в жизни дона Хуана не выяснена до конца. Это упущение Кастанеды, который записывал все, что с ним происходило и все, что ему говорили. Но по его рассказам можно догадаться, что дон Хуан считал пейот скорее средством, чем целью. Он советовал Кастанеде употреблять эти растения, как только представится возможность, поскольку они создают "необходимые предпосылки для "видения". Он говорил, что только дымок способен сделать Кастанеду настолько ловким и проворным, чтобы он мог поймать отблеск этого неуловимого мира.

Но считал ли он эти средства необходимыми для себя? Вряд ли. Он давал их Кастанеде для того, чтобы разрушить его двумерное (пространственно-временное) понимание мира. "Ты считаешь себя слишком настоящим", — говорил он Кастанеде. По мнению дона Хуана, Кастанеда был слишком доступен и очевиден, и вел настолько рутинную жизнь, что все его поступки были легко предсказуемы. Он советовал Кастанеде стать недосягаемым, как охотник.

Если человек — охотник, его контакты с миром скупы и экономичны. Вместо того чтобы съесть пять куропаток, он съедает одну. Он не повреждает и не ломает растений, чтобы вырыть западню; он не станет растрачивать себя на ненужные дела. И, главное, он не будет манипулировать людьми ради своих собственных целей, особенно теми, кого он любит.

Охотник уверен в своих действиях, и поэтому не беспокоится. Если человек беспокоится, он становится уязвимым и доступным и, как только он начинает беспокоиться, он хватается за все, за что только может ухватиться. Таким способом он либо истощает самого себя, либо истощает другого человека или вещь, за которую он цепляется.

Охотник ощущает покровительственную нежность ко всем вещам в мире и поэтому использует их осторожно и бережно. Он чувствует себя в мире как дома, но мир не может уцепиться за него. Охотник недоступен, поскольку свободен от его убийственной хватки. Он касается мира легко, покидает его, сделав свое дело, и почти не оставляет на нем следа.

С помощью пейота дон Хуан пытался сбить Кастанеду с его привычного мыслительного пути, введя его в курс иных способов ощущения мира — способов, которые как бы показывали ему, что сам объективный мир и законы, им управляющие, могут быть изменены. Это случилось после того как Кастанеда испугался и покинул его, но вернулся через несколько лет.

Разные "миры" дона Хуана легко принять за пейотные галлюцинации. Но придерживаться такого мнения — значит игнорировать один существенный, хотя и довольно редко упоминаемый факт. Дело в том, что наш обычный, повседневный мир форм и цветов является таким, как он есть только в глазах того, кто на него смотрит. Понять этот факт нам помогает как современная наука, так и наше непосредственное восприятие. Объективный мир является нам в той форме, в какой мы его знаем лишь потому, что мы оснащены чувствами, чтобы воспринимать его. Если бы я была кошкой, я не видела бы ни облаков, ни горных вершин; узость моего восприятия ограничивала бы контуры моего объективного мира, и он был бы совершенно другим. С другой стороны, наблюдая за поведением кошек, можно сделать вывод, что они видят многие вещи, невидимые для нас. Существуют ли эти вещи? Для кошек — конечно, да; для людей — не существуют. Наши миры не пересекаются в этой точке. А если взглянуть на мир глазами жука или муравья — это опять-таки будет не просто наш мир, увиденный снизу — это будет *совершенно иной мир*.

А способна ли я понять, как выглядит мир моего соседа? Никогда. Мы можем согласиться со многими его описаниями, с целым рядом признаков, доступных человеческому восприятию, но мы никогда не сможем окончательно постигнуть мир другого человека. Единственное реальное свидетельство об объективном мире мы можем получить только от самих себя.

"Мир построен из наших впечатлений, — говорит выдающийся физик, доктор Эрвин Шредингер. — Принято считать, что он объективно существует сам по себе. Но сам факт его существования не способен свидетельствовать об этом. Получаемые нами свидетельства обусловлены весьма специфическими процессами в весьма специфических частях этого весьма реального мира, а именно некоторыми явлениями, происходящими в мозгу" [4].

Дон Хуан заявил, что знает иные миры. Вне зависимости от того, являются ли эти миры действительно иными, или же это иные аспекты восприятия того же самого мира, открытые с помощью галлюциногенных растений, — важно то, что они отличаются от нашего мира, как сцена сновидения в пространственно-временном отношении отличается от нашего обычного окружения.

Дон Хуан ввел Кастанеду в эти иные миры, чтобы помочь ему ослабить жесткую хватку "нормальности" его повседневного, "слишком настоящего" мира. Дон Хуан не совсем преуспел в этом, но и не потерпел поражения. Кастанеда *видел* только несколько мгновений, да и то не по своей воле. Но он стал гибким и открытым, и оказался способен пережить волнующие моменты ясновидения.

Один из таких моментов случился в пустыне, куда Кастанеда отправился по поручению дона Хуана. Проведя здесь несколько дней, Кастанеда затосковал. Однажды он сидел на высоком плато, и вдруг к нему подполз большой черный жук, кативший навозный шар. В тот же миг он заметил тень, мелькнувшую слева от него — с той стороны, где обычно располагается зло. Он подумал, что это может быть тень смерти, наблюдающей за ним и за жуком. Внезапно он ощутил, что между ним и жуком нет никакого различия, и на него мгновенно нахлынула волна такого ошеломительного счастья, что он даже заплакал. Кастанеда понял, что дон Хуан был прав: как и все остальные люди, он живет в странном и таинственном мире. Он понял, что и сам он — непознаваемое существо и не более важен сейчас, чем этот жук.

Считал ли дон Хуан, что для достижения "видения" необходимо заниматься магией? Как-то раз он сказал Кастанеде, что видение — это процесс, не зависящий от магии, потому что магия нужна только для манипулирования другими людьми, а видение не оказывает на них никакого воздействия. Но почему же он так старательно учил Кастанеду магическим приемам?

В трех первых книгах Кастанеды присутствует как бы два дона Хуана. Один — это учитель — простой, добрый, серьезный и не заинтересованный в конечном результате своих действий. Другой — колдун, зашивающий глаза ящерице, чтобы она принесла ответ на его вопрос, приписывающий глиняной трубке власть над жизнью и смертью, пугающий Кастанеду сказками о ведьмах, которые летают вокруг в облике черных дроздов. А есть еще и третий дон Хуан — по-гурджиевски использующий магию, чтобы привести Кастанеду туда, где его собственные особенности поставят его на грань поражения. Он хохочет, глядя на реакции Кастанеды, он гипнотизирует его, дурачит его и играет с ним странные шутки.

Таков дон Хуан, учитель, который заставляет Кастанеду стать воином. Когда Кастанеду начало мутить после обеда в маленьком мексиканском кафе, и он испугался, что съел что-то несвежее, дон Хуан склонился к нему и со всей суровостью заявил, что перед поездкой в Мексику ему следовало бы забыть все свои страхи. Все страхи и опасения нужно пересмотреть перед отправлением в путь, а потом забыть, потому что возникнет много других ситуаций, которые привлекут его внимание. Противостоять страхам с самого начала, а затем отбрасывать их в сторону — вот путь воина.

Воин знает, что смерть — это единственный фактор, который может преградить ему путь, и он должен всегда помнить о смерти, если вещи искажаются и смешиваются. Но он должен научиться не бояться смерти; и знание о том, что она всегда ждет его, должно скорее подхлестывать, чем тормозить его действия.

Он говорит, что человек, который хочет стать воином, должен всегда остро осознавать присутствие смерти. Но мысль о смерти может сфокусировать на себе все его внимание и ослабить его. Поэтому он должен остро осознавать ее и одновременно быть безразличным к ней.

Рамана Махарши однажды высказал похожую мысль:

"Никто не принимает смерть всерьез. Человек может видеть смерть вокруг себя, но при этом не верить, что *он* смертен. Он верит, или, скорее, ощущает (каким-то непостижимым образом), что смерть — не *для него*. Только если его телу угрожает беда, он может ощутить страх смерти. Каждый человек чувствует себя вечным, и это на самом деле так..." [5].

В результате "пути воина" и "видения" человек постигает, что любые его действия равносильны "управляемой глупости". Этот термин, используемый доном Хуаном, говорит о том, что ни одно действие не кажется ему важнее всех остальных. Действие не важно, — говорит он — важно недеяние. Но он не имеет в виду, что действовать вообще не следует, — он считает, что мы должны действовать, только исходя из внутренней ясности, из области недеяния. И тогда действие наполняется кристальной чистотой недеяния. Такова "управляемая глупость", совсем не похожая на глупость бестолково мотивированных действий обычных людей.

Он говорит, что сперва мы должны понять бесполезность своего действия, а затем упустить это понимание из виду и жить дальше так, как будто мы этого не знаем.

Весьма озадаченный этой идеей управляемой глупости, Кастанеда попросил дона Хуана рассказать о ней подробнее.

Дон Хуан ответил, что очень рад этому вопросу Кастанеды, прозвучавшему только теперь, когда они уже столько лет знакомы — хотя, если бы Кастанеда так и не задал этого вопроса, его бы это совершенно не волновало. И все же он решил обрадоваться, как будто ему есть дело до того, спросил его Кастанеда или не спросил, словно то, есть ему до этого дело или нет, имеет какое-нибудь значение. Затем он добавил, что это — один из примеров управляемой глупости.

Кастанеда спросил дона Хуана, применяет ли он управляемую глупость ко всем без исключения. Когда тот ответил утвердительно, Кастанеда задал новый вопрос: неужели дон Хуан никогда не бывает искренним, а всегда лишь играет и притворяется?

Дон Хуан ответил на это одной из своих самых глубокомысленных сентенций: "Я играю очень искренне, но ведь это всего лишь игра, как в театре" [6].

Наверное, он намекнул Кастанеде, что быть человеком — это значит всегда быть актером. Истинная структура организма нуждается в маскировке. Только сознание не имеет формы; все, что воспринимается сознанием, спрятано под той или иной разноцветной маской. Любая форма играет свою роль — и даже растения и животные актерствуют, сами того не ведая. Дерево ведет себя как дерево, корова — как корова; а человеческие существа занимаются этим осознанно. Если же это актерство наконец изобличено, актер продолжает играть — и вполне искренне, но осознавая, что это всего лишь игра. Таково различие между просвещенным и непросвещенным человеком. Непросвещенный воспринимает игру всерьез. Просвещенный знает, что это — игра, но ценит эту игру превыше реальности.

"Я знаю, что во мне есть нечто и *мой разум есть сияние этого нечто*" — сказал один неизвестный мистик. Это *нечто* реально для просвещенного человека, и он распознает его как источник себя самого; содержимое же внешнего мира он воспринимает как внешнюю видимость или описание Того, Что Сияет. Понимать *содержание слов* буквально — значит вовлекаться в актерскую игру. "Как только человек научится *видеть*, он тут же оказывается один в мире, где нет ничего, кроме глупости" [7], — говорит дон Хуан.

Таков дон Хуан-учитель.

Дон Хуан-колдун *видит* людей как сияющие яйцевидные пучки волокон, и способ, которым он манипулирует ими — это "недеяние". Но это вовсе не тот глубокий покой, из которого возникает "бездейственное действие", а обыкновенное шаманство.

Когда дон Хуан дразнил Кастанеду и еще нескольких молодых людей, прячась от них за скалой, а потом появляясь оттуда в облике другого человека (причем каждый член группы видел его по-своему), он показал, что превосходно владеет своим ремеслом. Он сказал, что каждый из нас рождается в этом мире с маленьким кольцом силы. Его приходится задействовать почти сразу же. Так каждый человек, начиная с самого рождения, вовлекается в организацию мира вокруг себя, и присоединяет свое кольцо силы к кольцам других людей. Таким образом, каждый из нас помогает творить узнаваемый мир.

Это *делание* мира; каждый человек участвует в нем с того самого момента, когда присоединяется к *деланию* других людей вместе со своим собственным кольцом силы.

Дон Хуан напугал Кастанеду, заявив, что часто сцепляет свое кольцо силы с его кольцом, *делая* окружающее пространство. Оно вызывалось к жизни их вращающимися кольцами силы.

Кастанеда возразил, что пространство было здесь само по себе, и не он его создал. Но дон Хуан терпеливо настаивал, что пространство всегда создается и поддерживается чьим-то кольцом силы. Но человек знания развивает другую разновидность кольца силы, кольцо "недеяния", и с помощью этого кольца он способен вращать иные миры. Когда он выходил из-за скалы, и каждый наблюдатель видел его иным, он достигал этого, присоединяя свое бездейственное кольцо силы к их действующим кольцам. А они доделывали остальное.

Кастанеда посчитал, что эти рассуждения трудны для его понимания.

При чтении книг Кастанеды все время создается впечатление, что дон Хуан учит его колдовству, потому что надеется тем самым освободить разум Кастанеды. Но все же слова учителя гораздо больше говорят ученику, чем все эти приключения на мрачных и голых вершинах гор, когда "союзник" (орудие мага, столь же жестокое и вредоносное, сколь и полезное) появляется в различных обликах, и Кастанеда воспринимает их как реально существующие, — и уж гораздо больше, чем все пейотные видения, которые едва не довели Кастанеду до безумия. Ведь постоянные занятия колдовством приводят к тому, что дон Хуан дезориентирует людей, по-настоящему нуждающихся в учителе. Или же он и в самом деле решил, что Кастанеда хочет побольше узнать о растениях? Но каковы бы ни были его мотивы, на протяжении всех четырех книг он объединяет в себе мудрость и шаманство, и окончательно скатывается к шаманству в конце четвертой книги.

В этой книге, "Сказки силы", дон Хуан помогает Кастанеде понять "всеобщность" самого себя. Чтобы преподать ему, дон Хуан пользуется мексиканскими терминами *тональ* и *нагваль* (произносится "toh-na'hl" и "nah-wa'hl"). Эти термины приблизительно обозначают то же самое, что человеческое "эго" или ощущение самого себя (тональ) и Хардингова Пустота (нагваль), поскольку дон Хуан полагает, что нагваль содержит в себе тональ — в том же смысле, в каком Хардингова пустота содержит весь проявленный мир.

Чтобы понять эту цельность, говорит дон Хуан, человек должен представить самого себя как две половинки мыльного пузыря. Одна из них, тональ, сконцентрирована вокруг его разума и основана на его восприятии мира. Его разум преобразует это восприятие в личное видение мира, которое служит ему связным и постижимым описанием этого мира. Таким образом, тональ — это все, чем человек является в своем собственном понимании. Болтовня — это вечная спутница человеческого разума, и любая вещь, для которой находится слово — это тональ. Тональ — это все, что человек способен описать.

Нагваль — это неописуемое. Это истинный творец мира, в то время как тональ — это лишь свидетель, описывающий мир. Нагваль — это та половина человека, для которой нет названия или описания, которая непостижима ни чувствами, ни знанием. Ее можно обнаружить лишь тогда, когда затихнет внутренняя болтовня, и тональ избавится от умственных убеждений. В этой пустоте тональ сможет обнаружить свой нагваль.

Во время невероятного полета в ущелье с помощью нагваля Кастанеда открыл, что его истинная сущность построена из целого пучка "я" — чувств, мыслей и телесных ощущений. Дон Хуан согласился с этим вполне гурджиевским заключением и добавил, что все множество возможных чувств человека и "я" до самого рождения мирно плавает в нагвалеобразных челноках. Затем, в предродовой фазе, некоторые из них сплетаются вместе, объединенные тем, что он называет "искрой жизни". Таким образом создается живое существо, но, едва родившись, оно теряет ощущение нагваля и принимает идеи и ценности тоналя. Умирая, оно вновь распадается, и все его части снова погружаются в неизменный нагваль.

Наверное, этот вечный, неизменный и спокойный нагваль, вне которого возникает конгломерат из частей, носящий имя личности, может послужить удобным объяснением феномена жизни и смерти; и, несомненно, учение дона Хуана здесь имеет определенные преимущества в сравнении с индуизмом. Но, в то время как индусское "Это" считается находящимся вне человеческого сознания и даже вне сокровенной сущности человека, нагваль может быть опасной силой, поскольку колдун может *использовать* его! Он в определенной степени непостижим, но это не величественное Несотворенное и Необусловленное, и не Хардингова пустота. Нагваль нисколько не величествен. Он может явиться в облике волшебного мотылька, или свирепого зверя, или жуткого звука. При "соответствующем" использовании он может носить человека по воздуху, поднимать над горами и опускать на дно ущелий, и даже переносить в иные миры и пространства.

Эти пространственные перемещения представляются в качестве высших достижений нагваля, что может окончательно сбить с толку многих читателей, убедив их в том, что дон Хуан больше колдун, чем мудрец. Прежде всего, это дезориентирует тех, для кого совершенствование внешних возможностей человека кажется гораздо менее важным, чем раскрытие его истинной внутренней сути. Ибо, как говорят дзэн-буддисты, зачем чудесным образом ходить по воде, если можно переплыть на другой берег в лодке. Если одно из величайших откровений всех четырех книг (а, значит, и значительная часть всего учения) заключается в том, чтобы слетать на дно ущелья вместо того чтобы просто туда спуститься — то не слишком ли много усилий прилагается для того, чтобы достигнуть столь ничтожного результата?

Многих людей гораздо более занимают странствия во внутреннем, чем во внешнем пространстве — ибо все мы инстинктивно знаем, что именно здесь находится путь истинной мудрости и истинного сострадания. И дон Хуан тоже вроде бы понимает это и преподает уроки подобного рода в своем учении. И пусть нас обескураживают некоторые его выводы и его стремления наделить своих учеников сверхчеловеческой силой — со временем мы будем вспоминать его как проницательного и доброго индейца, образ которого встает из книг Кастанеды; как дальновидного мудреца, который, подобно Кришнамурти, указывает людям, что они обманывают себя, давая имена этому миру и ожидая от мира, что он будет соответствовать их описаниям; а они поступают таким образом, и при этом верят, что их поступки и *есть* мир. Дон Хуан увидел, в чем кроется корень человеческого невежества.

"Мир непостижим, — сказал он, а мы никак не хотим этого понимать; мы все время хотим открывать его тайны. А надо принимать его таким, как он есть — таинственным!"

Обычный человек, — продолжал он, — никогда не относится к миру как к тайне. С возрастом человек думает, что познал мир целиком и полностью. На самом деле он познал только человеческие поступки, но в своем невежестве он считает, что все тайны закончились, и ему уже больше незачем жить.

"Воин, — сказал дон Хуан, — осознает эту путаницу и учится относиться к вещам правильно. Вещи, которые делают люди, ни при каких условиях не могут быть важнее мира. Поэтому воин относится к миру как к бесконечной тайне, а к тому, что делают люди — как к бесконечной глупости" [8].

БИБЛИОГРАФИЯ

DOUGLAS HARDING

Douglas Harding, *The Science of the 1st Person* (Suffolk: Shollond Publications)

Douglas Harding, *On Having No Head: A Contribution to Zen in the West* (London: The Buddist Society, New York: Harper and Row).

DON JUAN

1*. Carlos Castaneda, *A Separate Reality* (London: The Bodley Head; University of California Press), p.25.

2. Ibid., p.13.

3. Ibid., p.94.

4. Erwin Schroedinger, *Mind and Matter.* (London: Cambridge University Press; New York: Cambridge University Press), p.1.

5. Mercedes de Acosta, *Here Lies the Heart.* (New York: Reynal and Co.), p.295.

6. Castaneda, *A Separate Reality*, p.84.

7. Ibid., p.86.

8. Ibid., p.226.

Бог с микрофоном в руке, рекламируемый наравне со звездами поп-музыки и политическими деятелями; святой мудрец, имеющий собственную радиостанцию и проповедующий с эстрады; Высшая Реальность, доступная всего лишь за пятьдесят фунтов стерлингов... Как относиться к подобным явлениям? С одной стороны, учения этих "богов" и "мудрецов" зачастую не выдерживают никакой критики, а шумиха, искусственно раздуваемая вокруг них, едва ли позволяет относиться к ним всерьез. Но, с другой стороны, мы видим, что многие тысячи людей, последовавших за такими учителями, действительно преодолевают ограниченность своего "я" и переживают подлинное просветление; и едва ли им есть какое-нибудь дело до того, что кто-то считает их учителей несерьезными и малообразованными.

"Новые религии" могут показаться нововведением последних десятилетий, однако в действительности все, что в них есть современного, — это активное применение средств массовой информации и рекламы. Все же остальное — и упрощенный подход к религиозно-мистическим учениям, и склонность к смешению понятий и произвольному истолкованию святых писаний, и громкие заявления о Божественном откровении, и попытки объявить себя земным воплощением Господа — практиковалось во все времена и во всех странах мира. Однако, начиная с шестидесятых годов нынешнего века, пресса, радио и телевидение придали этому явлению невиданный размах. Сегодня любой "пророк", обладающий достаточным количеством средств на саморекламу, запросто может соперничать в популярности с Иисусом Христом. И если такой "пророк" оказывается самоуверенным невеждой или шарлатаном — то последствия его проповедей могут быть весьма и весьма тяжелыми.

Настоящая эпидемия "новых религий" разразилась в США, начиная с конца пятидесятых годов, и пошла на спад только лишь в середине восьмидесятых. Англия и Западная Европа были затронуты этим явлением в меньшей мере; в Латинской Америке "новые религии" столкнулись со значительным сопротивлением влиятельного католического духовенства; в Восточной Европе их распространению до недавнего времени препятствовали коммунистические режимы.

Большинство "новых религий" возникло в США. Однако, при огромном количестве этих организаций, среди них нелегко выделить что-либо, достойное внимания. Наиболее примечательна здесь, пожалуй, деятельность четырех весьма знаменитых гуру, приехавших в Америку из Индии.

Их учения в той или иной мере являются перепевками классических индусских, буддийских или суфийских доктрин. Мехер Баба, воспитанный среди парсов, стал одним из первых индийских гуру, завоевавших популярность на Западе. Он предлагает очень мало конкретных методик; его советы иногда бывают полезны, но носят общий характер и не очень-то оригинальны. Его учение целиком построено на поклонении ему самому — естественно, как инкарнации Божества.

Махарадж Джи, самый молодой из плеяды восточных учителей, не требует от своих учеников абсолютной покорности, хотя и настаивает на поклонении. Он установил строго определенный набор наград, которые ждут всякого, кто совершит над собой усилие и подчинится ему. Одна из этих наград — увидеть свет, тот Божественный Свет, именем которого названо его движение.

Гуру Махариши не заявляет о своей Божественной природе, но предлагает каждому, у кого есть достаточно денег, простой и доступный способ обнаружения природы собственного "я". Этот способ называется "трансцендентальной медитацией" и заключается в том, чтобы заменить каждую возникающую мысль *мантрой* — словом, которое, как полагают, имеет божественное происхождение, и вместе с тем не обладает смысловыми коннотациями. Можно высказать различные мнения по поводу деятельности этого гуру, однако нельзя отрицать, что он помог многим занятым и самоотождествленным людям приблизиться к тому неземному покою души, который может стать, по крайней мере, первым шагом на пути к более великой мудрости.

То же самое можно сказать и о синтетическом учении Раджниша, совмещающем в себе традиции суфизма, тантры и восточного буддизма. Проповеди и теории Раджниша представляют собой своеобразный винегрет изо всех сколько-нибудь заметных мистических учений XX века; однако разработанные им практические методики освобождения личности оказываются весьма и весьма действенными.

МЕХЕР БАБА (1894 – 1969)

Средства, которые использует Мехер Баба, едва ли соответствуют его цели. Он слишком фанатичен, а его требования и обещания слишком уж поразительны и невероятны. Он настаивает на том, что он — Бог, всеведущий и всемогущий, что он Мессия нашего века и такой же Богочеловек, как Иисус Христос:

"Я — Издревле Сущий. Я говорю, что я Бог, не потому, что я думал об этом и пришел к выводу, что я Бог — я просто знаю, что

МЕХЕР БАБА (1894 – 1969)

так оно и есть. Многие считают, что человек, называющий себя Богом, богохульствует; но, на самом деле, богохульствуют те, кто утверждает, что я не Бог" [1].

Он заявляет, что уже являлся в прошлом в образах Кришны и Христа и обещает помочь изменить этот мир и, в особенности, Америку, и сделать его более духовным. Он предсказывал, что умрет насильственной смертью от руки своих земляков — парсов, но мирно скончался в 1969г.

И все же, несмотря на множество несбывшихся пророчеств о будущих войнах и других мировых потрясениях, несмотря на грандиозные претензии на божественность и всемогущество, легко почувствовать, что Мехер Баба — добросердечный человек, который мог бы быть очень хорошим, если бы смог в полной мере реализовать свои природные дарования. Может быть, он просто запутался, пытаясь играть роль, не соответствовавшую его темпераменту.

Такая уж страна эта Индия, что человек, сказавший "Я — Бог", не вызовет здесь ни смеха, ни скептических улыбок. Цель каждого, кто исповедует индуизм — понять, что наше бренное тело не является окончательным "я". Тело, разум и чувства умирают, а высшее и вечное "Я" является подлинной природой человека. Это единственная Реальность, которая из-за человеческих иллюзий и невежества кажется нам скоплением множества обособленных существ и предметов, включая и то нечто, которое мы считаем собой. Олдос Хаксли когда-то сказал, что западная религия пытается "познать" Бога, в то время как восточная религия пытается "быть" Богом. В момент осознания Бога, Целого как неделимой основы самого себя индус наконец-то возвращается к себе домой, к своей подлинной природе.

Так что слова "Я — Бог" для него значат: "Я совершил путешествие, и вот я уже там".

Мехер Баба указывал, что только тот человек, который действительно находится там, может сказать, существует он или нет. Аватара — это то состояние, когда человек наиболее близок к Богу, оставаясь при этом во плоти (таковы были Кришна, Будда, Зороастр, Иисус и Мухаммед); и только аватара может объявить себя аватарой, ибо никто другой не обладает знаниями, необходимыми для этого. Мехер Баба объявил себя аватарой, и многие люди поверили ему.

Его религия носит преимущественно суфийский характер, хотя он родился и вырос в Пуне и впитал в себя основы буддизма. Его родители приехали в Индию из Персии; в детстве его звали Мерван (уменьшительно: Мехер) Шериар Ирани. В позднем отрочестве с ним произошел необычный случай, благодаря которому он и стал духовным учителем. До этого он, очевидно, был легкомысленным, но сообразительным молодым человеком и интересовался только учебой в университете и общением с друзьями. Однажды вечером, возвращаясь из колледжа домой на велосипеде, он поравнялся с хижиной некоей старухи-мусульманки, Хазрат Бабаджан, которая слыла факиршей. Вдруг она вышла из хижины и поманила его к себе. Удивленный он встал с велосипеда и подошел к ней. Они не произнесли ни слова, но старуха пожала ему руку, а потом поцеловала в лоб.

Этот поцелуй очень сильно подействовал на Баба, и его потянуло к ней, "как кусок железа к магниту". Он приходил к ней каждый вечер, и вот однажды вечером она "заставила его в одно мгновение постичь бесконечное блаженство Самопостижения (постижения Бога)". Он пришел домой, лег в постель и потерял сознание.

Три последующих месяца он лежал как труп и совсем не понимал происходящего... Он почти не ел и старался раздать всю еду собакам и нищим. Родители решили, что сын повредился в рассудке; врачи пытались вылечить его, но это мало помогло. Наконец к нему начало возвращаться сознание, и он стал жить "подобно автомату, обладающему интуицией". Постепенно он выздоровел окончательно, хотя Пол Брантон, один из его критиков, серьезно в этом сомневается.

Вся его жизнь с этого момента переменилась. "Завеса" между ним и Богом была разорвана поцелуем Бабаджан. В течение трех месяцев, проведенных без сознания, он пребывал в экстазе и ощущал свое единство с Богом; иными словами, вся Вселенная, со всеми уровнями ее сознания, открылась перед ним. Но возвращение из этого блаженства на Землю причиняло ему столь сильные страдания, что он каждый день часами бился головой в стены и окна, чтобы физической болью заглушить духовные муки. Он говорил:

"В действительности нет никакого страдания — одно бесконечное блаженство. Но, хотя страдание иллюзорно, в царстве иллюзий оно все же *остается* страданием. Посреди иллюзий Бабаджан открыла для меня реальность. Но моя реальность, будучи недоступной для иллюзий, все же оставалась связанной с ними. Вот почему я переживал неисчислимые духовные страдания" [2].

Наконец он решился спросить у Бабаджан, что ему делать дальше. Она заявила, что ему нужно найти духовного учителя. Когда он спросил ее, где же его искать, она махнула рукой в неопределенном направлении.

Теперь им овладела страстная жажда духовного совершенства. Он посетил нескольких учителей, в том числе знаменитого Сай Баба, свирепого гуру, который требовал денег у всех богатых посетителей, и тут же раздавал их ожидающим беднякам. Сай Баба взглянул на него и тут же назвал его "богом-помощником". Вместе с Сай Баба Мехер пришел в храм. Там жил ученик Сай Баба — нагой постник, которого звали гуру Упашни (Упасани).

Здесь-то и произошло историческое событие. Едва завидя Мехера, Упашни схватил камень и изо всех сил швырнул в него. Камень до крови разбил Мехеру лоб. Это и положило конец его метаниям между состоянием блаженства и "грубого сознания", возвратив его в состояние "обычного сознания царства иллюзий". К сожалению, чем больше он осознавал этот обычный мир, тем мучительнее становилось страдание, и он говорит, что еще на протяжении многих лет продолжал биться головой о камни, из-за чего у него в конце концов расшатались и преждевременно выпали все зубы.

Вследствие полученного удара Мехер твердо уверовал в то, что он — "Издревле Сущий", воплощенный Бог. Он признал Упашни своим учителем и оставался с ним полгода. Затем Упашни провозгласил:

"Мехер, ты Аватара, и я приветствую тебя!" После этого Мехер стал известен как Мехер Баба ("баба" значит "Духовный Учитель").

Он принял от Упашни нескольких учеников и в 1922 г. открыл первый из своих ашрамов — простенький домишко в Бомбее, где он принимал верующих всех конфессий: парсов, индусов и мусульман. Здесь царила строгая диета и отсутствовала всякая мебель. Но через год он закрыл этот ашрам и сказал сорока своим ближайшим ученикам, которых он называл "мандали" (очевидно, каждый суфийский учитель обязан обучить сорок последователей), чтобы они готовились ехать вместе с ним а Персию. С большими трудностями группа собралась в поход и получила визы. Они отправились в путь, но так и не попали в Персию. Большинство мандали слегло еще на корабле, и Баба пришлось вернуться обратно. В течение полутора лет после этого вся группа безостановочно путешествовала по стране. Часто Баба объявлял, что они поселятся в определенном месте, но как только все приготовления завершались, он снова поднимал всех в путь. В те дни его темперамент был неустойчив и, случалось, он взрывался и награждал кого-нибудь из мандали оплеухой или затрещиной. Однажды он даже спустил одного очень толстого мандали с каменной лестницы.

Наконец вся группа обосновалась в брошенном военном лагере в нескольких милях от Бомбея. Этот лагерь окрестили Мехерабадом (*абад* значит цветущий), и вскоре последователи Баба под его руководством стали строить из старых армейских бараков больницу — "Благотворительную Больницу и аптеку Мехера" и школу-интернат на сотню мальчиков — "Ашрам Мехера". Школа была открыта для всех; Баба принимал туда и детей "неприкасаемых", и детей индусов или мусульман.

В то время связь такого гуру с "неприкасаемыми" была неслыханным делом. Однако кастовые различия не имели значения для Баба, который не был индусом и верил в универсальность Бога. Он не только принимал в школу этих мальчиков, но сам лично чистил их отхожие места, стриг их и мыл, когда они к нему приезжали.

В 1925г. он дал обет молчания на год. С тех пор он не произнес ни слова.

"Мое Молчание и неизбежное нарушение моего Молчания призваны спасти человечество от грозных сил невежества и осуществить божественный План универсального единства. Нарушение моего Молчания откроет человеку всеобщее единство Бога, вследствие чего возникнет всеобщее братство людей. Я должен был замолчать. И скоро я должен буду нарушить Молчание" [3].

Хотя Мехер так никогда и не заговорил, его приверженцы пребывали в постоянном ожидании. Мехер обещал, что в миг, когда он заговорит, случатся великие трагедии:

"При "расщеплении" атома освобождается бесконечное количество энергии. Подобным образом, когда я нарушу свое Молчание и произнесу *Слово*, освободится бесконечная мудрость.

Когда атомная бомба падает на землю, она производит огромные разрушения. Подобным образом, когда Слово, которое я произнесу, обрушится на Вселенную, произойдет великое разрушение материи; однако, вместе с тем, произойдет невиданный духовный подъем" [4].

О молчании Баба писали многие авторы, включая и его самого. Молчать он, конечно, молчал, но общения не прекращал. Через некоторое время он перестал также и писать, но очень хорошо освоился с алфавитной доской, ударяя пальцем то по одной, то по другой букве, в то время как ученик все это за ним записывал. В конце концов он отказался даже от услуг алфавитной доски и решил выражаться жестами. Ученик истолковывал жест и спрашивал Баба, верно ли он угадал.

В 1926г. он неожиданно и без предупреждения закрыл Мехерабад, положив конец этому цветущему предприятию. Он объяснил это так: "Во время строительства большого здания вокруг него строят леса, а когда строительство завершено, леса убирают. Часто моя внешняя деятельность и мои обещания являются всего лишь внешним выражением проводимой мною работы. Я могу бесконечно продлевать свою внешнюю деятельность и исполнение своих обещаний — или же внезапно прекращать их, когда моя внутренняя работа завершена, в зависимости от того, чему благоприятствуют обстоятельства" [5].

Но через некоторое время ашрам был открыт снова. Мехер принялся путешествовать. К этому времени у него уже были ученики на Западе, равно как в Индии и Персии. Он еще раз отправился в Персию со своей группой, на этот раз арендовав автобус, чтобы перебраться на нем через труднопроходимую пустынную местность. Многие заболели, автобус сломался, в Дузабаде была вынужденная остановка из-за проблем с визами, но в конце концов группа все-таки добралась до Персии. Совершив этот визит, он начал путешествовать по Индии и открывать здесь ашрамы, а затем совершил ряд мировых турне в 1932г.

Голливуд принял его с распростертыми объятиями, и вообще в Америке он был очень популярен, даже больше чем в Европе. В общей сложности, он не менее семи раз побывал на Западе и совершил не менее двух мировых турне.

Многие из этих путешествий оказывались мучительными для мандали, поскольку учитель постоянно капризничал и менял свои планы. Эти реорганизации, зачастую весьма радикальные, становились для его последователей испытанием на прочность, которого они иногда не выдерживали. В особенности это касалось женщин с Запада, постоянно не ладивших между собой. В этом Баба напоминал Гурджиева, и, несомненно, такая тактика является характерной деталью суфийского учения, где явная нелепость учительских причуд призвана разбудить, растолкать и встряхнуть "машинные" умы учеников, склонные к построению концепций и механическому реагированию.

Лесть американцев, однако, не соблазнила его остаться в Америке. По окончании мировых турне начался новый период его деятельности, отличавшийся более скромными целями. В Рахури, неподалеку от Ахмеднагара, он открыл "безумный ашрам" для лечения душевнобольных индийцев, особенно тех, кто был "богоопьянен" и жил в грязи и нищете, тех, чей разум был настолько далек от реальности, что не мог осознавать окружающего. Баба посылал всех своих мандали на поиски как святых, так и обычных сумасшедших по всему району, и когда их доставляли в ашрам, он собственноручно брил, мыл, кормил и одевал каждого из них. Он также ежедневно чистил отхожие места и мыл стариков, перед тем как побыть с ними наедине.

Служение нуждающимся, очевидно, входило в число духовных обязанностей, о которых Мехер-Баба не хотел рассказывать. Он заявил только, что любит Божьих людей, а они любят его. Конечная цель этой работы так и осталась неизвестной никому, кроме Баба.

В 1937г. безумный ашрам переехал в Мехерабад, но вскоре после этого, если не считать отдельных вспышек энтузиазма, интерес Баба к нему стал угасать. Через год большинство пациентов было отправлено по домам, а Баба предпринял долгое путешествие по всей Индии в поисках настоящих *мастов*. Так называли богоопьяненных людей, чей обычный разум повредился из-за полученного ими откровения Истины. Каждого обнаруженного *маста* забирали с собой, и впоследствии, когда Баба наконец направился обратно в Мехерабад, его сопровождали мандали, около двадцати сумасшедших, полдюжины *мастов*, газель, павлин, овца, кролик, гуси, собаки, обезьяны и ручные птицы, и вся эта компания путешествовала по железной дороге. Кроме того, имелся еще большой комплект чемоданов, столов, стульев и кухонных принадлежностей, которые занимали целый вагон.

Через несколько месяцев Баба окончательно закрыл безумный ашрам и с тех пор работал только с наиболее продвинутыми и высокодуховными из *мастов*, разъезжая с мандали по Индии и на каждой стоянке посылая их за местными *мастами*. Иногда *масты* доставляли мандали много трудностей, наотрез отказываясь сотрудничать; рассказывают множество историй о том, как *маста* долго уговаривали сесть в такси, и он наконец садился в машину — но тут же выходил с другой стороны, или высовывал ноги в открытое окно. Баба говорил, что ему необходимо познакомиться с определенным количеством *мастов* в каждом месте, на мандали же возлагалась обязанность отыскивать их. Часто им приходилось терпеть лишения: ездить на телегах, запряженных волами, и на верблюдах, преодолевать по много миль пыльных и грязных дорог в любую погоду. В результате, пройдя 75 тыс. миль, мандали познакомились с 20 тыс. людей и основали семь ашрамов для мастов.

Трудно судить, какую пользу все это принесло мастам. Баба тратил невероятное количество энергии и (как говорят) любви на то, чтобы посидеть с ними и поухаживать за ними. Он ежедневно смазывал маслом шелушившуюся кожу одного "*маста*-крокодила", пока тот наконец не выздоровел. Он кормил *мастов* и отправлял домой в новой одежде. Он выслушивал их, веря, что они пребывают в особом духовном состоянии. Едва ли он смог бы заниматься всем этим не питая к ним любви.

Но, будучи, суфийским учителем, Баба следовал также и традиционному для бхакти пути поклонения; т.е. его ученики должны были всю жизнь служить своему гуру. Тем самым (при условии, что гуру является Богочеловеком) ученик приобщался к Богу. При этом служение вовсе не означало, что ученик должен выполнять конкретные распоряжения конкретного человека, поскольку гуру себя таковым не считал.

В теоретическом плане Мехер Баба был именно таким гуру, но его позиция почему-то выглядела не слишком убедительно. Он часто и раздраженно напоминал ученикам о своем авторитете и своей власти над ними, словно пытаясь убедить в этом самого себя. В письменном изложении его учение не только лишено оригинальности, но, по большей части, состоит из рассуждений на темы ортодоксальных суфийских и индуистских доктрин. Его космология, также почерпнутая из этих источников, принимает форму эволюционных таблиц, на которых изображены шесть различных уровней сознания в человеке, а пути их достижения напоминают о "духовном нуле".

Почему же к нему стекались слушатели и последователи со всего света? Прежде всего, он, несомненно, был харизматической личностью, и был способен внушить окружающим, что он излучает любовь. Люди часто плакали, увидев его впервые. Он был открыт для всех, хотя его открытость проявлялась не в божественной любви, обладание которой он себе приписывал, но в искреннем (пусть даже порой и странновато выраженном) сочувствии ко многим простым людям.

Во-вторых, все лучшее, что содержится в его Учении, призвано сломать интеллектуальные барьеры и добраться до сердца. Это не философия; Мехер Баба уходит от философских рассуждений к интуитивному постижению, в котором может быть явлен исчерпывающий ответ:

"В тот миг, когда вы пытаетесь понять Бога, а не любить Его, вы перестаете понимать Его, и ваше невежество питает ваше "я". Разум не может достичь того, что находится вне пределов его досягаемости. Бог бесконечен и находится вне пределов досягаемости разума" [6].

Наверное, теоретизирующий интеллект и в самом деле становится препятствием для того, кто ищет ответа на духовные вопросы. Буддизм на этот счет не испытывает сомнений. Ученику, пожелавшему поразмышлять на тему жизни после жизни, Будда заявил, что решение подобного рода вопросов не приносит никакой пользы и не имеет никакого отношения к основам религии. Дзэн говорит: "Не думай — просто смотри", а индусский мудрец Рамана Махарши сказал: "Ты знаешь, что ничего не знаешь. Узнай это. И тогда ты освободишься". Разум, чудесный инструмент для обращения с повседневностью, приходится отбросить прочь, если возникает желание познать природу жизни. Наблюдатель, который сидит в нас, анализирующий и выносящий суждения, должен уступить место целостному "я", которое хочет просто откликаться на происходящее. Методы освобождения от власти привередливого разума, обретения способности откликаться описаны другими мудрецами, например Кришнамурти и Трунгпа. Мехер Баба надеялся, что поклонение его последователей дойдет до такой степени, что их аналитический, оценивающий интеллект уступит место самозабвенной любви — самозабвенной потому, что Баба займет место их собственного "я". Когда необходимо будет принять решение, верующий должен будет вызвать у себя в мозгу образ Баба и спросить его, что же делать. В случае если ему выпадет свободная минута, нужно подумать о Баба. Таким образом обычное "я" должно быть ослаблено. Баба разъяснял, что его ученики не должны слепо копировать его, но всегда должны *подчиняться* ему:

"Не пытайтесь своим ограниченным умом понять смысл моих действий и не пытайтесь подражать им. Вы должны делать не то, что делаю я, а то, что я велю вам делать. Попытаться ввести любое мое действие в круг своего понимания — значит лишь понять, насколько ограничено ваше собственное понимание!" [7].

"Что значит "лишиться ног и головы"? Это подразумевает подчинение Совершенному Учителю; т.е. буквальное следование Его приказаниям и отказ анализировать их, чтобы доискаться до их смысла; это означает: делать только то, чего хочет от тебя Он, — передвигать ногами по Его команде и жить так, как укажет Его любовь" [8].

"Бога всегда можно завоевать любовью", — говорил Баба. Конечно, многим людям пришлось бы нелегко, если бы Бога нужно было завоевывать разумом и рассудком. Возможно, в словах Баба содержится здравый смысл, поскольку по-настоящему распрощаться со своим "я" мы сможем лишь тогда, когда прекратим пытаться улучшать собственное "я" всеми возможными способами, даже если эти способы исполнены высшей духовности. Когда я уничтожаю или с радостью отбрасываю в сторону ощущение собственной обособленной личности, я поступаю так потому, что хочу обрести непосредственное переживание бытия, реальности. Я хочу *быть* реальной и действительной без "барьеров" и сторожей, и испытываемая мною настоятельная потребность в этом есть революция, которую я ощущаю всем своим существом, а не только на уровне интеллекта. Если назвать это любовью, ошибки не будет, но это настолько же превосходит обычную любовь, как свет солнца превосходит свет свечи. "Бог завоевывается любовью" — это значит, что все, что у меня есть, я отдаю и с радостью от всего отказываюсь; и у меня *создается впечатление*, словно Бог, сердце, жизнь и реальный мир совершают обоюдный акт приятия и безмерной любви. Возникает ощущение, что все идет так, как надо, что в целом все хорошо.

Многие люди приближаются к этому состоянию открытости, по возможности, посредством "мессии", личного Христа, с которым можно установить контакт, на которого можно возложить бремя скорбей, кому следует поклоняться. Нужно пережить рост любви, а *любить космический образ иногда бывает легче, чем собственного соседа.* Индусы прекрасно осведомлены об этой человеческой потребности в объекте поклонения и обеспечивают каждый тип личности соответствующим божеством, чей образ является скорее олицетворением какой-либо добродетели, чем настоящим богом. Кришна, мифическая аватара Бхагавад-гиты, воспламеняет сердца многих людей. Но аватары, участвующие в реальной истории человечества, (например Иисус Назареянин) склонны, пожалуй, вызывать некоторые осложнения, поскольку их человеческий облик порою совсем не просто примирить с их "божественной" природой.

Похоже, что Мехер Баба попал в ту же ловушку истории. Быть может, он слишком часто и слишком рьяно старался жить согласно избранной роли аватары. И, вероятно, число веривших и не веривших ему было приблизительно равным. Но сегодня, когда он уже мертв, юные верующие, никогда его не видевшие, испытывают такой же священный трепет, какой вызывает у христиан воображаемый образ Иисуса.

Интересно узнать, что из учения Баба выдержит испытание временем. Возможно, это будет его космология — ведь многие люди, склонные к теософии, всегда будут очаровываться сложными таблицами, составленными на манер суфийских или индусских. Но космология Баба носит совершенно специфический характер. Он говорит, что на Земле всегда существует пять Совершенных учителей. Если Бог воплощается в аватару (в данном случае, это относится к Мехер Баба) и становится человеком, то человек, достигший степени Совершенного учителя, становится Богом, который вызывает аватару, как только она потребуется. "Только благодаря этим пяти Совершенным Учителям я явился перед вами, — говорил он. — Они вызвали меня, и я почувствовал, что я есмь все, и говорю вам, что я есмь все" [9].

Трое из этих Совершенных Учителей нам уже встречались в этой главе — это Бабаджан, Сай Баба и Упашни. Четвертым был Сатгуру (Совершенный Учитель) Нараян Махарадж. Баба посетил его однажды, но эта встреча не оказала заметного влияния ни на него, ни на Сатгуру. Пятым был Таджуддин Баба, бывший солдат Индийской Армии, который покончил с военной карьерой, когда постиг Бога. Люди, постоянно досаждавшие ему просьбами о наставлениях и благословениях, довели его до того, что однажды вечером он вышел нагишом на один из европейских теннисных кортов и тем самым обрек себя на заточение в психиатрической лечебнице, где счастливо прожил целых семнадцать лет. Баба посетил его всего один раз, и этот визит, по-видимому, не произвел на него должного впечатления.

На ступеньку ниже Совершенных Учителей в таблице Баба стоит "очень, очень небольшое количество людей", живущих одновременно и как Боги и как люди. Они испытывают то же состояние, что и Совершенный Учитель, но не используют этого в своей ежедневной практике; а еще на ступеньку ниже находится очень небольшое количество людей, которые "ушли в Бога" и ощущают бесконечную силу, знание и блаженство. Еще ниже располагается несколько планов существования: Ментальный и Тонкий, предназначенные для немногих, и Грубый, в котором пребывает большинство из нас. Во внешней вселенной обретаются планеты, включая Семь Царств Эволюции, находящихся ниже нашего собственного.

Можно ли утверждать, что, помимо перечисления указанных категорий существования (которые являются неотъемлемой частью суфийской ортодоксии), Баба сказал что-либо новое и жизнеспособное?

Пожалуй, кое-какие детали такого рода все же можно найти. В частности, это положение, проясняющее отношение сердца (открытости, бесстрашия) к интеллекту (аналитическому, оценивающему):

"Разница между любовью и интеллектом напоминает разницу между ночью и днем; они не могут существовать друг без друга, однако это две совершенно различные вещи. Любовь — реальный разум, способный постичь истину; интеллекту же более свойственно двойственное знание, которое проистекает из невежества и само по себе целиком *есть* невежество. Когда восходит солнце, ночь превращается в день. Точно так же, когда появляется любовь, не-знание (невежество) превращается в осознание (знание).

Несмотря на разницу, существующую между человеком, обладающим острым умом, и совершенно глупым человеком, каждый из них наделен одинаковой способностью переживать любовь. Способность того или иного человека к любви определяется не остротой его ума или мудростью, а тем, что он готов пожертвовать жизнью ради того, что он страстно любит, и при этом остается живым. Человек должен как бы сбросить с себя свое тело, энергию, разум и все остальное и стать горсткой праха у ног горячо любимого. Эта горстка праха, оставшаяся от любящего, остается живой только благодаря Богу (точно так же, как обычный человек живет только благодаря дыханию), а затем превращается в предмет его любви. Так человек становится Богом" [10].

Но, скорей всего, последователи Баба будут помнить именно ту часть его учения, которая адресовалась непосредственно им, а не всему миру в целом:

"Истина проста, но Иллюзия делает ее бесконечно сложной. Редко можно встретить человека, который обладал бы ненасытной жаждой Истины; остальные же позволяют, чтобы Иллюзия связывала их все туже и туже. Один Бог Реален, а все остальное, что вы видите и чувствуете, есть ничто или целый ряд ничто.

Я есмь Бесконечное Знание, Сила и Блаженство. Любому человеку я дам постичь Бога, если мне будет угодно. Ты можешь спросить: а почему ты не даешь мне постичь Бога прямо сейчас? Но почему это должен быть именно ты? Почему не тот, кто находится рядом с тобой, или вон тот человек на улице, или вон та птица на дереве, или вот этот камень — ведь все они — это просто разные формы единого целого? Чем больше вы будете любить меня, тем скорее откажетесь от той лжи, за которой вы решили спрятаться, которая дурачит вас и заставляет верить, что вы являетесь тем, чем вы не являетесь. Я есмь все во всем и равно люблю все. Ваша любовь ко мне устранит ваши заблуждения и заставит вас постичь то "Я", которым вы являетесь на самом деле.

Простое умственное уразумение не приблизит к вам Бога. Любовь, а не Исследование приблизит к вам Бога. Исследование дает пищу гордости и обособленности. Так что не задавайте вопросов, а стремитесь стать "рабом" Совершенного Учителя.

Если жизнь ваша являет собой честную и искреннюю картину вашего ума и сердца, достаточно будет, чтобы Совершенный Учитель обнял вас, и ваш дух тут же оживет. Когда Я, Издревле Сущий, обнимаю вас, что-то пробуждается и растет в вашей душе. Это значит, что я посеял семена Любви. Много времени и пространства отделяет момент прорастания семени от того часа, когда растение зацветет и даст плоды. Но на самом деле Цель ни близка ни далека, и чтобы ее достичь, не нужно ни преодолевать пространства, ни считать время. В вечности все существует *здесь* и *теперь*. Тебе нужно просто стать тем, чем ты есть. Ты есть Бог, Бесконечное Бытие" [11].

МАХАРАДЖ ДЖИ (р.1958)

Гуру Махарадж Джи родился в 1958г. и стал *сатгуру*, т.е. открывателем Божественного Света, с восьми лет.

Ученики считают его, подобно Мехер Баба, аватарой, инкарнацией Бога и наиболее самореализовавшимся и святым человеком. В отличие от Мехер Баба, он смог предложить вполне конкретные методы достижения трансцендентного, и именно результаты использования этих методов принесли ему огромную популярность среди молодежи, а также среди широкой американской аудитории, и обеспечили ему весьма удобное существование.

Эта форма религии, однако, вызывает отвращение у немолодых и более сдержанных европейцев и американцев, поскольку внешне она больше связана с шоу-бизнесом, чем с духовностью. Это религия, которая создает свою поп-звезду, человека, разъезжающего в собственном роллс-ройсе и громогласно провозглашаемого аватарой, вроде Иисуса, Будды и др.

Но прежде чем скоропалительно осуждать легковерие молодежи, обожающей своего гуру как какого-нибудь эстрадного кумира, следует, вероятно, более тщательно изучить истоки его появления и учение, которое он предлагает.

Свою "божественность" Махарадж Джи унаследовал по прямой линии от своего отца — Шри Ханс Джи Махараджа, родом из Бадрината (Северная Индия). Умерший в 1966г. Шри Ханс был настоящим бхакти-гуру, интересовавшимся не столько философией, сколько вопросами поклонения и постижения Бога. Как мудрецу, ему по праву принадлежит место в этой книге, поскольку, подобно другим искренним гуру, он привлекал к себе многих верующих.

Если вкратце изложить его историю, то следует сказать, что в молодости он был довольно высокомерен и не признавал никаких гуру, и сделался преданным последователем пути лишь после того, как услышал слова учителя по имени Дада Гуру. Он просил знания и *упдеша* (посвящения) и ему сказали, чтобы сперва он послушал *сатсанг* (духовные рассуждения) своего учителя. Его посвящение произошло случайно. По пути к Дада Гуру ему нужно было переправиться через реку, которая из-за недавних обильных дождей превратилась в стремительный поток. Его унесло течением, и он решил, что наступил его смертный час, сожалея лишь о том, что он не получил знания от Гуру. Внезапно кто-то вытолкнул его из потока и выбросил на берег. Принявшись, по доброй индусской традиции, искать своего спасителя, он такового не обнаружил.

Он решил, что этот случай является знамением Господним, смысл которого заключается в том, что он на верном пути. Он пришел к Дада Гуру, и тот дал ему четыре *криджа*, или истины, из которых состоит Знание. Сначала он не знал, что с ними делать, но, прочитав Бхагавад-гиту, ясно понял всю тайну. Он целиком подчинился своему Гуру и стал известен как "строгий и прямой ученик, всем своим существом стремящийся к истине". После смерти учителя он начал распростра-

МАХАРАДЖ ДЖИ (р.1958)

нять знание в Синдхе, Лахоре и Дели, проводя много времени с рабочими делийской суконной фабрики, обучая их практическим методам медитации, чтобы они могли постигать Бога в любое время.

Он отвергал кастовые различия, потому что глубоко верил в право каждого человека получить слово Божье. Однажды подметальщик брамина, который учился у Шри Ханса, пожелал пройти инициацию. Шри Ханс принял его и дал *упдеш*. Когда брамин услышал об этом, он пришел в ярость. Он сказал, что это просто немыслимо — учиться у того же гуру, у которого учится его подметальщик. Шри Ханс ответил на это, что во всем следует винить Бога, который находит место для Божественного в сердце всякого человека, будь то брамин или подметальщик, и ни Шри Ханс, ни брамин ничего не смогут тут изменить.

Такого рода случаи приносили ему уважение и популярность среди населения многих районов Индии, хотя у него были и враги, считавшие факт его женитьбы свидетельством несовершенства.

С течением времени цель его становилась все яснее. Он хотел научить своих учеников непосредственному духовному опыту без обычных формальностей ритуала и богослужения. Он был чем-то вроде квакера в индусской среде. Он осуждал любовь индийцев к метафизическим доказательствам и философским спорам, считая их пустым времяпрепровождением интеллектуалов, развлечениями, препятствующими интуитивному постижению Реальности. При этом он требовал любви и покорности по отношению к самому себе, Гуру, потому что без учителя нельзя обрести никакого духовного понимания.

В основе индусской традиции лежит подчинение своему гуру. Является ли этот путь подлинно религиозным? На определенном этапе своего развития человек, очевидно, начинает ощущать потребность в точке опоры: в фигуре божества, а иногда просто в образе, которому он мог бы адресовать свою любовь, невыразимую иным способом. Сама возможность свободного излияния чувства радости, благоговения и глубокой любви может сделать его более открытым и позволить ему с большим доверием относиться к неожиданностям, подстерегающим его каждый день.

С другой стороны, если человек во всем будет полагаться на гуру, обладающего обычными человеческими (а иногда слишком человеческими) качествами, то это может привести его к чрезмерной эмоциональной зависимости, точно так же как чрезмерное увлечение религиозными формальностями подавляет в человеке дух искания. Будда, воспитанный в индусской традиции, тем не менее резко выступал против браминских обычаев и велел своим последователям считать его просто учителем, наставляющим на путь, по которому могут следовать все желающие, вместе с ним или без его руководства. Следуя этим путем, нужно всецело положиться на себя самого и на собственном опыте проникнуться теми истинами, которые он высказывал.

Западные люди, упорно твердя об историчности Христа, на протяжении многих столетий стоят перед следующей дилеммой. С одной стороны, им необходимо иметь верховного гуру, а с другой стороны, они уже не могут следовать его учению. Поскольку он является единственным и неповторимым гуру; ни один из современных учителей не сможет добиться такого же признания, как он. И хотя учение Христа находит всеобщее и глубокое применение, источники свидетельствуют о том, что оно носит скорее нравственный, чем духовный характер и, по-видимому, не служит целям самопреодоления и постижения Бога. Поклонение строгому моралисту с бородой или же кроткому и всепрощающему Спасителю не приносит удовлетворения многим современным людям. Но отказаться от образа Христа ради того, чтобы открыть дорогу животворящему озарению оказывается им еще не под силу.

Юный Махарадж Джи, принявший от Шри Ханса титул гуру, сумел разрешить эту христианскую дилемму. Знание, которое он передает, носит, по его словам, универсальный характер и является чистой сущностью всех религий. Оно не является специфически индуистским, и вследствие этого его мессианская роль тоже не ограничена рамками ни одной из религий.

В 1971г. в Лондоне он заявил:

"Это Знание столь священно и совершенно, что даже одна искра этого знания обладает таким совершенством, таким, таким совершенством, что, куда бы она ни попала, чего бы она ни коснулась, любую вещь она делает совершенной, и куда бы она опять ни попала, и чего бы опять ни коснулась, и эту вещь она опять делает совершенной. Что бы ни осветила искра этого Знания, она делает его совершенным. И это Знание, вот оно перед вами" [1].

В 1972г. в Колорадо он опять говорил о Знании и о том, что он дает его человечеству:

"Я не боюсь сказать об этом всем, потому что это правда, это истинная правда. Приближается время, когда мир увидит, как происходит великое, дивное событие, поистине замечательное событие. Близится время, когда мир сможет постичь, кто такой Бог, — сможет не только верить в Бога, но знать, что Бог существует" [2].

Если бы люди знали, что Бог существует, это дало бы многим такую глубокую уверенность, которая изменила бы всю их жизнь. Отсутствие внешнего, объективного доказательства бытия Бога является отчасти причиной ужасных экзистенциальных сомнений. Многие ли стали бы упорствовать в своем сомнении, если бы какая-нибудь форма высшего знания заставила это сомнение умолкнуть? Кто бы отказался прийти и получить такое знание как можно скорее?

Именно это происходит с теми, кто думает, что Махарадж Джи даст им знание. Вне зависимости от того, получают ли они реальное знание о Боге или нет, сотни молодых людей, верящих в то, что они его получат, ежедневно выстраиваются за ним в очередь в страстном ожидании того мига, когда они ощутят вибрацию, увидят яркий свет, почувствуют запах нектара и услышат божественные звуки: четыре этих переживания и составляют то Знание Бога, о котором говорит Гуру Махарадж.

Самым первым ощущением является вибрация. Она также известна под именем Слова Божьего и считается Вибрацией космической энергии, которая активирует Вселенную. Она уже есть внутри нас, говорит Махарадж Джи, но мы не сознаем ее, мы не знаем, как ее постичь.

Постичь ее можно только путем посвящения, производимого самим Гуру или одним из его махатм, избранных распространителей Знания.

Когда человек осознает эту вибрацию, его тело начинает двигаться в ее ритме, и (закрыв глаза) он может увидеть мигающий свет. Это и есть Божественный Свет Господа, и его именем было названо движение, возглавляемое Махараджем Джи — Миссия Божественного Света. Видящие этот свет считают его священным, но видят его не все, потому что видение Божественного Света не приходит автоматически вслед за вибрацией. Считается, что т.н. "интеллектуалам" (в частности, школьным учителям) увидеть его очень трудно. Этот свет также называют "третьим глазом".

Нектар, поступающий в рот изнутри, должен быть сладким на вкус и считается источником всех жидкостей в теле.

Под божественными звуками подразумевается музыка, негромкая и чудесная.

Прошедшие инициацию называются "premies", что буквально значит "любящие Бога" и "ученики [Махараджа Джи]". С утра до вечера они тренируются вызывать у себя вибрацию и видеть Свет.

Трудно судить о влиянии, которое Махарадж Джи оказывает на Запад. Он еще очень молод, и почти все его приверженцы тоже молоды. Многих привлекает повышенная эмоциональная атмосфера обращения с гуру, и он обращается в основном к тем, кто жадно стремится к блаженству, достигаемому без усилий, и учению, основанному скорее на ощущениях, чем на словах:

"И я должен сказать вам, что вы медитируете не для меня, вы медитируете для себя. *Вам* нужно возвыситься. Я возвысился. Я достаточно возвысился. Но вам нужно возвыситься. Вам нужно заниматься этой медитацией, потому, что вы хотите возвыситься. Не я. Я возвысился. Я нахожусь в состоянии бесконечности. Вы должны возвыситься, вы должны добраться до той точки, где вы тоже сможете войти в состояние бесконечности. Я дал вам это Знание, и теперь вы обязаны медитировать на него" [3].

Махарадж Джи обращается к своим последователям на современном американском языке, с современным американским произношением; его голос высок, а речь прерывиста, как будто ему не хватает воздуха. Его речи состоят в основном из анекдотов, которые раскрывают различные аспекты ортодоксального индуизма; прочие индийские гуру весьма невысокого мнения о нем и считают, что он не начитан в писаниях. Но иногда Махарадж Джи заимствует свои истории прямо из писаний; а порою их источник установить невозможно — как, например, в таком случае:

"Жил когда-то один человек, и он пошел на большую выставку, где люди продавали всякие вещи, а у него было только две монеты. Одна монета была десять центов, а другая — пять центов, и держал он их вот так. И случилось, что там был один человек, который рекламировал пасту, очень полезную для зубов, просто великолепную, от которой зубы начинают блестеть. И этот парень сказал: "Пусть подойдет сюда кто-нибудь с плохими зубами", — и подошел один старик, который тоже пришел на выставку. Он подошел к нему, и продавец взял немного пасты из баночки и намазал ею зубы старика, дал ему воды и сказал: "Все в порядке, прополощи!" Старик прополоскал, а затем открывает рот и — о чудо! — его зубы просто сияют! Люди сразу же начинают изо всех сил покупать эту пасту, покупают, покупают, покупают, пока не остается четыре или пять баночек. И тогда этот человек говорит себе: "Э! Я думаю, мне тоже нужно купить немного, потому что зубы у меня довольно грязные". И вот он вынимает из кармана свои десять центов и свои пять центов, потому что именно столько стоит баночка — пятнадцать центов — и стоит и думает, покупать ему или не покупать. Посмотрите, как сильно он сжимает пальцы, а на самом деле трет одну монету о другую. "Покупать или не покупать, покупать или не покупать, покупать или не покупать, покупать или не покупать? Я потрачу свои центы, но зато у меня будут белые зубы. Покупать или не покупать, покупать или не покупать, покупать или не покупать?"

Наконец, когда остается только одна баночка, он говорит: "Ладно, дайте ее мне" и отдает свои пятнадцать центов, и продавец берет их. Но оказывается, что это просто какие-то кругляшки — и больше ничего. Они совершенно стерлись. Это уже не десять центов и не пять центов, это ничто, потому что парень просто вытер их друг о друга. Они больше не имеют никакой цены.

Вот так и вы. Всю свою жизнь вы только то и делаете, что думаете: "Постигать мне Бога или нет, постигать мне Бога или нет, постигать мне Бога или нет?" И наконец, в последний момент жизни вы говорите: "Ладно, я Его постигну". Но вашему телу осталось жить каких-нибудь пятнадцать секунд, так что вы опоздали" [4].

Стиль, в котором выдержана эта история, больше напоминает стиль фундаменталистского проповедника, чем тонкого индийского гуру. Вероятно, огромные аудитории американского Среднего Запада навязали ему этот стиль.

Он не одобряет употребление наркотиков, использование которых, наряду с использованием сигарет и алкоголя, запрещено в Дворцах Мира, где он читает свой сатсанг (лекции). В этих Дворцах царит мечтательная и восторженная атмосфера; стены увешаны громадными фотографиями Махараджа Джи и других гуру, снятых крупным планом; тихо играет популярная музыка, а "духовные" рассуждения не прекращаются с девяти утра до девяти вечера. Знание дается здесь всем, кто об этом попросит, и совершенно бесплатно, что выгодно отличает Махараджа от дорогооплачиваемого Махариши.

Все, что требуется от ученика (если не считать добровольных пожертвований), это время — и у многих молодых людей его оказывается больше, чем у стариков. Считается, что каждый ученик должен посвятить минимум две недели прослушиванию Сатсанга. Нужно слушать и слушать его до тех пор, пока тебя не поглотит жажда Знания и пока ты не ощутишь готовность расстаться со всеми своими привязанностями, будь то наркотики, курение, мясная пища и т.д. Тогда, если ты достаточно подчинил свою личность Махараджу Джи, махатма увидит это своим внутренним оком, и ты получишь Знание. Если же он пройдет мимо тебя, это значит, что ты еще не готов для его получения.

Столь жесткие условия (если вы работаете или у вас есть семья, вы просто не сможете ежедневно в течение двух недель слушать сатсанг) создают истерическое желание, чтобы махатма поскорей выбрал вас. *Premies*, т.е. те, кто уже обрел Знание, ведут Сатсанг и постоянно рассуждают на темы развращенности общества, тщетности современной жизни и грубости плоти. Один из них перемежает свою речь потягиванием и неприкрытыми зевками, словно его только что вытащили из постели. Другой, переполняемый страстным благоговением к молодому гуру, обращается к аудитории со словами, что Махарадж есть "любовь, и только любовь — это он на самом деле сотворил Иисуса и Будду — и если вам нужен гуру — взгляните на Гуру Махараджа, и вы падете ниц пред лицом его".

Атмосфера фундаменталистской проповеди вновь и вновь заметна в длинных перечнях людских прегрешений, а в искусственном нагнетании религиозной преданности можно ощутить влияние евангелистов. Совсем неудивительно, что после двух недель подобных речей, получившие наконец Знание чувствуют вибрацию и видят белые огоньки.

Передача Знания длится шесть часов — два из которых отводятся медитации. Все упражнение заключается в произнесении мантры, священного имени Бога с концентрацией внимания на кончике собственного носа. Считается, что это упражнение дает настройку на диапазон вибрации.

Четыре составляющих "божественного" наслаждения — вибрация, свет, запах и звук — являются теми леденцами, которые предлагают в обмен на преданность. Те, кто поклоняется пухлому молодому

Махарадж Джи во время визита в Англию.

Махараджу, напрочь лишены скептицизма — даже если не видят белых огней. Если же им удается их увидеть, то им уже не нужна ни философия, ни наука. Оказывается, Махарадж основывает свою доктрину на нескольких хорошо известных изречениях, взятых из христианских, а также индуистских писаний, и не всегда толкует их должным образом. Вот одно из этих изречений: "В начале было Слово, и Слово было у Бога". Гуру Махарадж, многие рекомендации которого основываются именно на этом утверждении, понимает его буквально, т.е. что первым во Вселенной появилось Слово, в то время как греческое "логос" подразумевает целый комплекс значений.

Такого рода чрезмерные упрощения не имеют значения для последователей гуру, и, возможно, они правы. Что значит какое-то там неверное толкование в сравнении с божественным блаженством? Никто не сомневается, что важен сам опыт просветления, а не его описание. Во всяком случае, в скором времени все мы сможем понять, насколько истинны его утверждения, поскольку он предсказывает, что скоро весь мир получит это Знание.

Несмотря на свой юный возраст, Гуру женился на молодой американке по имени Марлен, которая старше его на 8 лет. Поскольку основная идея его учения глубоко расходится с идеей его отца, было бы интересно понаблюдать, суждено ли будущим американским сыновьям Махарадж Джи основать династию, возрождающую индуизм. Хотя, вряд ли; образ Гуру значительно потускнел после того, как появилась фотография, на которой он страстно целует свою обожательницу, — едва ли не единственный божественный акт, не пришедшийся по вкусу его сторонникам.

МАХАРИШИ

(Махариши никогда не говорит, сколько ему лет, поскольку считает, что говорить о себе не следует. Вероятно, ему где-то около восьмидесяти.)

Мантра за 50 долларов. Стоит ли она этих денег? Может ли повторение одного бессмысленного слова привести к освобождению, успокоению и повышению производительности труда, как это утверждает Махариши?

Многие люди, очевидно, считают, что может, и организация Махариши имеет сейчас филиалы по всему миру, и число ее членов постоянно растет.

Махариши — невысокий индус из Северной Индии, чье воздействие на аудиторию возникает главным образом благодаря его абсолютной непринужденности и гипнотическому взгляду. У него очень колоритная внешность: он всегда одет в белую дхоти, на которую ниспадают длинные седеющие волосы и густая борода. Он прекрасно владеет английским языком и говорит высоким голосом, который, по-видимому, характерен для всех индийских гуру. Он не бхакти-гуру ("бхакти" — значит поклонение) и не требует обожания и преданности от своих последователей; он скорее принадлежит к тому же типу

МАХАРИШИ

Махариши в 1968 г.

джнана-гуру ("джнана" — различение), что и Рамана Махарши; его цель прекратить болтовню разума, чтобы открыть вечносущие глубины творческого сознания.

Он не демонстрирует, подобно Рамане Махарши, глубину своего постижения истины; учение Махариши кажется более традиционным и поверхностным, однако у него есть метод, восторженно почитаемый, главным образом, на Западе. Этот метод не направлен на сокрушение разума (подобно тому, что возникает в результате великого вопроса Раманы Махарши "Кто я?"), но он позволяет тысячам людей, ни разу не слышавших о Рамана Махарши, испытать минуты скорого и несомненного спокойствия. Метод Махариши состоит в повторении тщательно заученной мантры.

С незапамятных времен мантры использовались для того, чтобы обуздать разум и заставить его вернуться из бесконечных и беспорядочных умственных блужданий. Концентрация разума на мантре (самой известной из которых является мантра ОМ, почитаемая индусами как слово Бога, изначальный звук) позволяет ему отдохнуть, и в этом отдыхе обрести глубину. Возникающие в мозгу мысли замещаются мантрой, и таким образом появляется возможность наблюдать, как они возникают и заполняют сознание.

За этим процессом с равным успехом можно наблюдать и не прибегая к помощи мантры. Занимаясь буддийской медитацией (Випассана или Дзэн), медитирующий просто отмечает все внутренние мысли, образы и грезы, а также внешние шумы и помехи, однако как бы не принимает в них участия. Этот процесс так же успокаивает нервную систему и приоткрывает завесу над природой мысли, как и повторение мантры. Но буддийская медитация труднее.

Ведь мантра, по существу, является той опорой или приспособлением, которое помогает разуму высвободиться из тисков отвлекающих его мыслей. Махариши говорит о своей системе мантр без обмана и не приписывает самой мантре никакой мистической или сверхъестественной силы. Он заявляет, что это всего лишь простой метод перевести разум с обычных поверхностных путей мышления на более глубокий уровень трансцендентного, творческого ума.

У тех, кто не проделывал с собой такого эксперимента, сразу же возникает масса различных вопросов. Обособлен ли разум от мыслей? Что остается, когда угасают мысли? Действительно ли творческий ум является истинной природой разума?

На последний вопрос Махариши дает утвердительный ответ. Он считает, что конечная цель человека та же, что и цель всей Вселенной, а именно: выражение божественного. Божественный, творческий ум является причиной существования мира, а человек — "мост изобилия" между Богом и всем творением в целом:

"Цель жизни человека состоит в том, чтобы жить свободно. Если человек не может жить свободно, сама цель жизни от него ускользает. Человек рожден для совершенной жизни, вмещающей в себя все трансцендентные, абсолютные, божественные ценности, ценности неограниченной энергии, интеллекта, силы, покоя и блаженства, наряду с безграничными ценностями мира, многообразного в относительном существовании. Он рожден для того, чтобы проецировать изобилие этого абсолютного состояния на мир относительного существования" [1].

Истинной природой человеческого ума, говорит Махариши, является чистое сознание, трансцендентное состояние бытия. Это чистое бытие известно человеку как состояние *есть*-ности. Это состояние чистого Бытия является самой Основой творческого разума. Человек становится совершенен, когда познает себя как чистое сознание и, исходя из этого знания, ведет жизнь, наполненную разумной созидательностью.

То, что мы по привычке считаем своим разумом, является поверхностным сознанием, неотделимым от мыслей, из которых оно и состоит. Существует много уровней мысли, но все они принадлежат относительному миру и, если присмотреться к ним поближе, их всегда можно соотнести с определенными объектами или состояниями внешнего мира. Даже самые неуловимые мысли являются мыслями о *чем-то*. Тем не менее, когда мысли угасают, и поверхностный, обусловленный разум успокаивается, когда он полностью выходит за пределы относительного эмпирического мира и становится пустым, тогда остается только его сущность, которая является чистым Бытием. Во время этого опыта чистого сознания поверхностный разум объединяется со своей Причиной. Затем разум может возвращаться к относительным мыслям, но при этом он будет испытывать настоятельную потребность вернуться обратно в чистое Бытие, и постоянные переходы из одного состояния в другое должны будут углубить его знакомство со своей собственной сущностной природой. Затем он обретет способность удерживать сознание Бытия, участвуя при этом в процессе мыслительной, речевой или другой деятельности. Таким образом человек служит Вселенной, становясь мостом между необусловленной и обусловленной жизнью, и служит самому себе, совершенствуя свою собственную индивидуальную природу и исполняя свое предназначение.

Ведь постижение Бытия влечет за собой не отказ от обыденной жизни, а улучшение ее качества. Махариши подчеркивает, что люди на протяжении долгого времени ошибочно полагали, будто постижение Бога несовместимо с обычным существованием; что для постижения абсолютного необходимо отказаться от чувственной жизни (которую Махариши называет силой Кармы, длительного действа относительной жизни, сводящейся к циклу рождений, смертей, творения, эволюции и исчезновения).

Нет, говорит Махариши (чье отношение к природе, или Такости жизни можно скорее назвать буддийским, чем индуистским), нельзя разделять жизнь на две враждующие силы, Бытие и Карму. Это дорога к страданию. Вместо этого нужно перенести великолепие Бытия в область Кармы и, таким образом, преобразовать и согласовать между собой все виды деятельности. Именно в этом и состоит цель жизни, ускользавшая от сотен поколений людей. Из-за того, что они не понимали, как постичь Бытие и как перенести его в обыденную жизнь, общее количество горя и страданий, напряжения и отрицания в мире только возрастало.

Но сейчас, говорит Махариши, наступил тот момент, когда появилась возможность прекратить все страдания с помощью его техники.

Он постоянно утверждает, что его техника проста, и многие люди посмеиваются над его притязаниями. Но он и не настаивает на том, чтобы ему верили на слово. Насколько эффективным окажется его метод, который может испробовать на себе каждый (у кого есть достаточно денег) — настолько укрепится или поколеблется вера в него. Каким же образом все это происходит?

Агличанин, желающий получить мантру, должен заплатить 20 фунтов стерлингов. Это большая сумма, но она все-таки меньше средней месячной зарплаты, а именно за такую цену она продавалась в 1967г., когда "Битлз" сделали Махариши всемирно известным.

Заплатив деньги, клиент принимает участие в краткой церемонии посвящения, включающей преподнесение цветов и фруктов учителям — предшественникам Махариши, имена которых поет посвящающий. Затем посвящающий вместе с клиентом становятся на колени перед фотографией Гуру Дэва, как уменьшительно называют Свами Брахмананда Сарасвати, учителя Махариши. Затем, поднимаясь с колен, клиент получает свою мантру, которую необходимо тут же повторять в течение нескольких минут, постепенно понижая голос. Мантру выбирают из древнего исторического запаса, сообразуясь с возрастом, полом и другими особенностями просителя. Считается, что правильно выбранная мантра лучше помогает медитирующему.

Купив таким образом мантру, клиент начинает учиться пользоваться ею, в течение четырех дней его ежедневно наставляют, проверяют, а также дают ему советы. Способ применения мантры следующий: нужно сесть в расслабленном положении, ни о чем конкретно не думая, пока в голову не придет мантра. Если в продолжение тридцати секунд она не приходит сама, медитирующий должен мысленно произнести ее. Затем он "отпускает" ее, не удерживая в памяти и не беспокоясь о том, что с ней случится. Если мантру вытесняет мысль, это не имеет значения — медитация продолжается. И даже если на протяжении двадцати минут мантру будут затмевать мысли, это тоже не имеет значения. С другой стороны, если медитирующий продумывает мысль до конца, а затем вспоминает, что ее нужно заменить мантрой, в этом тоже нет ошибки. Мантра, говорит Махариши, должна приходить на ум так же стихийно, как мысли. Когда медитирующий начинает осознавать, что он думает или думал, мантра так же естественно приходит на смену последней мысли, как и любая другая мысль. Ибо мантра — это тоже мысль; но это мысль, не обладающая содержанием, и поэтому она не влечет за собой других мыслей.

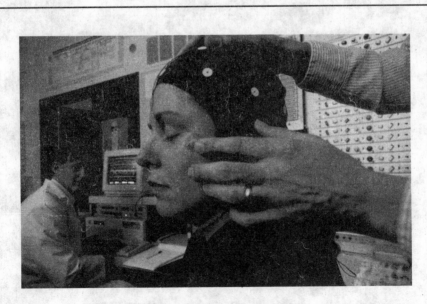

ТМ проходит научную проверку.

Таким образом, что бы ни случилось, ошибки не будет; и нет необходимости утруждать себя изучением сложной техники. Единственное абсолютное правило предписывает вспомнить о мантре хотя бы единожды на протяжении двадцатиминутной медитации, совершаемой два раза в день.

Махариши объясняет высокую эффективность своей техники тем, что для сознающего ума естественно желание возвратиться на тот уровень трансцендентного Бытия, где он становится счастливым, творческим и свободным. Теоретическое обоснование своей системы он находит в "Ригведе", одном из древнейших священных текстов индуизма. Он утверждает, что центральная тема Ригведы — учение о творческом разуме — изложена в "Бхагавад-гите" (части эпоса "Махабхарата"), где Кришна наставляет Арджуну и говорит: "Открой свое сознание абсолютной сфере жизни (бесконечной ценности творческого ума) и, укрепившись в этом сознании, действуй" (перевод Махариши, стихи 11, 45, 47).

Чередование деятельности и глубокого покоя (хотя бы сорок минут в день), по словам Махариши, действительно совершенствует естественный творческий ум человека. Сон не приносит с собой такого действительно глубокого покоя, как медитация. И это не голословные притязания, поскольку воздействие Трансцендентальной Медитации (так называется метод Махариши) было много раз исследовано, и в

Студенты Международного Университета Махариши. 1984 г.

настоящее время уже вполне установлен тот факт, что во время нее происходят физиологические изменения в организме и в мозгу, которые не наблюдаются в состоянии сна, потому что последний всего лишь устраняет физическую усталость. Эксперименты, проведенные в Гарвардском Медицинском институте и в лондонской больнице Модели, показали, что во время медитации уровень метаболизма в организме становится ниже, чем во время сна, сердечный ритм замедляется, уровень кислорода в крови повышается (потому что деятельность симпатической нервной системы тормозится настолько, что она выделяет меньше норэпинефрина, биохимического вещества, сужающего кровеносные сосуды), а электроэнцефалограмма показывает удивительное сочетание состояния покоя на уровне сна (словно бы медитирующий в действительности спит) и полного бодрствования.

Эти энцефалограммы были предъявлены в подтверждение слов Махариши о том, что во время медитации разум открывается осознанию Бытия как вневременного, бесконечного и бескачественного состояния. Махариши даже утверждает, что разум обретает способность объединяться с истоком жизни, перед тем как снова возвратиться в относительное и проявленное состояние. По его словам, Абсолютное Бытие напоминает сердцевину семени, которое с виду кажется пустым. Но в этой пустоте, "абстрактной области семени", содержится все будущее древо — "невыразимый источник всех его выражений".

Поэтому оно является источником жизни, природой невыразимого, а "полый" потенциал направлен на созидание и всегда остается в центре всякого изменяющегося творения. Т.е. внутри каждого из нас и внутри всех живых существ всегда скрыта потенциальная творческая сила, и Махариши считает эту потенциальную возможность чистым творческим умом, основой жизни.

Отход от этой основы приводит к возникновению знакомого нам беспочвенного, беспокойного, беспорядочного и тщетного мира. Ежедневное возвращение к ней приводит разум домой, к своему источнику, обновляет и наполняет его новыми силами, наделяет его чувством устойчивости и прочности, словно бы он нашел для Себя вечное место отдыха и источник наслаждения, не зависящий от изменчивой жизни. Заметно, что Махариши увлекается научными методами и, подобно Тейяру де Шардену, использует научные открытия для подтверждения своей теории. Он ссылается на третий закон термодинамики (чем меньше деятельности, тем больше порядка) для подтверждения преобразующего воздействия Трансцендентальной Медитации (сокращенно: ТМ). Он утверждает, что с понижением внутренней напряженности повышается физический и умственный порядок, а сознательный разум развивает в себе творческое начало. Он объясняет этот процесс, уподобляя мысль пузырю болотного газа. Мысль образуется на самом глубоком уровне подсознательного — в той части нашей психики, которая наиболее удалена от пределов досягаемости, поскольку состоит из бесконечного числа старых воспоминаний, чувств и реакций, хранящихся в ней с самого раннего детства. Точно так же, как пузырь рождается в тине на дне пруда, так и мысль поднимается из подсознательных слоев психики. Поднимаясь, и пузырь, и мысль, увеличиваются в размерах. Достигая поверхности, они увеличиваются настолько, что их уже можно заметить. Обычно, говорит Махариши, мы не замечаем этого процесса, поскольку мысли-пузыри поднимаются на поверхность стремительным потоком, причем отличить одну от другой зачастую просто невозможно. Но с помощью техники ТМ разум учится ощущать восхождение мысли на все более и более ранних стадиях ее роста. Эта техника позволяет вниманию проникать все глубже и глубже, пока наконец оно не достигает источника мысли — источника созидательной энергии.

"Какова основная причина страдания?" — спрашивает Махариши. Неумение приспосабливаться; усвоение строго установленных идей, мнений и шаблонов, разрушающих саму природу жизни и ее творческий ум. Материальный прогресс зависит от шаблона, и, как только этот шаблон установлен, у неограниченного творческого ума остается очень мало возможностей для свободного выражения. Шаблон очень быстро порождает косность — неограниченность разума понижается, и жизнь не льется больше полноводным потоком. А гибкий выносливый ум становится жестким и хрупким.

Уже многие века перед человечеством стоит проблема: как вступить в иное измерение сознания, живя при этом обычной жизнью, как соединить блаженство и все те повседневные вещи и события, из которых складывается наша жизнь; как утвердиться в одном из состояний, не отрицая при этом другого? Перед многими людьми эта проблема так никогда и не возникает. Другие отказываются от ее решения, уходя в монастыри, поселяясь в психоделических мирах или направляя всю свою энергию на добывание денег. Некоторые, подобно Олдосу Хаксли, уносят решение этой проблемы с собой в могилу.

Но не слишком ли примитивно то решение, которое предлагает нам Махариши? Он говорит, что нужно просто установить новый шаблон. Человек не может жить без шаблона, это для него естественно, так и не пытайтесь же от него отказаться. Вместо этого вскройте свою косность, позволив своему разуму два раза в день становиться беспредельным. Всего лишь маленький дополнительный шаблон.

И, быть может, современный человек действительно сможет решить эту проблему таким способом. Только в Америке сейчас насчитывается добрый миллион людей, практикующих ТМ, и метод Махариши считается настолько эффективным, что его уже взяли на вооружение руководство гражданской авиации, специалисты по образованию, частные промышленники и официальные власти нескольких американских штатов. Этот метод доступен для многих заключенных в тюрьмах всего мира. Имеющиеся в наличии свидетельства показывают, что ТМ несомненно может внести большой вклад, главным образом, в лечение стрессовых заболеваний. К примеру, его можно использовать с целью понижения кровяного давления и в лечении наркомании. Установлено, что наркоманы предпочитают воздействие ТМ наркотическому воздействию.

Вероятно, многие ощутят явный привкус большого шоу-бизнеса в той блестящей пропаганде, с помощью которой до их сведения доводится смысл ТМ. Тут поневоле приходят на ум американские рекламные компании, направленные на популяризацию различных сомнительных религиозных групп. Но Махариши производит впечатление человека вполне искреннего и проницательного, пусть даже и слишком увлеченного чудесами науки. И, быть может, наш капризный и скептичный мир действительно можно изменить с помощью ТМ.

БХАГАВАН ШРИ (ОШО) РАДЖНИШ

Просветление и высшее образование, сотни тысяч последователей и коммерческие предприятия с многомиллионнным оборотом, политические скандалы и уголовные процессы, принудительное закрытие и возрождение ашрамов — таков жизненный путь Бхагавана Шри Раджниша, одного из наиболее ярких и неоднозначных деятелей в истории "новых религий". Недавние события вокруг орегонского ашрама сделали его имя символом шарлатанства и беззастенчивого манипуляторства; двадцать одна страна отказала ему в праве на въезд — но все это едва ли повредило его популярности. Для своих многочисленных учеников он по-прежнему остается Просветленным Мастером, указывающим пути к духовному освобождению личности; по-прежнему существуют многочисленные "Раджниш-центры" во многих странах мира, а книги Раджниша продолжают пользоваться определенным коммерческим успехом. Все это едва ли располагает к объективной и непредвзятой оценке его учения. Наверное, вынести такую оценку способно только время, сглаживающее противоречия и стирающее случайные черты.

Раджниш Чандра Мохан (таково настоящее имя гуру) родился в Кушваде (индийский штат Мадхья-Прадеш) в состоятельной индусской семье. Он рассказывал, что вопросы духовного освобождения занимали его с очень раннего возраста. Состояния, напоминающие медитацию, он переживал еще в детстве, когда прыгал с высокого моста в реку или проходил по узенькой тропинке над пропастью. В юности он начал испытывать на себе различные медитативные техники; при этом он старался не следовать никаким традициям и не искал учителей, всегда уповая на собственные силы и собственный здравый смысл.

21 марта 1953г., учась на философском отделении Джабалпурского колледжа, Раджниш пережил просветление. "В ту ночь я умер и я возродился, — вспоминал он впоследствии. — Но человек, который возродился, не имел ничего общего с тем, который умер. Здесь нет непрерывности... Человек, который умер, умер всецело, от него не осталось ничего... нет даже тени... Эго умерло без остатка, полностью...

В тот день, 21 марта, личность, которая жила много-много жизней, просто умерла. Другое существо, абсолютно новое, совсем не связанное со старым, начало существовать, я стал свободным от прошлого, я был вырван из своей истории, я потерял автобиографию" [1].

После просветления в жизни Раджниша долгое время не происходило никаких внешних изменений. В 1957г. он с отличием закончил университет, затем девять лет работал университетским преподавате-

БХАГАВАН ШРИ (ОШО) РАДЖНИШ

лем философии. В свободное от работы время он путешествовал по Индии, встречался и дискутировал с различными религиозными и общественными деятелями, развивая и совершенствуя свой дар полемиста и проповедника. Основную ошибку всех религий и медитационных техник Раджниш видел в том, что они так или иначе уводят человека от физической жизни, предлагая ему взамен некое духовное "просветление", которое едва ли может считаться подлинным. Просветленный человек — утверждал Раджниш — должен сочетать в себе энергичность и жизнелюбие грека Зорбы (героя романа Н.Казандзакиса) и бесстрастное всеведение Будды. Не бегство от земных страстей, а "преодоление" этих страстей путем интенсивного и исчерпывающего переживания — такова основная идея учения Раджниша, окончательно сформировавшегося к середине 60-х гг.

Вскоре после этого Раджниш покинул университет и переехал в Бомбей. Здесь он начал проповедовать свое учение и преподавать свои медитативные техники. В 1970г. он впервые продемонстрировал индийским журналистам технику "динамической медитации" (о которой будет рассказано ниже); с тех пор его слава неуклонно росла, и в 1974г. он уже открыл собственный ашрам в Пуне. Ашрам этот просуществовал до 1981г. и был закрыт по решению правительства Индиры Ганди, которое заподозрило Раджниша в связях с ЦРУ США.

Основанием для таких подозрений, возможно, послужило то, что значительную часть учеников Раджниша составляли американцы и англичане. Все разновидности традиционных и "новых" религий, коммуны хиппи, психотерапевтические группы, наркотики и психотропные препараты — таковы были предыдущие этапы их духовных исканий. Этих молодых людей нельзя было назвать наивными или неискушенными — и все же Раджниш смог предложить им нечто радикально новое и действенное.

Основное преимущество Раджниша, по-видимому, заключается в том, что он хорошо понял все недостатки своих западных учеников — однако не стремился их перевоспитывать. Поверхностность, нетерпеливость, жадное стремление к просветлению как к некоему новому духовному удовольствию — все это, по мнению Раджниша, может и должно быть обращено на пользу человеку. Так, Раджниш охотно посвящает всех желающих в *саньясины*; все обязанности "посвященного" при этом заключаются в том, чтобы носить оранжевую рясу, четки из 108 бусин и медальон с портретом Раджниша на деревянной цепи. "Если вы спешите, — говорит он своим ученикам, — я дам вам посвящение на бегу, потому что иначе посвящения не будет... Если я сразу скажу вам: "Подождите пять лет, и тогда я посвящу вас", — вы не сможете ждать, но если я посвящу вас сию минуту, я смогу что-то придумать, чтобы заставить вас ждать... Я позволю вам подождать позже. Я изобрету множество способов, множество техник просто для того, чтобы заставить вас ждать... Вы можете играть в эти техники. Это станет ожиданием. Так вы подготовитесь ко второму посвящению, которое в древности было первым... Это случится, случится в самой глубине вашего существования. И вы узнаете, что это случилось" [2].

В Пуне Раджниш приступил к систематическому изложению своего учения. Его лекции записывались на магнитофон и впоследствии были изданы в виде отдельных книг. Впрочем, значительная часть этих лекций была посвящена рассмотрению разных мистических учений с точки зрения Раджниша; особое внимание он уделял суфизму, дзэн-буддизму и тантре, а также учениям Кришнамурти и Гурджиева. Даже беглого знакомства с этими лекциями достаточно, чтобы понять, что ни с одной из этих традиций Раджниш не имел непосредственного контакта. Однако он обладает несомненным талантом лектора-популяризатора и, кроме того, весьма эрудирован и начитан; так что его лекции, должно быть, представляют немалый интерес для тех, кто не смог самостоятельно осилить Кришнамурти или Судзуки.

Несколько лекционных циклов, посвященных непосредственному изложению учения (или "тантры") Бхагавана Шри Раджниша, вышли под названиями "Медитация — искусство экстаза", "Оранжевая книга", "Горчичное зерно" и др. Все эти книги написаны живо и остроумно, и к тому же, как правило, невелики по объему. В своих построениях Раджниш пользуется индусской метафизикой и дзэн-буддийской теорией познания; однако его учение о духовном освобождении личности в высшей степени оригинально и весьма практично.

Основной проблемой человека Раджниш считает разделенность его психики на два взаимно противоположных и враждебных начала: сознание и бессознательное. Сознательный разум более приспособлен к решению ограниченных задач земного существования, но он ужасающе узок, трезв и нацелен на конечный результат. И самая главная наша ошибка заключается в том, что мы отождествляем этот разум с собственным "Я" и опасаемся выходить за его пределы.

"На самом деле, — объясняет Раджниш, — нет границы между сознанием и бессознательным. Это не два разных ума. "Сознательный ум" — это значит та часть ума, которая использовалась в процессе сужения [ума]. "Бессознательный ум" — это та его часть, которой пренебрегли, которую игнорировали, которая стала закрытой. Это создает разделение, трещину. Большая часть ума становится чуждой вам. Вы отчуждаетесь от самого себя, становитесь чуждым вашей собственной целостности... Этот бессознательный ум (этот потенциал, неиспользованый ум) всегда будет бороться с сознательным умом. Вот почему внутри всегда конфликт... Но только тогда, когда потенциальному, бессознательному будет позволено расцвести, вы сможете почувствовать блаженство бытия... не иначе" [3].

Целенаправленной и утилитарной деятельности сознательного ума Раджниш противопоставляет "празднование" или "игру", то есть деятельность ради наслаждения самой деятельностью, а не ее конечным результатом. Только такая деятельность, по его мнению, с полным правом может называться медитацией.

Основная медитативная техника, изобретенная Раджнишем, носит название "динамической" (или "хаотической") медитации. Заключается она в следующем:

"*1-я стадия:* 10 минут глубокого, быстрого дыхания через нос. Пусть ваше тело будет настолько расслабленным, насколько возмож-

Лекция Бхагавана Шри Раджниша.

но, тогда начинайте глубокое, быстрое, беспорядочное дыхание — настолько глубокое и быстрое, насколько возможно. Дышите так интенсивно в течение 10 минут. Не прекращайте, будьте полностью в этом. Если тело хочет двигаться во время этого дыхания, позвольте ему, содействуйте ему полностью.

2-я стадия: 10 минут катарсиса, полного содействия любой энергии, которую породило дыхание. Делайте акцент на катарсисе и пусть "будь что будет". Просто позволяйте случиться тому, что случится. Не подавляйте ничего. Если вам хочется плакать — плачьте, если хочется танцевать — танцуйте. Смейтесь, кричите, вопите, прыгайте, дергайтесь: все, что вам хочется делать — делайте!

3-я стадия: 10 минут выкрикивания "Ху-ху-ху". Поднимите руки над головой и подпрыгивайте вверх-вниз, продолжая выкрикивать: "Ху-ху-ху". Прыгая, твердо приземляйтесь на ступни ног, чтобы звук глубоко проник в половой центр. Истощите себя совершенно.

14*

4-я стадия: 10 минут полной остановки, застывшего пребывания в той позе, в какой вы есть. Теперь замрите. Полностью остановитесь в той позе, в какой вы есть. Дыханием энергия была пробуждена, очищена катарсисом и поднята суфийской мантрой "Ху". И теперь позвольте ей действовать глубоко внутри вас. Энергия — значит движение. Если вы больше не выбрасываете ее вовне, она начинает работать внутри.

5-я стадия: от 10 до 15 минут танца, празднования, благодарения за глубокое блаженство, которое вы испытали" [4].

В своих лекциях и книгах Раджниш довольно подробно объясняет теоретические аспекты каждого этапа медитации. По его мнению, "хаотическая" медитация является единственным универсальным средством духовного освобождения личности. Все современные учителя медитации, — утверждает он, — говорят человеку "Успокойся!"; и в этом заключена их главная ошибка. Расслабляясь, человек начинает подавлять свою активность, и его личность остается разделенной на две части, одна из которых подавляет другую. Даже если одной части удастся подавить другую должным образом, человек все равно не достигнет освобождения, а будет просто оглушен и подавлен. Конечно, это успокоит его и облегчит его жизнь, но такое воздействие, по мнению Раджниша, будет чисто поверхностным. "И в определенной степени это поверхностное спокойствие опасно, потому что раньше или позже вы все равно взорветесь. Ничего не изменилось в глубине. Вы просто натренировали свой сознательный ум быть в более спокойном состоянии... Это примирительные методы. Они могут помочь очень немногим. А тем, кому они могут помочь, можно помочь и без всяких техник" [5].

Хаотическая деятельность первых стадий медитации призвана исчерпать все резервы человеческой активности, довести Деятеля, который управляет сознательным умом, до полного изнеможения. Только тогда сознательный ум "отключится", открывая дорогу бессознательному.

Здесь может возникнуть вопрос: а не слишком ли Раджниш идеализирует бессознательное? Не случится ли так, что, всецело погрузившись в бессознательное, человек просто сойдет с ума и не обретет при этом никакой духовной свободы? Раджниш уверен, что этого не произойдет, поскольку истинное сумасшествие — это не погруженность в бессознательное, а раздвоение сознания на две неравные и взаимно враждебные половины. Преодолеть сумасшествие — значит преодолеть эту раздвоенность и обрести цельность, в которой сознание и бессознательное уже не будут подавлять друг друга.

"Человек болен неврозом. И не только некоторые люди являются невротиками, все человечество больно неврозом. Это — не вопрос исправления нескольких людей, это — вопрос излечения человечества как такового. Невроз — "нормальное" состояние человека, потому что каждый человек проходит муштру, обусловливание. Ему не позволено быть просто тем, чем он есть. Он должен быть отлит в определенную форму. Эта форма порождает невроз. Общество отливает вас в наперед заданную форму. Оно культивирует вас, чтобы вы соответствовали этой форме. Вам позволено выразить только часть вашего существа, тогда как оставшаяся часть подавляется. Это вызывает разделение, шизофрению. А подавленная часть продолжает бороться за возможность быть выраженной. Так что каждый человек — шизофреник, он разделен, он отделен сам от себя, он сражается сам с собой. Человек как таковой — шизофреник. Он не может быть спокойным, не может молчать, не способен на блаженство. Ад всегда рядом. И до тех пор, пока вы не станете целым, не исцелитесь, вы не освободитесь от него" [6].

"Вот почему я делаю акцент на том, чтобы сначала снять вашу внутреннюю двойственность, сделать вас одним целым — единством. Пока вы не едины, ничего нельзя сделать. Так что первое, что нужно сделать, это излечить ваш невроз...

Вы *есть* безумец, и нужно что-то с этим делать. Старые традиции говорят: "Подави свое безумие. Не позволяй ему выйти наружу, иначе твои действия станут безумными", — но я говорю: "Позвольте своему безумию выйти наружу. Осознавайте его. Это — единственный путь к здоровью". Высвободите его! Внутри оно станет ядовитым. Выбросьте его, полностью освободите от него вашу систему. Но к этому катарсису нужно подходить систематически, методично, потому что это значит сойти с ума с методом, стать сознательно сумасшедшим" [7].

Третья стадия хаотической медитации должна в корне изменить энергетику человека. Раджниш полностью принимает индусское учение о *чакрах* (семи энергетических центрах человеческого организма), однако с одной весьма существенной оговоркой. *Чакры*, считает он, ощутимы лишь в том случае, когда они загрязнены; если же *чакры* чисты, то энергия беспрепятственно протекает по всему каналу.

Главная задача мантры "Ху" (которую Раджниш перенял у суфиев) — раскрыть *муладхара-чакру* и высвободить энергию *кундалини*. *Кундалини* является необычайно важной энергией; в обыденной жизни она затрачивается на половую жизнь человека. Таково ее естественное применение; однако для просветления необходимо, чтобы она двинулась в противоположном направлении, вверх по энергетическому каналу, попутно открывая все другие *чакры*. Раджниш не скрывает, что этот метод очень опасен для физического тела, и что многие выдающиеся йоги, практиковавшие этот метод, умерли, не дожив до старости, от тяжелых и мучительных болезней. Однако, в то же время он считает, что использование *кундалини* — наиболее эффективный метод раскрытия *чакр*, и что дальнейшая помощь гуру способна уменьшить его негативные последствия. Главное же благо, которое приносит восходящее движение *кундалини*, по его мнению, заключается в том, что оно позволяет космической энергии низойти в нас и циркулировать во всех наших телах, включая физическое. Две последующие стадии хаотической медитации дают возможность ощутить эту циркуляцию и насладиться ею.

Для того, чтобы медитация была наиболее эффективной, Раджниш рекомендовал заниматься ею 21 день подряд, совмещая ее с дыхательными упражнениями йогов, в полном заточении и молчании, либо с завязанными глазами. Она и в самом деле оказывает сильное и весьма радикальное воздействие на весь человеческий организм; но благотворно ли это воздействие? На этот счет существуют различные мнения; лично я считаю, что "лечение от безумия", предлагаемое Раджнишем, сродни шоковой терапии, и его следует применять очень и очень осмотрительно. Однако Раджниш рекомендует динамическую медитацию всем, кто ищет духовного освобождения, в том числе невротикам, психопатам, алкоголикам и наркоманам.

Множество подобных людей съезжалось к нему со всех концов Соединенных Штатов начиная с 1981г., когда, приехав из Индии, он обосновался в Орегоне. Довольно быстро американский ашрам Раджниша превратился в многлюдный поселок Раджнишпурам. Его строительство финансировалось мужем любимой ученицы и секретаря Раджниша, Шилы Ма Ананд. Благодаря Шиле ашрам вскоре превратился в коммерческое предприятие, приносившее немалый доход; а через несколько лет события в ашраме сделались предметом серьезного расследования для американских служб безопасности.

Жители соседних поселков стали замечать, что окрестности Раджнишпурама наводнились полууголовными личностями, ведущими себя крайне нагло и вызывающе. Вскоре здесь было найдено несколько трупов со следами неизвестного яда в организме. Пошли слухи, что в Раджнишпураме происходят сексуальные и наркотические оргии; впрочем, занятия динамической медитацией действительно способны произвести такое впечатление на стороннего человека. Наконец,

Динамическая медитация.

очень многих возмутила вызывающая позиция Шилы, которая не просто отказалась давать какие-либо объяснения по этому поводу, но заявила, что, если это понадобится, люди Раджниша превратят весь Орегон в Раджнишпурам.

Едва ли возможно доподлинно выяснить, что же происходило в Раджнишпураме на самом деле: психические чудеса или психоделический шабаш; по-видимому, имело место и то, и другое. Сам Раджниш, едва приехав в Америку, фактически устранился от руководства своим ашрамом, приняв обет молчания. В 1985 г., когда стало ясно, что конфликта с властями уже не избежать, он распустил ашрам, сжег пять тысяч экземпляров своих брошюр и публично заявил: "Я — не Бог". Вскоре после этого его арестовали.

Раджнишу было предъявлено больше десятка серьезных обвинений, однако все они, за исключением двух, оказались бездоказательными. Доказано было лишь то, что Раджниш помогал устраивать фиктивные браки между американскими гражданами и иммигрантами и уклонялся от уплаты налогов. Его приговорили к крупному штрафу и пожизненной высылке из страны.

Репортеры всех стран, наверное, получили много удовольствия, интервьюируя гуру и его подругу. Раджниш и Шила обвиняли друг друга во всех мыслимых и немыслимых грехах. Шила называла Раджниша наркоманом и аферистом; Раджниш утверждал, что Шила хотела превратить его ашрам в фашистскую организацию. Вскоре они помирились, однако в дальнейшей деятельности Раджниша Шила уже не участвует.

После нескольких лет скитаний ашрам Раджниша снова оказался в Пуне, где и находится до сих пор. Раджниш стал более осмотрителен и, по-видимому, на этот раз добьется гораздо больших успехов.

Трудно сказать, какие элементы учения Раджниша в дальнейшем пройдут проверку временем. На мой взгляд, его основная ошибка заключается в том, что он допускает смешение двух заведомо противоположных традиций индийского учительства. Все его учение можно отнести к школе *джнана* (познания самого себя); однако сам он ведет себя как настоящий *бхакти-гуру*, обожествивший собственную личность и требующий от учеников беспрекословного повиновения. Впрочем, сам Раджниш утверждает, что его не волнуют теории и традиции. "Я всегда занят тем, кто спрашивает, — говорит он. — Как можно ему помочь. Если я думаю, что ему может помочь позитивная вера, я провозглашаю ее, если я чувствую, что ему может помочь определение, я даю определение. Для меня это — только средства. В этом нет ничего серьезного: это только средства!" [8].

ЭПОХА "НОВЫХ РЕЛИГИЙ"?

По утверждениям различных экспертов, в 70-е годы на Западе насчитывалось от 1300 до 5000 "новых религий". Некоторые из этих религий, впрочем, были новыми только для Запада, поскольку представляли собой перенесенные на чужеродную почву (и чаще всего упрощенные) традиционные учения Востока. Другую — и, пожалуй, самую обширную — группу "новых религий" составили разнообразные интерпретации христианского учения; третья эксплуатировала древнюю тему оккультизма и сатанизма. "Новые религии" чернокожих американцев тоже были основаны, главным образом на Библии и Евангелии; так что действительно новыми можно назвать лишь небольшую группу "научных" религий, возникших и распространившихся в 60-е годы в связи с модой на научную фантастику.

Религиозный бум 70-х — явление по-своему уникальное, тем более что большинство прихожан в "новых церквях" составляла молодежь в возрасте до тридцати лет, традиционно считавшаяся безразличной к религиозным вопросам. В середине 80-х интерес молодежи к "новым религиям" постепенно пошел на спад, и лишь наиболее влиятельным из них удалось продолжить свою деятельность до настоящего времени.

Восточные учения

Большинство "новых религий" восточного происхождения предпочитают называться не религиями или церквами, а движениями, школами, организациями, оздоровительными или медитативными техниками. Основная особенность этих религий заключается в том, что все они оказывают на психику западного человека весьма заметное влияние, которое многие склонны считать оздоровляющим и благотворным.

В частности, весьма популярное до сих пор учение *кришнаит*ов было создано еще в XVI в. индийским гуру Шри Чайтаньей. Именно Чайтанья учредил самостоятельный культ Кришны — одного из воплощений индусского бога Вишну — и изобрел знаменитую "Харе Кришна Мантру", которую каждый современный кришнаит должен повторять 1728 раз в день.

Настоящее имя человека, который перенес эту индусскую секту на западную почву — Абхей Саран Де. Он родился в 1896г. в Калькутте, получил европейское образование, затем служил в химической фирме, занимался коммерцией. В 1954г. он полностью посвятил себя служению Кришне, принял монашеское имя Бхактиведанта Свами Прабхупада, покинул свою жену и пятерых детей и начал путешествовать по Индии, проповедуя учение Шри Чайтаньи.

Свами Прабхупада утверждал, что в 1936г. его духовный наставник, умирая, повелел ему проповедовать кришнаизм на Западе. Как бы то ни было, а в середине шестидесятых годов он действительно оказался в Америке и начал проповедовать в кварталах нью-йоркского Ист-Энда.

Проповеди Прабхупады, сопровождавшиеся игрой на индийских музыкальных инструментах и бесплатной раздачей вегетерианской пищи, привлекали к себе большое внимание. Добровольные пожертвования американцев вскоре помогли ему создать организованное "Движение Сознания Кришны", довольно быстро распространившее свое влияние по всей Америке. Прабхупада написал и издал несколько трудов об основах кришнаизма, в том числе собственное толкование

Свами Прабхупада, основатель "Движения Харе Кришна".

знаменитой "Бхагавад-Гиты". Научно-популярный стиль изложения, стремление согласовать учение Шри Чайтаньи с основами современной европейской науки способствовали тому, что кришнаизм вошел в моду среди студенческой молодежи США и Западной Европы. С другой стороны, индийские кришнаиты сочли, что Прабхупада извращает их учение и попытались отлучить его от кришнаизма, однако "Движение Сознания Кришны" уже приобрело большой размах, и их попытка потерпела неудачу.

Кришнаизм, который проповедует Прабхупада, привлекает своей простотой и рациональностью. Каждое предписание и каждый запрет этой религии (в том числе вегетерианство, отказ от табака и курения, лука и чеснока, безбрачие, общинная жизнь и постоянное повторение "Харе Кришна Мантры") получают здесь достаточно внятное и по-своему логичное объяснение. Конечная цель каждого кришнаита — слияние с "верховной личностью Кришны"; счастье и радость жизни обретаются верующими уже на начальных ступенях религиозного опыта.

Следует отметить, однако, что некоторые психологи считают повторение "Харе Кришна Мантры" техникой, способствующей "оболваниванию" или даже "психологическому программированию" лично-

Абдул Баха-улла, основатель бахаизма.

сти; то же самое обвинение они выдвигают в адрес других "новых религий", использующих мантры, шепотные молитвы, зубрежку библейских цитат, продолжительные посты, специфические медитативные техники и т.д. В связи с распространением "новых религий" появились так называемые "психологи-распрограмматоры", которые видят свою задачу в том, чтобы освобождать молодежь из "плена" религиозных сект. Однако, по-моему, они преувеличивают опасность создавшегося положения: ведь большинство молодых адептов сами собой покидают секты, достигнув более зрелого возраста. Конечно, и здесь возможны исключения (о них мы поговорим ниже); однако какая секта может сравнится по части "оболванивания" и "психологического программирования" с нашим телевидением и вездесущей рекламой?

Еще одно весьма влиятельное восточное учение — *бахаизм* — тоже имеет достаточно древние корни. Учение бахаитов начало проповедоваться в 1863г., когда его основоположник, иранец Хусейн Али Нури, объявил себя *баха-уллой*, т.е. пророком. Бахаизм возник в русле мусульманской секты *бабитов*, существовавшей с 1844 г., и теоретически его вероучение может считаться реформированным исламом. Однако на практике расхождения между исламом и бахаизмом столь велики, что бахаисты уже давно считают свою секту самостоятельным учением, которое должно прийти на смену всем религиям. Их административный центр — Всемирный Дом Справедливости — находится в Хайфе; их символ — девятиконечная звезда, символизирующая единство религий мира.

Бахаизм характеризуется уважением к любому религиозному опыту и ко всем священным писаниям, существующим в мире. Бахаисты не верят в переселение душ; подобно христианам, они считают, что земная жизнь является подготовительным этапом к главному, загробному существованию человека. На этом этапе человек имеет возможность развить в себе такие качества, как честность, сострадание, любовь, щедрость, которые непременно понадобятся ему в дальнейшем. Они утверждают, что о том же говорили пророки всех религий, и что к осознанию этого факта неизбежно придет современная наука. У них нет ни священников, ни жесткого ритуала: они говорят, что каждый, умеющий читать, способен самостоятельно понять писание Баха-уллы и его послания. Бахаисты уделяют много внимания благотворительности и различным социальным программам; они верят, что когда-нибудь им удастся создать единое всемирное правительство на основе справедливого представительства всех народов. В связи с этим интересно вспомнить о "Розе Мира" — всемирной религии будущего, упоминаемой в пророчествах Андреева. Может быть, он был не так уж далек от истины?

Кроме двух вышеупомянутых организаций, в Европе и Западной Америке представлены практически все восточные секты и школы: в частности, дзэн-буддизм, шиваизм, индусская и даосская йога, индусская и буддийская тантра, японская религиозная организация "Сокка Гаккай" и множество других. Все они пережили пик популярности в 70-е годы и благополучно продолжают свою деятельность до сих пор.

Христианские секты

Многие "новые религии" берут свое начало из христианских сект и охотно пользуются христианской терминологией. Так, одна из наиболее влиятельных религиозных организаций нашего времени — Объединенная церковь Сен Мен Муна (род.1920) — возникла под влиянием пятидесятнических и методистских миссий, обосновавшихся в Южной Корее. Ее основатель утверждает, что получил свои полномочия непосредственно от Иисуса Христа, якобы явившегося ему в 1963г. По мнению Муна, начиная с 1960г. Новый Завет недействителен и должен быть заменен так называемым "Завершенным Заветом", который изложен в его работе "Божественный принцип".

Центральным моментом "Завершенного Завета" является учение о Семье. Обыкновенную современную семью Мун называет порождением дьявола, противопоставляя ей истинно духовное единение людей, каковое будто бы возможно лишь в организациях "Объединенной Церкви". По его мнению, только в такой Семье могут быть произведены на свет безгрешные и совершенные дети. Земная миссия Христа, — учит Мун, — состояла именно в том, чтобы соединиться с идеальной земной женщиной, однако Он не успел этого сделать. Мун же исполнил эту миссию еще в 1960г., женившись на восемнадцатилетней корейской студентке, которую вскоре объявил "Матерью Мироздания". Теперь он помогает своим последователям и последовательницам совершить правильный выбор. Чаще всего это происходит следующим образом: разбив толпу своих адептов на пары, он объявляет каждую пару мужем и женой. И нужно сказать, что браки, заключенные таким образом, распадаются довольно редко.

Последователи Муна слушаются его во всем и во всем полагаются на него. И чаще всего Мун оправдывает их ожидания. Структуры "Объединенной Церкви" всегда заботятся о том, чтобы их адепты ни в чем не нуждались — разумеется, при условии, что сами адепты пожертвуют все свое имущество Церкви и в дальнейшем будут трудиться и отдавать весь свой заработок уполномоченным Муна.

Такую систему распределения материальных благ можно было бы назвать коммунистической — однако сам Мун решительно отвергает подобное определение. Он считает коммунизм земным воплощением царства Сатаны и постоянно подчеркивает, что только "Объединенная Церковь" способна по-настоящему бороться с этим монстром. Антикоммунистические высказывания Муна снискали ему немалую популярность в кругах, близких к администрации США, и его деятельность в этой стране развивается практически беспрепятственно — если не считать кратковременного инцидента в 1984г., когда Мун был осужден за финансовые махинации и провел 18 месяцев в одной из тюрем штата Коннектикут.

Мун — не просто влиятельный проповедник, но, в первую очередь, весьма искусный политик и бизнесмен. Многомиллионные доходы, ежегодно получаемые от деятельности "Объединенной Церкви", он вкладывает в покупку промышленных предприятий и недвижимости во всех странах мира. В середине семидесятых годов на счетах его организации было около 75 миллионов долларов; очевидно, в настоящее время эта сумма давно уже перевалила за миллиард.

Многие "новые церкви", возникшие в 60-е — 70-е гг. на основе христианского вероучения, отличаются от "Объединенной Церкви" лишь незначительными деталями идеологии и ритуала. То же самое требование абсолютной покорности своему лидеру является основой вероучения Дж. Р.Стивенса (*"Жизненный Путь"*), утверждающего, что только он один способен непосредственно общаться с Христом. А Элеонора Дарриес (*"Вера Алтаря"*) требует от своей паствы не только покорности, но и безграничной любви, причем с письменным подтверждением. "Слушайся, подчиняйся и исполняй!" — таков девиз "Детей Бога" (о которых будет сказано ниже); и подобные примеры можно умножать до бесконечности.

Во-вторых, лидеры подавляющего большинства "новых церквей" стремятся заполучить имущество своих адептов (вплоть до требования пожертвовать все свое имущество в пользу "церкви", которое, кстати, встречается здесь не так уж редко). И, в-третьих, практически все "новые пророки" при всяком удобном случае подчеркивают экономическую рентабельность своего "предприятия". Кроме того, многие из них не прочь прибегнуть к средствам современной рекламы и шоу-бизнеса; наиболее ярким примером использования этих средств было движение *"Иисус-революция"*, основанное бывшими артистами мюзик-холла Сьюзи и Томми Аламо в конце 60-х годов. "Иисус скоро придет!" — утверждали они, подкрепляя свои слова театрализованными музыкальными ритуалами. Вскоре об "Иисус-революции" заговорили по радио и на телевидении; на рынок было выброшено большое количество рекламной продукции (плакатов, футболок, пакетов, значков и т.д.) с христианской символикой; несколько весьма небесталанных поп-групп начали исполнять песни с христианскими текстами — и уже в начале семидесятых годов движение достигло пика своей популярности.

Идеология "Иисус-революции" представляла собой пеструю смесь из евангелического христианства и лозунгов американских хиппи. Начавшись на восточном побережье США, "революция" довольно быстро захлестнула всю Америку и проникла в Европу. Многим еще памятны плакаты "Иисус был хиппи" и призывы "опьяняться любовью

Массовое бракосочетание приверженцев Муна.

к Христу", расклеенные на рекламных щитах; однако "революция" вскоре сошла на нет вместе с движением хиппи, оставив свой след лишь в знаменитом мюзикле Л.Уэббера "Иисус Христос Суперзвезда".

Большинство новых христианских организаций, движений и церквей, как правило, сильно упрощают христианское вероучение, особо выделяя в нем какую-нибудь одну тему. В Америке и в Европе существует множество "эсхатологических" сект, то и дело объявляющих о скором конце света. Например, *"Церковь Истинного Мира"*, существовавшая в свое время на Среднем Западе США, ожидала конца света 4 июля 1970г. Ее члены переселились в пустынные районы Юга, вырыли себе убежища и просидели в них 42 дня! К счастью, в наше время к подобным пророчествам прислушиваются уже все меньше и меньше.

Дэвид Бранд Берг (р.1919), бывший баптистский проповедник, ныне возглавляющий секту *"Дети Бога"*, особенно упирает на то, что "Бог есть любовь". Стать дочерью или сыном Христа может каждый, — утверждает он, — для этого нужно только любить друг друга. Кроме того, каждый, кто желает вступить в его секту, должен "умереть для мира": бросить работу или учебу, порвать с семьей и переписать на имя секты все свое имущество и сбережения, а также ожидаемое наследство. В секте он получит новое, библейское имя (Берг назвал себя Моисеем), обретет новую семью (религиозную общину) и новую цель жизни (трудиться ради ее благосостояния).

Члены секты подразделяются на "овечек" и "рыбок": первые занимаются попрошайничеством на улицах, вторые — проституцией на благо своего пастыря. Нетрудно догадаться, что "рыбки" особенно милы новому "Моисею"; система вербовки "рыбок" из среды "овечек" продумана им до тонкостей и срабатывает почти всегда. Берг утверждает, что блуд — это та же самая Любовь, которая угодна Богу.

Произведения Берга — так называемые "письма Мо" — красноречиво свидетельствуют о его душевном нездоровье. Однако — и в этом заключается парадокс всех подобных организаций — "Дети Бога" до сих пор являются весьма многочисленной и распространенной сектой. В 1972г. американское правительство, по инициативе группы "обеспокоенных родственников" молодых сектантов, попыталось прекратить деятельность секты. Но "Дети Бога" тут же ушли в подполье и начали перебираться в Европу. Теперь их деятельностью озабочены французские и германские власти. В конце семидесятых годов многие коммуны "Детей Бога" в ФРГ подверглись обыску — но полицейские не нашли здесь ни оружия, ни наркотиков, и никто из "Детей" не был привлечен к суду.

Вообще административные меры пресечения деятельности подобных организаций зачастую бывают чреваты тяжелыми последствиями. *"Движение"* В.Лифарта — Д.Глэсси, размахивавшее лозунгами "Назад, к Природе" и "Долой урбанизацию", едва ли представляло какую-нибудь угрозу для общества. Конечно, "естественная жизнь" (включавшая в себя сыроедение и отказ ото всех благ цивилизации, в том числе от стрижки и бритья) не лучшим образом сказывалась на их внешнем виде и психическом состоянии; однако едва ли это было

Крещение участников "Иисус-революции".

достаточным основанием для того, чтобы разгонять коммуну "Движения" с помощью военизированной полиции, как это случилось в 1978 г. в филадельфийском Поуэлтон-Виллидж. В результате полицейской акции деревянный дом, где проживала коммуна, сгорел; погибло больше десяти человек, в том числе несколько женщин и детей.

В том же 1978г. группа "обеспокоенных родственников" попыталась вмешаться в деятельность другой сан-францискской секты — "Храма Народов", возглавляемого Джеймсом Джонсом (1931-1978), "земным воплощением" Будды, Иисуса Христа и Мао Цзэдуна. Нужно сказать, что Христос был довольно редким гостем в проповедях Джонса. Его "религиозная" деятельность состояла в пропаганде ультралевых идей среди цветного населения Калифорнии; он критиковал американское правительство и не скрывал своих симпатий к коммунистическим режимам. В 1974г., собрав значительные денежные средства, Джонс увез около тысячи своих наиболее верных сторонников в Гайану, где они построили "коммунистический" поселок Джонстаун.

"Обеспокоенные родственники" потребовали от правительства США расследовать деятельность "Храма Народов". До них дошли сведения, что "коммунистический" поселок превратился в концентрационный лагерь, где царит произвол Джонса и его вооруженых помощников. В ответ на это требование Джонс заявил, что намерен предъявить иск государственным службам США (ЦРУ, ФБР, министерству почт) по обвинению в заговоре против Джонстауна. Тем временем его помощники начали переговоры с советским посольством в Гайане о предоставлении секте политического убежища в СССР.

Конгресс США направил в Джонстаун сенатора Лео Райана, известного своей принципиальностью и неподкупностью. Райан побывал в Джонстауне и увез оттуда нескольких членов "Народного Храма", решивших покинуть эту организацию.

Однако помощники Джонса убили сенатора в порт-кайтумском аэропорту; вместе с ним погибло трое американских журналистов и все "отступники". Сразу же после этого Джонстаун был окружен вооруженными людьми, и Джонс приказал своей пастве умереть. Всем жителям Джонстауна было выдано по порции сильнодействующего яда; тех, кто не хотел его пить, убивали инъекцией или автоматной пулей. Очевидно, некоторые члены секты перед смертью все же

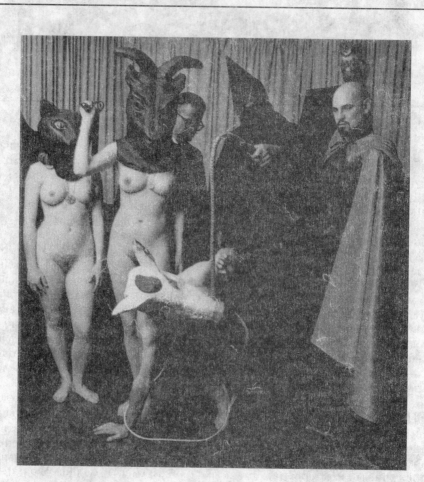

Антуан Ла Вэй с членами Церкви Сатаны.

решились оказать сопротивление своему "духовному лидеру", поскольку сам Джонс тоже был убит из автомата. Комиссия сената США, явившаяся в Джонстаун вскоре после этих событий, нашла в поселке более 900 трупов!

Урок всех этих событий состоит, наверное, в том, что христианство, изначально утверждающее свободу воли и ценность человеческой личности, не приемлет авторитарных методов руководства, свойственных, скорей, для индусских гуру или суфийских наставников. Внедрение этих методов в современное христианство неизбежно оборачивается извращением основ его вероучения и способно привести к довольно опасным последствиям.

Культы Сатаны

Культы Сатаны, возникшие в Америке и Западной Европе начиная с середины пятидесятых годов, на мой взгляд, являются закономерным порождением евангелического христианства, уделяющего чересчур много внимания этому библейскому персонажу. Большинство из них избегает легализации, поскольку их ритуалы зачастую связаны с употреблением наркотиков, половыми извращениями, осквернением могил, а иногда даже с человеческими жертвоприношениями. Многим памятен случай, когда сатанист Мэнсон принес в жертву своему "богу" американскую актрису Шарон Тейт, ее ребенка и нескольких ее гостей. "Вероучение" сатанистов базируется на трудах Алистера Кроули, явившегося предшественником этого мрачного направления в мире "новых религий".

Наиболее известной из подобных организаций является "*Церковь Бога Сатаны*", центры которой находятся в Сан-Франциско и Манчестере. Ее лидер и основоположник, "черный папа" Антуан Шандор Ла Вэй в молодости был гобоистом в цирковом оркестре, затем сменил профессии дрессировщика, униформиста, ресторанного тапера. "Озарение" пришло к нему в 50-е годы, когда он работал официальным фотографом в полицейском участке. Именно здесь, по его словам, он осознал всевластие Зла и решил поклониться Сатане.

"Религия" Ла Вэя, основы которой изложены в его книге "Сатанинская Библия", представляет из себя американизированный вариант учения Кроули. Он не осуждает употребления наркотиков и человеческих жертвоприношений, однако не допускает их в своей ритуальной практике. Ритуалы "Церкви Бога Сатаны" напоминают цирк, балаган или мюзик-холл; сам Ла Вэй особенно любит носить костюм Мефистофеля и использовать нацистскую символику.

Лидером *английских сатанистов* некоторое время был Дж.Гарднер (1921-1964), автор книги "Колдовство сегодня". Организация Гарднера вела полулегальное существование и была разбита на так называемые "семьи" или ковены. Английские сатанисты уделяли больше внимания "практической" магии и процессу демонического посвящения; в их ритуалах можно обнаружить несомненные элементы садомазохизма и эксгибиционизма. После смерти Гарднера организацию возглавил некий Алек Сандерс, будто бы получивший посвящение от своей бабки на кухне в девятилетнем возрасте. Центр организации некоторое время находился в Манчестере; в настоящее время о ней едва ли можно сказать что-либо определенное.

Религии чернокожих американцев

В мире "новых религий" существует довольно изолированный остров специфических вероучений, популярных среди чернокожих американцев. Эти вероучения подчеркнуто абсурдны и по-детски непосредственны, благодаря чему они практически никогда не становятся предметом серьезного критического анализа. Другая их отличительная черта — это культ радости и счастья, эмоциональность и праздничность религиозных ритуалов, сопровождающихся музыкой, пением и танцами.

Одним из наиболее заметных "черных пророков" был некий М Дж.Дивайн (Дж.Бейкер), именовавший себя "деканом Вселенной". Он утверждал, что прибыл на Землю на облаке еще во времена Авраама, и что все, кто будет исполнять его заповеди, исцелятся от любых болезней и обретут личное бессмертие (т.е., когда их тела состарятся, они переселятся в новые). Дивайн проповедовал пацифизм, жизнь в коммунах, безбрачие, честность и расовое равенство; его последователям запрещалось пить, курить, развратничать, сквернословить, пользоваться косметикой, посещать кинотеатры, принимать чаевые и танцевать с партнерами противоположного пола. В наиболее трудных жизненных случаях им предписывалось мысленно повторять: "Спасибо тебе, Отец" и ожидать, что трудности исчезнут сами собой.

"Богослужения" Дивайна проходили в кинозалах или на эстраде: люди, поднимавшиеся на сцену один за другим, благодарили Дивайна и рассказывали всем собравшимся о том, как учение "пророка" исцелило их от тяжелых болезней, избавило от пьянства и наркомании, заставило порвать с уголовным прошлым. Их выступления перемежались песнями и танцами, и в завершение всем собравшимся показывали рекламные и короткометражные фильмы, бесплатно предоставляемые Дивайну многими американскими фирмами.

Ежемесячно Дивайн давал своей пастве "святое причастие". Так назывались роскошные бесплатные обеды, во время которых Дивайн лично благословлял каждое блюдо, вкладывая в него ложку. "Пророк" был малограмотен, однако хорошо разбирался в психологии американцев и довольно быстро сделался любимцем публики и прессы. Этот невысокий, толстый и совершенно лысый негр произвел большое впечатление на уже упоминавшегося Дж.Джонса, который организовал богослужения своего "Храма Народов" по образу и подобию дивайновских.

Другое влиятельное учение, наиболее широко распространившееся в 70-е гг., называется культом *растафари*. Оно возникло на Ямайке в начале 30-х гг.; у истоков его стояли полусумасшедший черный "пророк" А.Бэдуорд и видный деятель движения за репатриацию негров М.Гарви. Растаманы обожествили эфиопского раса (принца)

Алек Сандерс посвящает молодую ученицу в ведьмы.

Тафари, который впоследствии стал негусом (царем) Эфиопии Хайле Селассие I. Согласно их представлениям, Хайле всемогущ и бессмертен, а все чернокожие — его подданные. Библия была первоначально написана на эфиопском языке амхари, однако белая раса перевела ее на свои языки и подло извратила ее смысл. И все-таки даже в английском переводе Библии сохранились кое-какие намеки на истинное положение вещей. Для того, чтобы их понять, чернокожий должен курить *ганджу* (марихуану).

Очевидно, именно *ганджа* помогла растаманам выяснить, что настоящий избранный народ *Джа* (Иеговы) — вовсе не евреи, а эфиопы и, в более широком смысле, все чернокожие. Четыреста лет назад *Джа* прогневался на них за их грехи и наказал их Вавилонским пленением (рабством в странах Запада). Однако Божий гнев давно прошел, и избранный народ уже давно вернулся бы в свою землю обетованную (то есть в Африку), если бы белые не обманывали их. Обманом является вся культура и религия белых; однако эпоха массового возвращения в Африку скоро наступит, а потом черная раса, как и прежде, будет править всем миром.

Культовая музыка растаманов — *рэггей* — приобрела большую популярность в 70-е годы, и вместе с ней учение растафари распространилось среди чернокожих всего мира. Одним из самых известных проповедников этого учения был знаменитый эстрадный певец Боб Марли; многие тексты его песен являются растаманскими проповедями. Религиозные заповеди растаманов довольно своеобразны: к примеру, им нельзя есть свинину, моллюсков, соль, уксус; нельзя играть в азартные игры, курить табак, пить вино и прикасаться к мертвым. Растаманы стремятся возродить в себе африканский дух и освободиться от бремени западной культуры. В чем-то их идеи созвучны идеям хиппи; во всяком случае, во внешнем виде тех и других можно найти немало общего.

"Научные" религии

И в заключение — несколько слов о двух "новых религиях", которые действительно имеют право называться новыми, поскольку они возникли во второй половине XX века и стали чем-то вроде "побочного эффекта" развития современной научной мысли.

Лафайет Рон Хаббард, выйдя в отставку в звании лейтенанта военно-морской пехоты США, пытался дебютировать на ниве научной фантастики, однако не слишком преуспел в этом деле. И

М. Дж. Дивайн и его паства.

тогда (в 1950 г.) он перевоплотился из третьеразрядного фантаста в первооткрывателя и проповедника нового учения — *дианетики*, или науки о душевном здоровье. Из дианетики позднее развилась целая религия — *сайентология*, которую Хаббард называл новейшим вариантом буддизма (очевидно, учитывая при этом, что буддизм как раз начинает входить в моду в США). Действуя вполне в духе своего времени, он изобрел "Е-измеритель" — аппарат для лечения нервных и психических расстройств.

Согласно утверждениям Хаббарда, многоликий человеческий разум состоит, главным образом, из аналитического и реактивного элементов. Аналитический разум является основным здоровым началом человеческой психики; он никогда не ошибался бы, если бы не происки реактивного разума, оказывающего на него негативное воздействие. Вследствие этого воздействия в человеческой психике накапливаются так называемые *энграммы* — раздражения от пережитых горестей и невзгод. *Энграммы* имеют некий вещественный субстрат, формирующий различные неврозы и психозы; кроме того, они передаются по наследству. Вывести их из организма — утверждал Хаббард — можно только с помощью "Е-измерителя".

На самом деле "Е-измеритель" представляет из себя нечто вроде широко распространенного в США "детектора лжи". Процедура "измерения" состоит в том, что человеку, подключенному к аппарату, задают всевозможные бестактные и весьма неприятные вопросы, а аппарат фиксирует его непроизвольные мышечные реакции. Затем пациенту предлагают "очиститься" с помощью четырех "операций Тетан", отдаленно напоминающих тантрическую медитацию.

Разумеется, дианетическое учение не исчерпывается этой процедурой. "Научная" система Хаббарда, выстроенная в духе фантастики "новой волны", стремится охватить все области человеческого бытия: здесь есть и своя псевдо-психология, и своя псевдо-биология, и даже своя псевдо-история Вселенной! Символом сайентологической церкви является восьмиконечный крест, символизирующий учение о восьми "динамиках": выживании, сексуальности, группе, человечестве, природе, материи, духовном обмене и верховном существе. Хаббард утверждает, что ему безразлично, какое имя даст верховному существу каждый из верующих; однако сайентология предусматривает 36 методов и уровней наказания вероотступников.

Сайентологи занимаются обширной общественной деятельностью. Им принадлежит целый ряд предприятий и периодических изданий в США и Англии; ими организовано множество отделов, не имеющих явной связи с сайентологией, например, "Объединение улучшения методов образования", "Гражданский комитет прав человека", "Ассоциация защиты матери и ребенка". Весьма возможно, что со временем сайентология станет чем-то вроде "Христианской Науки" — весьма влиятельной религиозной организации, у истоков которой тоже стояла псевдонаучная теория.

Что же касается еще одной "научной" религии наших дней — **культа неопознанных летающих объектов**, то всем "церквям" этого

направления, по-моему, уготовано место в ряду исторических курье-
зов. Организации "тарелочников" (так их окрестили журналисты)
существуют, очевидно, в каждом из штатов США и в каждом
английском графстве; однако единого центра у них нет. В основе
мифологии этого культа лежат бестселлеры А. фон Деникена и
Дж.Адамски, где доказывается, что инопланетяне часто посещали
Землю в прошлом, преподавая землянам полезные научные знания, и
вообще курируют человечество, бережно направляя его развитие в
сторону прогресса. Некоторые "тарелочники" даже утверждают, что
инопланетные пришельцы... создали род человеческий (а, может быть,
и всю живую природу Земли) с целью некоего глобального эксперимента. Нетрудно заметить, что культ НЛО, по сути своей, является
перепевкой христианского вероучения, в которой инопланетянам приписывается роль Творца или Мессии.

ХРОНОЛОГИЯ "ЭПОХИ НОВЫХ РЕЛИГИЙ"

1950
Вышла книга Л. Рона Хаббарда "Дианетика: наука о душевном
здоровье".
1953
21 марта Ошо испытал озарение и был призван стать духовным
пастырем.
1954
Основана "Объединенная Церковь" Сен Мен Муна.
Издана книга Дж. Гарднера "Колдовство сегодня".
1955
Хаббард торжественно объявил о создании сайентологической церкви.
Марион Китч (Лейк-Сити) объявила о том, что новый всемирный
потоп должен начаться 21 декабря этого года.
1956
В США основана "Церковь Бога Сатаны" А. Ш. Ла Вэя.
1957
Опубликован "Божественный принцип" Муна.
Опубликован "Учебник Руководителя" Х.А.Ливраги, положив-
ший начало движению "Новый Акрополь".
1958
В США создано "Движение трансцендентальной медитации
(ТМ)" Махариши Махеш Йоги.
Первый визит Муна в США.
1959
Хаббард переехал в Англию.
1960
Согласно утверждениям Муна, начался "Век Завершенного Завета"

Мун женился на восемнадцатилетней студентке сельхозуниверситета и объявил ее "матерью мироздания".

1963

Явление Христа Сен Мен Муну.

1964

Умер Дж.Гарднер — лидер английских сатанистов.

1965

В Индианаполисе основан "Храм Народов" Дж.Джонса.

1966

Умер Шри Ханс. Основанная им "Миссия Божественного Света" завещана Махараджу Джи.

В Нью-Йорке основано движение "Харе Кришна" Бхактиведанты Свами Прабхупады.

1967

"Битлз" занимаются трансцендентальной медитацией. Пик популярности ТМ.

1968

Успешное выступление юного Махараджа Джи на многолюдном митинге в Дели.

Махариши ушел в монастырь.

Дэвид Брандт Берг объявил себя "Моисеем-Давидом" и организовал молодежную коммуну "Отроки для Христа" (впоследствии — "Дети Бога").

В Лос-Анджелесе учреждена должность "районной ведьмы".

1969

Умер Мехер Баба.

Раджниш начал проповедовать в Бомбее.

В Лос-Анджелесе основана организация тантрической йоги "ЗНО" ("Healthy-Happy-Holy Organization")

В Нью-Йорке основана организация "Основания откровения" шиваита Чиранья Роя.

Сатанист Мэнсон убил актрису Шарон Тэйт.

Опубликовано первое из "Писем Мо" Дэвида Берга.

1970

Члены "Церкви Истинного Мира" провели 42 дня в убежищах на юге США, ожидая конца света.

Раджниш продемонстрировал индийским журналистам технику "динамической медитации".

Пик популярности "Иисус-революции".

1971

Махарадж Джи переезжает в США.

1972

Основано "Движение" Лифарта и Глэсси ("Назад к Природе!").

"Детей Бога" начинают преследовать в Америке.

"Храм Народов" официально распущен властями Сан-Франциско.

1973

"Millenium-73". Трехдневные выступления Гуру Махараджа Джи на Хьюстонском стадионе. На торжестве присутствовало около 15000 последователей.

1974

Раджниш создал свой ашрам в Пуне.

"Народный храм" перебрался в Гайану.

Обыск штаб-квартиры "Сознания Кришны" в ФРГ. Найдено оружие и большие суммы денег.

1976

Вышел в свет диск Боба Марли "Rastaman Vibration".

1977

Умер Бхактиведанта Свами Прабхупада.

Обыски в колониях "Детей Бога" в ФРГ.

1978

Федеральный суд США вынес решение о религиозной природе ТМ; в связи с этим ее запрещено преподавать в общественных учебных заведениях.

Разгром коммуны "Движения" в Филадельфии.

Трагедия в Гайане: массовое убийство членов "Народного Храма".

Первый международный конгресс ведьм в Боготе.

1979

Строительство "дворца Прабхупады" в Зап. Вирджинии.

Глава Цюрихского отделения "Миссии Божественного Света" приговорен к 14 годам тюрьмы за покушение на жизнь министра юстиции.

В Нью-Йорке основана "Международная Ассоциация ведьм и колдунов".

1981

Раджниш переезжает в США. Основание нового ашрама в штате Орегон (Раджнишпурам).

Согласно учению Муна — год решающей битвы с коммунизмом. Усилились гонения на мунитов во всех странах мира.

1984

Мун арестован за финансовые махинации, приговорен к 18 месяцам тюрьмы и крупному штрафу.

1985

Судебный процесс против Раджниша. Раджниш покидает США.

1986

Основана "Американская лига ведьм".

1988

Умер Л. Рон Хаббард.

БИБЛИОГРАФИЯ

MEHER BABA
1. Meher Baba, *The Everything and the Nothing* (The Beguine Library), p.48.
2. Meher Baba, *Listen, Humanity* (New York: Harper and Row), p. 248.
3. Baba, *The Everything and the Nothing*, p.75.
4. Ibid., p.76.
5. Dr. Donkin, *The Wayfarers* (Adi K. Irani), p.254.
6. Baba, *The Everything and the Nothing*, p.45.
7. Ibid.
8. Ibid., p.10.
9. Baba, *Listen, Humanity*, p.61.
10. Ibid., p.17.
11. Baba, *The Everything and the Nothing*, p.50.

MAHARAJ JI
1. *Satguru Has Come*, presented by Shri Hans Productions
2. *Satguru Has Come*
3. *Satguru Has Come*
4. *Farewell! Satsang of Shri Guru Maharaj Ji,* Divine Light Mission Magazine, 1973.

MAHARISHI
1. *Transcendental Meditation* (original title: *The Science of Being and Art of Living*), (London: George Allen and Unwin; New York: New American Library Inc.), p.65.

BHAGAWAN SHREE RAJNEESH
1*. Bhagavan S. Rajneesh, *The Rajneesh No Book* (Chidvilas Inc.), p.7.
2*. Bhagavan S. Rajneesh, *Meditation – an Art of Extasy* (New York: Harper and Row), p.79.
3. Ibid., p.3.
4. Ibid., p.169.
5. Ibid., p.30.
6. Ibid., p.28.
7. Ibid., p.27.
8. Ibid., p.109.

THE AGE OF NEWFAITHS?
R. Mathison, *Faiths, Cults and Sects of America* (Indianopolis)
Religions in America (New York: Wilson)
Religious Movements in Contemporary America (Princeton: Princeton University Press)
R. Enroth, *The Lure of Cults* (Downers Grove: Inter-Varsity)
J. A. & M. R. Rudin, *Prison in Paradise?* (Minneapolis: Augsburg Fortress)

15. МИСТИКА И ПОЛИТИКА

Двадцатый век наполнил новым содержанием старинное слово "вождь". Словно вспомнив эпоху великого переселения народов, европейские государства и нации сплотились вокруг своих харизматических лидеров и возобновили извечную борьбу за жизненное пространство. Мистика и магия вторглись в политику; древние эзотерические символы — пентаграмма и свастика — сделались символами двух влиятельнейших политических систем XX века — коммунизма и национал-социализма. Способы оккультного воздействия на психологию масс тщательно изучались в гитлеровской Германии, в то время как в сталинской России возрождались древнеримские ритуалы поклонения обожествленному Цезарю. Фактически же и Гитлер, и Сталин были священными вождями своих народов; феномен их власти иррационален с точки зрения историка-позитивиста, но глубоко закономерен с точки зрения мистика.

Ведь вождь — это не просто администратор, наделенный чрезвычайными полномочиями. В древних обществах вождь был сакральной фигурой — живым залогом союза между людьми и богами. Его власть осуществлялась при посредстве сложных мистических ритуалов, от правильности выполнения которых зависело нормальное течение жизни всего народа. Если же боги гневались на людей, то именно вождь должен был стать искупительной жертвой, способной смягчить этот гнев. Вождю дозволялось быть несправедливым, непоследовательным и даже некомпетентным; но малейшее проявление моральной нечистоплотности, неблагочестия или неуважения к церемониальному порядку могло стоить ему жизни!

События новейшей истории показали, что, несмотря на все успехи парламентской демократии, потребность в таком лидере все еще живет в народных массах. Ведь подавляющее большинство современных вождей пришло к власти при широкой поддержке двух наиболее архаически мыслящих социальных слоев: крестьянства и городской бедноты. Вожди говорили с этими людьми на языке изначальных символов, воскрешая в их памяти мифологические образы Врага, Избранности, Посвящения, Священной Тайны, Искупительной Жертвы и Земного Рая.

"Масса подобна животному, которое повинуется инстинктам, — объяснял Гитлер одному из своих сподвижников. — Она не обдумывает и не рассуждает, и если мне удалось запустить мотор самого большого народного движения всех времен, то лишь благодаря тому, что я никогда не поступаю вопреки жизненным законам и мировосприятию массы. Это мировосприятие может быть примитивным, но оно прочно и неискоренимо, как все природные склонности. Такой живой опыт, как эпоха хлебных карточек и инфляции, навеки останется в крови у массы. Схема массового мышления и восприятия очень проста. Все, что не подчиняется этой схеме, вызывает у массы беспокойство...

В критические времена масса вырастает повсюду, где собираются десять-двенадцать человек: на улице, на фабрике, в булочной, в метро. Она реагирует на все именно как масса, забывая о здравом смысле и не взирая ни на какие уговоры. А партия несет на себе давление массы и сама является фактором массы" [1].

Не производя сколько-нибудь заметных реформ в государственном устройстве Германии, нацистский режим в корне изменил его содержание. Глава правительства превратился в "фюрера", правящая партия — в тайный орден с несколькими степенями посвящения, законодательная и исполнительная власть — в блюстителей ритуальной чистоты германского народа, руководство прессы и радиовещания — в священнослужителей нового мифа, а сам немецкий народ — в "массу", одержимую древними инстинктами. Уже после разгрома нацистской Германии было выяснено, что "тайные знания", в которые были посвящены члены нацистской элиты, вели свое происхождение от оккультных доктрин Мак-Грегора Матерса и Алистера Кроули. Французские исследователи Л.Повель и Ж.Бержье, авторы сенсационного "Утра Магов", утверждают, что оккультизм был основой идеологии Третьего Рейха; однако, на мой взгляд, это не вполне соответствует истине.

Разумеется, нельзя отрицать, что теория и практика оккультизма базировалась на тех же психологических приемах, которые впоследствии широко применялись нацистской пропагандой. И оккультисты, и нацисты стремились пробудить в человеческой психике ее наиболее глубинный и древний слой — бессознательное, вместилище вытесненных инстинктов и архаичных понятий. Безусловно, фашистские лидеры активно использовали опыт обращения с бессознательным, накопленный оккультизмом; однако в целом его доктрины были не просто непригодны, но даже неприемлемы для тоталитарных режимов. Ведь идеал оккультистов — просветленная и независимая личность, преодолевшая темные стороны своего "я" и обретшая силу и цельность на трудном пути мистического посвящения — никоим образом не вписывается во взаимозависимую систему "вождей и массы", сложившуюся в нацистской Германии. Тоталитарный режим не терпит сильных и цельных личностей — ни у подножия, ни на вершине социальной пирамиды. Вождь, манипулирующий массами, в то же самое время является их заложником и потенциальной очистительной жертвой; и любое проявление своеволия может положить конец его власти.

"Социальная мистика" тоталитарных режимов гораздо старше любых мистических учений и даже самых древних традиционных религий. Она возникла на заре человеческого общества, когда законы окружающего мира еще рисовались человеку в виде смутных мифологических схем. И любая идеология, используемая тоталитарным режимом, неизбежно преобразуется в специфический миф об Избранном Народе, прокладывающем путь к Земному Раю вопреки всем проискам демонического Врага.

Подобное перерождение произошло с учением Маркса, взятым на вооружение русскими коммунистами. Ленин и Сталин существенно упростили это учение, выделив в нем несколько тезисов, которые легко поддавались мифологическому преобразованию. В результате Избранным Народом стал пролетариат, Земным Раем — коммунистическое общество, а Врагом — буржуазия. Аналогичной метаморфозе, как ни странно, подверглось гораздо более древнее учение — ислам, за чистоту которого ревностно боролся аятолла Хомейни. В его работах и речах легко можно заметить те же самые мифологические образы Избранного Народа ("обездоленные", т е. благочестивые, но небогатые мусульмане), Земного Рая (справедливая исламская республика) и Врага (антиисламские силы внутри страны и за рубежом). Даже традиционный образ Сатаны приобретает в устах Хомейни весьма современное толкование: Большим и Малым Сатаной аятолла называет Соединенные Штаты и Советский Союз.

Таким образом мифологические схемы наслаиваются на реалии современной жизни. И нужно отметить, что результаты таких наслоений зачастую бывают плачевными. Вторжение мистики в политику обостряет извечные международные и социальные противоречия, приводя к вооруженным столкновениям и мировым войнам. И, по-видимому, здесь вряд ли стоит ожидать чего-нибудь иного: ведь война является древнейшим способом ведения международной политики и превосходно гармонирует с архаичными формами власти, которые возрождаются в тоталитарных обществах.

История XX века знает лишь один пример, когда мистическое учение было преобразовано в конструктивную политическую силу. Этот пример связан с именем Мохандаса Карамчанда Ганди — человека, который ввел в политику традиционное для индуизма и буддизма понятие *ахимсы* — принципа, объединяющего в себе правду, любовь и ненасилие. *Политика ахимсы* — такой политический лозунг может показаться прекраснодушной утопией даже в нашу эпоху мирного сосуществования. Однако факт остается фактом: Британская империя, веками подавлявшая мощные восстания в Индии, была вынуждена уступить народу, вооруженному правдой, любовью и ненасилием.

Ганди не был профессионалом ни в политике, ни в мистике. Жажда справедливости и непреклонная верность своим религиозно-нравственным принципам сделали его народным вождем, и его победа открыла новую эпоху не только в истории Индии, но и в международной жизни всего мира. Ганди доказал бессилие и недальновидность "политики силы", превращающей людей в "массу" и воскрешающей в них темные первобытные инстинкты. Он еще раз напомнил нам о том, что человек, готовый пожертвовать собой ради высших духовных идеалов, может противостоять любому насилию, ибо Истина и Любовь превозмогают все.

МОХАНДАС ГАНДИ (1869-1948)

"…Для меня истина — главенствующий принцип, включающий множество других принципов. Эта истина есть правдивость не только в словах, но и в мыслях, не только относительная истина наших понятий, но и вечный принцип, то есть Бог. Имеется бесконечно много определений Бога, ибо проявления его бесчисленны. Они наполняют меня удивлением и благоговейным трепетом и на какое-то мгновение ошеломляют. Но я поклоняюсь Богу только как истине. Я еще не нашел Его, но ищу. Я готов в своих исканиях пожертвовать всем самым дорогим для меня. Если понадобится жертва, я отдам даже жизнь, думаю, что я готов к этому. Но все же, до тех пор, пока я не познал эту абсолютную истину, я должен придерживаться относительной истины в своем понимании ее. Эта относительная истина должна быть моим маяком и щитом. Хотя путь этот прям и узок, как лезвие бритвы, для меня он был самым быстрым и легким. Даже мои колоссальные промахи показались мне ничтожными благодаря тому, что я строго держался этого пути" [1].

Имя Ганди еще при жизни стало легендой. Индийцы причислили его к *махатмам* — полумифическим мудрецам, связанным с Шамбалой (тайным координирующим центром земной цивилизации, который будто бы существует где-то в Гималаях). Многотысячные толпы воспринимали его слова как божественное откровение — даже если он критиковал санитарное состояние индийских городов или пересказывал нравоучительные брошюры Рескина и Толстого. Его ашрам стал национальной святыней, и ежедневно сотни людей дожидались здесь его *даршана* — возможности услышать несколько напутственных слов или хотя бы просто лицезреть святого мудреца.

Это всенародное обожание было, по-видимомому, самым тяжелым бременем для Ганди. Скромный и застенчивый по натуре, он никак не вписывался в современный стандарт политического деятеля и народного трибуна. Его речи и брошюры поражают своей наивностью; кажется практически невозможным, чтобы столь неискушенный и далекий от политики человек мог возглавить одно из самых мощных народных движений XX века. Однако всего лишь четыреста лет назад такие же наивные и неискушенные в политике люди — Мартин Лютер, Томас Мюнцер и Доменико Савонаролла — производили революционные перемены в Европе, и это вовсе не казалось столь уж невероятным. Четыреста лет — для европейца срок огромный, но для индуса, измеряющего время в *кальпах* (более четырех миллиардов лет)

МОХАНДАС ГАНДИ (1869-1948)

и *югах* (самая короткая из которых составляет более четырехсот тысяч лет), это время кажется сущим пустяком. В одной из своих речей Ганди называет Александра Македонского "не столь уж далеким предшественником" Гитлера; и действительно, в масштабах одной *юги* Гитлер и Александр — почти что современники.

В отличие от Ауробиндо и Кришнамурти, Ганди рос и воспитывался в традиционной индусской среде. Он родился в Порбандаре; его предки в течение трех последних поколений были премьер-министрами в нескольких княжествах Катхиавара. Отец Ганди был членом раждастханского суда и исповедовал вишнуизм — одну из трех главных разновидностей индусской религии. Его мать была глубоко религиозна и не могла даже подумать о еде, не совершив молитвы. Не довольствуясь обычными религиозными предписаниями, она часто давала обеты принимать пищу один раз в день или не есть, пока не увидит солнце. "Всем известно, — вспоминает Ганди, — что в сезон дождей солнце очень часто совсем не показывается. Помню, как бывало мы мчались сломя голову, чтобы сообщить матери о его внезапном появлении. Она прибегала, чтобы самой взглянуть на небо, но солнце уже успевало скрыться, и мать снова лишалась возможности поесть. "Ничего, — бодро говорила она, — Бог не пожелал, чтобы я сегодня ела". И возвращалась к своим обязанностям" [2].

Материнский пример определил всю дальнейшую деятельность Ганди. Всю жизнь он прислушивался к голосу Бога, и ко всем трудностям и неудачам относился точно так же, как относилась его мать к тучам, закрывшим солнце. "Значит, Бог не пожелал, чтобы я это делал", — говорил он и возвращался к своим обязанностям.

"Бог не пожелал", чтобы юный Ганди, следуя примеру многих своих сверстников, произвел "реформу питания", то есть начал есть мясо, курить табак и пить вино. Все его попытки заканчивались плачевно. После мяса его мучили кошмары: ему казалось, будто у него в желудке блеет живая коза. Однажды, поддавшись на уговоры друга, он пошел с ним в публичный дом, но там внезапно оглох и ослеп, так и не совершив греха. Это случилось не потому, что он боялся женщин: как и все члены его касты, Ганди женился в тринадцать лет, но ни разу не изменил своей жене. "В некоторых случаях, — писал он, вспоминая об этом инциденте, — человеку удается избежать греха в силу счастливой случайности. Как только человек вновь обретает способность истинного познания, он благодарит божественное милосердие за то, что ему удалось избежать грехопадения. Как известно, человек часто подвергается искушению, как бы он ни старался противостоять ему. Мы знаем также, что очень часто провидение вмешивается и спасает его вопреки его желанию. Как все это происходит, в какой степени человек свободен и в какой степени он жертва стечения обстоятельств, в каких пределах имеет место свободное волеизъявление и когда на сцене появляется судьба — все это тайна и остается тайной" [3].

Судьба вмешалась в жизнь Ганди, когда ему настало время выбирать профессию. Он очень любил ухаживать за больными и хотел стать врачом; страсть к этому занятию сохранилась у него на всю жизнь. Однако родня настояла на том, чтобы он унаследовал должность своего отца (к тому времени уже покойного), и в 1887г. шестнадцатилетний Ганди поехал в Англию получать юридическое образование. Некоторые члены его касты возражали против такого решения, утверждая, что в Англии Ганди непременно отступится от своей религии. И тогда мать взяла с него три обета: не дотрагиваться до вина, женщин и мяса. Ганди поклялся сохранить верность этим заповедям, и только после этого покинул родительский дом.

Вскоре оказалось, что мать не зря беспокоилась о религиозной чистоте своего сына. Едва он попал на корабль, идущий в Англию, многочисленные доброжелатели принялись советовать ему есть мясо и пить вино, уверяя, что иначе он просто не выживет в холодном английском климате. Впрочем, по прибытии в Англию оказалось, что дело здесь не в климате, а в традициях английской национальной кухни; однако вскоре Ганди познакомился с вегетерианскими ресторанами и с английскими вегетерианцами. Брошюра Солта "В защиту вегетерианства" произвела на него огромное впечатление. Ганди отказался не только от мяса, табака и спиртных напитков — вскоре он исключил из своего рациона яйца, а затем и молочные продукты, и только в конце жизни, тяжело больной, поддался на уговоры врачей и стал пить козье молоко. "Я благословил день, когда дал обет матери, — вспоминал он впоследствии. — До сих пор я воздерживался от мяса лишь потому, что не хотел лгать и нарушать свой обет. В то же время я желал, чтобы все индийцы стали есть мясо, и предполагал, что со временем и сам буду свободно и открыто делать это и склонять к этому других. Теперь же я сделал выбор в пользу вегетерианства, и распространение его стало с тех пор моей миссией" [4].

Всякий, кто близко сталкивался с вегетерианством, знает, что это не просто диета, а своеобразная идеология умеренности и ненасилия, близко родственная индуизму и буддизму. Английское Вегетерианское общество, активным членом которого стал Ганди, было чем-то вроде секты или масонской ложи, объединявшей выходцев из разных социальных слоев. Здесь Ганди познакомился с некоторыми влиятельными людьми, много помогавшими ему в дальнейшем; здесь же он приобрел первый опыт организаторской деятельности.

Ганди пришлось соприкоснутся и с деятельностью весьма популярного в те годы Теософского общества. Он так и не стал его членом, однако познакомился с Анни Безант и, кроме того, под влиянием друзей-теософов прочел "Бхагавад-гиту" — одну из главных священных книг индуизма — и был потрясен ею до глубины души. Точно такое же потрясение он пережил несколько месяцев спустя, когда прочел "Свет Азии" — поэму Э.Арнолда о жизни и учении Будды, а затем Евангелие от Матфея. "Мой молодой ум пытался объединить учение "Гиты", "Света Азии" и Нагорной проповеди. Я видел, что высшая форма религии — отречение [от мира], и это глубоко запало мне в душу", — писал он об этом периоде своей жизни.

Однако религиозные искания не помешали Ганди пройти трехгодичный учебный курс и получить разрешение заниматься адвокатской практикой. Сразу же после этого он отбыл на родину.

Трудная работа индийского адвоката, основанная на виртуозном знании запутанных феодальных законов и человеческой психологии, оказалась не по плечу самоуглубленному искателю истины, а принципиальность и страсть к справедливости, развившиеся у него с юных лет, служили здесь и вовсе непреодолимым препятствием. Его старший брат, давно и успешно работавший на этом поприще, пытался помогать ему, но с каждым разом это становилось все сложнее и сложнее. Однажды он предложил Ганди отправиться в Южную Африку для помощи в весьма запутанном процессе по взысканию коммерческих долгов. Ганди с радостью согласился на это предложение и отправился в южноафриканскую провинцию Наталь, где в то время жило множество выходцев из Индии.

Процесс, в котором пришлось участвовать Ганди, тянулся уже несколько лет и грозил разорить обе тяжущихся стороны. С трудом разобравшись в весьма запутанной документации, Ганди понял, что требования истца справедливы и опротестовать их не удастся. Однако, выплатив требуемую сумму, ответчик неминуемо обанкротится, а по неписаным законам индийских купцов смерть предпочтительнее банкротства. Компромиссный вариант состоял в том, чтобы выплатить требуемую сумму в рассрочку, и Ганди удалось убедить обе стороны согласиться на этот вариант, не доводя дело до суда. Это решение принесло ему популярность, и еще десять купцов поручили ему ведение своих дел.

М. К. Ганди оказывает помощь больному проказой.

Но главным делом Ганди в Южной Африке стала борьба с расовой дискриминацией, которой подвергались здесь все индийцы. Власти бурских правительств облагали их непомерными налогами и унизительными запретами: им разрешалось селиться только в специально отведенных местах, запрещалось ездить в пассажирских вагонах и даже ходить по тротуарам, предназначенным только для белых! Большинство этих запретов не имело под собой никакой законной основы, но разобщенные и, в большинстве своем, малограмотные индийцы не могли даже подумать о том, чтобы протестовать. Вершиной их угнетения должно было стать постановление парламента провинции Наталь, лишающее индийцев избирательного права.

Ганди удалось убедить своих соотечественников протестовать против этого решения. Он организовал партию Индийский Конгресс Наталя и собрал более двух тысяч подписей под петицией с протестом. Индийцы считались британскими подданными, и поэтому пресса Великобритании выступила в их поддержку. В результате дискриминационный законопроект был отклонен. Это стало первой политической победой Ганди. С тех пор он неразрывно связал свою жизнь со служением родному народу.

В Южной Африке Ганди соприкоснулся с деятельностью двух христианских сект — методистов и "плимутских братьев". Не разделяя их взглядов на то, что вера в Христа является единственным путем к спасению, он с большим уважением отнесся к их стремлению к равенству, простоте и справедливости. Среди множества книг, прочитанных им по рекомендации христиан, оказались две брошюры, благодаря которым его религиозно-нравственные взгляды приобрели завершенную форму; "Последнему, что и первому" Рескина и "В чем моя вера" Толстого.

Толстой окончательно убедил Ганди в том, что на насилие нельзя отвечать насилием. Ганди всецело принял идею Толстого о том, что нравственность и религия — одно и то же, однако толстовское учение о непротивлении злу было преобразовано им в учение о *несотрудничестве* со злом. Впрочем, нравственные принципы Толстого достаточно близки к традиционной индийской *ахимсе*, так что знакомство с его работами, пожалуй, только лишний раз убедило Ганди, что он находится на правильном пути. Утопические же взгляды Рескина, идеализировавшего патриархальный уклад средневековых ремесленных общин, стали для Ганди подлинным откровением. Благодаря Рескину он создал свое социальное учение о *сарводайе*, или общем благоденствии. Согласно этому учению, благо общества является необходимым условием для блага каждого его члена; всякий труд на благо общества одинаково важен и почетен, будь то труд земледельца или ремесленника, адвоката или правителя. Однако главенство в обществе принадлежит производителям материальных ценностей, то есть тем, кто занимается ручным трудом. Все прочие члены общества — чиновники, администраторы, ученые — в той или иной мере являются их слугами; если они перестают осознавать свои служебные обязанности, то общество вскоре приходит в упадок.

Ганди понял, что высшими человеческими ценностями являются Долг, Любовь и Справедливость — понятия, лежащие в основе любой религиозной морали. С точки зрения этих ценностей европейская цивилизация показалась ему не вершиной, а скорей тупиковым путем развития человечества. "Ее подлинным критерием, — утверждал он, — является тот факт, что люди, живущие в цивилизованном мире, ставят своей целью в жизни физическое благополучие. Прежде одеждой служили шкуры, а оружием — копья. Теперь носят брюки и различную другую одежду для украшения тела, а вместо копий применяют револьверы с пятью патронами или даже больше... Прежде в Европе люди пахали землю главным образом вручную. Ныне с помощью парового двигателя человек может вспахать огромную полосу земли и накопить большие богатства. Это называют показателем цивилизации. Прежде только немногие писали книги, и притом ценные. Теперь кто угодно пишет и печатает все, что ему угодно, и отравляет умы людей. Прежде люди путешествовали в повозках. Теперь они мчатся в поездах со скоростью четыреста или больше миль в день... Прежде, когда люди сражались друг с другом, они мерялись силой, теперь же один человек, стреляя из пушки с холма, может лишить жизни тысячи людей. Это цивилизация. Прежде люди работали на открытом воздухе столько, сколько им хотелось. Теперь тысячи рабочих собираются вместе и работают на фабриках и в шахтах, чтобы добыть средства к существованию. Условия их жизни хуже, чем у животных. Рискуя своей жизнью, они вынуждены работать на миллионеров, выполняя самые опасные работы. Прежде люди делались рабами в силу физического принуждения. Теперь их порабощают соблазн денег и роскошь, приобретаемая за деньги. Ныне существуют болезни, о которых люди раньше не имели представления, и целая армия врачей занята поисками средств их лечения, соответственно растет число больниц. Это мерило цивилизации. Прежде требовались специальные посыльные и большие расходы для отправки писем; ныне каждый может оскорбить своего собрата посредством письма, которое обойдется ему в одно пенни. Правда, за ту же цену он может послать ему и свою благодарность... Все это подлинные критерии цивилизации. И если кто-то утверждает обратное, знайте, что он невежда. Эта цивилизация не принимает во внимание ни мораль, ни религию. Ее приверженцы спокойно заявляют, что обучение религии — не их дело. Некоторые даже считают, что религия — это продукт суеверия. Другие же рядятся в религиозные облачения и болтают о морали. Однако в результате двадцатилетнего опыта я пришел к выводу, что под именем морали часто преподается безнравственность. Даже ребенок поймет, что во всем, что я описал выше, не может быть никаких побуждений к морали. Цивилизация стремится к увеличению комфорта для людей, но, к несчастью, она терпит позорную неудачу даже в этом.

Эта цивилизация — отрицание религии, и она настолько захватила народы Европы, что они кажутся полусумасшедшими. Они утратили настоящую физическую силу и мужество. Они поддерживают свою энергию с помощью опьянения... Женщины, которые должны быть царицами домашнего очага, бродят по улицам или трудятся как рабыни на фабриках...

Эта цивилизация такова, что она разрушится сама собой, нужно только иметь терпение. Согласно учению Мухаммеда, ее следует считать сатанинской цивилизацией. Индуизм называет ее черным веком. Я не могу дать вам адекватного понятия о ней. Она въедается в жизненно важные органы английской нации. Ее нужно избегать" [5].

Разумеется, такая критика нашей цивилизации может показаться пристрастной и чрезвычайно поверхностной. Очевидно, Ганди не следовало забывать о том, что своими первыми политическими успехами он был обязан именно западной цивилизации, неотъемлемыми чертами которой, кроме всего перечисленного, является дух демократии и законности, сохранившийся даже в Южной Африке. Трудно себе представить, что бы могло случиться с молодым правдоискателем в менее демократической стране — к примеру, в России или в Китае.

Несмотря на это, Ганди вовсе не считал демократию и законность необходимыми условиями для сохранения справедливости в обществе. По его мнению, для этого годится любая форма правления, если люди цивилизованы *на самом деле*, то есть *ведут себя так, как им указывает путь долга.* "Исполнение долга и соблюдение морали — взаимозаменяемые понятия. Соблюдать правила морали — значит господствовать над своими мыслями и страстями. Поступая так, мы познаем самих себя. По-гуджаратски слово "цивилизация" означает "хорошее поведение".

Если это определение правильно, ...тогда Индии нечему учиться у кого бы то ни было, и так и должно быть. Мы знаем, что ум — беспокойное создание; чем больше он получает, тем большего он хочет, и всегда остается неудовлетворенным. Чем больше мы потворствуем нашим страстям, тем более необузданными они становятся. Поэтому наши предки поставили предел потворству слабостям. Они понимали, что счастье — это, главным образом, состояние ума. Не обязательно человек счастлив, когда он богат, или несчастлив, когда он беден. Мы часто видим, что богачи несчастливы, а бедняки счастливы. Миллионы людей всегда будут бедными. Видя это, наши предки отучали нас от роскоши и наслаждений. Мы обходимся таким же плугом, как и тысячи лет назад. У нас такие же хижины, какие были в прежние времена, и наше национальное воспитание остается таким же, как и прежде. В нашем жизненном укладе не было соперничества, которое отравляет существование. *Каждый занимался своим делом или ремеслом и получал положенную плату.* Дело не в том, что мы не знали, как изобрести машины, но наши предки знали, что, если мы будем к этому стремиться, мы станем рабами и утратим свой моральный облик. Поэтому после долгого размышления они решили, что мы должны делать только то, что мы можем сделать своими руками и ногами. Они понимали, что подлинное счастье и здоровье состоит в должном использовании рук и ног. Они рассудили далее, что большие города — это западня и бесполезная обуза, и что в них люди не будут счастливы, так как там появятся банды воров и грабителей, будут процветать проституция и пороки, и богачи будут обирать бедных. Поэтому наших предков удовлетворяли небольшие деревни. Они знали, что сила оружия королей уступает силе нравственности, и поэтому земных монархов они ставили ниже мудрецов и аскетов. Нации с такими качествами более подходит учить других, чем самой учиться у них" [6].

Демократия и законность западных стран, по мнению Ганди, представляют из себя некий суррогат морали, лишенной религиозного основания, а потому чрезвычайно нестойкой. И в самом деле: если человек из страха перед законом подавляет в себе желание убить или украсть, то не является ли он потенциальным вором или убийцей? Если парламентские фракции борются между собой за лидерство вместо того, чтобы служить избравшему их народу, то не лучше ли будет для того же народа, чтобы им управлял справедливый и добродетельный князь, осознающий свой долг перед управляемыми? Разумеется, скептический западный ум, убежденный в несовершенстве человеческой природы, сочтет такую альтернативу утопической; он скажет, что каждый из нас является потенциальным преступником, и что справедливые князья бывают только в сказках. Однако такой скептицизм не свойствен индийскому уму. Индусы верят в то, что все человеческие грехи происходят от незнания Истины; но Истина постижима, и Бог все время посылает народу мудрецов, которые помогают постичь ее. И когда Ганди победил в борьбе за права народа, миллионы индийцев сочли его одним из таких мудрецов.

Борьба за права южноафриканских индийцев принесла Ганди множество неприятностей. Его шантажировали, избивали, обманывали, сажали в тюрьму и даже пытались линчевать. Но Ганди и его сторонники противопоставили насилию тактику ненасильственного сопротивления, или *сатьяграхи*.

Ганди был убежден в том, что всякая сила способна принести людям вред лишь в том случае, если они сотрудничают с этой силой. Он утверждал, что англичане покорили Индию только благодаря тому, что индийские купцы торговали с ними, а индийские князья пытались использовать их силу для укрепления собственного авторитета; но стоит лишь перестать сотрудничать с англичанами, и Индия станет свободной от их владычества. "У вас огромные военные ресурсы, — говорил он, обращаясь к английскому правительству. — Мощь вашего флота несравненна. Если бы мы хотели бороться с вами вашим собственным оружием, мы не были бы в состоянии сделать это, но если почтительно изложенное выше для вас неприемлемо, мы перестанем играть роль управляемых. Вы можете, если хотите, изрезать нас на куски. Вы можете разорвать нас в клочья, привязав к жерлам пушек. Но если вы будете действовать вопреки нашей воле, мы не станем вам помогать, а без нашей помощи вы не сумеете сделать ни шагу" [7].

Такая политическая доктрина казалась абсурдом многим современникам Ганди, настроенным на вооруженную борьбу с колонизаторами. Некоторые и сегодня считают ее утопической, несмотря на то, что Индия добилась независимости именно благодаря всенародной кампании *сатьяграхи*. Политикам трудно понять, что несотрудничество со злом имеет глубокий мистический смысл. Эту идею можно встретить в любом священном писании, и, в частности, в Библии: "Блажен муж, который не ходит на совет нечестивых и не стоит на пути грешных и не сидит в собрании развратителей". Автор этих строк был великим

Обитель Махатмы Ганди.

воином и, должно быть, на собственном примере убедился в том, что никакое зло не в состоянии победить добродетельного человека. Прославленные учителя каратэ и кунг-фу считают, что к противнику нужно относиться без гнева и злобы, сохраняя неустрашимость и спокойствие духа; вся боевая выучка служит здесь лишь средством для обретения этих качеств. Совершенный воин — утверждают они — не даст вовлечь себя в битву, и сила атакующего сразит самого атакующего.

Таким образом, новаторство Ганди состоит лишь в том, что он первый применил эту доктрину в политической борьбе. И, к сожалению, английские политики оказались здесь в положении атакующего. Сперва они поддерживали деятельность Ганди в Южной Африке: ведь индийцы были британскими подданными, и всякое заявление об ущемлении их прав давало лишний повод вмешаться во внутренние дела бурских провинций. Ганди решил отплатить добром за добро: когда разразилась англо-бурская война, он организовал санитарный отряд, участвовавший в боях на стороне англичан, хотя их действия с самого начала казались ему несправедливыми и захватническими.

Набросок портрета М. К. Ганди с натуры.
Мадрас, 1918 г.

Однако, победив в войне, англичане тут же забыли про помощь индийцев, и не только не сделали ничего для улучшения их положения, но, напротив, существенно ухудшили его. Этот случай окончательно убедил Ганди в том, что сотрудничать с несправедливостью нельзя ни при каких условиях. С тех пор его *сатьяграха* стала более последовательной.

В 1906г. он организовал кампанию гражданского неповинения закону о принудительной регистрации индийцев в Трансваале, в 1913 — мирный поход нескольких тысяч индийцев из Наталя в Трансвааль, в знак протеста против ограничения свободы перемещений. Власти пытались воздействовать на протестующих силой, но это ни к чему не привело, поскольку каждый из участников сатьяграхи поклялся скорее умереть, чем отступиться от своих требований. Ганди дважды побывал в тюрьме, но все репрессии приводили к тому, что его популярность росла, а репутация английских колониальных властей становилась все хуже и хуже. Наконец они были вынуждены удовлетворить все требования индийцев, и Ганди вернулся на родину, где уже давно и внимательно следили за его борьбой.

После путешествия по Индии и встреч с ведущими деятелями национально-освободительного движения Ганди осел близ Ахмадабада, где организовал собственный "Сатьяграха Ашрам". К тому времени он уже повстречался с великим индийским поэтом Рабиндранатом Тагором, который первым признал в нем махатму. Слухи о новом святом аскете, который знает, как победить англичан, быстро разнеслись по всей Индии. В итоге все политики страны с удивлением наблюдали, что у народа появился новый вождь, вооруженный чрезвычайно цельным и действенным нравственным учением.

Под влиянием Ганди партия Индийский Национальный Конгресс приняла резолюцию, требовавшую независимости для Индии. В ответ на это колониальные власти выпустили несколько дискриминационных и репрессивных постановлений, лишив коренное население Индии практически всех гражданских прав. Мирные демонстрации протеста были встречены жестокими репрессиями, однако Ганди призвал своих соотечественников соблюдать *ахимсу*. В то же время он последовательно выступал за несотрудничество с англичанами. В результате индийцы бойкотировали несправедливый избирательный закон и отказывались покупать английские товары, возрождая полузабытые кустарные ремесла. Принц Уэльский, посетивший страну в 1921г., был чрезвычайно удивлен, не встретив на своем пути привычных восторженных толп. Города пустели при его приближениии, люди запирались в домах и отказывались выходить на улицу. В том же 1921г. в Бомбее было сожжено множество тюков английских тканей, выкупленных индийскими патриотами. Ручное прядение и ткачество быстро приобретало популярность по всей стране, и пилотка из домотканого холста вскоре стала чем-то вроде форменного головного убора членов Индийского национального конгресса.

Между тем Уинстон Черчилль, вступив на пост министра по делам колоний, первым делом издал приказ об усовершенствовании репрессивного аппарата. Отныне народные беспорядки должны были подавляться с помощью авиации. Однако серьезных беспорядков в Индии не наблюдалось вплоть до конца 1921г., хотя *сатьяграха* шла полным ходом, несмотря на аресты, избиения и расстрелы. Терпеливые индийцы постепенно брали верх в "войне нервов", которую Ганди навязал колониальному правительству.

Но к концу 1921г. народное терпение исчерпалось. В начале 1922г. жители деревни Чаури-Чаура подожгли казармы полиции и убили несколько полицейских. Теперь власти имели настоящий повод для усиления репрессий, и они незамедлили им воспользоваться.

Ганди объявил многодневную голодовку и призвал весь индийский народ к покаянию. В марте 1922г. он был арестован по обвинению в антиправительственной деятельности. На последовавшем затем "Великом процессе" Ганди предал гласности многочисленные факты антинародной деятельности правительства. Его приговорили к шести годам тюремного заключения, однако волна протестов против этого приговора оказалась настолько мощной, что уже в 1924г. он был

выпущен на свободу. Желая сохранить свои позиции, британские
власти решили пойти на компромисс с Индийским Национальным
Конгрессом и предоставить Индии самоуправление в рамках Империи.

Впоследствии английские политики сделали все, чтобы свести
обещанное самоуправление к минимуму, и Ганди пришлось выдержать
еще несколько раундов *сатьяграхи*. В 1930г. он впервые призвал
народ к борьбе за полную независимость. Каждая *сатьяграха*
непременно влекла за собой жестокие репрессии и арест Ганди; однако
после этого события принимали такой оборот, что власти предпочитали
выпустить его на свободу и удовлетворить некоторые из его требований. Наконец, в 1942г. английское правительство заявило о своей
готовности предоставить Индии статус доминиона, т.е. самоуправляю-
щейся колонии. Ганди назвал это предложение "просроченным чеком
обанкротившегося банка" и потребовал немедленно предоставить
Индии полную независимость.

Положение англичан в Индии становилось все более и более
опасным. В результате многочисленных *сатьяграх* экономическая и
политическая обстановка в стране была полностью дестабилизирована.
Несмотря на все миролюбивые призывы Ганди, *сатьяграхи* то и дело
перерастали в вооруженные выступления. Демон народного неповино-
вения был выпущен на волю; в Индии обострились социальные
конфликты и вновь вспыхнула вражда между индусами и мусульма-
нами. Едва ли стоит обвинять в этом одного лишь Ганди; вспомним,
что когда он начинал свою борьбу, его требования были не столь уж
радикальными — однако колониальные власти не захотели пойти на
компромисс. Теперь же, когда Индия находилась на грани анархии,
они просто вынуждены были дать ей полную независимость.

Справедливости ради следует сказать, что провозглашение независимости принесло Индии больше забот, чем радостей. Наряду с
экономической и социальной отсталостью, очень тяжелые последствия
имел тот факт, что каждый из народных лидеров, объединившихся
вокруг Ганди, видел будущее независимой Индии по-своему. Теперь
же, когда Индия обрела свободу, вчерашние союзники стали врагами,
и Ганди тщетно пытался примирить их.

Ганди вообще не принадлежал к числу тех политиков, которые
стремятся во что бы то ни стало заручиться поддержкой большинства.
Он внимательно выслушивал и друзей, и врагов, но по-настоящему
внимал только голосу своего Бога. Многие его поступки оставались
непонятны даже ближайшим друзьям; часто его критиковали и справа, и
слева, но дальнейшее развитие событий неизменно подтверждало его
правоту. Однако никогда в жизни Ганди не подвергался такой яростной
критике, как после обретения Индией долгожданной независимости.

Его социальные доктрины называли утопическими; его призывы к
соблюдению *ахимсы* по отношению к агрессивным мусульманам
вызвали взрыв негодования. Его стремление отменить касты и
уравнять "неприкасаемых" с остальными слоями индийского общества
многие сочли невероятным кощунством. 30 января 1948г. Ганди был
убит террористом из религиозной организации "Хинду Махасабха".
Он умер со счастливой улыбкой и с именем Рамы на устах.

Политическая победа Ганди породила множество новых проблем, не решенных и до сих пор. Его политические наследники уверенно направляют Индию по пути индустриализации и не стесняются применять насилие для решения внутренних конфликтов, то есть, ведут себя вполне "по-западному". Но значит ли это, что политика *ахимсы* в целом потерпела поражение?

По-моему, поступки последователей Ганди могут свидетельствовать лишь о том, что им недостает выдержки, бесстрашия и духовной силы своего политического наставника. Парадокс ненасилия заключается в том, что только очень сильный и свободный человек способен использовать его в полной мере. Наверное, Ганди был таким человеком: за всю свою политическую карьеру он ни разу не прибег ко лжи, не призывал к насилию и ненависти, и, быть может, именно в этом заключается его главная победа.

"Человек и его поступок — вещи разные, — говорил он. — В то время как хороший поступок заслуживает одобрения, а дурной — осуждения, человек, независимо от того, хороший или дурной поступок он совершил, всегда достоин либо уважения, либо сострадания, смотря по обстоятельствам. "Возненавидь грех, но не грешника" — правило, которое редко осуществляется на деле, хотя всем понятно. Вот почему яд ненависти растекается по всему миру.

Ахимса — основа для поисков истины. Каждый день я имею возможность убеждаться, что поиски эти тщетны, если они не строятся на *ахимсе*. Вполне допустимо осуждать систему и бороться против нее, но осуждать ее автора и бороться против него — все равно, что осуждать себя и бороться против самого себя. Ибо все мы из одного теста сделаны, все мы дети одного Творца, и божественные силы в нас безграничны. Третировать человеческое существо — значит третировать эти божественные силы и тем самым причинять зло не только этому существу, но и всему миру" [8].

БИБЛИОГРАФИЯ

1*. Hermann Rauschning, *The Hitler Says* (London), p.148.

MOHANDAS GANDHI

1*. M. K. Gandhi, *An Autobiography Or The Story of My Experiments with Truth* (Ahmedabad), p.3.

2. Ibid., p.5.

3. Ibid., p.20.

4. Ibid., p.37.

5*. M. K. Gandhi, *Hind Swaraj Or The Indian Home Rule* (Ahmedabad), pp. 18-19.

6. Ibid., pp. 39-40.

7. Ibid., p.62.

8. Gandhi, *An Autobiography...* , p.215.

Во время первой мировой войны немецкий летчик Бендер пережил метафизическое озарение, открывшее ему глаза на истинную природу Вселенной. Он понял, что все мы живем на *внутренней* поверхности земного шара! Лучи солнца, расположенного в центре сферы, прижимают нас к земле; слой воздуха простирается на 70 километров вверх, а дальше находится вакуум, где плавают солнце, луна и сгусток голубоватого газа, который мы принимаем за Вселенную. Когда этот сгусток заслоняет солнце, у нас наступает ночь; что же касается таких очевидных вещей, как восход, закат и линия горизонта, то это просто оптические иллюзии, вызванные криволинейным распространением солнечных лучей.

Теория Бендера вскоре приобрела немногочисленных, но очень верных сторонников в лице нескольких немецких студентов, которые решили проверить ее на практике. Если мы действительно живем внутри земного шара, — рассуждали они, — то ракета, запущенная из Европы, должна приземлиться где-нибудь в Австралии. Эксперимент состоялся в Германии в 1933г.; из трех ракет две взорвались неподалеку от стартовой площадки, зато третья пролетела целых триста метров! Для самодельной ракеты, стартовавшей задолго до эпохи космических полетов, такой результат был более чем замечательным.

Инженеру, сконструировавшему ракету, в то время шел двадцать второй год; его звали Вернер фон Браун. Его путь к всемирной известности начался в тот самый день, когда он увлекся учением Бендера. Об эксперименте с ракетами доложили Гитлеру, и с тех пор вся жизнь фон Брауна была связана с ракетостроением. Его реактивные снаряды "Фау-2" бомбили Лондон в 1945г.; его ракеты-носители "Сатурн" и "Юпитер" стартовали с мыса Канаверал. Немногие знают, что основные разработки этих ракет были готовы уже в начале сороковых годов, так что первым человеком в космосе вполне мог бы стать какой-нибудь нацистский гауляйтер. Все погубил случай: как-то раз фон Браун неосторожно обмолвился о том, что его цель — завоевать

Луну, а на мировое господство Германии ему плевать. Заявление показалось неблагонадежным, и его тут же отстранили от работы.

Другой лидер мирового ракетостроения — советский конструктор Королев — воспитывался под влиянием идей Константина Циолковского, выдающегося физика и не менее выдающего мистика. Циолковский был убежден в одушевленности и разумности космоса, и это вдохновляло его на фундаментальные исследования в области теории космических полетов (в частности, он вычислил первую, вторую и третью космические скорости). Таким образом, у истоков советского ракетостроения тоже лежала некая метафизическая космология, хотя здесь она не проявила себя столь явно, как в случае с фон Брауном.

Двадцатый век оказался особенно щедр на "космологические откровения". Наиболее абсурдное из них — теория плоской Земли (с Северным полюсом в центре и Антарктидой по краям) — до сих пор имеет некоторое количество сторонников в США, несмотря на то, что космические полеты опровергают ее весьма наглядно.

Учение немецкого физика Гербигера о ледяной Вселенной выглядит гораздо более обоснованно. При нацистском режиме оно было объявлено официальной основой "арийской физики", якобы одержавшей победу над "еврейской физикой" Эйнштейна. "Откровение" Гербигера гласило, что вся Вселенная состоит из льда и вращается вокруг единственного огненного центра — Солнца, причем все тела постепенно падают на него. В своей 800-страничной работе "Гляциальная космология" Гербигер привлек для доказательства этой теории огромное множество фактов, причем не только из физики и астрономии, но и из таких "далеких" областей знания, как археология и палеонтология. Многие из этих фактов впоследствии не подтвердились: так, было доказано, что высокие дневные температуры на планетах Солнечной системы исключают всякую возможность существования там какого бы то ни было льда. Однако гербигерианство, по-видимому, отвечает чьей-то душевной потребности, поскольку многие исследователи в Англии и США до сих пор берут на себя труд приспосабливать его к современным научным данным. Диалектика вечной борьбы между огнем и льдом завораживает их фантазию, и они настойчиво утверждают, что Гербигер мог ошибаться в частностях, но в главном был прав!

Чарльз Форт, американский исследователь аномальных явлений и весьма тонкий метафизик, очевидно, сказал бы по этому поводу, что ни одна из космологических теорий не может быть полностью истинной или полностью ложной. Согласно его мнению, существование нашей Вселенной — всего лишь промежуточный этап между Абсолютным Существованием и Абсолютным Несуществованием; и в этом достаточно просторном промежутке в любой момент может случиться все что угодно. Сегодня Вселенная может состоять из огня и льда, а завтра — из сыра и сливочного масла; поэтому всякая теория о строении космоса ценна лишь постольку, поскольку она побуждает исследовать Космос; а всякое исследование может быть лишь средством для приближения к единой Абсолютной Истине, лежащей в основе всех исследуемых предметов.

Вселенная Карла Юнга находится внутри каждого из нас и носит имя *коллективного бессознательного*. Ее населяют первообразы, или *архетипы*: Тень, Анима, Анимус, Квадрат, Старый Мудрец и многие другие, являющиеся нам в сновидениях и постоянно присутствующие в таких "коллективных сновидениях" человечества, как мифы или метафизические теории. Трудно сказать, что же на самом деле обнаружил Юнг, исследуя архетипы коллективного бессознательного: психологические основы мистицизма или же мистические основы человеческой психики; однако его открытия, сделанные на грани мистики и науки, одинаково ценны и для мистиков, и для ученых.

КОНСТАНТИН ЦИОЛКОВСКИЙ (1857 – 1935)

"По моей чрезвычайной любознательности я энциклопедист. Моя натурфилософия, которую я вырабатывал в течение всей жизни и ставил выше всякой другой своей деятельности, также требовала сведений во всех отраслях знаний...

Я все время искал, искал самостоятельно, переходил от одних трудных и серьезных вопросов к другим, еще более трудным и важным. Сдерживались мои мысли и фантазии только наукой" [1].

Константин Эдуардович Циолковский, самоучка из русской провинции, еще в семидесятые годы XIX века заявил о том, что человек создан для освоения космических пространств. В 1920-е годы он уже разработал основы теории космических полетов, размышлял о полном использовании энергии Солнца, об искусственных космических станциях, о грядущем единении человечества и превращении всей Земли в цветущий сад. Обогнав свое время, он прожил всю жизнь в нищете, с клеймом чудака и безумца, и лишь в последние годы жизни его научные идеи получили признание. Что же касается своеобразных мистических теорий, питавших эти идеи, то они остаются в тени до сих пор.

Циолковский родился в селе Ижевском (под Рязанью) в семье лесничего. В десятилетнем возрасте он почти полностью оглох из-за перенесенной скарлатины и не смог продолжать учиться в школе. С тех пор он занимался самообразованием, пользуясь небольшой библиотечкой своего отца, в которой имелись книги по естественным наукам и математике. Вскоре им овладела страсть к изобретательству. Он строил воздушные шары из тонкой папиросной бумаги, сделал маленький токарный станок, сконструировал коляску, которая должна была передвигаться при помощи ветра. В своих воспоминаниях он пишет о том, как впервые измерил расстояние с помощью астролябии, а затем проверил его на практике. Результаты совпали, и с этих пор он проникся доверием к теоретическому знанию.

Когда Циолковскому исполнилось 16 лет, отец отправил его в Москву, чтобы он поближе познакомился с жизнью и выбрал себе профессию. Ежемесячно родители присылали ему небольшую сумму денег, которую он почти полностью тратил на покупку книг и приборов для научных исследований. Он так и не устроился на работу или в

КОНСТАНТИН ЦИОЛКОВСКИЙ (1857 – 1935)

учебное заведение, зато самостоятельно изучил высшую математику, физику, химию, аналитическую механику. Из-за постоянного недоедания он сильно ослаб и испортил зрение, и в конце концов вынужден был вернуться домой. Однако к тому времени он уже изобрел многоступенчатую космическую ракету и разработал свою теорию поэтапного завоевания Солнечной системы.

В 1879 г. Циолковский сдал экзамен на звание народного учителя и был направлен преподавать математику в Боровск (недалеко от Калуги). Здесь он женился на дочери своего квартирного хозяина и жил почти что безвыездно до самой смерти.

В небольшом провинциальном городке Боровске не было ни библиотеки, ни научных обществ, ни лабораторий. Газеты приходили сюда с недельным опозданием, а научные журналы не приходили вовсе. Поэтому ни одну из своих идей Циолковский не мог проверить по современной научной литературе и был вынужден самостоятельно добиваться ее экспериментального подтверждения. Впоследствии он рассказывал, что сперва делал открытия давно известные, потом недавние, а затем и совсем новые. Таким образом, он самостоятельно одолел путь, пройденный европейской наукой за предыдущие пятьдесят лет.

Оригинальная космическая философия Циолковского, изложенная в его поздних работах, тоже формировалась в полной изоляции от современных веяний. Он не был знаком с работами Штейнера или Федорова; все, что ему было доступно — это популярные изложения трудов древнегреческих мыслителей и учения Будды. Он довольно прохладно относился к христианству, и его мистицизм, в общем, был свободен от евангельских влияний. В начале своей работы "Монизм Вселенной" Циолковский предупреждает, что для понимания его идей "необходимо отрешиться от всего неясного, вроде оккультизма, спиритизма, темных философий, от всех авторитетов, кроме авторитета точной науки, то есть математики, геометрии, механики, физики, химии, биологии и их приложений" [2]. Таким образом, он был уверен, что его космическая философия — вовсе не мистика, а логический вывод изо всей современной ему системы естественнонаучных знаний.

Необоснованный оптимизм религиозных учений и пессимистическая философия материализма были одинаково чужды Циолковскому. Он был уверен в человеческом бессмертии, в разумности и доброжелательности сил, управляющих космосом, и в грандиозных перспективах грядущего развития человечества. Он утверждал, что во Вселенной нет никакой иной реальности, кроме материи, состоящей из атомов; однако каждый атом наделен элементарным разумом и чувствительностью. Эта чувствительность атома "у высших животных велика и носит условное название жизни или бытия, у низших — слабее (почти не существует), так же и у растений. В неорганической природе это ощущение так мало, так незаметно, что носит название небытия, смерти, покоя... Но... абсолютно нулевого ощущения *ни при каких условиях быть не может*" [3]. Атом Циолковского — некий универсальный индивид, примитивное "я", которое в зависимости от обстановки становится мухой, коровой, камнем, растением или человеком.

Так как космос химически однороден, развивается по единым физическим законам и насыщен одинаковыми по своему строению атомами, он обладает всеобщим свойством чувствительности, всегда способен принять форму живого организма. "В математическом же смысле, — подчеркивал Циолковский, — вся Вселенная жива" [4].

Чувствующие атомы не подвержены никаким изменениям и бессмертны. Поэтому смерть какого-нибудь человеческого индивида — это всего лишь распад некоего временного конгломерата атомов, образующих затем новый конгломерат.

Циолковский считал, что трагическое восприятие смерти, свойственное большинству людей — всего лишь иллюзия, порождаемая социальной средой. Люди хотят сохранить себя и своих близких в привычном виде, в котором они существуют в данный момент, и совсем не задумываются о том, что атомы, высвободившиеся в результате разрушения физического тела, после смерти человека вступят, возможно, в более сложные, а потому и более совершенные союзы, став счастливее. Кроме того, те, кого мы зовем родными или друзьями, созданы во многом нами самими: их облик во многом сотворен силой нашего разума и воображения. Необходимо смириться с мыслью, что "умирающий навсегда прощается со своей обстановкой... Она возникает, когда атом снова попадает в иной мозг. Он дает и обстановку, но другую, не имеющую связи с первой... Сейчас вы желаете свидания с умершими, но смерть истребит и эти желания. Недовольство ваше только при жизни. Уйдет жизнь, уйдет и оно. В новой жизни останется только счастье и довольство" [5]. Таким образом, вечный, бесконечный в своих жизненных комбинациях атом гарантирует жизни космическое бессмертие.

Вселенная Циолковского является единой саморегулирующейся системой, которая не имеет конца, однако имеет некое нематериальное начало. Это начало, стоящее выше Космоса и Вселенной, Циолковский именовал *Первопричиной*. По его мнению, разумность и совершенство мироздания недвусмысленно свидетельствуют, во-первых, о наличии *Первопричины* и, во-вторых, о том, что она не может быть злой и нести с собой страдание. "...Вселенная, — утверждал он, — в общем не содержит горести и безумия. Ее радость и совершенство производятся ею самою. Какова же доброта Причины, если даже одной из своих игрушек она дала такое счастье...

Причина есть высшая любовь, беспредельное милосердие разума... Причина создала Вселенную, чтобы доставить атомам ничем не омраченное счастье. Она поэтому добра. Значит, мы не можем ждать от нее ничего худого" [6].

Наверное, только твердой верой в доброе начало Космоса можно объяснить творческое долголетие Циолковского, прожившего почти всю жизнь в условиях, которые едва ли можно было назвать благополучными. Нищенское жалование, недоедание, болезни, презрение окружающих, почти полная глухота и нарастающая слепота — каждого из этих несчастий достаточно, чтобы превратить жизнь в трагедию. Из семерых детей Циолковского трое умерли в младенчестве, а двое покончили с собой в юности, задавленные беспросветной нищетой. Только в конце 20-х годов к ученому пришла всероссийская известность, но и она мало что изменила в его материальном положении. Тем не менее, Циолковский не обращал внимания на все эти невзгоды и преодолевал их со стоическим безразличием.

Циолковский был убежден в том, что только познающий разум способен сделать человека свободным и счастливым. Разум всемогущ, и истинная свобода для человека возможна только в том случае, если ему будет предоставлена полная свобода познавать мир и самого себя. Другим положительным началом человеческой психики является воля, без которой, по мнению Циолковского, даже всемогущий разум не мог бы способствовать достижению свободы. И воля, и разум зависят от устройства человеческого мозга; но если последний связан с совершенством атомов, находящихся в нем, то наша воля испытывает на себе влияние воли Вселенной, которая частично воплощена в воле конкретного человека.

Воля и разум давно бы сделали всех людей счастливыми, если бы им не мешали страсти. Вслед за буддийскими учителями, Циолковский называет страсти основным источником всех страданий. Сначала человек мучается по мере их нарастания, затем ищет способы удовлетворения, после наступает недолгий период спокойствия, и все начинается сначала. В любой из этих моментов люди лишены разумного счастливого существования. При этом неважно, что испытывает каждая отдельная личность: высшую ли степень положительной страсти — блаженство, или крайнюю степень отрицательной страсти — агонию. В любом случае она страдает.

Чтобы решить эту проблему, Циолковский предлагал путем длительного искусственного биологического подбора создать "существо без страстей, но с великим разумом. Это воображаемое существо в отношении чувств будет иметь только два периода: период молодости и развития, когда число идей и деятельность мозга возрастают, и период старости, когда и то, и другое постепенно угасает. Первый период будет сопровождаться тихой радостью, которая скорее может быть названа бодростью, трудоспособностью, второй — тихой печалью, но не уничтожающей способности к работе, а только ослабляющей ее. Постепенное и продолжительное угасание мозга избавит существо от смертных мук" [7].

Циолковский верил в безграничные возможности биологии и, прежде всего, евгеники — учении об улучшении человеческой наследственности. Он считал, что выявление одаренных людей и создание для них особо благоприятных условий могло бы стать первой ступенью к совершенствованию человечества в целом. Размышляя о путях и конечных целях этого совершенствования, Циолковский создал своеобразную утопию, в которой воплотил свои мечты об идеальном устройстве сообщества людей на Земле.

Такое сообщество, — считал он, — сможет существовать тогда, когда разум человека достаточно разовьется и достижения науки войдут во все отрасли жизни. Тогда на Земле будут освоены и разработаны все полезные ресурсы, окультурены непригодные ныне

16*

для жизни человека природные регионы, включая мировой океан. В растительном мире будут уничтожены вредные или ядовитые растения, в животном не останется хищных зверей и птиц. Люди расселятся в больших и удобных поселках в тропическом и субтропическом поясах, а в более холодных зонах будут построены крупные промышленные узлы. В сельском хозяйстве широкое применение получат достижения химии, биологии и механики (хотя, вероятно, вскоре потребность людей в пище отомрет). Производительность труда достигнет того высочайшего уровня, при котором работа на предприятиях будет занимать не более 4-6 часов в неделю, и у каждого человека появится максимум свободного времени, "которое отдадут свободному необязательному труду, творчеству, развлечениям, науке, мечтам, ничегонеделанию, кто как хочет. Но в это свободное время и совершается самое великое: движение вперед" [8]. Причем самым уважаемым занятием землянина, по мнению Циолковского, станет интеллектуальный *труд*, а самым ценным продуктом — научное знание.

Циолковский продумал здесь все до мелочей, начиная от устройства и внутреннего оформления жилых и рабочих помещений и заканчивая единой приемлемой для всех жителей Земли азбукой, на основе которой может быть создан удобный и емкий интернациональный язык.

Когда это общество достигнет своей зрелости, возросший интеллектуальный уровень его членов приведет к тому, что "начнется борьба убеждений. Сначала это будет рознь и множество заблуждений, но потом одолеет истина, потому что она сильнее всего. Истина укажет на лучшее общественное устройство. Она состоит в том, чтобы самая лучшая часть человечества управляла Землей, чтобы каждый, сообразно своей полезности для людей, занял соответствующее место. Управление лучшими людьми, высшими представителями человечества дает ему единение" [9]. В итоге должно возникнуть такое положение, когда "в идеальном обществе все члены в своей деятельности следуют одному, единой воле, единой идее — и вот почему такое общество как бы одно существо" [10].

Однако, по мнению Циолковского, создание всемирного сообщества не может быть окончательной целью человечества. Он был уверен, что в Космосе существуют иные разумные силы, по своему развитию стоящие значительно выше человека. Вся история человечества, — утверждал он, — несет на себе несомненные следы их вмешательств, и следы эти недвусмысленно свидетельствуют об их разумности. Человечество непременно соприкоснется с этими силами, осваивая другие планеты Вселенной; и, наконец, оно непременно станет одной из этих сил, включенной в единое космическое сообщество.

Циолковский считал, что к тому времени человек видоизменится настолько, что станет "небывалым разумным животным" — лучистым существом. Вот как он описывал его облик:

"Особенное животное. В него не проникают ни газы, ни жидкости, ни другие вещества. Из него так же они не могут и удалиться. Животное пронизывается только лучами света... Таким образом, наше животное получает все необходимое для жизни. Пища... и кислород претворяются в ткани животного... Круговорот совершается вечно, пока само животное не будет разрушено.

...Такое животное... получается из яйцеклетки, последняя развивается в подходящей питательной среде... растет, дышит, достигает максимального роста, оплодотворяется..., затем понемногу преобразуется... Теряет потовые железы, легкие, органы пищеварения, покрывается непроницаемой кожей, одним словом, изолируется от окружающей среды и становится тем необыкновенным существом, которое мы описали. Оно живет только солнечными лучами, не изменяется в массе, но продолжает мыслить и жить как смертное или бессмертное существо. Такое сформированное существо уже может обитать в пустоте, в эфире, даже без тяжести, лишь бы была лучистая энергия" [11].

Здесь нужно заметить, что преодоление физической природы человека было одной из ключевых идей русской мистики XXв.; в том или ином виде она присутствует и в учении Иванова, и в трудах Андреева. Своеобразие Циолковского заключается в том, что он впервые попытался дать этой мистической идее научное обоснование. Впоследствии многие футурологи и фантасты размышляли о том, как будут выглядеть наши далекие потомки — но ни один из них не высказывал столь радикальных предположений.

Можно с уверенностью сказать, что мистическая утопия Циолковского была тем тайным источником, который питал его научно-исследовательскую деятельность. Он не просто верил в то, что она возможна — он разрабатывал конкретные пути для ее реализации, занимаясь такими "несвоевременными" научными вопросами, как ракетостроение и теория космических полетов. Многие из его прозрений, высказанных еще в 1870-е гг., блестяще подтвердились 90 лет спустя; многие, по-видимому, еще ждут своего часа. Как знать, может быть, даже идеи об одушевленности атома и разумности Вселенной, весьма наивные с точки зрения современной науки, на поверку окажутся не столь уж абсурдными?

"Вы — часть космоса, — говорит нам Циолковский. — Жизнь в нем, в общем, совершенна и разумна. Значит и вы, живя жизнью Вселенной, должны быть счастливы" [12].

ГАНС ГЕРБИГЕР (1860 -1931)

Вселенная не безгранична.

Она представляет из себя шар с радиусом около тридцати триллионов километров. В центре этого шара находится Солнце — огненное ядро, вокруг которого вращаются планеты. Пространство Вселенной заполнено разреженными газами: гелием, водородом, азотом, кислородом и замерзшими водяными парами, т.е. мелкой ледяной пылью. Газы и лед создают трение, которое постепенно гасит энергию вращения планет, и в результате их орбиты превращаются в центростремительные спирали. Вращаясь вокруг Солнца, все планеты постепенно приближаются к нему и когда-нибудь непременно упадут на него. От удара Солнце взорвется, его обломки разлетятся к пределам Вселенной и снова начнут медленно возвращаться к центру, вращаясь по своим спиральным орбитам.

То, что мы принимаем за звезды — на самом деле ледяная пыль, скопившаяся на границах нашей Вселенной. Некоторые планеты целиком состоят изо льда; некоторые (к примеру, Марс и Венера) изначально были обломками взорвавшегося Солнца, но очень сильно обмерзли, вращаясь в ледяных пространствах. Земля же носит в своих недрах частицу Солнца, обладающую столь мощной энергией, что вселенский холод не способен полностью обморозить ее. Соприкасаясь с этой энергией, космический лед превращается в воду, а разреженные замерзшие газы вновь обретают газообразное состояние и образуют земную атмосферу.

Таким образом, весь Космос — не что иное как арена вечной битвы между Огнем и Льдом! Молодой австрийский инженер Ганс Гербигер понял это в тот миг, когда увидел взрыв, вызванный падением струи расплавленного металла на промерзшую землю. С тех пор все его помыслы были направлены на то, чтобы обосновать эту идею с помощью современных научных данных. Он продолжал заниматься конструированием и изобретательством, но по-настоящему его интересовали только две вещи: лед и огонь. В 1894г. ему удалось выгодно продать одно из своих изобретений — систему кранов к насосам и компрессорам, — и с тех пор он смог всецело посвятить себя созданию "гляциальной космологии".

Однако 800-страничная работа Гербигера, вышедшая в свет в 1913 г., не произвела сенсации в научных кругах. К тому времени астрофизики уже выяснили, что в межзвездных пространствах практически нет кислорода, а, стало быть, и замерзшей воды, то есть льда. Впоследствии были опровергнуты и другие положения "гляциальной космологии" — в частности, идея о неизбежном падении всех планет на Солнце. В космическом вакууме газы встречаются в таком разреженном состоянии, что тормозить движение планет они никоим образом не могут. Кроме того, на планетах, лишенных атмосферы, не может быть ни льда, ни воды, поскольку Солнце ежедневно нагревает их поверхность до температуры свыше ста градусов Цельсия!

Разумеется, все эти открытия были сделаны вовсе не для того, чтобы опровергнуть теорию Гербигера. Научный мир просто не заметил ее. После первой мировой войны Гербигер снова попытался привлечь к себе внимание ученых, выпустив (совместно с В.Фаутом) еще один объемистый научный труд: "Гляциальная космология Гербигера". Но и эта работа прошла практически незамеченной. После этого случая Гербигер посчитал, что современные ученые еще не созрели для понимания его идей, и обратился непосредственно к немецкому народу. Не жалея средств, он публиковал популярные брошюры о гляциальной космологии и выпускал журнал "Ключ к мировым событиям", пропагандировавший его идеи на уровне, доступном для людей с неполным средним образованием.

Популяризация упростила учение Гербигера, отчетливо подчеркнув его мистические и метафизические черты. Очищенная от научной терминологии, гляциальная космология обнаружила поразительное сходство с некоторыми мистическими учениями, в частности, с "Тайной Доктриной" Елены Блаватской. Ссылаясь на некую эзотерическую "Книгу Дзиана", Блаватская описывает сотворение мира следующим образом:

"В начале проявился из хаоса холодный огонь, образовавший сгустки в пространстве. Эти сгустки сопротивлялись, и огромный жар возник из столкновений и сжатий, вызванных вращением. Жар породил влажные испарения, из которых возникла твердая вода; затем сухой пар, затем влажный пар, затем влагу, затмившую ясность Пилигримов и образовавшую твердые водяные колеса (шары)".

Если перевести эту историю на язык гляциальной космологии (как это делает В.А.Джонс в своей работе "Блаватская и Гербигер"), то мы получим следующую картину:

"Холодный огонь — это газ.

Сгустки в пространстве — туманности.

Твердая вода — лед.

Сухой туман — облака ледяной пыли.

Пилигримы — кометы".

Такое сходство едва ли можно назвать случайным. Ведь теоретические построения Гербигера базировались не только на астрофизических данных. В поисках подтверждения своих идей он исследовал мифологию разных народов, археологические и палеонтологические открытия, религиозные учения о сотворении и о священной истории Земли. И чем популярнее становилась гляциальная космология, тем дальше уходила она от современной физики и астрономии — экспериментальных наук, постоянно грозивших разрушить стройное здание нового учения. В начале 20-х гг. к Гербигеру примкнуло много сторонников, но среди них не было ни одного астронома; зато мистики, археологи и специалисты по мифологии были представлены здесь в изобилии. История Земли и человечества занимала их гораздо больше, чем происхождение и строение Вселенной — а учение Гербигера давало простые и однозначные ответы на все их вопросы.

Внезапная гибель гигантских ящеров Юрского периода; руины больших городов в джунглях Индии и Латинской Америки; предания об Атлантиде и остатки "тайных наук", сохранившиеся в эзотерических учениях; изменение климатических поясов Земли и необъяснимые переселения целых народов — все это заставило Гербигера предположить, что в истории Земли не раз случались грандиозные катастрофы. Он объяснил их, исходя из собственной теории "спиральных орбит": все тела, вращающиеся вокруг Земли, неизбежно падают на нее. По мнению Гербигера, исследования геологов и палеонтологов дают достаточный материал для того, чтобы с уверенностью утверждать: Земля уже уничтожила не меньше трех малых планет, притянув их к себе из открытого космоса. Всякий раз это сопровождалось глобальными катастрофами: потопом, похолоданием (ведь малые планеты состоят изо льда!), изменением земной орбиты и т.д. Нынешняя Луна появилась в нашем небе всего лишь двенадцать тысяч лет назад;

двигаясь по спирали, она тоже постепенно приближается к Земле и в течение ближайших тысячелетий непременно упадет нам на головы!

Теория "падающих лун" опровергалась простейшими астрофизическими расчетами, но подтверждалась огромным количеством мифов о вселенских катастрофах. С другой стороны, она как бы давала "рациональное" объяснение всем этим мифам, переводя их в разряд исторических событий. Одним из первых это почувствовал наш соотечественник Г.С.Беллами. В начале 20-х годов он преподавал английский язык в Венском университете и, случайно познакомившись с учением Гербигера, стал его страстным приверженцем. Беллами увлекался фольклористикой и уже давно задумывался о том, почему в мифологиях разных народов можно найти так много сюжетных совпадений. Гербигер дал ему ключ к пониманию этой загадки, и Беллами начал трактовать всемирную мифологию в гербигерианском духе. В 1922г. он организовал беседу о мифологии и гербигерианстве. Тема этой беседы настолько заинтересовала Гербигера, что он лично участвовал в ней и там познакомился с Беллами.

С тех пор жизнь Беллами была неразрывно связана с гербигерианским движением. Он основал Гербигеранское общество в Англии; он лично участвовал в раскопках древнего города Тиауанако в Северной Боливии, где нашел "неопровержимые свидетельства" в пользу теории "падающих лун"; его перу принадлежит несколько объемистых работ, посвященных историко-мифологическим аспектам учения Гербигера.

Совместно с Гербигером Беллами создал сказочную картину мира, существовавшего под третьей Луной. Необыкновенно яркое желто-зеленое светило величиной с тележное колесо шесть раз в сутки восходило на западе и, прокатившись через все небо, заходило на востоке. Днем оно затмевало солнце, ночью же его затмевала тень Земли. Влияние этого огромного спутника существенно уменьшало земное притяжение. Благодаря этому Земля была населена гигантами, останки которых до сих пор находят в отложениях той эпохи. Легендарная Атлантида была в то время центром человеческой цивилизации; атланты владели тайнами психической энергии, и полудикие предки нынешних людей были их рабами. Сила священных наук, известных атлантам, была столь велика, что они смогли на некоторое время отсрочить падение Луны; однако Луна взорвалась на орбите, не выдержав земного притяжения.

По расчетам Гербигера, это случилось около ста сорока восьми тысяч лет назад. Ледяные обломки Луны окутали Землю, постепенно падая на нее. Земное притяжение усилилось, уровень Мирового Океана значительно понизился, гиганты начали вымирать. Между атлантами вспыхнула отчаянная война за выживание; некоторые из них ушли в горы, где сохранялся привычный разреженный воздух и не так сильно ощущалась сила тяжести. Однако их раса была обречена. Сто тридцать шесть тысяч лет Земля оставалась без Луны; за это время карликовая раса бывших рабов потеснила гигантов и основала свою Атлантиду. Они копировали государственное и общественное устройство гигантов, но, в силу своей ограниченности и неполноценности, никак не могли достичь уровня своих бывших господ. С другой стороны, выродившиеся и уменьшившиеся в размерах потомки гигантов еще существовали на окраинах новой империи; от них-то, по мнению Гербигера, и ведет свое происхождение "нордическая" раса.

Около двенадцати тысяч лет назад Земля "поймала" нынешнюю Луну. Земной шар превратился в эллипсоид. Океаны отхлынули к экватору. Начался первый ледниковый период и первый всемирный потоп, во время которого погибла новая Атлантида. Потомки гигантов пережили его в северных льдах; потомки карликов спасались на вершинах гор. Нынешняя человеческая цивилизация и культура создана карликовой расой, более приспособленной к современным условиям. Однако — утверждал Гербигер — со временем эти условия изменятся.

Ведь борьба между Огнем и Льдом не прекращается ни на мгновение. Каждые шесть тысяч лет на Земле случается ледниковый период; каждые семьсот лет — "Время Огня", когда космическое пламя отвечает на вызов мирового льда, и человечество переживает страшные потрясения. Последнее "Время Огня" завершилось около семисот лет назад, в пору расцвета Тевтонского ордена, который был в то время главным носителем "огненной" духовности. XX век, — пророчествовал Гербигер, — неизбежно будет отмечен новой вспышкой космического пламени, носительницей которого, вне всякого сомнения, станет германская нация.

Пророчества Гербигера гласили, что германцам суждено сыграть исключительную роль в грядущих космических событиях. Он был уверен, что нынешняя Луна неуклонно снижается, и через каких-нибудь пару тысячелетий уже будет существенно влиять на земное притяжение. Тогда-то потомки гигантов (т.е. германцы) вновь обретут свой исполинский рост, вспомнят забытые знания и непременно будут повелевать миром!

Подобные утверждения льстили самолюбию немцев, еще не оправившихся от тяжелого поражения в Первой Мировой войне. Учение Гербигера все тесней смыкалось с национал-социализмом, чему немало способствовали родственные связи: старший сын Гербигера был видной фигурой в нацистском движении и усиленно пропагандировал идеи своего отца. Вскоре сторонниками гербигерианства стали Розенберг, Гаусгофер, Гесс, а впоследствии и сам Гитлер. Не без влияния Гербигера-сына гляциальная космология была объявлена официальной доктриной нацизма в области физических наук.

Летом 1925г. каждый из ведущих ученых Австрии и Германии получил ультиматум следующего содержания:

"Отныне вам придется выбирать, с кем вы: с нами или против нас. Гитлер расчистил политику, Ганс Гербигер сметет ложные науки. Символом возрождения германской науки будет доктрина вечного льда. Берегитесь! Становитесь в наш строй, пока не поздно!"

Таким образом, ученые были вынуждены обратить внимание на учение Ганса Гербигера. При всей своей очевидной научной несостоятельности гляциальная космология стремительно завоевывала умы германцев. Сторонники Гербигера не уставали повторять, что гербигерианство является составной частью национал-социализма; они устраивали митинги в поддержку нового учения, раздавали всем желающим листовки и брошюры, срывали собрания и съезды приверженцев "традиционной" физики и астрономии и жестоко (зачастую даже путем физической расправы) пресекали любую критику. Все это привело к тому, что многие знаменитые физики, не желавшие эмигрировать из Германии, вынуждены были, хотя бы на словах, признать правоту Гербигера. Правда, среди них по-прежнему не было ни одного астронома...

Самому Гербигеру в ту пору было уже за шестьдесят. Высокий седобородый старец с уверенным и звучным голосом, он ничуть не напоминал обычного европейского ученого. Он был похож на пророка, получившего откровение вечных истин, и его учение уже не нуждалось ни в каких доказательствах. Гляциальная космология превратилась в новую "научную" религию, грозившую уничтожить все прежние религии и науки. Национал-социалистическая революция, стремившаяся сокрушить все устои цивилизованного общества, активно использовала разрушительный потенциал учения Гербигера; однако после победы Гитлера нацисты перестали поддерживать гербигерианцев, а в 1942г. распустили германское Гербигерианское общество.

Впрочем, даже в те годы, когда гербигерианство имело статус официальной идеологии, в высших учебных заведениях продолжали преподаваться "традиционные" физика и астрономия. Как и всякое европейское правительство, Третий Рейх нуждался в специалистах, способных делать реальные изобретения и открытия. Гербигерианское движение прошлось по германской науке, как штурмовые отряды по улицам германских городов; даже самые аполитичные ученые почувствовали, что национал-социализм, стоявший за этим движением, представляет из себя немалую силу. Признавая гляциальную космологию, ученые фактически присягали на верность Гитлеру; когда же необходимость в таких присягах отпала, гербигеровские доктрины перестали быть делом государственной важности и сами собой сошли с повестки дня.

Гербигеру так и не удалось вписать свое имя в историю науки. С презрением отвернувшись от фактов, он очень скоро перестал изучать древние мифы и начал выдумывать новые. Легенды о древних гигантах кочевали из брошюры в брошюру, обрастая невероятными подробностями. Постепенно выяснилось, что у гигантов был третий, "тепловой" глаз, впоследствии выродившийся в шишковидную железу; что их вожди умели концентрировать психическую энергию целого народа в одном месте, что позволяло им взрывать горы, влиять на погоду и даже на движение планет; что у них существовали культы Солнца и Луны, постоянно враждовавшие между собой... Гляциальная космология породила обширный и весьма запутанный фантастический эпос и в конце концов сама затерялась в его хитросплетениях.

Дальнейшая судьба учения Гербигера была подобна судьбе описанной им третьей Луны. Постепенно увеличиваясь в размерах, оно распалось на множество мелких осколков; но эти осколки до сих пор кружатся над нашей планетой. Гипотеза о падении лун периодически всплывает то в одном, то в другом научно-популярном журнале; кое-кто из историков до сих пор ссылается на археологические фальсификации гербигерианцев; кто-то изучает *фактическую* сторону сказок о великанах, а кто-то ищет затонувшую Атлантиду, руководствуясь трудами Беллами. Осколки гербигерианства можно найти и в писаниях теософов, и в космологии Гурджиева-Успенского, и в работах многих других современных мистиков и метафизиков.

Организации гербигерианцев до сих пор существуют в Англии и Америке. В пятидесятые годы они предприняли попытку "научной реабилитации" своего учения, очистив его от наиболее ненаучных тезисов. Так, они отказались от теории Космического Льда, но сохранили теорию падающих лун и привели ее в соответствие с последними археологическими находками. Они перестали утверждать, что Вселенная ограничивается Солнечной системой, но продолжают отстаивать теорию спиральных орбит; по их мнению, только она способна объяснить такие космические явления, как взрывы Новых и Сверхновых и существование "черных дыр". "Гербигер и современная наука, — писал гербигерианец Э.Сайкс, — открыли космос для человечества. И сегодня вопрос в том, преподнесем ли мы Вселенную Советам на серебрянном блюде, или же, вслед за Горацием Грили, сто лет тому назад сказавшим: "Езжайте на Запад, молодой человек!", скажем своей молодежи: "Езжайте в Космос!"

Однако холодный и механистический космос Гербигера вряд ли способен манить к себе молодых исследователей. Разумная и доброжелательная вселенная Циолковского выглядит гораздо привлекательней, и, наверное, не случайно именно его ученики первыми вырвались за пределы земной атмосферы. Космология Гербигера упорно отрицает очевидные факты; она подчеркнуто пессимистична и обнаруживает явные сходства с древнегерманскими мифами, повествующими о гибели богов. Она заставляет задуматься о бренности и беззащитности человеческого бытия перед лицом чудовищных сил Природы, о неумолимости Времени, о безднах истории и потаенном ужасе древних сказаний. Думать об этих вещах порой бывает небесполезно — но люди склонны избегать таких мыслей. И я полагаю, что мрачные гипотезы Гербигера не приживутся в нашем оптимистическом мире — даже если ученые когда-нибудь докажут, что он был прав.

ЧАРЛЬЗ ФОРТ (1874-1932)

"В 1910 году в Нью-Йорке, в маленькой буржуазной квартирке в Бронксе жил человек — не молодой и не старый, похожий на ленивого тюленя. Его звали Чарльз Гой Форт. Он никуда не выходил из дома, кроме муниципальной библиотеки, где изучал во множестве газеты, журналы и ежегодники всех стран и всех эпох. Вокруг его бюро высились груды пустых коробок из-под обуви и кипы журналов и газет: "Америкэн Альманах" за 1883 год, лондонский "Таймс" за 1880-83 годы, "Эньюэл Рекорд оф Сайенс", "Философикл Мэгэзин" за двадцать лет...

До 34 лет Чарльз Форт, сын бакалейщика из Олбани, кое-как перебивался благодаря некоторым способностям к журналистике и

некоторой ловкости в энтомологических затеях. Когда его родители умерли и бакалейная лавка была продана, он сумел получить крошечную ренту, позволившую ему, наконец, целиком отдаться своей страсти — коллекционированию заметок о невероятных, но, тем не менее, достоверно подтвержденных событиях.

Красный дождь на Бланкенберге 2 ноября 1819г. Грязевой дождь над Тасманией 14 ноября 1902г. Снежинки величиной с блюдце в Нэшвилле 24 января 1891г. Дождь лягушек над Бирмингемом 30 июня 1892г. Камни, упавшие с неба. Огненные шары. Следы ног сказочного животного в Девоншире. Летающие диски. Сети в небесах. Капризы комет. Странные исчезновения. Необъяснимые катастрофы. Надписи на метеоритах. Черный снег. Синие луны. Зеленые солнца. Кровавые ливни.

Он собрал таким образом 25 тысяч заметок. Факты, то упоминаемые вскользь, то сообщаемые с полным безразличием. Но — тем не менее, факты. Он назвал это своим "Заповедником невероятных совпадений". Факты, от которых отказывались, о которых не хотели говорить, — но он слышал, как от его картотеки исходит настоящий "немой вопль". Он был охвачен своеобразной нежностью к этим неприкаянным реальностям, изгнанным из области сознания, которым он предоставлял приют в своем убогом кабинетике в Бронксе, и которых он лелеял, записывая на карточки. Их можно назвать незаконнорожденными уродцами мира фактов. И, тем не менее, их шествие дает внушительную картину событий, которые происходят, происходили и будут происходить, — говорил он" [1].

Такова легенда, рассказанная о Чарльзе Форте Луи Повелем. Как и во всякой легенде, здесь есть некоторая доля истины: Форт действительно родился в Олбани, большую часть своей жизни провел в Нью-Йоркском Бронксе, был небогат и собирал заметки о необъяснимых случаях. Но его судьба была далеко не столь драматична, как о том повествует Повель, стремящийся создать Форту романтический ореол непризнанного гения. Он никогда не сжигал свою коллекцию; никогда не ставил перед собой титанической цели "изучить все искусства и науки" и, наконец, вовсе не был склонен приносить свою жизнь в жертву "неприкаянным реальностям". Конечно, в его биографии был довольно длительный период, когда он трудился безо всякой надежды на успех, сознательно ограничивая себя во всем; однако первая же его книга, опубликованная в 1919г., стала национальным бестселлером и привлекла к нему довольно влиятельных единомышленников.

Но тот, кто прочел эту "Книгу проклятых", и в самом деле вряд ли сможет поверить, что автор ее был добропорядочным гражданином среднего достатка, на досуге коллекционировавшем сведения о разных природных курьезах. Пророческий тон Форта, его ядовитый сарказм, парадоксальная логика и лавины невероятных, но абсолютно достоверных фактов производят сильное впечатление и сегодня, когда большинство из нас уже знает, что наука способна объяснить далеко не все, и что, несмотря на ее несомненные успехи, в мире еще остается много такого, "что и не снилось нашим мудрецам". А ведь эта книга была впервые опубликована в те годы, когда вера во всемогущество науки еще была чем-то вроде живой религии западного мира!

"Три закона Ньютона... — во всеуслышанье заявил Форт, — столь же нереальны, как и все остальные попытки вывести Всеобщее из частного:

Ибо, если всякое наблюдаемое тело, опосредствованно или непосредственно, обладает непрерывной связью со всеми остальными телами, то оно не может испытывать чистого воздействия собственной инерции. Таким образом, нет никакой возможности выяснить, что представляет из себя явление инерции. Если всякое тело взаимодействует с бесконечным множеством сил, то никоим образом нельзя узнать, какое воздействие окажет на него данная конкретная сила. Если действие неразрывно связано с противодействием, их можно рассматривать как одно целое и, таким образом, невозможно сделать никаких заключений об их равенстве —

Иными словами, три закона Ньютона суть три символа веры. Иными словами, демоны и ангелы, инерция и реакция — мифологические персонажи" [13].

Столь же язвительной и уничтожающей критике подверглись прочие "священные коровы" материалистической науки — эволюционизм, позитивизм, законы сохранения массы и энергии. Однако главным недостатком научного мировоззрения, по мнению Форта, было то, что, претендуя на создание целостной картины мира, наука исключает из нее многие факты, которые в эту картину не вписываются. Члены секты "Христианская наука" уверены, что зубная боль проходит, как только человек уверует в то, что ее не существует; и современные ученые поступают подобным образом, отрицая существование необъяснимых фактов или наспех давая им какое-нибудь объяснение, чтобы свести их к уже изученным явлениям.

Необычное свечение закатного неба, зеленый цвет солнца, красная луна, черный снег объясняются извержением вулкана Кракатау в 1883г.; при этом наука старается не обращать внимания на то, что подобные явления регистрировались и задолго до, и много лет спустя после извержения. Падение с неба разных необычных предметов — результат действия смерчей, поднимающих их в воздух, а затем роняющих на землю; но, когда среди этих предметов оказываются сотни тонн сливочного масла или сырого мяса, каменные топоры, живые рыбы, ученые просто отворачиваются от этих фактов. Снежный человек, которого видели в Гималаях — это просто гималайский медведь! — заявляют двое ученых, ни один из которых никогда не видел снежного человека; и их объяснение принимается как наиболее достоверное.

"Наш разум — это разум дикаря, который находит на одном и том же берегу выброшенные одними и теми же волнами изящные детали пианино и грубо выстроганное весло, легкие индийские одежды и тяжелую русскую шубу. Другими словами, вся наука (несмотря на то, что она все ближе и ближе к истине) — это попытка описать Индию с точки зрения жителя океанского острова, а затем описать Россию при посредстве такого описания Индии...

Самый большой идеалист — это позитивист, который пытается выводить частные утверждения из общих... Он — самый большой догматик среди местных дикарей, без тени сомнения утверждающий, что пианино, найденное на берегу — это ствол пальмы, который обгрызли акулы, а его клавиши — это сломанные акульи зубы" [3].

Форт утверждал, что никакой завершенной картины нашего материального мира создать невозможно — по той простой причине, что сам этот мир никоим образом не завершен и подвержен хаотическим изменениям. Он представлял себе этот мир как "некую межконтинуальную связь, в которой проявляются и которую различным образом выражают все вещи. Но то, что они находятся здесь — результат их попытки оторваться и сделаться реальными вещами, обрести собственную сущность, положительные отличия, окончательную отделенность или непреходящую независимость — или же личность, либо душу, как это называется в мире людей..." [4].

Парадокс существования, согласно Форту, заключается в том, что всякая вещь пытается стать реальной с помощью одного и того же неверного приема: очерчивая свои границы и исключая из них все остальные вещи. Таким образом, закон разделения на "я" и "не-я" торжествует во всем материальном мире:

"Всякая вещь, которая пытается стать реальной, ...может осуществлять эти попытки только одним способом: очерчивая границу вокруг себя (или вокруг своих составных частей) и с проклятием изгоняя или отрывая от себя все остальные "вещи".

И, если она не поступает таким образом, ее как бы нет. Если же она поступает таким образом, ее действия неверны, ошибочны, тщетны и губительны; так поступает тот, кто чертит круг на морской воде, пытаясь заключить в него несколько волн. Он утверждает, что эти волны имеют положительное отличие от прочих (с которыми они неразрывно связаны), и вся его жизнь проходит в бесплодных попытках доказать, что между включенными и "проклятыми" существует положительная разница" [5].

Исследуя и систематизируя факты, "проклятые" наукой, Форт пришел к выводу о том, что в нашем мире нет ничего полностью реального. Но нет и ничего нереального, поскольку весь этот мир — всего лишь *промежуток* между Абсолютной Реальностью (Всеобщим) и Абсолютной Нереальностью (Ничто). Первое состояние Форт назвал Положительностью, второе — Отрицательностью.

"Место, которое носит общепринятое и абсурдное имя "существования", — провозгласил он от имени всех будущих последователей своего учения, — является течением, потоком либо устремлением от отрицательности к положительности, и находится в промежутке между этими двумя стадиями" [6].

"Мы считаем, что все "вещи" занимают определенные уровни, ступени или градусы между положительностью и отрицательностью, иными словами, между реальностью и нереальностью; что некоторые из так называемых вещей на самом деле находятся ближе к постоянству, справедливости, красоте, единству, индивидуальности, гармонии, стабильности — чем все остальные вещи.

Мы не реалисты. Мы не идеалисты. Мы находимся в промежутке — мы *интермедиатисты*. Нет ничего реального, но и ничего нереального: все явления тем или иным путем приближаются к реальности или нереальности" [7].

Постоянство, справедливость, красота, единство, индивидуальность, гармония, стабильность, а также равновесие, порядок, регулярность, система, руководство, организация, свобода, независимость, душа, личность, индивидуальность, истина, совершенство, завершенность и многие другие "положительные" понятия, согласно предложенному Фортом учению интермедиатизма, являются частными обозначениями одного и того же коренного понятия — Положительности, Всеобщего или Абсолютной Реальности.

Форт писал о материальном мире как о "некоей межконтинуальной системе, выражающейся в астрономических, химических, биологических, физических, социологических явлениях: повсюду присутствует стремление свести положительность к частному; и для каждой разновидности явлений — а различия между ними лишь мнимые — мы даем этому стремлению иное имя... Слово "равновесие" употреблялось применительно к химии, но не применительно к обществу; однако сейчас это ложное разграничение исчезло. Когда-нибудь мы увидим, что все эти слова означают одно и то же. В нашей нынешней повседневности, в условиях всеобщей иллюзии, они, разумеется, еще не синонимы. Земное дитя никогда не назовет червяка животным. Другое дело биолог" [8].

"О физических, химических, минералогических, астрономических объектах не принято говорить, что они стремятся достигнуть Истины или Сущности; говорят, что они стремятся достигнуть Равновесия. Всякое движение всегда направлено в сторону Равновесия от состояний, менее приближенных к Равновесию.

Все биологическое развитие направлено в сторону приспособленности; все биологические объекты не стремятся ни к чему иному, кроме приспособленности.

Приспособленность — другое название Равновесия. Равновесие — это Всеобщее, это нечто, ненарушимое извне.

Но то, что мы называем "бытием" — это движение. А всякое движение — это не равновесие, а уравновешивание, или недостигнутое равновесие. Все движения жизни выражают собой недостигнутое равновесие, все мысли свидетельствуют о том, что равновесие еще не достигнуто; и все то, что мы в своем псевдо-состоянии называем бытием, не может иметь положительного значения, иными словами, оно является промежуточным состоянием между Равновесием и Неравновесием.

Таким образом:

Все явления, происходящие в нашем промежуточном псевдосостоянии — это попытки организоваться, стабилизироваться, гармонизироваться, индивидуализироваться — то есть позитивизироваться — то есть обрести реальное существование;

И все, что мы способны увидеть — это всего лишь свидетельства неудачного исхода таких попыток, то есть промежуточного состояния между окончательной неудачей и окончательной удачей;

Ибо всякая попытка, доступная для наблюдения, не способна одолеть Непрерывность — то есть, внешние силы — то есть, все то, что было исключено, но все еще находится в неразрывной связи с тем, что включено.

И все "существование" — это попытка относительного стать абсолютным, попытка частного стать Всеобщим" [9].

"Всеобщее" Форта сродни "точке Омега", о которой писал Тейяр де Шарден: это место, где уже не существует никаких индивидуальных различий, но каждая вещь, достигнув своего наивысшего совершенства, становится Всеобщим. Форт полагал, что все различия между вещами иллюзорны: они существуют лишь вследствие несовершенства нашего "промежуточного" мира:

"Белые коралловые острова в темно-синих морских волнах. Может показаться, что они имеют характерные особенности, индивидуальные признаки, положительные отличия — но все они просто поднятия одного и того же морского дна. Различие между сушей и морем тоже не является положительным. В любых водах можно найти немножко суши; на любой суше можно найти немного воды...

Наше главное утверждение имеет два аспекта:

Конвенциональный монизм, или что все "вещи", в которых мы видим индивидуальные особенности, суть острова, или проекции чего-то, лежащего глубоко под ними, и ни одна из них не имеет реальных индивидуальных очертаний.

Но, несмотря на то, что все они являются только проекциями, это проекции, которые стремятся оторваться от того, что лежит глубоко под ними и лишает их индивидуального своеобразия" [10].

Но что же лежит в основе всех вещей, упорно стремящихся стать реальными? Форт отвечает на этот вопрос как истинный буддист: Ничто! Абсолютное несуществование (Отрицательность, Нереальность) и есть то "морское дно", о котором шла речь в предыдущей цитате. Правда, в отличие от Будды, Форт не склонен считать Ничто единственной реально существующей вещью. Совсем напротив, Ничто является единственной вещью, которая реально не существует. И некоторые из вещей или явлений нашего промежуточного мира находятся гораздо ближе к Нереальности, чем к Реальности: таковы, например, наши мысли, сновидения, галлюцинации или фантазии. Вырвавшись на мгновение из Нереальности, они снова уходят в Ничто — если человеческая воля не поможет им продвинуться поближе к Реальности:

"Если мы примем за данное, что вне Отрицательного Абсолюта, Положительный Абсолют создает себя, пополняется или сохраняется посредством своего третьего состояния, то есть нашего собственного псевдо-состояния, то может показаться, что мы пытаемся постичь Всеобщее, создавая некоторую Всеобщность из Ничто. Пусть примет эту точку зрения тот, кто готов рискнуть — ибо он может исчезнуть так стремительно, что за ним останется светящийся след, и может быть совершенно счастлив во веки веков, даже вопреки собственному желанию...

Идея заключается в следующем: из Нереальности (Ничто) Реальность (Всеобщность) при посредстве нашего псевдо-бытия создает нечто более реальное. Таким образом (конечно же, в относительном смысле) все, воображаемое нами и материализующееся в виде машин или статуй, зданий, долларов, картин или же книг — это ступени между реальностью и нереальностью" [11].

Наука, подобно всем прочим творениям человека, тоже, по мере своих возможностей, творит Реальность из Нереальности — и тоже колеблется между этими двумя крайностями. Путь от частного к общему, от конкретных явлений к некоему обобщенному "закону природы", по мнению Форта, представляет собой путь от Реальности к Нереальности. В природе промежуточного мира нет и не может быть никаких законов, кроме стремления всех вещей к Реальности; и законы, устанавливаемые наукой, — не более чем фикции, которые заставляют ученых ограничивать свой кругозор, разделяя все полученные факты на "возможные" и "невозможные", на "допущенные" и "проклятые".

"Ученые полагают, что ищут Истину; однако их старания направлены на то, чтобы найти отдельные астрономические, химические, биологические и прочие истины. Но Истина — это то, рядом с чем нет никаких других вещей: ничего, способного изменить ее, ничего, способного усомниться в ней, ничего, способного создать исключение из правила. Истина включает в себя все, она совершенна —

Под Истиной я подразумеваю Всеобщее" [12].

В связи с этим Форт считает, что все методы, используемые современной наукой, — доказательство, сопоставление, обобщение, классификация и др. — попросту абсурдны, если рассматривать их как средство достижения Истины. В самом деле, что можно доказать в промежуточном мире, где недоказуемо даже существование самого доказательства; и нужны ли доказательства в мире Абсолютной Реальности, где не существует никакого разделения и нет ничего, подлежащего доказательству? Как можно объединить в один вид многочисленных животных, каждое из которых "псевдосуществует" в промежуточном мире только благодаря своему стремлению обособиться от всех остальных животных? Как можно с помощью такой нереальной вещи, как научный принцип или метод, судить о вещах, гораздо более реальных?

Таким образом, наука неспособна постичь Истину. Однако, по мнению Форта, она обладает несравненно более важным свойством:

"Наука — это попытка пробудиться к Реальности, в которой она пытается найти регулярность и единообразие. Но регулярным и единообразным может быть лишь то, что не подвержено никаким искажающим воздействиям извне. Говоря "всеобщее", мы подразумеваем "реальное"... Насекомые, звезды и химические анализы — все они псевдо-реальны, и с их помощью невозможно узнать ничего реального; но систематизация этих псевдо-данных приближает нас к финальному пробуждению, то есть к Реальности.

В спящем мозгу, где живут кентавры, и канарейки превращаются в жирафов, не может быть реальной биологии этих существ, —

однако попытка систематизировать эти явления может привести спящий мозг к пробуждению" [13].

Для науки, стремящейся разбудить спящий разум, — утверждает Форт, — нет и не может быть "проклятых" вещей. Чем невероятнее факты, чем парадоксальнее гипотезы, — тем больший интерес должна проявлять к ним наука, ибо именно такие факты и гипотезы способны развеять сон псевдо-существования. В своих книгах Форт неуклонно следовал этому принципу: описывая необъяснимые явления, он "объяснял" их с помощью совершенно безумных гипотез.

Вот лишь несколько "объяснений", изобретенных Фортом в связи с разнообразными странными предметами, падающими с неба:

"Пушечные ядра и колья, [обрушивающиеся на землю], — что все это значит?

Бомбардировка Земли —

Попытки вступить в контакт —

Или же посетители Земли — исследователи с Луны — давным-давно прихватившие с собой, в качестве курьеза, инструменты доисторических обитателей нашей планеты, потерпели крушение, и груз их корабля, много веков провисевший в Надсаргассовом море, иногда роняют или вытряхивают вниз штормы?" [14].

"Надсаргассово море" играет большую роль в теоретических построениях Форта. Он утверждает, что где-то в атмосфере Земли существует плотный и малоподвижный слой, в котором существует участок с теми же самыми формами жизни, что и на Земле. Форт называет этот участок "планетой Генезистриной" и предполагает, что "первый одноклеточный организм мог попасть сюда с Генезистрины — а, может быть, люди или антропоморфные существа попали сюда раньше, чем амебы. Очевидно, на Генезистрине существует эволюция, выразимая в обычных биологических терминах, однако эволюция на Земле — подобно развитию современной цивилизации в Японии — была возбуждена внешними влияниями; и вся земная эволюция была процессом заселения Земли с помощью иммиграции или бомбардировки" [15].

При всей своей наивности эта гипотеза вовсе не так проста, как кажется. Ведь, если на Землю время от времени обрушиваются дожди из живых существ, явившихся невесть откуда, то вопрос о том, существует ли Генезистрина на самом деле, не имеет никакого значения. Суть в другом: биосфера Земли вовсе не является замкнутой и изолированной системой, о которой в один голос твердят теологи и ученые. Земля постоянно взаимодействует с материальным Космосом — и со множеством иных реальностей Вселенной, многие из которых недоступны нашему восприятию. И последствия этого взаимодействия порой могут быть весьма значительны. Гипотеза С.Аррениуса о том, что первые живые организмы (вирусы, способные переносить анабиоз) прибыли на землю с метеоритами, выглядит гораздо солиднее, чем полумифическая история о Генезистрине; однако нельзя не признать, что "Книга проклятых", в общем-то, говорит о том же.

Форт приводит огромное множество фактов, свидетельствующих о том, что вмешательство космических сил в земные дела распространяется и на человеческую цивилизацию. Одним из первых он пришел к выводу о том, что Земля неоднократно посещалась — и до сих пор посещается — разумными существами внеземного происхождения. По его мнению, об этом свидетельствуют многочисленные "предметы культа", которые находят археологи — в частности, маска из железа и серебра, найденная в Салливен Каунти (Миссури) в 1879г. и поразительно напоминающая современные кислородные маски; могилы карликов и гигантов, таинственные "знаки чашек", присутствующие в наскальных росписях всего мира. Форт утверждает также, что многочисленные истории о демонах — ни что иное как свидетельства о гостях из космоса, и что многие языческие боги, несомненно, могут иметь то же самое происхождение. Однако при этом он не считает, что инопланетяне каким-то образом заинтересованы в развитии человеческой цивилизации, что они опекают нас и несут нам свою культуру. Как и все прочие существа промежуточного мира, пришельцы считают в полной мере реальными только самих себя, а все остальное — лишь средствами для удовлетворения собственных нужд.

Инопланетяне Чарльза Форта безразличны к прогрессу человечества. Единственный повод, который мог бы заставить более развитых разумных существ заинтересоваться нами — естественная необходимость. Если бы они питались нами или использовали бы нас как рабочий скот — тогда они могли бы разводить или дрессировать нас. Форт не исключает такую возможность. "Может быть, — предполагает он, — нас можно использовать, может быть, состоялось законное соглашение между многочисленными сторонами: кто-то силой добился законного права на нас после того, как заплатил каким-то эквивалентом мелких стеклянных товаров, которые у него потребовал наш предыдущий, более примитивный владелец. И эта передача известна на протяжении многих веков некоторым из нас, баранам-вожакам тайного культа или тайного ордена, члены которого, как рабы первого класса, управляют нами и переводят стрелки, направляя нас к нашим таинственным обязанностям" [16].

Эта "гипотеза", подобно многим другим предположениям Форта, вовсе не рассчитана на то, чтобы понимать ее буквально, доказывать или отстаивать. Подобно Ангелу Необъяснимого, — одному из персонажей своего любимого Эдгара По, — Форт изо всех сил бил своих современников по голове, доказывая им, что Необъяснимое господствует в мире; что самомнение человечества ничем не оправдано и что все попытки человека понять этот мир заканчиваются непреодолимым стремлением сунуть голову в песок, чтобы не видеть ничего непонятного. И надо сказать, что некоторые из этих ударов бывают болезнены и для нашего самомнения, хотя мы уже далеко не столь самоуверены, как наши предки в начале века.

Однако самомнение — плохой помощник в деле поиска Истины. Может быть, именно поэтому критика Форта и его "безумные идеи" нашли так много сторонников. Тот, кто прочел "Книгу проклятых", уже не сможет поверить в замкнутость, стабильность и самодостаточность материального мира, — и будет готов принять его таким, как он есть: изменчивым, динамичным и полным неожиданностей и чудес.

КАРЛ ГУСТАВ ЮНГ (1875-1961)

"Если человеческая psyche и являет собой *нечто*, то это нечто должно быть столь невообразимо сложным и безгранично разнообразным, что к нему невозможно приблизиться с позиций психологии инстинкта. Я могу лишь с изумлением и трепетом вглядываться в глубины и высоты нашей психической природы. Ее внепространственный универсум таит несказанное изобилие образов, которые накапливались в живом организме в течение миллионов лет. Мое сознание подобно глазу, проникающему в самые отдаленные пространства, где оно уже перестает быть психическим Эго, и заполняющему эти пространства непространственными образами. И образы эти являются не бледными тенями, а потрясающе мощными психическими факторами, природу которых мы не в состоянии постичь, однако силу их мы отрицать не вправе. Рядом с этой картиной я хотел бы поместить изображение ночного звездного неба, ибо единственным эквивалентом универсума внутри нас является универсум, находящийся вовне; только лишь я начинаю постигать этот мир посредством тела, тотчас же я обнаруживаю его посредством души" [1].

Внимательно всмотревшись в свой внутренний мир, трудно не заметить, что мир этот, в известном смысле, обширнее и богаче внешнего. Все вещи, которые нас окружают, целиком и полностью помещаются в нашей душе; но, кроме этих вещей, там, несомненно, есть что-то еще, — быть может, гораздо более важное, чем все они вместе взятые. Фантастические сны, странные предчувствия, неземные ощущения, небесное Блаженство и мистический Ужас, Дьявол и Бог — все это приходит к нам изнутри, часто безо всяких внешних причин. Подобные явления драгоценны для мистика — и они же часто служат камнем преткновения для психолога, утверждающего, что внутренний мир человека никоим образом не может содержать ничего, помимо отражений внешнего мира и наследственных программ поведения в этом мире. Из такого подхода логически следует соответствующий вывод: все процессы внутренней жизни, не связанные с реакцией на явления жизни внешней, являются патологией, которую следует искоренять медицинскими средствами. Такая точка зрения может показаться абсурдом, но она господствовала на протяжении всего XIX века, когда некоторые психиатры заявляли, что даже обыкновенные сновидения являются симптомом душевного расстройства, и нормальный сон должен протекать без них!

Разумеется, наука, вооруженная подобной теорией, не могла достигнуть сколько-нибудь заметных успехов в изучении столь сложного предмета, как духовная жизнь человека. Может быть поэтому медики того времени "как правило, относились к психиатрии с презрением. Никто не имел реального понятия о психиатрии, и не существовало такой психологии, которая рассматривала бы человека как единое целое, не существовало описания разного рода болезненных отклонений, так что нельзя было судить о патологии вообще. Директор клиники обыкновенно был заперт в одном помещении со своими больными, сама же лечебница была отрезана от внешнего мира и

КАРЛ ГУСТАВ ЮНГ (1875-1961)

находилась где-нибудь на окраине города, как своего рода лепрозорий. Никому не было до них дела. Доктора, как правило, были те же дилетанты — они знали мало и относились к своим больным точно так же, как и все остальные люди. Душевная болезнь считалась безнадежной, фатальной, и это обстоятельство бросало тень на психиатрию в целом" [2].

В 1898г. Карл Юнг, студент медицинского факультета Базельского университета, специализировавшийся по курсу терапии, впервые открыл учебник по психиатрии. Он не испытывал ни малейшего интереса к этой науке и (как вспоминал затем на склоне лет) "начал с предисловия, намереваясь узнать собственно основания психиатров, каким образом они вообще оправдывают существование своего предмета... Итак, я читал предисловие: "Вероятно, в силу специфики предмета и его недостаточной научной разработки учебники по психиатрии в большей или меньшей степени страдают субъективностью". Несколько ниже автор назвал психозы "болезнями личности". Мое сердце внезапно сильно забилось. В волнении я вскочил на ноги и глубоко вздохнул. Меня будто озарило на мгновение, и я понял, что моей единственной целью была психиатрия. Только здесь могли соединиться два направления моих интересов. В психиатрии я увидел поле для практических исследований как в области биологии, так и в области человеческого сознания — это сочетание я искал повсюду и не находил нигде. Это была, наконец, та область, где взаимодействие природы и духа становилось реальностью" [3].

Отец Карла Юнга был протестантским священником, дед — профессором медицины; самого его в равной степени занимали и тайны природы, и чудеса духовного мира. Детство Юнга прошло в швейцарском замке Ляуфен на берегу Боденского озера и было насыщено странными видениями и снами, многие из которых он смог истолковать только в зрелом возрасте, изучив мифологию древних и первобытных народов, историю религий и символику алхимии. Его детские игры тоже бывали весьма необычными. Он вспоминал, например, что на склоне под стеной замка у него был "свой" камень. "Часто сидя на камне, я погружался в странную метафизическую игру — выглядело это так: "Я сижу на этом камне, я на нем, а он подо мною. Камень тоже мог сказать "я" и думать: "Я лежу на этом склоне, а он сидит на мне". Дальше возникал вопрос: "Кто я? Тот ли, кто сидит на камне, или я — камень, на котором *он* сидит? Ответа я не знал, и всякий раз, поднимаясь, чувствовал, что не знаю толком, кто же я теперь. Эта моя неопределенность сопровождалась ощущением странной и чарующей темноты, возникавшей в сознании. Я не сомневался в том, что этот камень был тайным образом связан со мной. Я мог часами сидеть на нем, завороженный его загадкой" [4].

Юнг рано понял, что ни родители, ни сверстники не должны знать о его видениях и играх. В школьные годы он обнаружил, что в нем, как и во многих (если не во всех) окружающих, находится как бы два человека. "Один из них, — вспоминает Юнг, — был сыном моих родителей, он ходил в школу и был глупее, ленивее, неряшливее многих. Другой, напротив, был взрослый — даже старый — скептический, недоверчивый, он удалился от людей. Он был близок природе, земле, солнцу, луне, ему ведомы были все живые существа, но более всего — ночная жизнь, и сны, все, в чем он находил "живого Бога" [5].

Этот "живой Бог" имел очень мало общего с всепрощающим Богом евангелических христиан: он был грозен, таинственен, иногда ужасен. Однажды Юнгу приснилось, что Бог, сидящий в небесах на золотом престоле, разрушил христианскую церковь, уронив на ее крышу кусок кала! Готовясь к конфирмации, Юнг ощущал, что практически каждый христианский догмат противоречит его пониманию Бога. Только догмат о Троице содержал что-то знакомое и волнующее; однако отец Юнга отказался объяснять этот догмат, заявив, что сам в нем ничего не смыслит.

В семнадцать лет Юнг открыл для себя Шопенгауэра, Канта и Гете. В том же возрасте в нем пробудился интерес к палеонтологии, археологии, зоологии, биологии человека. Однако родители Юнга были небогаты, и ему следовало получить профессию, которая могла бы в дальнейшем обеспечить его существование. Юнгу пришлось выбирать между юриспруденцией, теологией и медициной, и он выбрал "меньшее из трех зол".

Учась на медицинском факультете, Юнг не мог, да и не старался найти себе единомышленников. Его увлечения — философия, археология, а затем парапсихология и спиритизм — казались многим его рационалистически настроенным соученикам смешным чудачеством. С непониманием окружающих Юнг сталкивался и в дальнейшем, даже когда стал всемирно известным психотерапевтом: его путь, проложенный между мистикой и наукой, долгое время не был доступен ни мистикам, ни ученым.

В 1900 г., когда Юнг начал работать в цюрихской клинике Бургхельцли, в свет вышла книга, которая произвела переворот в европейской психиатрической науке — "Толкование сновидений" Зигмунда Фрейда. Фрейд был первым ученым, решившимся исследовать сновидения; он высказал предположение о существовании *бессознательного* и той значительной роли, которую играет эта темная область психики в повседневной жизни каждого из нас. Однако при этом Фрейд оставался последовательным материалистом: по его мнению, бессознательное не могло содержать в себе никакой "высшей реальности" и служило всего-навсего хранилищем инстинктивных влечений (в основе своей сексуальных), недопустимых с точки зрения общества.

Фрейд считал, что в процессе воспитания каждый из нас вытесняет такие влечения из своего сознания. Таким образом, психика разделяется на сознательную и бессознательную часть. Разумеется, влечения, вытесненные из сознания, стремятся вернуться туда при всяком удобном случае; но бдительная цензура сознания либо отсекает их вовсе, либо искажает до неузнаваемости. Так, по мнению Фрейда, возникают сновидения, фантазии, внезапные озарения, художественные образы, случайные оговорки и ошибки, странные привычки, половые извращения, неврозы, психозы и психические заболевания. Именно эта крайняя точка зрения, фактически приравнивающая культуру и искусство к психическим расстройствам, в свое время едва не погубила научную карьеру Фрейда; однако его теория вскоре была

К. Г. Юнг. 1930 г.

подтверждена успешной врачебной практикой, и он приобрел многочисленных единомышленников во всем мире.

Юнг одним из первых оценил учение о бессознательном и стал сотрудничать с Фрейдом. Однако его личный духовный опыт свидетельствовал о том, что существование бессознательного нельзя объяснить, исходя из одних лишь вытесненных влечений, и его личная психиатрическая практика только отчасти подтверждала теорию Фрейда. Изучая сновидения своих пациентов, он с удивлением находил в них образы древних мифов и эзотерических учений; он заметил, что сны часто предсказывают грядущие события и повествуют о чем-то, недоступном обыденному сознанию. Фрейд же упорно не замечал таких снов, либо старался истолковать их как символическое отображение вытесненных влечений.

Незадолго до Первой Мировой войны Юнг опубликовал книгу "Метаморфозы и символы либидо", где впервые изложил свою точку зрения на эту проблему. Он предположил, что *индивидуальное* бессознательное, которое исследует Фрейд — всего лишь часть гораздо более обширного *коллективного бессознательного* — общей памяти всего человеческого рода, хранящейся в тайниках нашей души.

"...Поверхностный слой бессознательного, — писал он позднее, когда его теория приобрела завершенный вид, — является в известной степени личностным. Мы называем его *личностным бессознательным*. Однако этот слой покоится на другом, более глубоком, ведущем свое происхождение и приобретаемом уже не из личного опыта. Этот врожденный и более глубокий слой и является так называемым *коллективным бессознательным*. Я выбрал термин "коллективное", поскольку речь идет о бессознательном, имеющим не индивидуальную, а *всеобщую* природу. Это означает, что оно включает в себя, в противоположность личностной душе, содержания и образы поведения, которые cum grano salis (с некоторыми оговорками) являются повсюду и у всех индивидов одними и теми же. Другими словами, коллективное бессознательное идентично у всех людей и образует тем самым всеобщее основание душевной жизни каждого, будучи по природе сверхличным.

Признать, что в нашей душе существует нечто, мы можем лишь в том случае, если в ней присутствует некое, тем или иным образом осознаваемое содержимое. Мы можем говорить о бессознательном

Боллинген. 1958 г.

лишь в той мере, в какой способны удостовериться в наличии такого содержимого. В личном бессознательном это по большей части так называемые эмоционально окрашенные комплексы, образующие интимную душевную жизнь личности. Содержимым коллективного бессознательного являются так называемые *архетипы*" [6].

Мысль об архетипах, или первообразах, присутствует в европейской мистической философии еще со времен Платона, который утверждал, что всякая земная вещь — всего лишь тень совершенной "идеи" или "формы", существующей вне пространства и времени, неизменной и бессмертной. Примерно то же говорит Юнг об образах, которые мы видим во сне. По его мнению, многие из этих образов — всего лишь частные проекции того или иного архетипа, который проявляется в форме, доступной нашему сознательному восприятию. Такие *архетипические* образы существуют не только в сновидениях. Их можно встретить в литературе, живописи, скульптуре; но наиболее четкие проекции архетипов, проливающие свет на их сокровенную сущность, можно найти только в традиционных формах культуры: мифологии, фольклоре и религиозно-мистической символике.

Идея о родстве между снами и мифами чрезвычайно занимала Фрейда, который, в частности, вывел из древнегреческой мифологии свою теорию об "эдиповом комплексе". Однако в свете гипотезы Юнга миф о царе Эдипе приобретал новое звучание, достаточно далекое от фрейдовских сексуальных ассоциаций. Учение об архетипах предлагало совершенно иное, более широкое толкование символики бессознательного.

"Человеку может присниться, что он вставляет ключ в замок, машет палкой или пробивает дверь таранящим предметом. Все эти действия можно рассматривать как сексуальную аллегорию. Но фактически само бессознательное выбирает один из этих специфических образов: это может быть и ключ, и палка, или таран, — и это обстоятельство само по себе также значимо. Всякий раз задача заключается в том, чтобы понять, почему ключ был предпочтен палке или тарану. И иногда в результате оказывается, что содержание сна означает вовсе не сексуальный акт, а имеет другую психологическую интерпретацию" [7].

В частности, Юнг полагал, что сумма всех вытесненных влечений воплощена в архетипическом образе, которому он дал условное название *Тень*. В сновидениях Тень может принимать облик двойника, преследователя или зеркального отражения; но чаще всего о присутствии этого образа свидетельствует мотив погружения в воду, разлива рек, потопа. Юнг был уверен, что такая символика неслучайна: подобно тому, как вода очищает и преобразовывает вещи, встреча с Тенью способна очистить и преобразовать психику человека. "До настоящего времени, — писал он, — бытовало мнение, что Тень человеческая — источник всяческого зла, однако нынче при помощи тщательных исследований установили, что бессознательный человек, т.е. Тень, состоит не только из морально предосудительных тенденций, но включает в себя и целый ряд положительных качеств, как то:

нормальные инстинкты, собранные реакции, реалистическое восприятие действительности, творческие импульсы и т.д." [8]. Ведь все вытесненные влечения не так вредны для человека, как разделенность его собственной натуры на дозволенную и запретную часть, приводящая к постоянным внутренним конфликтам: итоги постоянной борьбы с неосознаваемой Тенью могут быть гораздо более катастрофическими, чем ее легализованное существование на доступном для сознания уровне.

Другой архетипический образ, часто присутствующий в наших сновидениях, носит имя *Анимы* или *Анимуса*. Он связан с двойственностью половой природы человека, изначально содержащей в себе как мужское, так и женское начало. Необходимость отождествить себя с одним из двух полов не позволяет нам осознать в себе элементы противоположного пола; однако эти элементы подспудно влияют на всю нашу жизнь. В частности, Анимус не просто представляет собой совокупность "мужских" черт, вытесненных за пределы сознания женщины, но и формирует некий идеальный образ мужчины, которым эта женщина способна увлечься. В сознаниии мужчины Анима принимает облик притягательных и неизъяснимо прекрасных, но в то же время могущественных и ужасных существ: это феи, русалки, сирены, ламии, суккубы.

По мнению Юнга, мужчина редко осознает Аниму как фактор собственной внутренней жизни. "Для сына в первые годы жизни Анима сливается со всесильной матерью, что затем накладывает отпечаток на всю его судьбу. На протяжении всей жизни сохраняется эта чувственная связь, которая либо сильно препятствует ему, либо, наоборот, дает мужество для самых смелых деяний. Античному человеку Анима являлась либо как богиня, либо как ведьма; средневековый человек заменил богиню Небесной Госпожой или церковью. Десимволизированный мир протестанта привел сначала к нездоровой сентиментальности, а потом к обострению моральных конфликтов... Американский уровень разводов уже достигнут, если не превзойден, во многих крупных городах Европы, а это означает, что Анима обнаруживается преимущественно в проекциях на противоположный пол, отношения с которым становятся магически усложненными. Данная ситуация, или, по крайней мере, ее патологические последствия способствовали возникновению современной психологии в ее фрейдовской форме — она присягает на верность тому мнению, будто в основе всех нарушений лежит сексуальность. Вот точка зрения, способная лишь обострить уже имеющиеся конфликты. Здесь спутаны причина и следствие. Сексуальные нарушения никоим образом не представляют собой причины невротических кризисов; последние являются одним из патологических последствий плохой приспособленности сознания. Сознание сталкивается с ситуацией, с задачами, до которых оно еще не доросло. Оно не понимает, что мир изменился, что оно должно себя перенастроить, чтобы вновь приспособиться к миру" [9].

Изучая сновидения своих пациентов, Юнг пришел к выводу, что в коллективном бессознательном жителей Запада происходят какие-то значительные перемены. Материалистическое в своей основе, учение Фрейда не было способно проникнуть в их суть. Быть может, именно поэтому гипотезы Юнга поначалу даже не обсуждались его коллегами-психоаналитиками. Все они, включая и самого Фрейда, единогласно объявили Юнга мистиком и прекратили сотрудничать с ним. Впрочем, уже в начале двадцатых годов Фрейд был вынужден косвенным образом признать правоту Юнга и включить в свое учение понятие "Сверх-Я", отчасти тождественное коллективному бессознательному.

Идеи Юнга, не имевшие никакого материалистического обоснования, постоянно подтверждались его успешной врачебной практикой. Первоначально Юнг применял гипноз и ассоциативный тест, но вскоре отказался от них и стал строить свою работу исключительно на анализе сновидений. Все его усилия были направлены на то, чтобы пробудить в пациенте мифологическое и религиозное сознание и, тем самым, помочь ему восстановить утраченную целостность личности. Юнг называл этот процесс *индивидуацией*. Он считал, что сознание должно не конфликтовать с бессознательным, а выработать приемлемую форму взаимодействия с ним; примеры таких форм взаимодействия он находил в ритуалах и догмах всех традиционных религий. Он заметил, что католики (так же, как и индусы, мусульмане и языческие народы Африки и Америки) гораздо меньше подвержены психическим расстройствам, чем протестанты или атеисты; поэтому своих немногочисленных пациентов католического вероисповедания он первым делом отправлял исповедоваться к священнику. В его подходе к больным нельзя было обнаружить какой-либо общей методики. В трудных случаях он руководствовался интуицией или находил выход, анализируя собственные сновидения.

"Я часто видел, — писал он на склоне лет, — как люди становились невротиками оттого, что довольствовались недостаточными или неправильными ответами на вопросы, которые задавала им жизнь. Они искали успеха, положения в обществе, удачной женитьбы, славы, но оставались несчастными и страдали от неврозов, даже достигнув всего, к чему так стремились. Эти люди страдают какой-то духовной узостью, жизнь их обычно бедна и лишена смысла. Как только они находят путь к духовному развитию и самовыражению, невроз, как правило, исчезает. Поэтому я всегда придавал столько значения самой идее развития личности.

В большинстве своем, мои пациенты — не верующие, а те, кто утратил веру. Ко мне приходят "заблудшие овцы". Церковь и сегодня живет символикой. Достаточно вспомнить причастие и крещения, разнообразные обозначения Христа и т.д. Но такое переживание символа предполагает воодушевленное соучастие верующего — то, чего сегодня так часто не хватает людям. А невротикам этого не хватает фактически всегда. В таких случаях приходится ждать, не возникнут ли бессознательно спонтанные символы взамен отсутствующих. Но и тогда остается вопрос, в состоянии ли человек воспринимать подобные сны и видения, способен ли понять их смысл и отвечать за последствия" [10].

Юнг часто сравнивал свою методику со средневековой алхимией. По его мнению, "философский камень" алхимиков не был материальным предметом. Его следовало вырастить в своей душе, последовательно пройдя вместе с химическими веществами все четыре стадии их превращения. Подтверждение этому Юнг находил в текстах древнекитайских алхимиков, утверждавших, что "пилюля бессмертия" должна выплавляться внутри человеческого организма. Он считал алхимию первой попыткой нерелигиозного подхода к коллективному бессознательному — и первым столкновением с теми эволюционными процессами, которые протекают в этой области на протяжении последних двух тысячелетий.

Изучая алхимию и связанные с ней мистические учения: гностицизм, каббалу и предсказательные карты Таро, Юнг пришел к выводу о неполноте христианской Троицы. Он убедился в том, что полный символ данного архетипического ряда должен быть "четверицей", т.е. включать в себя образ Божественной Матери, олицетворяющий Землю и одновременно являющийся символом Анимы. В современном мире он находил множество признаков того, что Троица постепенно превращается в "четверицу". Даже такая традиционная организация как католическая церковь приняла догматы о непорочном зачатии Девы Марии и ее телесном вознесении; что же касается менее консервативных областей человеческой культуры, то ее творцы, увлеченные раскрытием тайн собственного духовного мира, уже вплотную подходят к встрече с Анимой.

Однако Юнг считал, что сама по себе такая встреча едва ли способна принести пользу современному миру. Ведь чистая форма всякого архетипа настолько превышает человеческое понимание, что встреча с ним всегда наполняет душу неизъяснимым ужасом. Архетипические символы служат защитным барьером между сознанием и бессознательным; и личность, лишенная такой защиты, неизбежно подвергается разрушительному влиянию архетипов. В частности, одержимость Анимой может заставить мужчину оскопить самого себя (обычай, распространенный в древности среди жрецов азиатской богини Кибелы); однако гораздо чаще она порождает в нем навязчивый страх перед кастрацией, который на сознательном уровне перерастает в недоверчивость и враждебность ко всему окружающему миру. Таким образом, католическое "идолопоклонничество", нейтрализующее страх перед Анимой с помощью символического образа Богоматери, сказывается на человеческой психике гораздо благотворнее, чем иррациональный культ иудаизма и рационалистические доктрины протестантства.

Несмотря на то, что Юнг сам принадлежал к протестантской церкви, он считал ее косвенной виновницей психологического кризиса, происшедшего на Западе в XIX-XX вв. и завершившегося невиданным доселе распространением атеистических идей. Однако, считая протестантство и атеизм весьма опасными явлениями, он в то же время видел в них знамение совершенно новой эпохи в развитии Запада. Ведь всякий бог — всего лишь символ Бога, живущего внутри нас, в коллективном бессознательном. Если мы перестаем верить в этот

Боллинген. 1958 г.

символ, мы сталкиваемся с Богом лицом к лицу; но в этом случае у нас появляется шанс постигнуть его как одно из явлений своего внутреннего мира.

"Боги жили когда-то в своей сверхчеловеческой силе и красоте на вершинах гор, одетых в снега, в темноте пещер, лесов и морей. Позже они слились в одного Бога, а затем этот Бог стал человеком. Но в наше время боги собраны в лоне обычного индивида: они столь же могущественны и вызывают прежний трепет, несмотря на самое новое облачение — они сделались так называемыми психическими функциями. Люди думают, будто держат свою психику в собственных руках, они даже мечтают создать о ней науку. На самом же деле матерью является она — она создает психического субъекта и даже саму возможность сознания. Психика настолько выходит за пределы сознания, что его можно сравнить с островом в океане. Остров невелик и узок, океан безмерно широк и глубок. Поэтому не так уж важно, если речь идет о пространственном местоположении, где находятся боги — снаружи или внутри. Но если исторический процесс деспиритуализации... будет продолжаться, то всё божественное или демоническое должно вернуться в душу, внутрь человека, совсем об этом не ведающего.

...Так как идея Бога обладает огромной психической интенсивностью, безопаснее верить, что его автономная интенсивность исходит не от Эго, что это иное, сверхчеловеческое существо... Верующему в это человеку необходимо чувствовать себя маленьким — примерно таким, каковы его реальные размеры. Но если он заявляет, что Tremendum (Ужасное) умерло, то он сразу обнаруживает исчезновение той значительной энергии, которой он наделял ранее божественную сущность. Энергия может теперь выйти на поверхность под иным именем, например, может называться "Вотаном" или "Государством", либо каким-нибудь словом, заканчивающимся на "изм". Даже атеизмом, в который люди верят, на который надеются, как раньше верили в Бога. Так как энергия огромна, то результатом будут столь же значительные психологические нарушения..." [11].

Карл Юнг не питал иллюзий относительно того, что современный западный человек когда-нибудь разочаруется в атеизме и снова создаст себе символический образ Бога. Он помогал пациентам обрести Бога внутри себя; и многие из них только по прошествии десятилетий окончательно понимали, что за превращение произошло в их душах. Одна из таких пациенток как-то раз написала Юнгу: "Из плохого для меня выросло много хорошего. Смирение, невытеснение, внимание и идущее с ними рядом приятие действительности — такой, как она есть, а не такой, как я хочу ее видеть, — дали мне необыкновенные знания, и, кроме того, наделили меня необыкновенными силами, каких я раньше и представить себе не могла. Я всегда думала, что человек, воспринимающий вещи, каким-то образом подчиняется этим вещам. Теперь же я вижу, что это совсем не так: можно только занять по отношению к этим вещам определенную позицию... И теперь я буду участвовать в житейской игре, принимая все, что приносят дни, и все, что приносит жизнь: добро и зло, свет и тень, постоянно меняющиеся местами, — а тем самым и свою собственную сущность, со всеми ее положительными и отрицательными свойствами, — и все нальется жизнью" [12].

Очевидно, все успехи Юнга проистекали из того, что сам он, в известном смысле, был своим первым пациентом. Всю жизнь он стремился осознать смутные веления бессознательного, и каждый новый пациент становился для него новой ступенью в постижении самого себя. Его аналитическая психология постепенно переросла границы чисто психологической теории и превратилась в оригинальную философскую систему, где религия, искусство, материальная культура и прочие стороны жизнедеятельности человеческого общества предстали как внешние проявления внутренней жизни человека и — в первую очередь — жизни коллективного бессознательного. Подводя итоги своей жизни, он назвал ее "историей самореализации бессознательного". "Вся моя жизнь, — писал он, — это мой труд и моя духовная работа. Одно неотделимо от другого.

Все мои работы были своего рода поручениями, они были написаны по велению судьбы, по велению свыше. Мною овладевал некий дух, и он говорил за меня. Я никогда не рассчитывал, что мои работы получат такой мощный резонанс. В них было то, чего мне недоставало в современном мире, и я чувствовал, что должен сказать то, чего никто не хотел слышать. Поэтому вначале я так часто чувствовал себя одиноко. Я знал, что люди постараются уклониться от того, что сложно, что противоречит их сознательным установкам. Сегодня я могу сказать: меня в самом деле удивляет тот успех, что выпал на мою долю, я меньше всего на это рассчитывал. Главное, чтобы было сказано то, что должно быть сказано. Мне кажется, я сделал все, что мог. Наверное, можно было сделать больше и лучше, но это уже не в моих силах" [13].

БИБЛИОГРАФИЯ

KONSTANTIN TSIOLKOVSKI
1. K. Tsiolkovski, *Monism of Universe* (London: Golconda Press), p.3.
2. Ibid., p.15.
3. Ibid., p.70.
4. Ibid., p.17.
5. Ibid., p.22.
6. Ibid., p.102.
7. Ibid., p.85.
8. Ibid., p.115.
9. Ibid., p.127.
10. Ibid., p.103.
11. Ibid., p.142.
12. Ibid., p.110.

HANS HOERBIGER
H. S. Bellamy, *Moon, Myth and Man* (London: Faber and Faber).

H. S. Bellamy, *Plato and Hoerbiger* (London: Faber and Faber).

E. Sykes, *Hoerbiger and the March of Science* (Brighton: Markham House Press).

W. A. Jones, *Blavatsky and Hoerbiger* (London: Markham House Press).

CHARLES FORT
1. L. Pauwels, J. Berger, *Morning of the Magicians* (Chelsea: Scarborough House), p.77-78.
2. C. Fort, *The Books of Charles Fort* (New York: Henry Holt and Co), pp.12-13
3. Ibid., p.143.
4. Ibid., p.4.
5. Ibid.
6. Ibid., p.6.
7. Ibid., p.14.
8. Ibid., pp.7-8.
9. Ibid., pp.10-11.
10. Ibid., p.6.
11. Ibid., p.212.
12. Ibid., p.9.

13. Ibid., p.22.

14. Ibid., p.123.

15. Ibid., p.98.

16. Ibid., p.253.

CARL GUSTAW JUNG

1. C. G. Jung, *Collected Works, Vol.4 (Freud and Psychoanalysis)* (Princeton Univ. Press), p.138.

2. C. G. Jung, *Memories, Dreams, Reflections* (New York: Random House) p.116.

3. Ibid.

4. Ibid., p.32

5. Ibid., p.54

6. Jung, *On the Nature of the Psyche* (Princeton Univ. Press), p.12.

7. Jung, *Man and His Symbols* (New York: Doubleday), p.8.

8. Jung, *Collected Works, Vol.9 (Aion)* (Princeton Univ. Press), p.281.

9. Jung, *On the Nature of the Psyche*, p.21.

10. Jung, *Memories, Dreams, Reflections*, p.146-147.

11. Jung, *Psychology and Religion* (London: Yale Univ. Press; Princeton Univ. Press), p.52.

12. Jung, *Psychology and the East* (Princeton Univ. Press) , p.97.

13. Jung, *Memories, Dreams, Reflections*, p.220

В настоящую библиографию включены русскоязычные издания авторов, которым посвящены отдельные статьи. Учитывая характер издания, мы сочли возможным не включать в библиографию сведений о произведениях, которые не имеют мистической направленности.

1. ДВЕРЬ В ИНОЕ

УОТС, АЛАН:
Путь дзэн. Пер. с англ. – К., "София", 1993 – 320 с.

БАХ, РИЧАРД:
Чайка по имени Джонатан Ливингстон. Пер. с англ. – Новосиб. книжн. изд-во, 1989 – 104 с. с илл.
Чайка по имени Джонатан Ливингстон. Пер. с англ. – М., Укр.фил. "Пигмалион" СП "ЛЕСИНВЕСТ", ЛТД, 1990 – 39 с.
Чайка по имени Джонатан Ливингстон. Иллюзии. Пер. с англ. – СПб., Об-во изящн. словесности "Грант", 1993 – 100 с. , иллюстр.
Избранное. В 2 т. (Чайка..., Иллюзии, Единственная и др.) Пер. с англ. – К., "Фита Лтд", 1993.
Собрание сочинений. В 5-ти тт. (1. Чайка..., Иллюзии, Единственная, Нет такого места – "далеко"; 2. Мост через вечность; 3. Дар тому, кто рожден летать; 4. Ничто не случайно; 5. Биплан, Чужой на земле). Пер. с англ. – К."София", 1994 – 1750 с.
Чайка..., Иллюзии, Единственная. Пер. с англ. – М., МП "Палея", 1994 -166с.
Иллюзии, или Похождения вынужденного мессии. Пер. с англ – СПб, 1993 (+ В. Зорин, "Незамкнутый круг").

ГЕССЕ, ГЕРМАН:
Собрание сочинений. В 4-х тт. Пер. с нем. – СПб., "Северо-Запад", 1994 – 2071 с., иллюстр.
Избранное (Кнульп, Курортник, Степной волк, предисл., коммент.).

17*

Пер. с нем. – М., "Худ. лит.", 1977 – 413 с.

Избранное (Игра в бисер, Паломничество..., рассказы, предисл., коммент.). Пер. с нем. – М., "Радуга", 1991 – 537 с.

Игра в бисер (+предисл., коммент.). Пер. с нем. – М., "Правда", 1992 – 493с.

Игра в бисер (+предисл., коммент.). Пер. с нем. – Новосиб. книжн. изд-во, 1991 – 464 с.

Степной волк (роман, повести, предисл., коммент.). Пер. с нем. – Новосиб. книжн. изд-во, 1990 – 352 с.

Сиддхарта. Пер. с нем. – Л. Ленингр. ком. литераторов, 1990 – 77 с.

Сиддхартха (+Эссе). Пер. с нем. – М., "День", 1991 – 176 с., иллюстр.

О НЕМ:

Седельник, В. Д. *Герман Гессе и швейцарская литература.* М., "Высш. школа", 1970.

Карлишвили, Р. Г. *Мир романа Германа Гессе.* – Тбилиси, 1994.

2. МУДРОСТЬ ОДИНОЧЕК

КРИШНАМУРТИ, ДЖИДДУ:

Беседы в Саанене (Швейцария, 1965). Пер. с англ. – Саанен, Gatherings Commitee, 1965 – 138 с.

Воспитание как вид служения (+предисл.). Пер. с англ. – СПб гор. тип., 1913 – 133 с. , портр.

Воспитание как вид служения. Пер. с англ. – Самара, 1991.

У ног Учителя (+предисл.). Пер. с англ. – Калуга, "Лотос", 1912 – 78 с.

Дневник Кришнамурти. Пер. с англ. – М., "Разум", 1994 – 159 с., портр.

Немедленно измениться. Пер. с англ. – М., KMK Scientific Press Ltd., 1993 – 170с.

Подумайте об этом. Пер. с англ. – М., ТСОО "КМК", 1993 – 208с., иллюстр.

О НЕМ:

Латьенс, Мери. *Жизнь и смерть Кришнамурти.* Пер. с англ. – М.,"КМК Лтд", 1993 – 178 с.

ГХОШ, ШРИ АУРОБИНДО:

Практическое руководство по интегральной йоге. Пер. с англ. – К., "Преса України", 1993 – 320 с.

Письма. Пер. с англ. – Томск, "Каро", 1993 – 36 с. , иллюстр.

Синтез йоги. Пер. с англ. – СПб., "Алетейя", 1992 – 666 с.

Синтез йоги. Пер. с англ. – М., "Никос", 1993 – 831 с.

Человеческий цикл. Пер. с англ. – Казань. "Нов. Век", 1992 – 350 с., портр.

Савитри (поэма). Пер. с англ. – СПБ., 1993 – XXII+186 с.

О НЕМ:

Сатпрем. *Шри Ауробиндо, или Путешествие сознания.* Пер. с франц. – Л., Изд-во Ленингр. универс., 1989 (2-е изд. 1993) – 334 с.

Сатпрем. *Шри Ауробиндо, или Путешествие сознания.* Пер. с франц. – Бишкек. МП "Глобус".

ИВАНОВ ПОРФИРИЙ (также и о нем):

Будьте здоровы. детки! – Казань, 1992.

Взгляд в будущее. Жить в единении с природой. Система естественного оздоровления. – Л., 1991 – 22 с., портр., иллюстр.

История Паршека. В 2-х тт. – Самара. "Кредо", 1994 – 869 с., портр., иллюстр.

Надо жить научиться. – М., "Колос", 1993 – 158 с.

Надо изменить поток сознания. – СПб., "Комета", 1994 – 285 с., иллюстр.

Труды. – М., "Кокон", Б.г. – 288 с., портр., иллюстр.

Заколдованное кольцо (сказка). – Луганск. Облполиграфиздат, 1990 – 14с.

Низко кланяюсь и прошу вас, люди… Луганск. Обл. упр. по печати, 1991 – 20с.

Система природной закалки-тренировки человека. – К., 1989 (2-е изд. 1990).

3. БУДДИЗМ ОБЕИХ КОЛЕСНИЦ

ТРУНГПА, ЧОГЪЯМ

Шамбхала: священный путь воина. Пер. с англ. – М., "Беловодье", 1994 – 143с.

ДАНДАРОН, БИДИЯ:

Мысли буддиста. Владивосток, МП "Восток России", 180 с.

4. ПУТЬ ДЗЭН

СУДЗУКИ, ДАЙСЭЦУ ТАЙТАРО:

Основы дзэн-буддизма (+Кацуки С., Практика дзэн, предисл. К., Юнга). Пер. с англ. – Бишкек, МП "Одиссей", 1993 – 672 с.

Наука дзэн. Ум дзэн. Пер. с англ. – К., "Преса України", 1992 – 176 с.

Лекции по дзэн-буддизму. Пер. с англ. К., Об-во ведич. культуры, 1992 – 69 с., иллюстр.

5. УЧИТЕЛЯ СУФИЙСКОГО ТОЛКА

ГУРДЖИЕВ, ГЕОРГИЙ ИВАНОВИЧ

Все и Вся, или рассказы Вельзевула своему внуку. Кн.1. – СПб., ИКА "Тайм-аут", 1993 – 310 с.

Вестник грядущего добра (+главы из кн. Успенского "В поисках чудесного"). Пер. с англ. – СПб., Чернышев, 1993 – 255 с.

Встречи с замечательными людьми. – М., АО "Летавр", Б.г. – 283 с.

О НЕМ:

Лефорт, Р. Учителя Гурджиева (история путешествий и поисков). Пер. с англ. – М., ОПРЭЛ "Гелиос", 1993 – 83 с.

6. ХРИСТИАНСТВО В XX ВЕКЕ

ТЕЙЯР ДЕ ШАРДЕН, ПЬЕР

Феномен человека (+предисл.). Пер. с франц. – М., "Прогресс", 1965 – 465 с., иллюстр.

Феномен человека (+предисл., коммент.). Пер. с франц. – М., "Наука", 1987 – 239 с., иллюстр.

Божественная Среда (+коммент.). Пер. с франц.. – М., "Гнозис", 1994 – 208с.

МЕНЬ, АЛЕКСАНДР:

В поисках пути, истины и жизни. В 7-ми тт. (под псевд. Э. Светлов). 1. Истоки религии. 2. Магизм и единобожие. Религиозный путь человечества до эпохи великих Учителей. 3. У врат молчания: Духовная жизнь Китая и Индии в середине первого тысячелетия до нашей эры. 4. Дионис, Логос; судьба: Греческая религия и философия от эпохи колонизации до Александра. 5. Вестники Царства Божия. Библейские пророки от Амоса до Реставрации. 6. На пороге Нового Завета: от эпохи Александра Македонского до проповеди Иоанна Крестителя. 7. Сын человеческий (под псевд. А. Боголюбов). – Брюссель. "Жизнь с Богом", 1970-71.; переиздано: М., Совм. сов.-брит. предпр. "Слово", 1991. – 2609 с., иллюстр.

На пороге Нового Завета: от эпохи Александра Македонского до проповеди Иоанна Крестителя. – Брюссель. "Жизнь с Богом", 1983 – 826 с., иллюстр.

Сын человеческий (под псевд. А. Боголюбов). – Нью Йорк. John XXIII-Center, 1968 – 327 с., иллюстр.

Сын человеческий. (+ Н. П. Уайэтт, "Фабиола") М., "Правда", 1991 – 416 с., иллюстр.

Сын человеческий. (+послесл.) – М., ИПЦ "Вита", 1991 – 355 с., иллюстр.

Сын человеческий. – М., "Протестант", 1991 – 461 с., иллюстр.

Откуда явилось все это (под псевд. А. Павлов). Неаполь. "Dehoniane", 1972 – 130 с., иллюстр.

Тайна жизни и смерти. М., "Знание", 1992 – 61 с.

Как читать Библию. – Брюссель. "Жизнь с Богом", 1991 – 228 с.

Православное богослужение: Таинство, Слово и Образ (+предисл.). – М., "Слово", 1991 – 190 с., иллюстр.

Таинство, Слово и Образ: Богослужение восточной церкви. – Брюссель. "Жизнь с Богом", 1980 – 285 с., иллюстр., портр.

Таинство, Слово и Образ: Богослужение восточной церкви. – Л. "Ферро-Логас", 1991 – 207 с., иллюстр.

Проповеди протоиерея Александра Меня. – М., 1991 – 79 с.

Свет миру (Евангелие для детей) (+предисл.) – М., Агентство печати им. Сабашниковых, 1991 – 94 с., иллюстр.

Свет миру (Евангелие для детей) (+предисл.) – М., "Малыш", 1991 – 87 с., иллюстр.

Смертию смерть поправ. – Минск. "Эридан", 1990 – 62 с., иллюстр.

О НЕМ:

А. Мень – свидетель своего времени. – М., 1994.

Aequinox. Сборник памяти А. Меня. – М., Carte Blanche, 1991.

О. СЕРАФИМ РОУЗ:

Божие откровение человеческому сердцу. Пер. с англ. – М., "Рус. хронографъ", 1994 – 45 с., иллюстр.

Будущее Росии и конец мира. Православное мировоззрение. Пер. с англ. – Рига-Л. Изд-во ин-та экспериментальной культурологии, 1991 – 46 с.

Православие и религия будущего. Пер. с англ. – М., "Православная книга", 1991 – 200 с.

Православие и религия будущего. Пер. с англ. – Алма-Ата. ИЦ "Тай-лан", 1991 – 247 с.

Душа после смерти. Пер. с англ. – М., "Православная книга", 1991 – 200 с.

Душа после смерти. Пер. с англ. – М., Изд-во МАКАО и Ко, 1991 – 247 с.

Святое православие, XX в. Пер. с англ. – М., Дон. монастырь, 1992 – 255 с.

7. ИУДЕЙСКИЙ ПРОРОК

БУБЕР, МАРТИН:

Обновление еврейства. Пер. с нем. – М., "Сафрут", 1919 – 31 с.

Избранные произведения (+предисл.). Пер. с нем. – Б.м., 1979 (репринт – 1989) – 345 с.

Веление духа (Статьи. Путь человека. Я и Ты. +предисл.). Пер. с нем. – Иерусалим. Портной, 1978 – 288 с.

Я и Ты. Путь человека. (+предисл.). Пер. с нем. – М., "Высш. школа", 1993 – 175 с.

Я и Ты. Пер. с нем. – М., 1992 – 73 с.

Я и Ты. (+послесл.). Пер. с нем. – М., "Высш. школа", 1993 – 173 с.

Два образа веры. Пер. с нем. – М., "Республика", 1995 – 426 с.

Проблема человека. Пер. с нем. – М., 1992 – 146 с.

8. ИНДУССКИЙ МУДРЕЦ

МАХАРШИ, ШРИ РАМАНА:

Весть истины и прямой путь к себе. Пер. с англ. – Л.-Тируваннамалай. Шри Раманашрам, 1991 – 190 с.

9. ПРОДОЛЖАТЕЛИ ТЕОСОФСКОЙ ТРАДИЦИИ

ШТЕЙНЕР, РУДОЛЬФ:

Мистерии древности и христианство. Пер. с нем. – М., "Интербук", 1990 – 123 с.

Путь к посвящению, или Как достигнуть познания высших миров. Путь к самопознанию человека в восьми медитациях. Пер. с нем. – М., "Интербук", 1991 – 189 с.

Антропософский календарь души. Пер. с нем. – М., Моск. центр вальдорфской педагогики, 1992 – 208 с., портр.

Воспитание к свободе. Пер. с нем. – М., Моск. центр вальдорфской педагогики, 1993.

Воспитание ребенка с точки зрения духовной науки. Пер. с нем. – М., "Парсифаль", 1993 – 39 с.

Истина и наука. Пролог к "Философии свободы". Пер. с нем. – М., Моск. центр вальдорфской педагогики, 1992 – 56 с., портр.

Истина и наука. Посвящение и мистерии. О человеческой ауре. Пер. с нем. – СПб., "Балтика", 1992 – 94 с.

Познание и посвящение. Познание Христа через антропософию. Пер. с нем. – М., Моск. центр вальдорфской педагогики, 1992 – 51 с., портр.

Порог духовного мира. Афористические рассуждения. Пер. с нем. – М., "Кокон", 1991 – 62 с.

Очерк тайноведения. Пер. с нем. – Л. "Эго", 1991 – 272 с.

О НЕМ:

Калгрен, Ф. *Воспитание к свободе.* – М., 1993.

Риттельмайер, Ф. *Жизненная встреча с Рудольфом Штейнером.* – М., (Обнинск), 1991.

РЕРИХ, НИКОЛАЙ:

Альбом репродукций (+предисл.). – М., "Изогиз", 1959 – 30 с.

Альбом репродукций (+предисл.). – М., Гл. упр. Гознака., 1970 – 42 с.

Альбом репродукций (+предисл.). – М., "Изобр. иск-во", 1974 – 29 с.

Альбом репродукций (+предисл.). – Л. "Аврора", 1976.

Письмена (стихотворения, +предисл.). – М., "Современник", 1977 – 189 с., иллюстр.

Твердыня пламенная. Нью Йорк. Изд-во всемирн. лиги культуры, 1932 – 383 с.

Врата в будущее. (+В. Сидоров. На вершинах.) – М., 1990.

Врата в будущее. – Рига. "Виеда", 1991 – 226 с.

Глаз добрый (+предисл.). – М., "Худ. лит.",1991 – 222 с.

Древние источники: сказки, легенды, притчи. (+предисл.) – М., Междунар. центр Рерихов, 1993 – 81 с.

Зажигайте сердца. (+предисл., коммент.). – М., "Молодая гвардия", 1990 – 190 с.

Избранное (+предисл.). – М., "Правда", 1990 – 527 с., портр., иллюстр.

Избранное. – Рига. Об-во друзей Латвии, 1990 – 44 с.

Культура и цивилизация. – М., Междунар. центр Рерихов, 1994 – 146 с.

Нерушимое. – Рига. "Виеда", 1991 – 235 с.

Нерушимое. – Новосибирск. "Вико и др.", 1992 – 230 с.

Обитель света. – М., Междунар. центр Рерихов, Б. г. – 63 с.

Пути благословения. – Минск. университет, 1991 – 101 с.

Семь великих тайн космоса. – Бишкек. МРИП "Феникс", 1991 – 184 с.

Сказки (+предисл., коммент.,). – Л. "Экополис", 1991 – 157 с., иллюстр.

Стихотворения. Проза (+биогр.). – Новосиб. кн. изд-во, 1989. – 269 с., портр., иллюстр.

Урусвати. – М., Междунар. центр Рерихов, 1993 – 103 с.

Цветы Мории (+предисл.). – М., "Худ. лит.", 1984 – 150 с., иллюстр.

Шамбала. – М., Междунар. центр Рерихов, 1994 – 206 с., портр., иллюстр.

Шамбала сияющая. – М., Сов. фонд Рерихов, 1991 – 31 с.

"О вечном" (сборник). – М., "Республика", 1994 – 462 с.

О НЕМ:

Алехин, А. Д. *Николай Константинович Рерих.* – Л.,1973; М., 1974.

Белых, П. Ф. и Князева, В. П. *Рерих.* – М., "Молодая гвардия", 1972, 1973, иллюстр.

Поляков, Е. И. *Николай Рерих.* – М., 1973.

Держава Рериха. – М., 1994
Петрова, О. Ф., Островская, Е. П. *Николай Рерих.* – Л. 1990.

РЕРИХ, ЕЛЕНА
Агни-Йога. – Рига, 1925.
Мозаика Агни-Йоги. В 2-х тт. – Тбилиси, 1990.
Знамя преп. Сергия Радонежского. – М., РИО "Денница", 1991 – 126 с., иллюстр.
Криптограммы Востока (+предисл.). – М., Междунар. центр Рерихов, 1992 (переизд.1993) – 77 с.
Огонь неопаляющий(+предисл.). – М., Междунар. центр Рерихов, 1992 – 78 с.
Основы буддизма. – Улан-Удэ. Бурят. кн. изд-во., 1991 – 80 с.
Основы буддизма. – СПб., "Сердце", 1992 – 54 с.
У порога нового мира. – М., 1993 – 167 с.
Чаша Востока. – СПб., 1992.
О НЕЙ:
Ключников, С. Ю. *Провозвестница эпохи огня.* – Новосиб. кн. изд-во, 1991.

10. ОККУЛЬТИСТЫ

ДИОН ФОРЧУН:
Психическая самозащита. Пер. с англ. – М., "Двойная звезда", 1993 – 205с.
Мистическая каббала. Пер. с англ. – К., "София", 1995 – 352 с., иллюстр., портр.
Тайное без вымыслов (+Элифас Леви. Учение и ритуал высшей магии.) Пер. с англ. – М., REEL Book, 1994 – 384 с.

11. ТРАДИЦИОНАЛИСТЫ

ГЕНОН, РЕНЕ:
Кризис современного мира. Пер. с франц. (+ предисл., биогр.) – М., "Арктогея", 1991 – 160 с.
Царство количества и знаки времени. Пер. с франц. – М., "Беловодье", 1994 – 304 с.

ЭЛИАДЕ, МИРЧА:
Космос и история (избр. работы +предисл., коммент., послесл.). Пер. с франц.. – М., "Прогресс", 1987.
Священное и мирское. Пер. с франц. (+предисл., франц. библиогр.) – М., Изд-во МГУ, 1994 – 144 с.

12. ИССЛЕДОВАТЕЛЬ ЗАПРЕДЕЛЬНОГО

АНДРЕЕВ, ДАНИИЛ:
Собрание сочинений в трех томах (1. Русские боги. 2. Железная

мистерия. 3. Роза Мира. +предисл., коммент.) – М., "Молодая гвардия", 1992 – 1300 с., портр., иллюстр.

Роза Мира. – М., "Иной Мир", 1992 – 575 с.

Роза Мира. – М., "Прометей", 1991 – 286 с.

Роза Мира. – Петрозаводск. "Карелия", 1994 – 296 с.

Роза Мира (+послесл.). – М., "Руссико", 1991 – 286 с.

Русские боги (+предисл., послесл., коммент.). – М., "Современник", 1989 – 396 с., портр., иллюстр.

Железная мистерия (поэма). М., "Мол. гвардия", 1990

Роза Мира. М., "Клышников-Комаров и Ко", 1993 – 302 с.

13. ВИДЯЩИЕ

ДОН ХУАН МАТУС (О НЕМ):
Кастанеда, Карлос:

1. Учения дона Хуана: путь знания индейцев яки. Пер. с англ. (+предисл.) – М., "Миф", 1991 – 156 с.

1.-3. Учения дона Хуана: путь знания индейцев яки. Отдельная реальность. Путешествие в Икстлан. Пер. с англ. – К., "София", 1993 – 630 с., иллюстр.

2. Отдельная реальность. Пер. с англ. – М., "Миф", 1991 – 223 с.

3. Путешествие в Икстлан. Интервью К., Кастанеды. Пер. с англ. – М., "Миф", 1992 – 239 с.

3. Путешествие в Икстлан. Пер. с англ. – Рига. "Расма", 1991 – 253 с.

4.-5. Сказки о силе. Второе кольцо силы. Пер. с англ. – К.,"София", Ltd., 1992 – 608 с.

6.-7. Дар Орла. Огонь изнутри. Пер. с англ. – К.,"София", Ltd., 1992 – 590с.

8. Сила безмолвия. (+Флоринда Доннер. Сон ведьмы.) Пер. с англ. К., "София", 1993 – 292 с.

9. Искусство сновидения. Пер. с англ. – К.,"София", Ltd., 1993 – 320 с.

Дар Орла. В 2-х тт. Пер. с англ. – М., "На Воробьевых", 1994. – 414 с.

Дверь в иные миры (1-2 кн.). Пер. с англ. – Л. "Васильевский остров", 1991 – 309 с.

Дон Хуан. В 2-х тт. (1-2 кн.). Пер. с англ. – Обнинск. "Ирина-4", 1991 – 526 с.

14. ПРОРОКИ "НОВЫХ РЕЛИГИЙ"

РАДЖНИШ, БХАГАВАН ШРИ (ОШО):

"Алмазная сутра". Пер. с англ. – Б.м., 1993 – 183 с.

"Алмазная сутра". Пер. с англ. – М., 1993 – 191 с.

"Алмазная сутра". Пер. с англ. – К., Об-во ведич. культуры, 1993 – 244 с.

"Алмазная сутра". Белый лотос (коммент. к беседам Бодхидхармы). Пер. с англ. – М., "ТриЛ", 1993 – 459 с., иллюстр.

Библия Раджниша. В 4-х тт. Пер. с англ. – М., 1994 – 1500 с.

Будда: Пустота Сердца. Пер. с англ. – М., ЦДК "Единство". 1993 – 158 с.

Вигьяна Бхайрава Тантра: Книга тайн. (Новый комментарий). В 4-х тт.

Пер. с англ. – М., 1993. – 1700 с.

Горчичное зерно. В 2-х тт. Пер. с англ. – М., 1993 – 1038 с.

Дао: Путь без пути. В 2-х тт. Пер. с англ. – М., 1994 – 828 с.

Дзэн: Книга пустоты. Пер. с англ. – М., !993 – 191 с.

За пределами просветления. Пер. с англ. – М., "Либрис", 1994 – 607 с.

Когда туфли не жмут (о Чжуан-цзы). Пер. с англ. – М., "Либрис", 1993 – 191 с.

Медитация – искусство экстаза. Истинный мудрец: Беседы о хасидизме. Пер. с англ. – М., "ТриЛ", 1993 – 410 с., иллюстр.

Медитация – искусство экстаза. Пер. с англ. – М., ЦДК "Единство", 1993 – 190 с.

Медитация – искусство экстаза. Пер. с англ. – Екатеринбург, изд-во Уральск. ун-та, 1993.

Мудрость песков: Беседы о суфизме. Пер. с англ. – М., "Либрис", 1993 – 542 с.

Начало начал. Пер. с англ. – М., 1992 – 79 с.

Начало начал. Пер. с англ. – М., "Либрис", 1992 – 79 с.

Начало начал. Пульс абсолюта (+биография). Пер. с англ. – М., ИПА "ТриЛ", 1993 – 416 с.

Ни воды. ни луны. Тантра: высшее понимание. Пер. с англ. – М., ИПА "ТриЛ", 1993 – 411 с., иллюстр.

Оранжевая книга. Измерения неведомого. М., "Макет", 1991 – 280 с.

Пока вы не умрете. Мудрость песков: Беседы о суфизме. Пер. с англ. – М., ИПА "ТриЛ", 1994 – 461 с., иллюстр.

Приходи, следуй за Мною (о христианстве). В 4-х тт. Пер. с англ. – М., 1994 – 1200 с.

Психология эзотерического. Корни и крылья. Пер. с англ. – М., 1992 – 380 с.

Психология эзотерического. Пер. с англ. К., Об-во ведич. культуры, 1993 – 134 с.

Син Син Мин: книга ни о чем. Поиск (беседы о дзэнских сутрах). Пер. с англ. – М., ИПА "ТриЛ", 1994 – 428 с.

Тантра: высшее понимание. Пер. с англ. – М., 1993 – 207 с.

О НЕМ:
Свами Сатья Ведант. *Пробуждение (биография Ошо).* М., 1994 – 151 с.

15. МИСТИКА И ПОЛИТИКА

ГАНДИ, МОХАНДАС КАРАМЧАНД:

Моя жизнь (автобиография, главы из "Хинд Сварадж", статьи и речи, предисл., глоссар.). Пер. с англ. – М., "Наука", 1969 – 612 с., портр., иллюстр.

Педагогика правды и ненасилия. Пер. с англ. – Симферополь, изд-во Симф. гос. ун-та., 1993

О НЕМ:
Датта, Д. *Философия Махатмы Ганди.* Пер. с англ. – М., "Изд-во иностр. лит.", 1959.

Горев, А. В. *Махатма Ганди.* М., "Межд. отн.", 1989 – 350 с., портр., иллюстр.

16. МЕЖДУ МИСТИКОЙ И НАУКОЙ

ЦИОЛКОВСКИЙ, КОНСТАНТИН:

Монизм Вселенной. – Калуга. 1-я Гос. типо-лит., 1925 – 32 с.

Нирвана. Калуга, изд. автора, 1914 – 32 с., иллюстр.

Причина Космоса. – Калуга. 1-я Гос. типо-лит., 1925 – 33 с.

Причина Космоса. Воля Вселенной. Научная этика. – М., "Космополис", 1991 – 87 с., иллюстр.

К., Э. Циолковский: неизвестные разумные силы (+предисл.). – М., "Мос. рабочий", 1991 – 44 с.

О НЕМ:

Арлазоров М., С. *"Циолковский, его жизнь и деятельность"* – М., 1952, 1957.

ЮНГ, КАРЛ ГУСТАВ:

Архетип и символ. (Сборник статей, предисл., коммент..) Пер. с нем. – М., "Ренессанс", 1991 – 290 с., портр.

Воспоминания, сновидения, размышления (+коммент., глоссар.). Пер. с нем. – К., "AirLand", 1994 – 405 с.

Аналитическая психология (+предисл.). Пер. с англ. – СПб., МЦНКИТ "Кентавр", 1994 – 136 с., иллюстр.

Один современный миф: О вещах, наблюдаемых на небе (+послесл.). Пер. с нем. – М., "Наука", 1993 – 190 с.

Проблемы души нашего времени (+предисл.). Пер. с нем. – М., "Прогресс", 1993 (переизд. 1994) – 329 с.

Либидо, его метаморфозы и символы. Пер. с нем. – СПб., Вост.-европ. ин-т психоанализа, 1994 – 414 с.

Психологические типы. Пер. с нем. – М., "Алфавит", 1992 – 104 с.

Современность и будущее. Пер. с нем. – Минск. ун-т, 1992 – 60 с.

Карл Густав Юнг о современных мифах (сборник, +предисл., коммент.). Пер. с нем. – М., "Практика", 1994 – 251 с., иллюстр.

18. ИМЕННОЙ УКАЗАТЕЛЬ

А

Абрамелин (маг) 312
Абхей, Саран Де 424
Августин (Блаженный) 44, 54
Авель 65
Аверроэс 54
Авраам 434
Адам 205, 211, 299, 335
Адам Кадмон 302
Адамски, Джон 438
Ади-будда 140
Айвасс (дух) 309
Аламо, Томми и Сьюзи 429
Александр Великий (Македонский) 261, 448
Александр IV Борджиа 307
Андерхилл, Ивлин 287-290
Андреев, Даниил 347, 348, 350-354, 356, 358, 427, 469
Андреев, Леонид 348
Антихрист 211, 215, 217
Арджуна 412
Аристотель 54
Арнольд, Метью 26
Аррениус 483
Архимед 155
Ауробиндо, Шри 76, 90, 92-102, 448
Афродита 300, 317

Б

Бабаджан 391, 397

Банкэй 171, 172
Бах, Ричард 24, 44, 56, 58, 59, 60, 61, 62, 64
Баха-улла, Абдул 427
Безант, Анни 79, 82, 257, 269, 281, 449
Беллами 472, 475
Беме, Якоб 261, 347, 350
Бендер 461
Беннет Дж. Г. 183
Беннет, Алан 183, 309
Берг, Дэвид Бранд 430, 439
Бергсон, Анри 295
Бержье, Жак 444
Блаватская, Елена 257, 274, 277, 281, 471
Блэквуд, Эдвард 287
Бодхидхарма 148, 155
Босуэлл 372
Брайль, Льюис 26, 27
Брантон, Пол 391
Браун, Вернер фон 461, 462
Броуди-Иннес, Дж. В. 295
Брэдбери, Рэй 59
Брянчанинов, Игнатий (епископ) 216
Бубер, Мартин 50, 229, 230, 232-240, 254, 376
Будда 55, 62, 65, 66, 73, 113, 114, 117, 118, 124, 125, 128, 138, 143, 144, 147, 148, 151, 155, 157, 158, 160, 161, 195, 269, 281, 390, 395, 399, 401, 405,

417, 431, 449, 465, 481
Бульвер-Литтон, Эдвард 287
Буэр (демон) 309
Бэдуорд, А 434

В

Василий Великий, Св. 214
Вельзевул 310
Вивекананда 211, 213, 257
Вишну Бхаскар Леле 96
Вишну 424
Вотан 496
Вулф, Леонард 27

Г

Гагтунгр 355, 356, 357
Ганди, Мохандас 445, 446, 448-450,
    451, 453-455, 457-459
Гарбо, Грета 33
Гарви, М. 434
Гарднер, Дж. 433, 434, 438, 439
Гаусгофер, Карл 473
Гексли, Томас Генри 26
Гендель, Георг Фридрих 68, 69
Генезистрина 483
Генон, Рене 257, 323, 324, 326-333
Гера 341
Гербигер, Ганс 462, 470-475
Гермес Трисмегист 261
Гесс, Рудольф 473
Гессе, Герман 24, 64-66, 69, 71,
    151
Гете, Иоганн Вольфганг 261-263,
    488
Гинзберг, Алан 154
Гитлер, Адольф 69, 209, 443, 444,
    448, 461, 473, 474, 191
Годар, Полетта 33
Гонджа Бояджиу, Агнесса (см. Тереза)
    220
Грант, Кеннет 303
Грили, Гораций 475
Гумбум Джаягсы Гэгэн 138
Гурджиев, Георгий 62, 87, 163,
    164, 166-174, 176-180, 183,
    269, 372, 383, 393, 418, 475

Д

Дада Гуру 399

Дандарон, Бидия 114, 137-144
Дарриес, Элеонора 429
Деметра 269
Деникен, А. фон 438
Дерветт 92
Джонс 431, 432, 433
Джонс, В. А. 471
Джонс, Джеймс. 431-434, 439
Дзесю 157
Дивайн (Джордж Бейкер) 434
Дионисий 288
Достоевский, Федор 68
Дхиравамса 113, 114, 116-121, 123,
    124, 180

Е

Ева 299

З

Звента-Свентана 357
Зевс 300, 341
Зороастр 390

И

Иванов, Порфирий 76, 105-110,
    469,
Иегова 300
Иоанн Богослов 347
Иоанн (отец Иоанн Кронштадский)
    202
Иоанн Дамаскин, Св. 214
Иоанн, Св. 198
Ишервуд, Кристофер 33

Й

Йейтс, Уильям Батлер 287, 290,
    295

К

Кавендиш, Ричард 317
Каин 65, 66
Кали 221, 300
Калиостро 307
Камю, Альбер 348
Кант, Иммануил 488
Карман, Гьялва 125
Кастанеда, Карлос 222, 361, 362,

372- 384
Келли, Роза 309
Келли, Джеральд 309
Керуак, Джек 154
Кибела 494
Киприан Карфагенский, Св. 215
Кирлиан 265
Китч, Марион 438
Конфуций 306
Корбишли, Св. отец 197
Королев, Сергей 462
Коссад, Жан Пьер 224
Кришна 390, 396, 412, 424, 426
Кришнамурти, Джидду 33, 49, 75-
77, 79, 80, 82, 83, 85, 86, 88,
89, 164, 173, 180, 257, 263, 269,
384, 385, 418, 448
Кроули, Алистер 66, 287, 289, 303,
307, 309-321, 433, 444

Л

Ла Вэй, Антуан Шандор 433, 438
Лао-цзы 65
Латьенс, Эмили 77
Леви, Элифас 288, 307, 309, 310,
326
Ледбитер, К. У. 77, 79, 82,
Ленин (Ульянов), Владимир 445
Ливраги, Х.А. 438
Лилит 353, 355
Лоос, Анита 33
Лютер, Мартин 446
Люцифер 212, 354

М

Ма Чжоуи (граф де Пувурвиль)
326
Майтрейя 80
Макен, Артур 287
Мао Цзэдун 209, 431
Маркс, Карл 54, 445
Марли, Боб 436, 440
Матерс, Мойна 295
Матерс, Мак-Грегор 287, 295, 309,
310, 320, 444
Махарадж Джи 371, 388, 399, 402-
406, 439, 440
Махарши, Рамана шри 49, 85,
89,169, 170, 180, 230, 235, 243,

244, 246-254, 381, 388, 395,
404, 406, 408-415, 438, 439
Мень, Александр 192, 202, 204-209
Мертон, Томас 24, 45, 47-55, 199,
201, 202, 252
Мефистофель 433
Мехер Баба 178, 388, 390-399, 439
Минерва 297
Моисей 430
Мольтке, фон 270
Мона Лиза 56
Моррел, Филиппа 27
Моррел, Оттолин 27
Моцарт, Вольфганг Амадей 68
Мун, Сен Мен 427, 428, 438-440
Муруганер 254
Муссолини, Бенито 317
Мухаммед (Магомет) 77, 390, 452
Мэнсон, Чарльз 433, 439
Мэнсфилд, Кэтрин 179
Мюнцер, Томас 446

Н

Нарания, Нитьянанда 77
Нараян Махарадж 397
Нептун 297
Несбит, Эдвард 287
Ни, Мария 27, 31, 34,

О

Оруэлл, Джордж 333

П

Павел, Св. 198
Павсаний 341
Пайк, епископ 238
Пан 321
Паскаль, Блез 29
Пердурабо (см. Кроули) 307
Петерс, Фриц 178, 179
Пий XII (Папа) 221
Платон 261, 491
По, Эдгар Алан 484
Повель, Луи 177, 444, 477
Погосян 167
Подмошенский, Глеб 212
Пол, Джон 45
Прабхупада (Свами Прабхупада)

424, 425, 439, 440
Прокруст 351
Пта 313, 314
Путятин, князь 274

Р

Ра 313, 314
Раджниш, Чандра Мохан 415
Раджниш, Бхагаван шри (Ошо) 62, 388, 415, 417-423, 438-440
Райан, Лео 432
Рама 458
Рамакришна 257, 278, 279, 281
Рассел, Бертран 33
Ратнасамбхава 296
Рахмилевич 178, 179
Рерих, Елена 257, 274, 281, 283
Рерих, Николай 257, 274, 277, 278, 281, 283, 284
Рерих, Юрий 284
Рерихи (Николай и Елена) 257, 258, 274, 277-279, 281-284
Рескин, Джон 446, 451
Риндзай 160
Ринпоче, Аконг 125, 135
Ришар, Мирра 95, 96, 99, 101, 102
Ришар, Поль 76, 99
Робинсон, Джон 50, 238
Розенберг, Альфред 473
Роуз (отец Серафим) 192, 204, 211-213, 215-218
Рофэ, Хусейн 183
Рубин, Джерри 62
Руми, Джелаладин 370

С

Савонаролла, Доменико 446
Сай Баба 391, 397
Сайкс, Эдвард 475
Саймондс, Джон 309
Сангхаракшита 248
Сандан, Лубсан 138, 139
Сандерс, Алек 434
Сартр, Жан Поль 151, 348
Сатпрем 76, 90, 102
Свами Брахмананда Сарасвати 411
Сведенборг, Карл 347, 350
Светлов, Михаил 202

Семенов, атаман 139
Сиверс, Мария фон 269
Сократ 198
Сокэй-ан Сасаки 38
Соловьев, Владимир 347
Соломон 315
Сотан 150
Спиайт, Роберт 198
Сталин (Джугашвили), Иосиф 142, 191, 209, 443, 445,
Стивенс, Дж. Р. 428
Субу, Пак 163, 164, 180, 182-188
Судзуки 24, 39, 52, 147, 148, 150-152, 154-158, 418
Суинберн, Элгмон Чарльз 309

Т

Тагор, Рабиндранат 457
Таджуддин 397
Тафари (Хайле Селассие I) 435
Тейлор, Эдвард Барнет 343
Тейт, Шарон 433, 439
Тереза (мать Тереза) 192, 220-222, 224-226,
Тереза, Св. 288
Тернер, Джозеф Мэллорд 136
Толстой, Лев 274, 446, 451
Трунгпа, Чогьям 114, 125, 127-137, 142, 144, 235, 395
Тузол-Доржи, Агван 138

У

Уорд, Хамфри 26
Уоткинс, Найджел 37
Уотс, Алан 23, 24, 37-44, 82, 89, 151, 230, 235, 247, 252, 293, 368,
Уотсон, Лайэлл 265
Упашни (гуру) 391, 392, 397
Успенский, Петр 167, 174, 372, 475
Уэббер, Ллойд 430
Уэджвуд 80

Ф

Фаут, Вернер 470
Федоров, Николай 109 465
Ферт, Виолетта Мэри 290
Фома (Св. Фома) 54

Форт, Чарльз 462, 475, 477-484
Форчун, Дион 258, 287, 289, 290, 292-300, 302-306
Фрейд, Зигмунд 33, 311, 489-491, 493
Фромм, Эрих 154
Фрэзер, Джеймс Джордж 343
Фуллер, Элеонора 38
Фуллер-Сасаки, Руфь 38

Х

Хаббард, Рон 436-438, 440
Хайдеггер, Мартин 151
Хаксли, Лора 29, 33, 35
Хаксли, Олдос 23, 26-29, 31-35, 51, 71, 151, 335, 390, 414
Хаксли, Тревенен 26
Хаммерсмит, Уильям 138
Хамфрис, Крисмес 37
Ханс, Шри 401, 402, 439
Хардинг, Дуглас 361, 362, 364-372, 375, 378, 383, 384
Хенаро (Дон Хенаро) 378
Херд, Джеральд 28
Хираг, Лия 317
Хой-нэн 370
Хомейни (аятолла Хомейни) 333, 445
Хоронзон 315-317
Хоу, Эрик Грэхэм 37
Христос, Иисус 38, 47, 48, 61, 62, 77, 109, 191, 192, 197-199, 201, 204, 213-217, 220, 222, 223, 225, 269, 281, 311, 390, 396, 397, 399, 401, 402, 405, 428-431, 451, 494
Хуан (Дон Хуан) 222, 361, 362, 372, 374-384
Хуан де ла Крус, Св. 55
Хусейн, Али Нури 427

Ц

Цезарь 443
Циолковский, Константин 462, 463, 465-469, 475

Ч

Чайтанья, Шри 424, 425
Чаплин, Чарльз 33
Чарльз, Уильямс 287
Черчилль, Уинстон 457
Чжуан-цзы 54, 55
Чиме, Ринпоче 125, 135
Чиранья, Рой 439

Ш

Шакорнак, Пьер 332
Шакти 93, 94, 299, 300, 317
Шапошникова, Елена 274
Шарден, Тейяр де 48, 54, 139, 191, 192, 194-201, 204, 208, 213, 232, 237, 328, 413, 481
Шива 299, 244
Шила Ма Ананд 422, 423
Шопенгауэр, Артур 488
Шпенглер, Освальд 339
Шредингер, Эрвин 379
Штейнер, Рудольф 347
Штейнер, Рудольф 100, 257-270, 272, 273, 347, 351, 354, 465

Э

Эванс, Генри 296
Эвола, Юлиус 332
Эдип 491
Эйнштейн, Альберт 462
Экхарт (Мейстер Экхарт) 151
Элиаде, Мирча 324, 332, 335-339, 341, 343
Энгельс, Фридрих 54
Эрендейл, Джордж 79

Ю

Юм, Дэвид 250
Юнг, Карл Густав 151, 154, 324, 332, 336, 337, 463, 487-497

А

Абсолют 19, 281, 481, 482
Аван-дуди 140
Аватара 390, 392, 396, 397, 399
Агни 17, 76, 102
Агни йога 278, 281, 282, 283
Агностицизм 28
Адвайта веданта 243, 254, 366, 370
Адепт 428, 429
Ади-будда 140
Айн соф аур 290, 292
Аламо 429
Алая-виджняна 140
Аллегория 491
Алхимик 287, 494
Алхимия 331, 487, 494
Альфа и омега 295
Амеба 483
Американская лига ведьм 441
Амхари 435
Анабиоз 483
Аналитическая психология 496
Ананда 95
Ангел 211, 217, 304, 312, 313, 478, 484
Ангел-хранитель 312
Ангелы света 215
Ангелы-демоны 289
Анима 463, 492, 494
Анимус 463, 492
Антарес 355
Антихрист 60, 331, 356, 357, 358

Античные мистерии 287
Антропология 337
Антропософ 326, 347
Антропософия 262, 270, 347
Апокалипсизм 21
Апокалипсис 348, 358
Апория 158
Апостол 15, 215, 216
Арийская физика 462
Армагеддон 278
Арта 13
Арунгвильта-прана 353
Архат 160
Архетип 261, 262, 332, 336, 463, 491, 494
Аскеза 110
Аскет 457
Астральное тело 266, 353
Астральный план 79
Астральный космос 15
Астрология 306
Астрофизик 470
Атеизм 209, 494, 496
Атеист 493
Атлант 472
Атлантида 269, 356, 471, 472, 473, 475
Атом 465, 466, 469
Атхарваведа 341
Аум (ом) 281
Ахимса 445, 451, 457-459
Ачитта 157
Ашрам 95, 99, 102, 392, 393, 3

415, 417, 422, 423, 440, 441, 446

Аштавакра гита 251

Аятолла 445

Б

Бабит 427

Багряная жена 317

Бакалавр 326

Баха-улл 427

Бахаизм 426, 427

Бахаист 427

Безголовость 364, 370-372

Бессознательное 311, 312, 332, 333, 335, 418, 420, 444, 463,488-494, 496

Бессознательное, индивидуальное 489

Бессознательное, коллективное 490, 493-496

Бесы 215, 216

Библия 204, 205

Бина 300

Бог 18, 19, 488, 494, 495, 496

Богочеловек 207, 209

Богочеловечество 206

Бодхисаттва 58, 71, 125, 127, 128, 132, 136, 138, 141, 143

Божественное откровение 206, 208

Божественный принцип 428, 439

Большевизм 209, 270

Большевик 191, 277

Брамин 77, 401

Брамфатура 352, 353, 355

Братство сармунг 167

Братство Субуд 183, 186

Братство внутреннего света 295, 296

Братство св. Германа 212

Брахман 248

Брихадараньяка-упанишада 341

Бронзовый век 20, 328

Буддизм 23, 24, 28, 39, 44, 52, 53, 58, 113, 114, 122, 127, 133, 137-139, 142, 144, 151, 204, 211, 292, 368, 388, 390, 395, 437, 445, 449

Буддийская мантра аум (ом) 320

Буддист 35, 58, 199, 229, 260, 368, 481

Будхи 182, 183

Бхагавад-гита 92, 396, 399, 412, 425, 449

Бхакти 394, 406

Бхакти-гуру 399, 423

Бытийность 51

В

Ваби 148, 150

Ваджра сатва мантра 127

Ваджраяна 114, 143, 144

Вакханалия 300

Вальдорфские школы 273

Веданта 28, 39, 211, 212, 213

Веды 92, 212, 248

Ведьма 287, 440, 492

Век завершенного завета 439

Велга 355

Великий зверь апокалипсиса 307

Вера алтаря 428

Ветхий Завет 206

Вибрация 402, 405

Видение 362, 364, 369, 371, 375, 376, 378, 381

Виджняна 138, 140

Видящий 368, 378

Визионер 347

Випассана 117, 118, 120, 409

Вирус 483

Витальное 95, 96

Витальные центры 95

Витальный разум 95

Вичара 19

Вишнуизм 448

Вождь 443-445, 457, 474

Воин 380

Восточная йога 306

Восьмеричный путь 269

Восьмиконечный крест 437

Время огня 473

Всеобщее 481, 482

Всеобщность 481, 482

Г

Гаввах 355

Галлюциноген 375

Гандж 435

Гексаграммы 306

Гербигерианское общество 474
Гербигерианство 462, 472, 473,
     474, 475
Гетеанум 270
Гибель богов 475
Гигант 472, 473, 474, 484
Гипер-рацио 17
Гипер-реальность 17
Гипер-эго 17
Глоссолалия 216
Гляциальная космология 462, 471,
     470, 473, 474
Гнозис 127
Гностик 287, 354
Гностицизм 192, 205, 347, 354, 494
Гомункул 13
Гондвана 356
Горчичное зерно 418
Грех 205, 212, 213
Грехопадение 208, 212, 335
Греческая православная церковь
     216
Гроссмейстер 326
Грязевой дождь 477
Гуру 213, 246, 249, 369, 388, 391,
     392, 394, 395, 399, 401-406,
     411, 415, 421, 423, 424, 433,

Д

Даат 292, 302, 303
Даймон 353, 358, 359
Далай-лама 135, 166
Дао 292
Даос 76, 326
Даосизм 24, 23, 39, 53
Даршан 248, 446
Движение сознания Кришны 425,
     430
Дедукция 158
Демиург 358
Демон 192, 211, 215, 309, 311,
     312, 315-317, 331, 338, 478, 484
Демонический 332, 359
Денница 354
Деспиритуализация 495
Дети бога 430, 439, 440
Детка 109
Джнана 408, 423
Джнана-йога 366

Джняна 127
Джонстаун 432, 433
Дзэн 39, 44, 52, 53, 89, 147, 148,
     150-152, 154-160, 163, 395, 409,
Дзэн-буддизм 24, 37, 39, 52, 53,
     144, 250, 370, 418, 427
Дзэн-буддист 85, 296, 368, 384
Дианетика 437, 438
Дихотомия 158
Догма 329, 493
Доктрина 326
Древо жизни 293, 305, 306
Древо жизни, кабалистическое 288
Дуализм 158
Дхамма 114, 124
Дхарма 13, 137, 182, 183
Дхармакайя 55
Дхармараджа 138
Дхоти 406
Дьявол 216, 428

Е

Е-измеритель 437
Евангелие 201, 204, 205
Евгеника 467
Евхаристия 300
Единица 330
Единство 330
Езид 166
Епифания 12
Есть-ность 137

Ж

Железный век 20, 328
Жертва 443-445
Жертвоприношение 314, 433
Живая этика 258, 274, 277-284
Жизненный путь 428

З

Завершенный завет 428
Завет 209
Затомис 353, 358
Зеленые солнца 477
Земля 470
Знак 331
Знаки чашек 484
Золотой век 20, 328

Золотой рассвет (тайное общество) 287, 290, 295, 307, 309, 310
Зомби 175

И

Иалтабаоф 354
Ивга 355
Идам 144
Идеалист 478, 479
Идиот 15
Иезод 303
Иерарх 324
Иерогамия 341
Иерофания 335, 336, 337
Изумрудная скрижаль 261
Иисус-революция 429, 430, 440
Иммиграция 483
Инволюция 339
Индивидуация 493
Индийский национальный конгресс 451, 457
Индология 64
Индуизм 13, 23, 28, 49, 194, 198, 204, 212, 213, 258, 368, 383, 403, 406, 412, 445, 449, 453,
Индуист 199
Индукция 158
Индус 212, 244, 253, 274, 304
Индусская йога 304
Инициация 336, 341, 343, 401, 403
Инкарнация 16, 77
Инопланетяне 438, 484
Инстинкт 485, 492
Институт наропа 136
Интеллектуальная интуиция 20
Интермедиатизм 480
Интермедиатист 479
Инь 299
Ирольн 354
Исихазм 327
Искупление 211
Ислам 163, 192, 327, 427, 445
Ист 176
Иудаизм 158, 192, 236, 327, 494
Иудей 214, 236
Иудейская религия 163, 204
Ицзин 306

Й

Йога 92, 94, 96, 100, 143, 211, 280, 306, 421, 422, 427
Йога, интегральная 76, 93, 95-97
Йога, каббалистическая 289
Йогический 306

К

Каббала 192, 205, 287-290, 292, 294, 295, 306, 327, 494
Каббалист 287, 292, 304
Кали-юга 20, 244, 323, 328
Кальпа 446
Кама 13
Кантиантство 139
Каратэ 455
Карлик 473, 484
Карма 140, 141, 159, 160, 355, 410
Карнатантра 143
Каса 148
Кастрация 494
Касты 448
Катаклизм 14
Катарсис 419, 421
Католик 197, 493
Католичество 211, 212, 217
Квадрат 463
Квакер 187
Кентавр 482
Кетер 292, 298, 299, 302, 303
Кинхин 148
Клеша 140, 141
Ключ к мировым событиям 470
Книга Бытия 208
Книга дзиана 471
Книга проклятых 477, 483, 484
Коан 154, 157, 158, 370
Ковены 433
Колдовство 434, 438
Колдун 372, 380, 384
Кольцо силы 382
Коммунизм 428, 441, 443
Коммунист 445
Коммунистические утопии 281
Конклав 13
Коннотация 388
Контрреформация 212
Конфирмация 488

Конфуцианство 212
Коромо 148
Космическая философия 465
Космология 347
Красный дождь 477
Крещение 216, 217, 493
Кридж 399
Кризис 330, 332
Крипторелигиозность 335
Кришнаизм 424, 425
Кришнаит 424, 425, 426
Кровавые ливни 477
Культ 474, 484
Культы сатаны 433
Кунг-фу 455
Кундалини 295, 303, 421

Л

Лама 125, 127, 137, 139, 142
Ламия 492
Латихан 164, 182, 183, 186-188
Лед 470, 471
Лемурийская эпоха 16
Лемурия 269
Лепрозорий 487
Либидо 311
Логос 152, 355, 356, 406
ЛСД 32, 33, 35, 37
Луна 471-474, 483

М

Маг 307, 311-314, 318, 319
Магия 11, 208, 296, 307, 314, 317, 319, 443
Магия, практическая 287
Мадхъямика 55
Майя 253, 263
Малкут 288, 292
Мандала 292
Мандали 392, 393, 394
Мантра 86, 388, 405, 406, 408- 412, 421, 426
Мантры гуру йоги 127
Маны 304
Марс 470
Мартинист 326
Масон 324, 326, 331, 449
Масонство 331
Маст 394

Материалист 488
Махабхарата 412
Махатма 274, 277, 278, 280, 282-284, 403-405, 446, 457,
Махаяна 28, 113, 128, 138, 142, 368
Махаянист 138, 142, 147
Махаянический 114
Медитация 27, 29, 32, 44, 47, 54, 69, 70, 83, 94, 95, 100, 113, 114, 116-118, 120, 135, 138, 143, 296, 304, 306, 367-369, 401, 403, 405, 409, 411-413, 415, 417, 419, 420, 422, 423
Медитация – искусство экстаза 418
Медитация, динамическая 422, 440
Медитация, каббалистическая 298, 304
Медиум 79, 216
Мескалин 28, 29, 31, 32
Мескалито 374
Мессианство 80
Мессия 388, 438
Метаболизм 413
Метаистория 347, 350, 351, 354, 358
Метакультура 353
Метаморфозы и символы либидо 489
Метафизик 332, 333, 347, 418, 462, 475
Метафизика 9, 16, 351
Методист 451
Мехерабад 392, 393, 394
Миссия божественного света 439, 440
Мистерия 301, 342
Миф 444, 445, 463, 471, 472, 474, 475, 478, 483, 487, 489, 491, 493
Мифология 335, 336, 337, 438
Мокша 13
Монада 351, 353, 354, 355, 356, 357, 358, 359
Монада-стихиаль 353
Монизм Вселенной 465
Монизм, конвенциональный 481
Мукти 213
Муладхара-чакра 421
Мусульмане 214, 327
Мутация 12

Н

Нагваль 383, 384
Надсаргассово море 483
Народный храм 440
Нацизм 209, 473
Национал-социализм 443, 473, 474
Национал-социалистическая партия 317
Нацист 191, 289, 444
Не-вещь 367
Не-деяние 382
Невроз 420, 421, 488, 493
Невротик 493
Негус 435
Недвойственность 143, 144
Недеяние 107, 382
Необъяснимое 484
Неофит 343
Нереальность 481, 482
Несуществование 369
Нирвана 13, 32, 96, 97, 127, 128, 138, 140, 142, 160, 199
Ничто 481, 482
НЛО 438
Новый Акрополь 439
Новый Завет 192, 207, 217
Норэпинефрин 413

О

Обряд 338
Объединенная церковь 427, 428, 438
Оккультизм 191, 287, 289, 307, 309, 310, 317, 318, 424, 444, 465
Оккультист 144, 287, 304, 310, 318, 324, 326, 331, 444
Оккультная иерархия 80
Оккультные учения 287
Олимп посвященных 12
Ом (аум) 213
Операция тетан 437
Оранжевая книга 418
Орден 324, 326, 332, 444, 484
Орден восточного храма 263, 310
Орден звезды 79, 80, 81
Основания откровения 439
Откровение 12, 211, 206, 208, 317, 347

Отрицательность 479, 481
Отроки для христа 439
Охлократия 329

П

Пакт Рериха 284
Парадигма 12
Парамита 125
Парапсихология 488
Парламент религий 213
Парс 388
Партия 444
Патология 485
Пацифизм 434
Пейот 374, 375, 378, 379, 382
Пентаграмма 443
Первопричина 466
Письма мо 430
Плерома 197-201
Плимутские братья 307, 362, 451
Позитивизм 478
Позитивист 478
Положительность 479, 480
Полуигва 358
Посвящение, магическое 287
Посвящениие 326, 331, 341, 342, 343, 418, 434, 444
Православие 202, 204, 209, 216-218
Православная вера 202
Православная церковь 192, 202, 212, 217
Православное христианство 192
Православный христианин 209
Праджня 125, 132
Прана 353
Прапамять 15
Принцип 20, 327, 328, 329, 330, 331, 333
Причастие 493
Проекция 481, 491
Пролетариат 445
Пророк 13, 15, 474
Пророчество 330
Просветление 125
Протестант 487, 492, 493
Протестантство 38, 211, 212, 217, 494
Психоанализ 289, 294
Психоаналитик 493

Психоз 487, 488
Психолог 485, 492
Психотерапевт 488
Психотехника 9
Пустота 365-368
Путь Марии 31, 71
Путь Марфы 31, 71
Путь воина 381
Пятидесятник 215
Пятикнижие 212

Р

Раджниш-центр 415
Раджнишпурам 422, 423, 441
Раса, "нордическая" 473
Растаман 435, 436
Растафари 434, 436
Рацио 17
Реальность 481, 482
Ригведа 281, 412
Риндзай (школа) 148, 157, 159
Ритуал 337, 341, 343, 428, 429, 433,
    434, 443, 444, 493
Рождество 12
Роза мира 350, 357, 358, 427
Розенкрейцер 261, 287
Рольпа-дордже 125
Русалка 492
Рыфра 355
Рыцари внутреннего круга 317
Рэггей 436

С

Садомазохизм 434
Садху 244
Сайентология 437, 438
Сакуала 352, 353
Сальватэрра 354, 358
Самадхи 143
Самовоспоминание 173, 174, 177
Самость 17, 368
Самъя-линг 135
Сангхья 114
Сансара 138-143, 160
Санскрит 140, 335
Саньяса 96
Саньясин 417
Сарводайя 451
Сат-чит-ананда 31

Сатана 217, 331, 428, 433, 445
Сатанизм 144, 289, 424
Сатанинская библия 433
Сатанист 289, 314, 433, 434, 439
Сатгуру 397, 399
Сатори 154, 155, 156, 158, 160
Сатсанг 399, 404, 405
Саттипаттана сутра 118
Сатурналии 341
Сатьяграха 454, 456, 457, 458
Сатьяграха ашрам 457
Свастика 443
Сверх-Я 493
Сверхсознательное 98
Сверхсущество 109
Свет азии 449
Святой дух 20, 215-217
Святые таинства 216
Сексуальность 492
Секта 478
Семь башен сатаны 331
Семь центров 331
Серебряннная звезда 310
Серебрянный век 328
Сефира 292, 293, 297, 298, 302
Сефирот 292, 296, 297, 302, 306
Символ 332
Симулякр 12, 21
Синие луны 477
Синклит Человечества 354, 358
Сирена 492
Сказки силы 383
Скандха 140
Смрити 35
Снежный человек 478
Сновидение 47, 48, 488
Сознание Кришны (общество) 440
Сокка Гаккай 427
Сокровенное имя Бога 320
Солнце 469, 470, 474
Софизм 158
София 21, 327
София эпинойя 354
Социальная мистика 445
Союзник 382
Спасение 208
Спирит 326, 331, 332
Спиритизм 191, 211, 465, 488
Стихиаль 353, 358, 359
Субуд 182, 183, 187, 188

Суеверие 337
Суккуб 492
Суннит 13
Супраментальное 99, 100, 102
Сурти 246
Сусила 182
Сутра 148
Суфизм 49, 163, 164, 324, 327, 388,
      418
Суфий 163, 164, 421
Сфинкс 12
Сыроедение 431

Т

Тайная доктрина 471
Такость 128
Тамплиер 326, 331
Тантра 142, 143, 144, 213, 292, 309,
      388, 418, 427
Тантра, тибетская 289, 317
Тантризм, тибетский 296
Тантрическая йога 142, 292, 294
Тантрический буддизм 137, 142,
      143, 258
Тарелочник 438
Таро 287, 289, 306, 312, 318, 320,
      494
Татами 148
Тевтонский орден 473
Телемское аббатство 317
Тело эфирное 353
Тень 463, 491, 492
Теократ 329
Теократия 333
Теолог 483
Теология 488
Теософ 81, 257, 263, 326, 331, 332,
      449, 475
Теософия 191, 257, 269, 274, 281,
      397
Теософское общество 77, 79, 82,
      257, 263, 269, 274, 277
Теофания 12
Тетраграмматон 320
Тифарет 292, 302, 303
ТМ (трансцендентальная медитация)
      388, 413, 414, 415, 439, 440
Толкование сновидений 488
Тональ 383

Точка омега 481
Традиционализм 9, 323, 324
Традиционалист 323, 324, 332
Традиция 20, 21, 323, 324, 326-333,
      335, 337, 344
Трансфизика 350, 351
Трансформа 358
Третий закон термодинамики 413
Третий Рейх 310, 444, 474
Третий, "тепловой", глаз 403, 474
Троица 15, 488, 494
Тулку 125, 135
Тхеравада 113, 114

У

У-вэй 38
Уицраор 355, 356
Универсум 485
Упайя 127
Упанишады 35, 92
Упдеш 399, 401
Управляемая глупость 381
Утопия 467, 469

Ф

Фаворский свет 15
Факир 390
Фау-2 461
Фея 492
Физическое тело 353
Философский камень 494
Футуролог 469
Фюрер 444

Х

Хаос 337, 338, 341, 471
Хаотическая медитация 421, 422
Харизма 395, 443
Харизматик 216
Харизматические христиане 215
Харизматическое христианство 215
Хасид 236
Хасидизм 163, 236
Хасидим 236
Хинаяна 113, 142, 142, 144
Хинду махасабха 458
Хиппи 417, 430, 436
Хокма 299, 300

Храм народов 431, 432, 435, 439, 440

Христианин (е) 37, 38, 47, 48, 51, 60, 61, 191, 197, 204, 205, 212, 214-218, 304, 306

Христианская медитация 217

Христианская мистическая ложа теософского общества 295

Христианская наука 293, 478

Христианская церковь 191, 209

Христианство 23, 24, 38, 39, 45, 47, 49, 51-54, 191, 192, 206, 207, 212, 213, 216, 217, 306

Ц

Царство божие 205, 209

Цензура 488

Центр медитации карма дзонг 135

Центр медитации тигрового хвоста 135

Церковь бога сатаны 433, 439

Церковь истинного мира 430

Цикл 323

Цинь 158

Ч

Чакра 95, 269, 421

Чань 147

Чаохун 117

Черная магия 289, 312

Черный папа 433

Черный пророк 434

Черный снег 477

Четверица 494

Чит-агни 95

Ш

Шабаш 423

Шаданакар 352, 353, 354, 355, 357, 358

Шадили 332

Шаман 216, 378

Шаманство 144, 382

Шамбала 258, 274, 277, 282, 283, 331, 446

Шельт 353, 357

Шиваизм 427

Шиваит 439

Шизофрения 421

Шиит 13

Шишковидная железа 474

Шунья 138, 147

Шуньята 55, 143

Э

Эволюционизм 478

Эволюция 339, 483

Эго 16, 23, 51, 485, 496

Эдипов комплекс 491

Эйфория 369

Эйцехоре 355

Экагара 157

Экзистенциализм 139

Эксгибиционизм 434

Экстаз 391

Экуменизм 211, 213

Экуменист 213

Энграмма 437

Энроф 351, 355, 356, 358, 359

Эон 13

Эсхатология 323

Эфирное тело 265, 353

Ю

Юга 20, 244, 328, 448

Юрский период 471

Я

Яки 372

Ян 299

Янтра 292

Datura inoxia 378

Mass media 13

Mysteria mistica aeterna 263

Ordo templi orienti 310, 317

Psyche 485

Psylocybe 378

Tremendum 496

Элизабет Вандерхилл

**ЭНЦИКЛОПЕДИЯ
МИСТИКИ XX ВЕКА**

Оригинал-макет подготовлен издательством «МИФ»

Подписано в печать с готовых диапозитивов 12.03.2001 г.
Формат 70×100^1/16. Бумага офсетная. Печать офсетная.
Усл. печ. л. 48,1. Тираж 10 000 экз. Заказ № 110.

Общероссийский классификатор продукции
ОК-005-93, том 2; 953000 — книги, брошюры

Гигиеническое заключение
№ 77.99.14.953.П.12850.7.00 от 14.07.2000 г.

ООО «Издательство Астрель»
Изд. лиц. ЛР № 066647 от 07.06.99 г.
143900, Московская обл., г. Балашиха, пр-т Ленина, 81

Издательство «МИФ»
125047, Москва, ул. 1-я Брестская, 34

ООО «Издательство АСТ»
Изд. лиц. ИД № 02694 от 30.08.2000 г.
674460, Читинская обл., Агинский р-н, п. Агинское, ул. Базара Ринчино, 84
Наши электронные адреса:
www.ast.ru
E-mail: astpub@aha.ru

ОАО «Санкт-Петербургская типография № 6».
193144, Санкт-Петербург, ул. Моисеенко, д. 10.
Телефон отдела маркетинга 271-35-42.

ЭНЦИКЛОПЕДИЯ СВЕРХЪЕСТЕСТВЕННЫХ СУЩЕСТВ

Уникальное издание, в котором предпринята попытка свести воедино разрозненные сведения о так называемых «сверхъестественных существах». Гномы и домовые, эльфы и карлики, василиски, драконы, единороги и прочие волшебные создания предстанут перед читателем как живые. Эта энциклопедия составлена на основе материалов по германо-скандинавской, кельтской, индуистской, ведийской, славянской, японской, китайской, арабской и другим мифологическим системам. В состав энциклопедии входит бестиарий — описание фантастических животных, рыб и птиц.

ЭНЦИКЛОПЕДИЯ СИМВОЛОВ, ЗНАКОВ, ЭМБЛЕМ

Настоящая энциклопедия — уникальное издание, в котором символы даются на стыке религии, мифа и науки. Помимо традиционного подхода — толкования и описания символов — составителями предпринята попытка представить символ как акт непосредственного переживания, как мост, соединяющий разные планы бытия. Не обойдена вниманием и роль символического мышления в архитектуре, музыке, искусстве.

ЭНЦИКЛОПЕДИЯ КОЛДОВСТВА И ДЕМОНОЛОГИИ

Эта энциклопедия — единственный в своем роде труд, в котором собран, переведен и систематизирован огромный материал из разных, в том числе редчайших, источников: гравюры экзорцизмов, пыток ведьм и черных месс; протоколы допросов, отчеты об основных процессах над ведьмами и даже подлинные, в факсимильном воспроизведении, договоры с Дьяволом — все это вошло в исключительно интересную книгу Рассела Хоупа Роббинса.

ЭНЦИКЛОПЕДИЯ ГАДАНИЙ И ПРЕДСКАЗАНИЙ

Будущее — это тайна настоящего. Его нельзя раскрыть, как гробницу Тутанхамона, невозможно рассчитать, как бухгалтерскую ведомость. Будущее можно только предсказывать. Настоящая энциклопедия как раз и служит тому, кто пытается это сделать, потому что «Энциклопедия предсказаний» — настоящее «руководство по будущему» — в ней собраны все сколько-нибудь значительные предсказательные техники: от астрологии, геомантии и хиромантии до экзотических крито- и клеромантий и даже тибетского гадания Шо Мо.

ЭНЦИКЛОПЕДИЯ ТАНТРЫ

Волнующие тайны эроса и секса, малоизвестные эзотерические учения Востока, история и сексуальные символы — все это Вы найдете на страницах «Энциклопедии тантры». Сексуальные техники и упражнения, таинственные религиозные школы и секты, диковинные ритуалы и культы, афродизиаки, священные храмы, учения тантриков и даосов, древние божества и демоны, — перед Вами откроется целый мир древней и современной эротической мудрости.

ЭНЦИКЛОПЕДИЯ МИСТИЧЕСКИХ ТЕРМИНОВ

Термины православной и католической обрядности, иудаизма, ислама, религий Индии и Китая; богатые символикой масонские посвящения; герметические науки: алхимия и каббала; визионеры и теософы; предсказательные и гадательные техники, экзотические ритуалы Вуду и современных сатанистов, а также многое другое из мистического наследия прошлого и настоящего доступно изложено на страницах энциклопедии.

ЭНЦИКЛОПЕДИЯ СУЕВЕРИЙ

Суеверия продолжают жить и в современном, сверхурбанизированном обществе. Эти осколки древних мифов и ритуальной магии заслуживают самого пристального внимания. Почему нельзя здороваться через порог, свистеть в комнате, что нам сулит счастье, а что, наоборот, указывает на недобрый конец, — о первоначальной подоплеке этих, а также о тысячах других табу и предзнаменований Вы узнаете, прочитав иллюстрированную «Энциклопедию суеверий».

ЭНЦИКЛОПЕДИЯ ТРЕТЬЕГО РЕЙХА

Объяснить феномен нацизма пытались по-разному: от до боли знакомых общественно исторических причин, порожденных общим кризисом капитализма, до «пляски святого Витта» в масштабе целого народа. Настоящая «Энциклопедия» призвана восстановить баланс — собранные в ней факты, биографии лидеров нацизма, богатый иллюстративный материал позволяют рассмотреть «зверя из бездны», того самого, над которым более полстолетия назад была одержана Великая Победа.